5,00

CB001266

O DIAMANTE
MALDITO

SUSAN RONALD

O DIAMANTE
MALDITO

Tradução de
ALEXANDRE MARTINS

EDITORA RECORD
RIO DE JANEIRO • SÃO PAULO
2006

CIP-Brasil. Catalogação-na-fonte
Sindicato Nacional dos Editores de Livros, RJ.

Ronald, Susan
R675d   O diamante maldito / Susan Ronald; tradução
Alexandre Martins. – Rio de Janeiro: Record, 2006.

Tradução de: The Sancy blood diamond
Inclui bibliografia
ISBN 85-01-06954-X

1. Sancy (Diamante) – História. I. Título.

                              CDD – 736.23
06-1895   CDU – 736.2

Título original em inglês:
THE SANCY BLOOD DIAMOND

Copyright © Susan Ronald, 2005

Capa: Diana Cordeiro
Imagem de capa: Coroação do imperador Napoleão I, óleo de Louis David
Ilustração de capa (diamante Sancy): Sergio Carreiras

Todos os direitos reservados. Proibida a reprodução, armazenamento ou transmissão de partes deste livro através de quaisquer meios, sem prévia autorização por escrito. Proibida a venda desta edição em Portugal e resto da Europa.

Direitos exclusivos de publicação em língua portuguesa para o Brasil
adquiridos pela
EDITORA RECORD LTDA.
Rua Argentina 171 – Rio de Janeiro, RJ – 20921-380 – Tel.: 2585-2000
que se reserva a propriedade literária desta tradução

Impresso no Brasil

ISBN 85-01-06954-X

PEDIDOS PELO REEMBOLSO POSTAL
Caixa Postal 23.052
Rio de Janeiro, RJ – 20922-970

EDITORA AFILIADA

À memória de meu pai, "Appah",
que ensinou os diamantes a brilhar

Sumário

Prefácio 9

Agradecimentos 13

1. Golconda 19
2. Valentina e os duques 27
3. A vingança de Valentina 35
4. Os últimos grandes duques da Borgonha 43
5. Dando vantagem aos ladrões 57
6. O diamante desaparece 67
7. Os reis e as casas comerciais 73
8. A cobiçada pedra de toque do poder 89
9. No coração da luta pelo poder 103
10. O peão no xadrez dos gigantes 113
11. Três homens determinados de caráter duvidoso 127
12. O homem que "transpirava mentiras por todos os poros" 141
13. A maldição da ambição cega 159
14. Inalienável em mãos indignas de confiança 175
15. Cortejando a infanta espanhola 189
16. Na coroa de Henriqueta Maria, rainha francesa da Inglaterra 199

8 O DIAMANTE MALDITO

17. Resgatado e amaldiçoado como símbolo máximo de poder   217

18. A rainha exilada e o cardeal ladrão   231

19. Mazarin: corrompido pelo poder absoluto   241

20. Uma mera bagatela na coroa do Rei Sol   253

21. Apenas outro símbolo no coração do poder   267

22. O diamante odiado   279

23. Escorregando das mãos hábeis de ladrões   291

24. O legado Bonaparte   307

25. A Espanha e Sua Mais Católica Majestade José   315

26. Nas mãos dos Demidoff   327

27. Uma jóia de curiosidade histórica   339

28. Os últimos donos particulares: a nova "realeza"   351

29. Epílogo ou epitáfio?   367

Bibliografia selecionada   371
Índice   381

Prefácio

O diamante Sancy, embora pouco conhecido fora dos círculos especializados, tem uma das mais fascinantes histórias que se pode imaginar. O fascínio não vem de seu tamanho — meros 55.232 quilates pelos padrões modernos — mas de quem o possuiu, quem o ambicionou, e de como ele ajudou a mudar o curso da história da Europa. Desde o final do século XIV até 1661, ele foi o maior diamante branco da cristandade, sempre provendo seu proprietário com a forma de riqueza mais segura e concentrada.

Ele nem sempre foi chamado "Sancy", e, embora eu cite seus outros nomes quando apropriado, eu o chamo de Sancy ao longo de todo este livro. Acredita-se que o nome "Sancy" venha de seu proprietário original, Nicolas Harlay de Sancy (na época grafado "Sauncy"), embora até mesmo esse pequeno fato seja objeto de algum mistério. Alguns especialistas dizem que o diamante era chamado *sans-si* — diminutivo de *sans similitude* (sem igual). Outros ainda alegam que o diamante era chamado *cent six* — que significa 106 e se pronuncia "sancy" — em função de seu peso original em quilates. Só o que se pode dizer com certeza em relação ao nome é que sua origem desapareceu nas brumas do tempo.

Sendo uma pedra praticamente perfeita e a maior do seu tipo, o Sancy de fato era um prêmio especial. Tendo originalmente pertencido a Valentina Visconti, filha do duque de Milão e duquesa de Orleans, o Sancy passou para seu inimigo mortal João Sem Medo, que o engastou em um diadema chamado *La Belle Fleur de Lys,* ou A Bela Flor-de-lis. O grande diamante ogival

10 O DIAMANTE MALDITO

lapidado descrito em diversos documentos como sendo "maior que uma pepita de carvão" foi engastado cercado por quatro grandes pérolas. No meio da pétala central, acima do diamante, havia um longo rubi-balache (um espinélio de cor rosa-pálido, vermelho ou laranja) chamado *La Balais de Flandres*, reputadamente o maior da França. As pétalas externas do diadema eram decoradas com outros oito grandes rubis-balache, oito safiras, cinco esmeraldas e 38 pérolas grandes. O conjunto pesava 2 marcos, 7 onças e 2 grãos — ou impressionantes 23,2 onças, 646 gramas.

Mas, apesar do fato de que o Sancy aparece em pelo menos seis inventários oficiais a partir de 1389, começando com o dote de Valentina Visconti, os historiadores não conseguiram identificar a origem do diamante. Eu aqui tento registrar a primeira história real do Sancy da forma mais escrupulosa possível. Em minhas pesquisas, sempre utilizei pelo menos duas, e freqüentemente quatro, fontes diferentes para sustentar as conclusões que esbocei em relação ao passado do Sancy. Sempre que possível baseei minha pesquisa em descrições de testemunhas oculares registradas em documentos oficiais que também incluem o peso do Sancy ou, alternativamente, da jóia em que ele tinha sido colocado.

Quando o Sancy desapareceu da história — primeiramente por um período de aproximadamente 120 anos após ter sido perdido em batalha pelo último grande duque da Borgonha, e depois uma segunda vez durante a era napoleônica — eu me perguntei quem poderia ser o "ladrão" mais provável da pedra, em função de quem acabou ficando com o diamante a seguir, e então fiz a suposição mais lógica. Também abordei a história do Sancy de trás para a frente, utilizando sua origem como registrada pelo Louvre, de cujo acervo ele hoje faz parte.

Em relação ao primeiro período do mais longo desaparecimento do Sancy, há documentos disponíveis que confirmam minha premissa, enquanto no caso do segundo período, quando acredito que José Bonaparte tenha tomado o diamante, tenho boas provas em passagens históricas, mas nenhum único documento que afirme "aqui está". O Louvre não fez nenhuma tentativa de explicar os dois desaparecimentos, nem realizou qualquer pesquisa sobre esses períodos.

PREFÁCIO 11

Minha técnica de pesquisa lança, pela primeira vez, uma luz sobre os períodos mais enigmáticos da vida cheia de altos e baixos do Sancy. Espero ter esclarecido muito de sua história, que foi repleta de vendas e barganhas ilícitas, completas mentiras, boatos não consubstanciados e pesquisa incompleta.

Converti importantes transações financeiras para valores de hoje com a assistência especializada do Centro de Informações do Banco da Inglaterra, comparada com minha própria pesquisa sobre os comerciantes que negociavam em nível internacional na época das vendas. Como todos sabemos, as taxas de câmbio flutuam constantemente; logo, estas foram baseadas no Retail Price Index (RPI), índice de preços no varejo. A taxa de conversão de dólar para libras foi estabelecida com base na média dos 12 meses anteriores (na época em que o livro estava sendo escrito) de 1,60 dólar para 1 libra, e as conversões resultantes foram arredondadas.

O quilate, forma pela qual as pedras preciosas são pesadas, tem ele mesmo uma história interessante. Como sucessor de uma série de pesos exóticos para pedras preciosas, tais como *ratis, mangelin, tandulas, sarsapas, masas* e *surkhs*, o quilate passou por uma evolução do velho quilate para o quilate métrico no início do século XX. Os pesos no antigo quilate podiam variar de 188,5 miligramas na Itália para 206,1 miligramas na Áustria, e foi apenas em 1907 que os franceses decidiram racionalizar o peso das gemas introduzindo o quilate métrico, que é exatamente um quinto de um grama (0,2 grama). Em 1914 o quilate métrico foi adotado mundialmente, e por essa razão muitos autores confundiram os pesos das pedras.

O Sancy normalmente era vendido quando seu proprietário opulento precisava levantar caixa rapidamente, e essas vendas — legítimas ou não — só podem ser compreendidas em seu adequado contexto histórico. Este contexto não diz respeito à história de governos impessoais, datas e estatutos, mas à relação entre os próprios atores e donos do poder. O interessante é o que o rei de Portugal *fez* a Jacob Fugger — e a reação de Jacob —, não o fato de que Jacob conseguiu da coroa portuguesa, em 1504, um contrato exclusivo para comércio de pimenta. Na história, como na vida, o contexto é tudo.

Hoje, praticamente todas as nações têm uma história de banhos de sangue, conquista e massacres que todos deploramos. Esta história precisa ser lembrada pelo que ela é, não diluída pelo tempo, eufemismos ou correção política. Muitos dos proprietários ou usurpadores do Sancy eram — embora personagens pitorescos — pessoas cruéis e poderosas, que usavam e abusavam da lei em nome de seus próprios objetivos gananciosos. Espero que vocês concordem que retratei os proprietários de forma justa e verdadeira utilizando fontes originais, suas próprias palavras e relatos de testemunhas.

Como o Sancy cruzou fronteiras diversas vezes, foi extremamente importante para mim pesquisar pessoalmente suas viagens através dessas fronteiras, pois apenas estudando fontes primárias do maior número possível de países foi criado um quadro completo e romance e ficção foram separados dos fatos. A história do Sancy é fundamentalmente de poder e cobiça. Para contar pela primeira vez sua história na íntegra, segui a pista do diamante e conduzi pesquisas na Bélgica, Holanda, França, Itália, Alemanha, Espanha, Portugal e Inglaterra.

Acima de tudo, eu me diverti imensamente pesquisando e escrevendo esta história, que algumas vezes parecia mais um trabalho de ficção policial do que a história real de um dos dez diamantes mais famosos do mundo, e posso apenas desejar que vocês se divirtam lendo.

Agradecimentos

Escrever um livro é algo freqüentemente descrito como uma arte solitária. Embora o ato de escrever seja realizado em solidão, só se chega a esse estágio com um grande número de colaboradores. Este livro nunca teria sido escrito sem meu agente, Alex Hoyt, e minha editora, Hana Lane, que acreditaram em mim e compreenderam imediatamente que a história do Sancy era incrível. Aos dois, o meu obrigado mais sincero por me darem a oportunidade fabulosa de tecer a história do Sancy.

A pesquisa para o livro foi tanto trabalho de detetive quanto pura pesquisa — distinguindo fato de romance e tentando compreender cientificamente e com base em provas o caminho mais provável que o Sancy seguiu em suas viagens desconhecidas ao longo de centenas de anos. Foi necessária uma miríade de disciplinas para compilar essa história, e eu tive muita sorte de conseguir acesso a especialistas em diamantes e arquivistas especializados nessa tarefa. Sem o falecido Willy Goldberg, ex-presidente do Diamond Club de Nova York, eu poderia nunca ter conseguido livre acesso ao lendário Gabi Tolkowsky, cuja análise do Sancy foi verdadeiramente mágica e cativante, fazendo-me perceber que a lapidação de diamantes é uma das mais antigas artes e que os próprios diamantes são uma forma de arte holística. Ele também me forneceu um texto italiano sobre a história dos comerciantes e lapidadores venezianos de diamantes, bem como a tese de seu tio Marcel Tolkowsky sobre a lapidação de diamantes, que pavimentou o caminho para todos os cálculos matemáticos necessários para a lapidação em 57 ou 58 facetas

14 O DIAMANTE MALDITO

criada por ele. Gabi, por sua vez, abriu para mim todas as portas possíveis na de Beers, junto a outros historiadores de diamantes em Antuérpia e na Garrard & Co, em Londres. Sem Gabi, muitos dos mistérios acerca do Sancy poderiam ter permanecido sem solução, e eu devo muito a Gabi e sua esposa, Lydia, por seu apoio, sua gentileza e sua hospitalidade.

Por intermédio de Gabi, conheci Sabine Denissen, do Diamond Museum de Antuérpia, e um ex-lapidador e historiador de diamantes, Hans Wins, ambos colaboradores entusiasmados. Hans me apresentou a Ludo van Damme, da biblioteca municipal de Bruges, cuja determinação me levou aos documentos sobre Carlos, o Temerário, nos Archives Départementales du Nord, em Lille. A Hervé Passot, dos Archives, meu mais sincero obrigado. Também foram muito úteis na Bélgica o Staatsarchief Antwerp e a biblioteca real de Bruxelas, que abriga a biblioteca da Borgonha.

Na Holanda eu preciso agradecer a Kees Zandvliet, do Rijksmuseum, por me ajudar a localizar o dr. Guido Jansen e Bram Meij, do Boijmans Museum de Roterdã; sua interpretação do famoso Cletscher Sketchbook foi esclarecedora. O dr. Woelderink, da biblioteca real do Paleis Noordeinde Den Haag, também me deu muito apoio, bem como a equipe do arquivo iconográfico de Haia, e o sr. Van Doorn, do Hague Staatsarchief.

Em seguida, meu trabalho de detetive me levou à Suíça, onde Gabriele Keck, do Berner Historisches Museum, abriu-me os olhos para o *Burgundebeute*. Isso me colocou na pista de documentos no Bern Staatsarchiv, no Basle Staatsarchiv e no Basel Historisches Museum, onde o dr. Berke Meier foi muito prestativo em relação ao Butim Borgonhês que foi guardado naquela cidade. O sr. Silvio Margadant, do Staatsarchiv, em Graubuenden in Chur, trabalhou incansavelmente comigo, ajudando-me a esclarecer um mistério posterior nas viagens do Sancy.

Na França, Marine Chauney-Bouillot, bibliotecária dos Fonds Bourgogne na biblioteca municipal de Dijon, foi um sopro de ar fresco e ficou claramente encantada por estar hoje a história do Sancy sendo pesquisada na íntegra. Ela gentilmente me ajudou no Musée de Beaux-Arts de Dijon, bem como nos Archives Régionales de Bourgogne. Outras instituições e pessoas na França merecedoras de minha gratidão são os Archives Départementales du Nord, a Bibliothèque Nationale (especialmente Hossein Tengour), os Archives Nationales, a Fundação Napoleão e especialmente Peter Hicks, por vasculhar minuciosamente a biblioteca comigo; e, claro, o Département d'objets d'art do Louvre.

Na Alemanha, a sra. Weiss, do Fugger Privatbank de Augsburg, ajudou-me a entrar em contato com as pessoas certas nos Arquivos Dillingen e no Staatsarchiv de Munique para ampliar a pesquisa.

Na Itália, os arquivos municipais de Mântua e Roma foram úteis fornecendo informações sobre o Sancy que *não* estavam ali, como tinha sido suposto por outros autores. Os arquivos florentinos continham um relatório fascinante sobre os Demidoff e o sentimento político italiano em relação aos estrangeiros na época do *Risorgimento*, ou Unificação Italiana.

O dr. Miguel, dos Arquivos Nacionais da Torre do Tombo, em Lisboa, foi absolutamente inestimável, não apenas localizando o inventário que inclui o Sancy, mas também obrigando um de seus colegas a traduzir para o inglês o português antigo, dessa forma reduzindo de semanas para dias minha pesquisa em Lisboa. Ele também me ajudou pacientemente a traduzir outros documentos portugueses que tive dificuldade para ler ou entender, e me encaminhou à diretora do Palácio da Ajuda, em Lisboa, a dra. Isabel Jiordano, que por sua vez envolveu o dr. Ruy Galopim em minha busca pela verdade sobre a estadia do Sancy em Portugal.

Matilde Glaston, do Instituto Cervantes de Londres, me forneceu nomes, arquivos e bibliotecas de toda a Espanha. Cristina Emperador, subdiretora de Los Archivos Generales de Simanca, em Valladolid, passou por tremendas dificuldades para me ajudar, e conseguiu o apoio de Juan José Alonso, subdiretor dos arquivos do Palácio Real de Madri. Para Amélia Aranda, curadora do patrimônio nacional no Palácio Real, meu agradecimento muito especial. Sem a ajuda de Amélia e seu especial conhecimento da coleção de jóias da coroa espanhola, eu poderia continuar folheando fontes primárias pelos próximos vinte anos.

16 O DIAMANTE MALDITO

Tempo, recursos e geopolítica me impediram de ir à Índia para descobrir pessoalmente tudo sobre as minas de Golconda ou sobre a importância do Segundo Baronete *Sir* Jamsetjee Jejeebhoy, e também ao Instituto Demidoff, em Iekaterinburgo, Rússia, mas as informações disponíveis tanto na Bodleian Library de Oxford quanto na Oriental and India Reading Room da British Library foram extremamente esclarecedoras. Um obrigado especial também a Jane Rosen, então na SRCSS, que entrou em contato com o Instituto Demidoff e o museu de Iekaterinburgo em meu benefício.

Na Inglaterra, tive a felicidade de obter constante acesso a uma das melhores bibliotecas do mundo na British Library; a toda a sua equipe, em particular Pat Kuomi, meu sincero reconhecimento por seu profissionalismo, assistência e bom humor. Ao meu velho amigo John Barnes, do Historic Royal Palaces, obrigada por me colocar em contato com a encantadora e culta Anna Keay, agora na English Heritage, e curadora das jóias da coroa na Torre de Londres. Leslie Coldham, Tim Strofton e Chris Alderman, da de Beers, também merecem minha gratidão por me concederem acesso ao material de consulta especial da empresa em sua biblioteca, suportarem minha interminável torrente de perguntas com tanta paciência e fornecerem fotografias. Corinna Pike, curadora dos arquivos da Garrard & Co, também tem meu agradecimento por esclarecer o envolvimento histórico da empresa na venda do Sancy em 1865. Também agradeço a Mike Bott, da Biblioteca e Arquivos da Universidade de Reading, por me conceder acesso aos Documentos Astor. Tenho uma grande dívida para com o Centro de Informações do Banco da Inglaterra, e particularmente para com Chris Thomas, por me fornecer a avalanche de taxas de câmbio e índices de inflação que me permitiu converter importantes transações monetárias, da melhor forma possível, para valores atuais. Outras instituições na Inglaterra que merecem minha gratidão são o Public Records Office, o Victoria and Albert Museum e a National Portrait Gallery.

Entre os que me ajudaram pessoalmente estão Sue Pfunder, por suas fabulosas e perspicazes traduções do espanhol em minha mesa de jantar em meio a inúmeras xícaras de chá; Ika Hibbert, por suas meticulosas traduções para o alemão do antigo alemão-suíço e por encaminhar o *Burgundgebeute* aos peritos de Oxford inumeráveis vezes; Dominique van Setten, por suas traduções do antigo holandês e do flamengo; e Tim Head por sua ajuda com "dinheiro antigo" e por, juntamente com seu irmão Giles Head, cuidar de minha casa e meus cães durante minhas viagens. Sem o apoio profissional de Peter Morris, Agostino von Hassel, dr. John Uden, dra. Sally Edmonds e professor Andrew Carr, este livro não teria sido possível. Rosie Rowland tem meu obrigado mais profundo por seu infinito apoio e por me ajudar a manter meu corpo e minha mente unidos. Aos meus grandes amigos Pam e John Head, meu agradecimento eterno por lerem as provas do original. A minha mãe e meu pai, que me deram um curso concentrado sobre diamantes, comércio de diamantes e histórias infindáveis sobre o "mundo do diamante", e a meus filhos Matt, Zandy e Andrew, por seu apoio e ajuda especiais, só posso dar meu amor.

Finalmente, e o mais importante, a meu marido, Douglas Ronald, sem cuja paciência, lealdade, fé em mim como escritora e historiadora, inteligência, senso de humor, traduções do italiano, pesquisa, intelecto, habilidade ao volante e boa vontade de fornecer constantemente as melhores xícaras de chá e o melhor macarrão do mundo, nada disso teria sido remotamente possível. Você me fez sentir verdadeiramente abençoada.

1

Golconda

A HISTÓRIA DO DIAMANTE SANCY E, de fato, a história do poder e da cobiça por trás de todos os grandes diamantes, começa nas famosas minas de Golconda, na Índia. Essas histórias estão mergulhadas no folclore místico e na superstição que são a pedra fundamental da história espiritual, econômica, política e social das gemas. Os primeiros rumores sobre Golconda e seus enormes diamantes foram levados rumo oeste para a Europa por intermédio das histórias do impressionado viajante veneziano Marco Polo, após sua visita a vários reinos indianos em 1292. Ele escreveu na época em seu *As viagens de Marco Polo*:

Assim, percorrerei os países da Índia onde eu, Marco Polo, permaneci por longo tempo; e embora as coisas que irei declarar pareçam não ser acreditadas por aqueles que as ouvem, tenham como certeza e verdade, pois eu vi com meus próprios olhos. (...) Nas montanhas deste país são encontrados Adamantinos [diamantes]. E depois de muita chuva, os homens vão procurar por eles nas águas que correm das montanhas, e assim de fato encontram os Adamantinos, que são trazidos das montanhas no verão, quando os dias são longos. Também há serpentes fortes e grandes, muito venenosas, parecendo que elas foram colocadas lá para cuidar dos Adamantinos, para que eles não sejam levados embora, e em nenhuma outra parte do mundo são encontrados belos Adamantinos, a não ser lá. (...) Nenhum país a não ser este produz

20 O DIAMANTE MALDITO

diamantes. Aqueles que são trazidos para nossa parte do mundo são apenas o refugo das melhores e maiores pedras. Pois a nata dos diamantes e de outras grandes gemas, bem como as maiores pérolas, são todas levadas para o Grande Khan e outros reis e príncipes daquelas regiões [o subcontinente indiano]. De fato eles possuem todos os tesouros do mundo.

No século XVI, quando os portugueses superaram os venezianos no comércio com a Índia em virtude da nova rota marítima aberta por Vasco da Gama, dois mercadores portugueses, Fernão Nunes e Domingos Paes, reiteraram a alegação de Marco Polo quando, ao voltar, relataram que todos os diamantes pesando de dez a 15 quilates, ou mais, eram destinados ao tesouro do Grão Mogol. Eles também destacaram que o governante local cobrava uma taxa sobre todo o comércio de diamantes — desde licenças de mineração até vendas particulares entre mercadores. Um século mais tarde, o grande comerciante francês de diamantes e aventureiro Jean-Baptiste Tavernier afirmou: "O comércio é livre e fielmente realizado lá. Dois por cento de todas as compras são pagos ao rei, que também cobra taxas dos comerciantes por suas licenças de mineração."

Dois séculos mais tarde, as observações originais de Marco Polo foram mais uma vez confirmadas por outro italiano, Niccolo de Conti, que relatou como todos os distritos das montanhas estavam infestados de cobras e diamantes. De Conti escreveu: "Em certas épocas do ano os homens trazem bois e os dirigem para o alto da montanha, e, após cortá-los em pedaços, jogam os nacos quentes e sangrentos no cume de outra montanha. Os diamantes aderem a esses pedaços. Então chegam os urubus e as águias que, tomando a carne para sua alimentação, voam com ela para locais onde estão a salvo das serpentes. Depois, os homens vão a esses locais e recolhem os diamantes."

Mas esses não são os primeiros relatos escritos acerca de diamantes. Na época em que Alexandre, o Grande (356-323 a.C.), conquistou a Ásia, os gregos escreveram sobre uma lenda do Vale dos Diamantes que guardava uma fortuna em diamantes à vista de todos — um tesouro fabuloso que era protegido por serpentes. Esta história foi contada e recontada ao longo dos séculos e formou as bases para os contos lendários de Simbad, o Marujo, nas *Mil e uma noites*, escritas por um autor anônimo, hoje descrito como um pseudo-Aristóteles, que explicou:

> Além de meu pupilo Alexandre, ninguém mais chegou ao vale onde os diamantes são encontrados. Ele fica no Leste, ao longo da grande fronteira de Khurasan, e é tão profundo que um olho humano não pode ver o fundo. Quando Alexandre chegou ao vale, uma multidão de serpentes o impediu de seguir em frente, pois seu olhar se provou mortal para os homens. Então ele recorreu ao uso de espelhos: as serpentes foram apanhadas no reflexo de seus próprios olhos e pereceram. Alexandre então adotou outro estratagema. Ovelhas foram abatidas, então esfoladas, e sua carne jogada nas profundezas. Aves de rapina das montanhas próximas mergulharam e levaram em suas garras a carne, à qual incontáveis diamantes tinham aderido. Os guerreiros de Alexandre caçaram as aves, que deixaram cair seu butim, e os homens precisaram apenas recolhê-lo onde caiu.

Ao longo dos séculos essa história lendária foi freqüentemente recontada por mercadores árabes e persas que adotaram várias versões dela para ajudá-los a proteger as fontes extraordinariamente valiosas de seu comércio de especiarias; esta foi a principal motivação por trás da expansão colonial para a Índia durante a Idade Média.

As fontes de diamantes eram zelosamente protegidas, e lendas como a do Vale dos Diamantes proliferavam. Mercadores de diamantes nunca diziam a ninguém onde compravam seus diamantes, ou como poderiam ter chegado a eles. Esses mercadores arriscavam suas vidas para exercer seu negócio, já que eram presa fácil de bandidos e piratas quando transportavam sua carga inestimável. Antes do estabelecimento das rotas marítimas comerciais portuguesas, em 1502, mercadores de diamantes embarcavam suas gemas indianas através do mar Vermelho ou do golfo Pérsico rumo aos principais portos do Mediterrâneo ou do mar Negro. A rota por terra seguia uma antiga estrada que saía do sudeste da Índia para o norte através do Afeganistão. Da cidade de Taxila (hoje chamada Takshasila), a rota de comércio encontrava a Rota da Seda entre a China e a Pérsia (atual Irã).

Poucos diamantes escoavam da Índia para a Europa até a época romana, e mesmo então a maioria era de pequenas pedras decorativas. No entanto, para os romanos, de acordo com o escritor e filósofo romano Plínio, o Velho (23-79 d.C.), o diamante era "apenas um grão de pedra, todavia mais precioso que o ouro, conhecido apenas por reis, e por muito poucos deles". Ao que parece, os romanos acreditavam nas propriedades místicas dos diamantes tão ardentemente quanto os indianos, e certamente os pretensos poderes do diamante seriam parte da trama utilizada para vender as pedras na Europa por preços extraordinários. Plínio, que talvez nunca tenha visto ele mesmo um diamante, foi o primeiro europeu a registrar a utilidade da gema como outra coisa que não uma pedra preciosa: "Quando um adamantino é adequadamente partido, [ele é] muito procurado por gravadores e inserido em ferramentas de ferro para fazer furos no material mais duro sem dificuldade." Na época de Plínio, os chineses, porém, usavam diamantes industriais havia séculos; eles normalmente eram utilizados como brocas para dar acabamento e polir jade e para perfurar pérolas para colocá-las em fios.

Com a queda do império romano, a utilidade dos diamantes diminuiu rapidamente, e no século XIV a popularidade e os supostos poderes místicos do diamante estavam bem abaixo daqueles do rubi, dos espinélios vermelhos (rubi-balache), das pérolas e safiras.

Contudo, no Oriente o diamante continuava a ser o rei das pedras preciosas, altamente valorizado desde a pré-história por sua importância econômica e social, bem como por seus poderes místicos. O *Artha Shastra* (A Ciência do Lucro), escrito em sânscrito antigo por Kautilya no século IV a.C., abordava detalhes do sistema econômico, político e legal da Índia. No capítulo "Exame dos artigos preciosos a serem recebidos pelo Tesouro", Kautilya descreveu os diamantes mais valiosos como "grandes, cristalinos e brilhantes". Os diamantes menos valiosos são destituídos de ângulos e irregulares, assim como fragmentos de diamantes e aqueles de várias cores "como o olho de um gato ou a urina ou bile de uma vaca". Ele também destacou a importância de um rígido controle sobre o comércio de todas as pedras preciosas.

Mas a espiritualidade do diamante é mais bem captada no mais antigo texto impresso do mundo escrito em sânscrito, o *Diamond Sutra*, o *sutra* mais profundo em ensinamentos budistas. Em sânscrito, *sutra* significa literalmente "o fio no qual as jóias são colocadas", e o *Diamond Sutra* é a perfeição da sabedoria, que "corta como o raio de diamante e assim é capaz de cortar através das ilusões terrenas". Grande sabedoria, no pensamento budista, é caracterizada por sua natureza indestrutível e verdade duradoura. O diamante, e particularmente todos os grandes diamantes, eram considerados sagrados pelos budistas.

A palavra *diamante*, do grego *adamas*, significa invencível. Diamantes preciosos foram as mais valorizadas de todas as pedras preciosas desde o momento em que foram descobertas, por sua raridade, cor pura, brilho, transparência e aparente indestrutibilidade.

Acreditava-se que os diamantes eram jóias adequadas aos deuses, e apenas os representantes terrenos mais privilegiados e nobres poderiam possuí-los. Essa mensagem foi transmitida por intermédio das lapidárias — ou textos sobre gemas escritos por mercadores reais e filósofos desde o começo da história — em sânscrito, persa, chinês, grego, latim e árabe, nas quais o diamante recebia a posição de maior prestígio entre as gemas.

O poder que o diamante simboliza transcende fronteiras nacionais e crenças, como um fio de ouro transpassando o tecido de antigas civilizações. De modo interessante, a palavra em sânscrito para diamante é *vajra*, e *vajra* também descreve o raio da deusa hindu Indra. O deus grego Zeus brandia um raio que tinha sido inspirado pelo cristal de diamante. Em uma antiga obra, o *Agastimaa*, escrito no século VI, o texto classifica e hierarquiza os diamantes de acordo com sua forma, lapidação, peso, claridade, brilho, cor e beleza. Diferentes cores eram atribuídas a várias divindades, bem como à casta social que tinha o direito de possuí-los:

> [O] diamante tem quatro cores, correspondendo a suas castas. O diamante com um brilho aveludado, como o de uma concha, um cristal de rocha ou a lua, é um Brahmin. Aquele avermelhado, ou marrom como um macaco, belo

24 O DIAMANTE MALDITO

e puro, é chamado *Kshatriya* [de nobres e guerreiros]. *Vaisya* [fazendeiros e mercadores] tem uma cor amarelo-pálido brilhante. *Sudra* [servos] brilha como uma espada bem polida: por causa de sua cintilação, os especialistas o atribuíram à quarta casta. Tais são os sinais que caracterizam as castas de um diamante.

Os textos lapidários sagrados hindus também se referem ao diamante, fornecendo argumentos não apenas espirituais, mas também comerciais, para os diamantes serem as mais valiosas de todas as gemas. Esses textos estabelecem critérios de qualidade para o diamante bruto e atribuem poderes benéficos aos diamantes; hoje, tais textos seriam considerados argumentos de venda. Esses textos sagrados trazem ricas descrições do poder do diamante de proteger contra envenenamento, cobras, doença e até mesmo comportamento pecaminoso. De acordo com um deles, o *Ratnapariksha*, "um rei que deseje felicidade precisa acumular e usar jóias que tenham sido inteiramente autenticadas. Uma boa jóia é fonte de riqueza para os reis, e uma ruim é fonte de desgraça". De acordo com o *Brhatsamhita*, texto lapidário de autoria de Varahamihira, diamantes imperfeitos atraem riscos de perda de família, fortuna e vida.

O *Brhatsamhita* afirma que as gemas mais puras e impecáveis, abençoadas com perfeitas formas octaédricas e apresentando certas marcas na superfície, chamadas *lakshana*, eram consideradas benéficas. Buddhabhatta, um autor de lapidárias do século VI, igualmente considera isso verdade quando escreve: "Aquele que tem um corpo puro e que carrega com sua pessoa um diamante em ponta, imaculado e inteiramente impecável, irá diariamente aumentar seu valor em felicidade, prosperidade, filhos, riqueza, colheitas, vacas e gado até o final de sua vida."

O diamante Sancy se ajusta perfeitamente a essa descrição. Caso se acredite no poder místico do diamante descrito nesse antigo texto, o Sancy iria se transformar em uma fonte de mal para aqueles proprietários que não autenticassem plenamente a sua procedência. Para aqueles que chegassem ao diamante honestamente, ele seria um *lakshana*, diariamente aumentando a prosperidade e o poder do proprietário. Esta é a base da maldição do Sancy, e explica por que alguns de seus proprietários encontraram um fim cruel e sangrento, enquanto outros permaneceram ricos e saudáveis. Embora eu pessoalmente não acredite em maldições, esta explicação corresponde à verdade ao longo de toda a história do Sancy.

O Sancy é um puro diamante branco e transparente. Seu peso, estimado por avaliadores de gemas no século XV como sendo de 106 quilates, e sua cor o destinaram a ser propriedade do rei indiano. Ele foi encontrado na mais antiga área de extração de diamantes perto de Golconda, mas a data de sua lapidação é desconhecida. De alguma forma ele chegou à Europa no final do século XIV, transformando-se no maior diamante branco da cristandade por bem mais de duzentos anos.

De acordo com o lendário lapidador de diamantes Gabi Tolkowsky, a lapidação é definitivamente indiana, um antecedente da lapidação *briolette*, em forma de pêra. Ele é capaz de dizer isto simplesmente pelo fato de que, como em muitas das antigas pedras lapidadas indianas, o tamanho do Sancy foi mais importante do que o seu brilho: há poucas facetas no antigo estilo indiano, em vez de muitas facetas, como nas lapidações européias mais recentes. Ademais, um dos lados é mais plano, e o outro, convexo. No século XV, o lapidador teria suas mãos cortadas se fizesse algo de qualquer outra forma. Tolkowsky diz que o Sancy foi "lapidado há muito tempo, e mais provavelmente na Índia, e bem possivelmente por um lapidador e mercador veneziano que sabia de seu valor na Europa".

Tolkowsky explica que foi muito por acaso que o Sancy foi poupado de ser esmagado com um martelo, já que este era o costume para evitar entregar grandes pedras para o governante mogol no século XIV. O lapidador tinha um alto grau de perícia, e o tornou límpido e transparente como água quando lapidou o Sancy. Tolkowsky acredita que, para preservar o peso e o tamanho da pedra, o lapidador veneziano poliu um dos lados plano, e outro como uma *briolette*. Todo o processo teria sido conduzido sob o maior sigilo, e a pedra contrabandeada para fora da Índia, já que as grandes pedras rapidamente se tornavam lenda.

26 O DIAMANTE MALDITO

O Sancy teria sido transportado para Veneza pelo mercador e vendido para o governante mais rico e poderoso ao qual ele pudesse ter acesso. No final do século XIV, Florença estava em guerra contra Milão e Lucca. Às vezes Veneza se aliava a Florença, outras a Milão e Lucca, dependendo de que ameaça expansionista escolhesse refrear. Precisamente quando ou como o diamante chegou ao extraordinariamente rico e poderoso Gian Galeazzo di Visconti, duque de Milão, é algo que se perdeu na névoa da história. Mas, quando Gian conseguiu ampliar sua esfera de influência até a França por intermédio do casamento de sua impressionantemente bela e perspicaz filha Valentina Visconti com o libertino e trapaceiro Luís, duque de Orleans, irmão de Carlos VI, rei da França, ele deu a ela um dote inacreditável.

Valentina estava acostumada à corte milanesa, que era reputada a maior e mais luxuosa da Itália. Quando chegou à França, ela deu início a uma nova era, diferente da corte francesa, mais pobre, tendo chegado com jóias incomparáveis e objetos de arte de valor inimaginável. Ela também levou consigo um dote em dinheiro de 450 mil florins milaneses (218,3 milhões de dólares ou 136,4 milhões de libras esterlinas em valores de hoje) e soberania sobre a cidade e a província de Asti.

Escondido entre o enorme volume de jóias de Valentina estava uma jóia (item 6195) descrita em seu inventário Blois datado de 1398 como: "Uma cinta cercada por um halo de ouro no qual estão colocados, dos dois lados, quatro grandes rubis-balache e no meio destes um rubi maior acima do qual pende um broche com quatro pérolas extremamente grandes e no meio delas um diamante excepcionalmente grande, e deste broche pende um porco-espinho, e de oito pontos da dita cinta pendem 88 grandes pérolas brancas, e essa cinta é também adornada com relevos em ouro e em esmalte branco e vermelho."

Este "diamante excepcionalmente grande" é a primeira referência na Europa ao diamante Sancy.

2

Valentina e os duques

1389-1409

O PRIMEIRO PROPRIETÁRIO EUROPEU DO SANCY, o ardiloso e nada confiável Gian Galeazzo di Visconti, era um déspota esclarecido. Sua oligarquia de Milão baseava-se no comércio, como as de Florença e Veneza. A Milão de Valentina estava chegando ao auge de sua Renascença, quando as guildas de artesãos foram mais poderosas do que em qualquer outro momento da história. No verão, os banqueiros se sentavam a mesas cobertas de toalhas verdes nas *piazzas* banhadas de sol para mostrar que estavam abertos a negócios. Barracas com toldos coloridos protegiam peixeiros, padeiros e comerciantes de frutas e legumes do calor abrasador, enquanto animais de fazenda e pessoas de todas as classes se misturavam nos becos. Os odores freqüentemente desagradáveis flutuavam no ar do verão, escapando apenas por uma passagem estreita ocupada por mercadores de plumas, seda, tapeçarias e jóias — a Rodeo Drive da época.

Se o mercador veneziano que carregava o Sancy trilhou esses caminhos nós nunca saberemos, mas ele certamente vendeu o diamante para o traiçoeiro pai de Valentina. O brasão da família Visconti, com uma cobra abrindo a boca para devorar uma criança, conta bem a sua história, acredito eu. A partir do século XIII — descontando breves períodos de exílio —, os Visconti

28 O DIAMANTE MALDITO

foram duques de Milão e governantes absolutos. A partir da sucessão de Gian
Galeazzo di Visconti em 1378, a família ampliou o seu poder: entre 1378 e
1395 o duque tomou Siena e Bolonha pela força, Pisa por aquisição direta.

Gian Galeazzo tinha, acima de tudo, uma bela mente política, além de
um pendor para a intriga, e ele tramou incessantemente para esmagar Florença, felizmente sem sucesso. Seu reinado foi marcado por conflitos sangrentos e, paradoxalmente, pelos altos ideais e beleza da Itália renascentista.
Sua esposa Isabelle, filha do rei francês João, o Bom, e irmã de Carlos V, foi
efetivamente comprada por 600 mil florins milaneses (291,1 milhões de dólares ou 181,9 milhões de libras em valores de hoje) para resgatar o rei francês das garras dos ingleses. Os próprios franceses não tinham dinheiro
disponível para libertar seu rei, então, quando o pai de Gian se ofereceu para
ajudar em troca do casamento entre o rico ducado milanês e a empobrecida
coroa francesa, a corte francesa aproveitou a oportunidade. O fato de o povo
de Milão ter sido violentamente taxado para pagar por isso não tinha importância para o pai de Gian Galeazzo.

Valentina era sua segunda herdeira, nascida em 1370 no castelo de Pavia.
Dois anos depois, porém, sua mãe morreu no parto. Embora Valentina nunca fosse governar Milão, ela era um grande prêmio de casamento para qualquer príncipe. Era considerada de grande beleza, inteligente e, segundo todos
os relatos, uma musicista de talento, como se pode deduzir das harpas douradas que ela depois levaria consigo da corte milanesa para a França. Ela falava italiano, francês e alemão, e tinha agudo interesse nos assuntos da corte.
Milão já era um importante centro comercial que atraía muitos estrangeiros,
particularmente soldados de língua alemã a soldo de seu pai onipotente. Como
a corte de Veneza, a de Milão era rica, e Valentina era uma de suas maiores
beneficiárias, com uma coleção de jóias inacreditável.

Os palácios do ducado eram distintos de quaisquer outros no mundo
medieval. Enquanto a maioria dos castelos era construída como fortalezas de
modo a conter invasores, os castelos em que Valentina cresceu eram cheios
de luz, esplendor, arte e idéias. A vida era pontuada por diversão suntuosa,
com malabaristas, poetas, músicos, artistas e festas magníficas. O castelo de

VALENTINA E OS DUQUES 29

Pavia era cercado por um enorme parque e várias aldeias em que a caça, o tiro e a equitação eram norma. Era um mundo de conto de fadas, um oásis repleto de cisnes, faisões, avestruzes, pavões e javalis. Havia mobiliário fino, tapeçarias, banheiros de mármore branco — e, claro, jóias.

Mas uma tempestade se avizinhava. Gian Galeazzo era extremamente invejoso de seu tio Bernabo, e já tinha arrebatado o ducado dele pela força. De modo a consolidar sua esfera de influência, porém, ele precisava de aliados poderosos, e a melhor forma de garantir sua fidelidade era por intermédio do casamento. Assim, Valentina foi colocada no mercado de noivados.

Embora inicialmente tivesse sido procurado um príncipe alemão, Gian Galeazzo se decidiu pelo irmão de Carlos VI, Luís, duque de Touraine (mais tarde duque de Orleans). Luís tinha 13 anos de idade, Valentina, 15. No dia 26 de agosto de 1386, os termos foram acertados, com Luís assinando o contrato de casamento no dia 27 de janeiro de 1387, e Gian Galeazzo o ratificando em 8 de abril. O casal foi unido oficialmente no mesmo dia, por procuração, no palácio da mãe de Gian, Blanche de Sabóia, na Lombardia.

Afora o pagamento de 450 mil florins, dois terços dos quais no dia 9 de abril de 1387, os tesouros pessoais de Valentina precisavam ser inventariados, embalados e preparados para a viagem para seu novo lar. Entre seus bens pessoais, além de suas roupas de veludo e seda e de vestidos adornados de pedras preciosas, havia baixelas de ouro e prata e um tesouro repleto de jóias de marfim, jaspe, madrepérola, âmbar, coral, cristal, diamantes, rubis, pérolas, safiras, broches de esmalte e camafeus. No conjunto, ela tinha mais de 150 jóias de diamante, 28 peças de esmeralda e 310 de safira, 425 rubis em diferentes conjuntos e 7 mil pérolas. Era um enorme inventário a compilar. Foi apenas no verão de 1389 que ela chegou a Paris e finalmente ficou cara a cara com seu marido, por quem, segundo relatos, teria se apaixonado à primeira vista.

Mas por que houve tal atraso no encontro dos dois? A resposta não-oficial é simples: Gian Galeazzo tinha levado um tempo considerável para arrecadar o dinheiro para o dote da filha por intermédio de impostos. A desculpa oficial aos franceses foi a de que as províncias do noroeste da Itália e as regiões da França pelas quais Valentina teria de passar estavam repletas de saqueadores e mercenários em busca de pilhagem. Como Valentina estaria levando dois terços de seu enorme dote em dinheiro e todos os seus tesouros e jóias pessoais, garantir sua segurança era de suprema importância. Ela seria um alvo tentador, e sua vida não podia ser assegurada — nem mesmo com o considerável exército de seu pai para protegê-la.

Sua viagem no verão de 1389 foi como uma expedição real, realizada com enorme pompa e circunstância. Precisavam ser feitas homenagens quando ela passava por diversas províncias governadas por outros pequenos autocratas; embaixadores precisavam ser recepcionados e festas suntuosas organizadas. Qualquer um que era alguém queria ter um vislumbre da jovem beleza e suas riquezas, e eles freqüentemente faziam dívidas com agiotas judeus para comprar mantos ou vestidos, ou mesmo para alugar jóias e ter o prazer de sua companhia, mesmo que por um momento efêmero.

As primeiras festas da viagem aconteceram ainda em Milão. Os venezianos enviaram seus embaixadores, que receberam, cada um, de acordo com um decreto de 7 de junho de 1389, 50 ducados (7 mil dólares ou 4,4 mil libras, em valores de hoje) para encomendar roupas de seda, bem como 150 ducados (21 mil dólares ou 13,1 mil libras em valores de hoje) para presentes e gorjetas. Esses valores foram considerados pelos doges "suficientes", significando mesquinhos, de acordo com os padrões venezianos normais.

A França na qual Valentina se casou não era o país que conhecemos hoje. Ela tinha sido devastada por gerações de guerras bárbaras entre seus pequenos feudos, e mais especialmente contra os ingleses, que tinham reivindicado o próprio trono da França. A França era uma terra rude, com um povo inculto e acostumado a modos vulgares. Pouco maior do que a região da Île de Paris que cerca Paris e o Loire, a França era dominada por seus poderosos Estados vassalos, cujos duques integravam, todos, a linhagem de príncipes de Valois. Estes duques rivais eventualmente lançariam a França em uma guerra civil com a ajuda involuntária de Valentina e do Sancy.

O tio mais traiçoeiro, Felipe, o Audaz, tinha recebido a Borgonha e Franche-Comté com a morte de seu pai, Carlos V. Os três irmãos mais velhos de Felipe, os duques de Berry, Armagnac e Anjou, eram os regentes de Carlos VI, e saquearam a França conforme seus próprios objetivos.

Embora Felipe parecesse contente com seu *status* inferior, já que sua primeira prioridade era unir seus dois ducados e expandir seus territórios para Flandres, seu poder e cobiça eram inicialmente imperceptíveis. Como escreveu o autor contemporâneo Bonet: "Quando eu era jovem, você era chamado de Felipe Sem Terra: agora Deus generosamente outorgou a você um grande nome, e o colocou ao lado dos maiores da Terra." Na época em que Felipe desposou Marguerite de Flandres, herdeira das ricas províncias que incluíam a agitada capital comercial de Bruges, no norte, e a cidade próxima Antuérpia, ele tinha se tornado uma força poderosa a enfrentar. O fato de ele ter permitido que seus irmãos se ocupassem com os negócios de Estado da França não significava que ele iria permitir que eles o apagassem do cenário político ou econômico.

Os duques de Berry e Anjou sem dúvida estavam malbaratando as riquezas e os recursos da França para seu lucro pessoal. Quando o rei Carlos VI herdou a coroa em 1380, aos 12 anos de idade, seus tios despóticos, os duques de Berry e Anjou, governaram não apenas seus próprios territórios mas também a França, como regentes de Carlos. Chamados pela história de "os velhos", eles adoravam extravagâncias palacianas e gastaram vastas somas em diversão para a corte, jóias e prataria. Dada a extrema pobreza fora da corte — a França tinha estado em guerra com a Inglaterra por décadas no que passou a ser conhecido como a Guerra dos Cem Anos —, sua cobiça só poderia levar a mais banhos de sangue. A população tinha sido pesadamente sacrificada em vidas e recursos, e o governo insensível dos duques inevitavelmente levou a uma série de revoltas em Paris contra os impostos, conhecidas como *les maillotins*. "Os velhos" eram odiados pelo homem comum, adorados por seus camaradas por seus gastos pródigos e roubavam da coroa francesa.

Então, com rapidez alarmante, a situação mudou. O rei Carlos afastou seus tios regentes em uma cerimônia pública em Reims em 1390. Felipe, o Audaz, apaziguou seus irmãos mais velhos dizendo: "Irmãos, nós precisamos suportar a situação. O rei é jovem (...) chegará o tempo em que aqueles que o aconselharão irão lamentar."

Este golpe surpreendente tinha sido arquitetado pelo irmão de Carlos e marido de Valentina, Luís, pouco antes elevado ao título de duque de Orleans. O adolescente Luís assumiu as cerimônias da corte e organizou as festividades e a pompa de todos os assuntos externos, deixando a seus lacaios o trabalho aborrecido de cuidar dos livros, arrecadar impostos e administrar. Seu tio, o duque de Anjou, tinha morrido, e o duque de Armagnac estava agitado em seus domínios. O duque de Berry fugiu para suas próprias terras em Languedoc. Isso deixou Felipe só para confrontar Luís no Conselho de Estado.

Tudo piorou quando Carlos VI começou a sofrer surtos intermitentes de loucura, sendo que o primeiro episódio foi percebido em 1392. Na época, Luís já tivera vários anos para provar do poder e da cobiça, e, graças a seu casamento com Valentina, sentiu a excitação da expansão territorial quando Asti passou para seu comando como parte do dote dela. Durante seu primeiro período de loucura Carlos VI tinha, febril e sentimentalmente, outorgado vastos territórios e riquezas a Luís, que agora tinha seus próprios desígnios para o ducado de Milão, Ardenas e Luxemburgo. O tio de Luís, Felipe da Borgonha, sentiu que seu sobrinho estava indo longe demais, já que Ardenas e Luxemburgo faziam fronteira com suas próprias províncias.

Todavia, foi acertada uma trégua desconfortável entre tio e sobrinho, com ambos se voltando para seus próprios negócios e consolidando seus próprios domínios até a morte de Felipe em 1404. No último testamento de Felipe, ele deixou metade de todos os seus bens terrenos para sua amada esposa Marguerite, e a outra metade para filho, João. Embora Felipe estivesse pobre em dinheiro vivo, devendo centenas de milhares de *livres*, ele ainda assim transferiu para esposa e filho uma fabulosa biblioteca ilustrada, tapeçarias, pinturas e jóias além da imaginação. A mais preciosa dessas jóias, *La Belle Balais de Flandres* (O Belo Rubi-balache de Flandres), estava na família do duque de Flandres desde "tempos antigos", de acordo com o testamento. Embora a gema tivesse chegado a Felipe por intermédio de sua esposa, ele a deixou para João, o novo duque de Borgonha e Flandres, determinando que permaneceria perpetuamente com os duques de Flandres. Todas as suas outras jóias, objetos de valor e prataria seriam divididos igualmente entre sua esposa e seu filho, cada um deles assumindo a responsabilidade por metade de suas dívidas.

O novo duque ficou conhecido como João Sem Medo, duque de Borgonha e Flandres, que introduziu uma nova era de antagonismo com a França, e mais particularmente com o marido de Valentina, Luís, duque de Orleans. As hostilidades iriam resultar em uma rivalidade familiar e em perda de vidas que culminariam em uma sangrenta guerra civil. E o Sancy iria se tornar um dos reféns.

3

A vingança de Valentina

1407-1419

O SANCY SE TORNOU O PRINCIPAL instrumento na luta familiar e o símbolo do poder desejado pelo novo duque da Borgonha, João Sem Medo. João era um homem feio, deselegante e vulgar, dotado do queixo proeminente de seu pai — uma característica que se tornaria marca registrada dos príncipes Habsburgo. Ele tinha uma mente ágil e uma habilidade inata para extrair prazer em inspirar terror nos outros. Ele normalmente não tinha qualquer problema com sua aparência ou vestuário. Mas quando queria causar impacto, limpava a sujeira de sob as unhas das mãos; talvez se lavasse; vestia seu manto carmesim, verde e dourado adornado de jóias; e se transformava em uma figura impressionante. Ele era ciumento, esperto, traiçoeiro, militarmente destemido e de uma espantosa astúcia política.

João abominava o rei e o marido namorador de Valentina, Luís, considerando que nenhum dos dois merecia ocupar altos postos. A luta pelo poder que começara entre Luís e o pai de João, Felipe, tinha chegado ao auge quando Luís comprou o ducado de Luxemburgo em 1401, dessa forma ameaçando "coração e alma" da Borgonha.

Depois da morte de Felipe em 1404, Luís sentiu o êxtase do poder desenfreado, e promoveu um reinício das hostilidades contra a Inglaterra. Luís chegou mesmo a cometer a tolice de desafiar o rei Henrique IV da Inglaterra para um duelo — uma tolice que felizmente não foi levada em consideração pelo monarca inglês. O marido de Valentina sabia que pondo fim à trégua iria prejudicar o comércio lucrativo que tinha sido estabelecido entre Flandres e a Inglaterra, dessa forma interrompendo o suprimento de riqueza de João.

O plano era maquiavélico. O objetivo de João era reduzir impostos e aumentar o comércio com a França, como seu pai tinha feito com tanto sucesso com a Inglaterra. Como João tinha assinado um tratado com a Inglaterra em abril de 1407, estava apto a se apresentar como um defensor do povo, conquistando corações e mentes dos franceses, defendendo com veemência uma redução na carga de impostos, que seria possível se o rei não levasse em consideração a tentativa de Luís de insuflar a guerra contra a Inglaterra. Quando Luís replicou propondo novos impostos para financiar sua guerra, João se recusou a cobrar impostos dos borgonheses, dizendo que se isso não fosse prova bastante de sua sinceridade, ele iria pagar *todos* os impostos em benefício de *todo* o seu povo para pôr fim à loucura.

Foi uma manobra populista inédita na França medieval, e funcionou. A popularidade de João aumentou, enquanto a de Luís se esfacelou. Ambos estavam em rota de colisão, e seria uma luta mortal. As idéias de João certamente ganhariam apoio popular, ao passo que as de Luís representavam o *status quo* da corte. Em um panfleto, João acusou Luís de difundir a corrupção generalizada, desperdiçar um precioso capital público e de malversação da coroa.

A segurança da França estava em perigo. A esposa de Carlos VI, a rainha Isabel, renovou o "relacionamento especial" com a Borgonha, ao mesmo tempo permanecendo devotada a Luís de Orleans na esperança de que os dois primos em guerra fossem sensatos e declarassem uma trégua. João fingiu fazer isso, mas apenas até conseguir a vantagem. Mas ele primeiramente precisaria remover a atenta e virtuosa Valentina.

Embora Valentina fosse vista por seus inimigos como uma mulher sedutora e voluptuosa, ela não era. Ela certamente era uma beleza sensual com seus olhos de pálpebras pesadas, cabelos sedosos e corpo gracioso, mas acima de tudo ela era perspicaz, inteligente e leal. Sua devoção a Luís e à sua família era absoluta, mas essa fidelidade seria a sua ruína. Ela tinha tido vários filhos com Luís, e ignorava os rumores acerca dos casos amorosos dele, incluindo o persistente boato de seu envolvimento com a rainha da França. Luís estava sempre na companhia da rainha Isabel, mas a história hesita em afirmar se haveria um enlace romântico entre eles.

Quando Valentina administrou plantas medicinais para tentar curar o convalescente e insano rei Carlos VI, isso foi interpretado por seus inimigos como magia negra. Seu mais importante detrator, João Sem Medo, alegou que ela era uma bruxa. Quando sua filha recém-nascida Maria morreu repentinamente em 1407, provavelmente de síndrome da morte súbita infantil, Valentina foi indiretamente acusada pelo duque João de envenenar a própria filha. Essa acusação ridícula funcionou. Até mesmo Luís acreditou nela, e acabou exilando Valentina em Neufchâtel.

Assim que Valentina foi afastada, João escolheu o momento para atacar. Foi no dia 25 de novembro de 1407, no Chateau de St.-Pol, em Paris. Um bando de matadores a soldo de João, liderados pelo próprio *valet de chambre* do rei, foi aos aposentos de Luís dizendo que o rei queria vê-lo imediatamente. Luís não suspeitou de nada, e seguiu o valete até a armadilha de João. Luís estava acompanhado de cinco ou seis de seus próprios criados quando foi confrontado pelos 18 ou vinte homens de João. Luís se identificou e exigiu que eles abrissem caminho. O líder dos assassinos respondeu: "Ah, você é o homem que nós queremos!" Dois dos criados de Luís foram mortos antes que os outros fugissem. A cabeça do duque foi esmagada, seu corpo mutilado, e seus restos deixados na lama, enquanto os assassinos escapavam.

Na manhã seguinte ao assassinato, João assumiu seu lugar na cerimônia fúnebre junto ao rei e à rainha, prestando o respeito devido a seu primo assassinado, apesar de rumores que o ligavam ao assassinato de Luís. Dois dias mais tarde João confessou a seus tios, os duques de Anjou e Berry, que tinha instigado o crime. Na manhã seguinte ele trocou Paris por Flandres.

Quando Valentina soube do assassinato de seu amado esposo em seu exílio no castelo de Château-Thierry em Neufchâtel, imediatamente temeu o pior por seus filhos. Ela ordenou a seus servos mais leais que os levassem para

38 O DIAMANTE MALDITO

Blois, no coração de Orleans, para protegê-los de João. Assim que soube que eles tinham chegado em segurança a seu castelo lá, começou a pensar em vingança.

Na gelada manhã de inverno de 10 de dezembro de 1407, a bela viúva, vestindo seu traje de luto de veludo negro, chegou ao castelo de Paris em que seu marido tinha sido assassinado. Os "velhos", os duques de Anjou e Berry, estavam presentes, e para ela o rei parecia perfeitamente são. Valentina se jogou aos pés do rei e, em meio a uma torrente de lágrimas, exigiu justiça pelo assassinato do marido. O rei chorou ao ouvir seu apelo emocionado, ajoelhou-se e a ergueu, prometendo a vingança a que ela tinha direito. Foi feita uma petição ao conselho para que João fosse punido, e parecia que Valentina teria a sua vingança.

Mas João Sem Medo era um mestre da invencionice. Ele conseguiu com sucesso fazer circular boatos obscenos de que Valentina era a bruxa tentadora que tinha enlouquecido o rei; que seu marido tinha sido um tirano; e que ele, João, estava apenas cumprindo seu dever patriótico para com a França de livrá-la do homem que queria mergulhar o país em outra guerra bárbara contra a Inglaterra, e extorquir seu povo até a miséria. Com um golpe, ele tinha se transformado no porta-voz dos excluídos, e o rei não se colocaria contra ele. Carlos jogou fora a petição para punir João e o abraçou por salvar a França da iniquidade. Valentina ficou estupefata com o resultado final, mudando seu lema para "Nada mais para mim, pois eu não sou mais nada".

Ela se retirou para Blois, aparentemente uma mulher arrasada. Mas quando uma revolta em Liège obrigou João a voltar para Flandres, Valentina costurou uma forte aliança orleanista que persuadiu Carlos a revogar sua posição anterior favorável ao duque da Borgonha, e Valentina retornou à capital. A rainha e Valentina se tornaram firmes aliadas e parecia que finalmente João tinha perdido.

Quando João retornou de Liège, o povo de Paris se amontoou nas ruas em apoio a ele, mais uma vez virando a maré a seu favor. Valentina sabia que tinha sido derrotada, e retornou a Blois, definhando rapidamente até a morte. Quando sentiu que seu fim estava próximo, ela reuniu os filhos a seu redor e os fez jurar que vingariam a morte do pai. Depois que eles juraram levar a cabo sua vingança, Valentina Visconti, duquesa de Orleans, morreu de coração partido, com apenas 38 anos de idade.

João saiu vitorioso, mas não tinha avaliado o legado de Valentina. As grandes jóias e a fortuna dela tinham sido colocadas à disposição de seus filhos, e o filho mais velho, Carlos de Orleans, que recentemente havia se casado e ingressado na família Armagnac, tornou-se aliado de um homem de poder comparável ao do duque da Borgonha. O sogro de Carlos, Bernardo VII, duque de Armagnac, transformou a causa orleanista em uma que interessava aos Armagnac. No dia 15 de abril de 1410, em Gien, foi fechado um tratado entre os duques de Orleans, Armagnac, Bourbon, Berry, Clermont e Anjou para montar um exército e retirar João de Paris, "pelo bem, a honra e o progresso do rei, do reino e do bem público". O grande diamante de Valentina (o Sancy) e uma miríade de outras jóias foram utilizados como garantia junto a prestamistas parisienses para financiar esse exército e opô-lo ao poder absoluto de João. A primeira guerra civil conhecida a ser parcialmente financiada pelo Sancy era iminente.

A máquina de desinformação de João funcionou dia e noite, garantindo a seu público apaixonado que a facção Orleans/Armagnac estava interessada apenas em pilhar o interior, e para sustentar sua afirmação utilizou exemplos de suas transgressões. Em resposta, em julho de 1411 Carlos de Orleans lançou o desafio, emitindo cartas patentes (um decreto real) em que declarava João o responsável pelo assassinato de seu pai. A reação do duque foi imediata. "Você e seus irmãos mentiram, e você está mentindo agora, como traidores que são." João se preparou para a guerra, e para assumir controle total da França.

Dessa vez João se superou em astúcia. Ele esperou... e esperou. A facção Armagnac pilhou Paris com sua horda mercenária saqueadora, e o povo se defendeu sem ajuda o melhor que pôde. Finalmente o rei implorou a João que entrasse na capital para salvar seu reino. Assim, no dia 28 de outubro — três meses depois do início da guerra civil —, João marchou com seu exército para Paris e a "libertou". Seu primeiro decreto foi aplicar o édito papal contra salteadores ao exército saqueador Armagnac. Enquanto isso, os pró-

40 O DIAMANTE MALDITO

prios lugares-tenentes de João pilharam em seu nome, e jóias e bens de valor foram espalhados aos pés de João. A reação de João ao pôr os olhos sobre as grandes jóias de Valentina, incluindo o Sancy, não foi registrada, mas certamente deve ter tornado sua vitória ainda mais doce.

Talvez tenha sido na esperança de que ele ou seus herdeiros se sentassem no trono da França que João mandou engastar o diamante Sancy em uma jóia maior chamada *La Belle Fleur de Lys de Flandres*, ou A Bela Flor-de-lis de Flandres. Essa jóia reunia sua maior gema, o belo rubi-balache de Flandres, com o maior diamante branco da cristandade, agora chamado *La Balle de Flandres*.

O Sancy, como parte de *La Belle Fleur de Lys de Flandres*, foi empenhado por João no dia 2 de julho de 1412, como garantia, juntamente com outras jóias, a Laurens Caignel, um mercador de Lucca, por 2 mil *livres* (65,5 mil dólares ou 41 mil libras, em valores de hoje), mais juros de 270 *livres* (24 mil dólares ou 15 mil libras). Pela segunda vez em apenas cinco anos, o Sancy foi usado para financiar a guerra civil.

A bela flor-de-lis era efetivamente a coroa de João Sem Medo. Tinha três grandes pétalas no meio e duas menores em cada extremidade. No meio da pétala central, acima do diamante, estava o grande rubi-balache *La Balais de Flandres*, de Felipe, o Audaz, considerado o maior da França. As pétalas externas da jóia foram decoradas com outros oito grandes rubis-balache, oito safiras, cinco esmeraldas e 38 grandes pérolas. O conjunto pesava 2 marcos, 7 onças e 2 grãos — impressionantes 23,2 onças, ou 646 gramas. Sem ter idéia de quanto ouro havia na jóia, é impossível avaliar o peso das várias pedras, mas os 646 gramas equivalem a astronômicos 3.230 quilates!

Como na Guerra Civil americana, a guerra civil entre Borgonha e os Armagnac colocou irmão contra irmão, com as linhas de batalha sendo estabelecidas mais de acordo com princípios e crenças que com base em localização geográfica familiar. A bruma da guerra fez vítimas de ambos os lados, com os Armagnac, o populacho parisiense e João controlando a capital alternadamente entre 1411 e 1413. No final os Armagnac conseguiram vantagem e se apossaram de Paris.

A VINGANÇA DE VALENTINA 41

Uma vez expulso da capital, João cometeu o mais hediondo dos crimes para um francês medieval — um tratado secreto com o novo rei inglês, Henrique V. Quando Henrique então reivindicou o trono francês em função de seus ancestrais Capeto, João foi o único grande poderoso a não tomar parte da guerra que se seguiu. Os Armagnac se encarregaram da defesa da França, resultando na derrota desastrosa em Agincourt em 1415 que abriu o caminho para Henrique ser coroado rei da França. Com Carlos de Orleans capturado em Agincourt (ele passaria 25 anos na Inglaterra como prisioneiro) e com a morte do delfim pouco depois, a sucessão da dinastia Valois passou para seu irmão de 15 anos de idade, Carlos.

Ao amanhecer de 18 de maio de 1418, as tropas borgonhesas de João entraram em Paris — pela primeira vez desde 1413 —, iniciando um banho de sangue. Bernardo VII, duque de Armagnac, foi assassinado; bancos e agiotas foram pilhados de todos os seus bens; e qualquer um que tenha se colocado no caminho de João foi massacrado. Menos de um ano depois, em 10 de setembro de 1419, João concordou em se encontrar com o delfim Carlos na ponte de Yonne, em Montereau, para debater os termos de um renovado juramento de amizade e aliança entre eles. Há dezenas de diferentes relatos do que aconteceu nesse dia, mas só uma coisa é certa: João Sem Medo foi assassinado com um golpe de machado.

4

Os últimos grandes duques da Borgonha

1420-1476

NO INVENTÁRIO FEITO EM 1423, por ocasião da morte de João, o enorme diamante da Bela Flor-de-lis de Flandres aparece, porém não mais como parte da jóia. Ele é descrito como "um grande diamante simetricamente facetado com um vértice, arrematado por um círculo de ouro, e tão grande quanto uma pepita de carvão". O filho de João, Felipe, o Bom, remontou o diamante Sancy em um agrafe, ou grande broche, que podia ser usado como alfinete de chapéu ou broche de manto, ou colocado em um colar.

Georges Chastellain, o melhor dos historiadores borgonheses, refere-se ao diamante como "o maior e mais puro da cristandade". A utilização da palavra *puro* significava que o diamante era branco, mais do que inteiramente sem imperfeições. Diamantes coloridos ainda não eram valorizados, e na época nunca seriam descritos como sendo puros. O filho e herdeiro de Felipe, Carlos, usava o grande diamante branco como ornamento de chapéu, algumas vezes com uma grande pérola oriental pendendo dele. Esse conjunto se repetiu diversas vezes durante a longa história do Sancy.

O novo duque da Borgonha era bastante diferente de seu pai. Ao receber a notícia do assassinato do pai, Felipe emitiu um grito de gelar o sangue. Uma sombra passou por seu rosto, e os olhos reviraram nas órbitas. Felipe estava em choque, e sua corte lamentou e chorou tanto por sua reação quanto pela perda do poderoso duque João.

Felipe era um príncipe sensível, vivaz, extremamente belo e bem formado, e de porte nobre. Ele também tinha um amor profundo por pedras preciosas. Como escreveu seu cronista da corte Chastellain, "ele sabia como tirar o máximo de jóias, belos cavalos, armaduras esplêndidas (...) as massas engasgavam com a exibição deslumbrante (...) ele ofuscou todos os seus antecessores. Seus convidados ficavam perplexos com seu acervo de jóias, tapeçarias, prataria e louças, e com seus cofres cheios de ouro". Ele também era conhecido por ser "lascivo" ou devasso, com trinta amantes conhecidas e 15 filhos biológicos.

Felipe combateu a França de forma brilhante, aliando-se ao rei da Inglaterra. Um ano depois do assassinato de João, Carlos VI foi forçado a assinar um tratado que transferia para Felipe vastos territórios entre Borgonha e Paris, bem como as cidades de Somme, Ponthieu e Boulogne, que só poderiam ser resgatadas por 4 milhões de ducados (970 milhões de dólares ou 606,2 milhões de libras, em valores de hoje). Mais importante ainda, Felipe e seus herdeiros estavam dispensados de prestar a homenagem devida por seus feudos franceses enquanto o rei vivesse.

Felipe, como seu pai, passou anos tornando possível ao rei da Inglaterra, Henrique V, conquistar territórios franceses. Ele combateu em nome de Henrique V, e foi o lugar-tenente de Felipe, João de Luxemburgo, encarregado das tropas da Borgonha, que aceitou a espada de Joana d'Arc em maio de 1430. Foi Felipe quem concordou que Joana fosse entregue aos ingleses por 10 mil coroas de ouro (7,3 milhões de dólares ou 4,5 milhões de libras, em valores de hoje), sendo, assim, o responsável por sua traição.

Felipe foi o mais amado dos duques da Borgonha e consolidou o império de João, transferindo a corte principal para Bruges por ser ela o principal centro comercial. Ali Felipe transformou a corte da Borgonha em uma grande "indústria do luxo" para seus integrantes e fornecedores. A corte organizou um sistema de patrocínio generoso e variado e os mercadores tiravam seu ganha-pão de seu notável esplendor.

OS ÚLTIMOS GRANDES DUQUES DA BORGONHA 45

Com a morte de Felipe, Carlos, então Carlos, o Temerário, herdou uma riqueza fabulosa, composta de ducados, condados, *châteaux*, tapeçarias preciosas, manuscritos ilustrados, pinturas, *objets d'art* e jóias excepcionais. Sua biblioteca era considerada por seus contemporâneos como a mais rica de todas, com mais de novecentos manuscritos e livros com iluminuras. Sua Borgonha do século XV tinha se transformado na "nação" mais rica da cristandade graças à crueldade e ao intelecto de seus primeiros três duques, e se não fosse pela absoluta convicção de Carlos, o Temerário, de sua invencibilidade e ambição cega ao se tornar duque, ele teria com sucesso transformado o mapa da Europa como é conhecido hoje.

Este último grande duque, como muitos tiranos, tinha uma noção de destino histórico que foi bem documentada por vários cronistas da corte a soldo dele. Philip de Commines o descreve como sendo:

[Um] príncipe não tão alto quanto seu pai, mas forte, de boa constituição e robusto; forte de braços e dorso; ombros estreitos; com um centro de gravidade baixo; boas pernas e coxas poderosas, dedos longos e pés pequenos, não muito pesado, nem muito magro, com um corpo ágil adequado a todos os trabalhos e forças. Ele tem (...) olhos azuis claros alegres e sinceros, angelicamente límpidos, e é possível ver neles seu pai redivivo. Tem uma barba escura com uma saudável pele de brilho oliváceo. (...) Quando caminha, olha para o chão. (...) É inteligente, afável, mas assim que decide falar, é bastante eloqüente. Sua voz é aveludada e clara. O duque adora música, literatura e arte, é sábio e discreto, e freqüentemente fala de um destino grandioso. Ele é (...) algumas vezes amargo quando não obtém o que deseja, e cáustico com as palavras nessas ocasiões (...) e guarda ressentimento. (...) Contrariá-lo é cortejar o perigo. Ele adora arte e o jogo de damas, e outros jogos de azar, bem como dinheiro.

Carlos — como todos os homens medievais — também era altamente supersticioso, em parte em função da generalizada falta de compreensão científica dos fenômenos naturais, em parte instilada nele, como nos outros, pela onipresente Igreja. Sendo um homem supersticioso, para ele os diamantes

46 O DIAMANTE MALDITO

— as jóias indestrutíveis e invencíveis dos deuses — adquiriam uma importância quase religiosa em sua missão de conquistar a Europa. Ávido estudioso de história antiga, Carlos devorava histórias de conquista e estudava cuidadosamente as histórias sobre seu ídolo Alexandre, o Grande. Carlos acreditava nas lendas sobre o descobrimento do Vale dos Diamantes por Alexandre e suas tropas, e como tantos antes e depois dele, atribuía poderes místicos aos diamantes.

Essa lenda deve ter fortalecido suas fantasias acerca de diamantes como uma força irresistível. Adotando-os como símbolos de seu próprio poder, ele iria projetar sobre os outros a aura de invencibilidade do diamante. Os diamantes também favoreciam seu grande desígnio por serem talismãs preciosos de boa sorte. Ele cuidava muito bem de suas jóias, já que seu valor comercial era apenas uma fração de seu real valor. Sua detalhada contabilidade de 1467 afirma: "Meu *Seigneur* tem repositório de jóias com um criado principal como seu *valet de chambre*, que responde apenas a meu Senhor. Este valete tem um guarda assistente para as jóias, que obedece a ele. Um *sommelier de corps* [guarda-costas] o escolta constantemente, assim como um segundo *sommelier de corps*. Um terceiro *sommelier* monta guarda das muitas jóias de meu *Seigneur* como descrito nas contas. Outro valete está sempre presente em frente às jóias."

Carlos empregava esses seis homens não apenas para proteger as jóias, mas para que vigiassem uns aos outros. Seu camareiro e cronista Olivier de la Marche, que tinha a chave dos aposentos de Carlos, descreveu as detalhadas disposições de segurança do duque. Os salários do círculo interno de quarenta servidores do duque custavam impressionantes 800 *livres* diários (65 mil dólares ou 40 mil libras, em valores de hoje).

Entre os manuscritos com iluminuras há um retrato de um grande diamante isolado colocado em um chapéu, em um trabalho de Guillaume Fillastre intitulado *Histoire de l'Ordre de la Toison d'Or* [História da Ordem do Velo de Ouro]; o retrato aparece nos volumes um e dois, que foram concluídos por volta de 1473. Um trabalho ilustrado anterior, *The History of Charles Martel* [A História de Carlos Magno], escrito por David Aubert entre 1463 e

1465, também mostra Carlos, o Temerário, usando seu famoso diamante. Carlos mantinha o diamante como seu pai o deixara, montado em um engaste de ouro como uma única pedra isolada, para ser usado como um agrafe.

De acordo com o historiógrafo suíço Diebold Schilling, o diamante era *sans similitude*, ou *sans-si* (sem igual). Um registro de arquivo de Basiléia datado de 1477 afirma que ele pesava *cent six* (pronunciado "sancy") quilates (106 quilates). O diamante foi descrito como sendo "aproximadamente do tamanho de uma noz".

A fabulosa coleção de jóias de Carlos, a maior de todas as coleções reais da Europa na época, tinha sido acumulada desde a época de seu bisavô Felipe, o Audaz, que, como muitos dos benevolentes tiranos de sua época, tinha percepção da beleza e amor pelas pedras. Mas esse amor nunca transcendeu o valor monetário. Quando as pedras precisaram ser utilizadas como garantia para lutar uma nova guerra ou fazer uma nova conquista, Carlos, como os três duques anteriores, usou suas gemas para conquistar e manter o poder.

Na época em que Carlos se tornou duque, em 1467, Bruges era uma grande cidade com um porto esplêndido e 45 mil habitantes. Mercadores migravam para lá de todas as partes do mundo para vender seus produtos no norte da Europa. Acordos comerciais permanentes foram firmados com Veneza, Gênova, Lucca, Castela, Navarra, Portugal, Inglaterra e a Hansa alemã. O mercado mundial de Bruges era sustentado por um mercado financeiro bem desenvolvido, com banqueiros italianos oferecendo os mais novos instrumentos financeiros e amplo capital. A rica cultura da corte iniciada pelo pai de Carlos, Felipe, o Bom, floresceu, com centenas de artesãos habilidosos e especialistas produzindo bens de alta qualidade. Commines explica a riqueza do povo de Bruges: "Os súditos da Casa da Borgonha eram muito prósperos devido à paz duradoura e à bondade de seu príncipe, que não cobrava impostos pesados de seus súditos." Para os mercadores, burlar Carlos era cometer suicídio financeiro.

O mais antigo registro de venda de diamantes em Bruges data aproximadamente de 1370, e está relacionado a importações de Veneza. O embaixador veneziano na corte borgonhesa escreveu para o palácio dos doges no final do século XIV:

> Eu vi laranjas e limões de Castela frescos como se tivessem acabado de ser colhidos, comida e vinho da Grécia tão abundante quanto em seu próprio país. Também vi cortes de tecido e especiarias de Alexandria e de todos os cantos do Levante como se realmente estivesse lá. Ademais, havia tantas peles das regiões do mar Negro como se fossem produzidas em Flandres. Consegui encontrar tudo o que imaginei da Itália — brocados, sedas, armas e pedras preciosas. Em síntese, em Bruges é possível encontrar todos os bens produzidos em qualquer parte do mundo.

Este retrato de Bruges contrasta de forma marcante com aquele de outras capitais européias da época. A Europa estava apenas começando a se recuperar das devastações da Peste Negra, que tinha dizimado mais de um terço da população do continente um século antes. A maioria das pessoas no século XV trabalhava a terra sob o domínio de uma poderosa aristocracia, e de uma todo-poderosa Igreja católica.

Ademais, em 1467 os princípios básicos da hierarquia e das instituições sociais e financeiras e a organização de estradas e cidades seriam prontamente reconhecidos por uma pessoa do século XXI. O comércio se desenvolvera entre regiões, mas o Estado-nação estava em sua infância, com apenas Inglaterra, Gales, Escócia, Portugal e Suíça tendo basicamente as mesmas fronteiras de hoje. A Itália estava dividida em cidades-Estado e Estados Papais, com a Alemanha (a Liga Hanseática) e a Espanha divididas em regiões.

As economias de Inglaterra e Flandres eram interdependentes, com um comércio vigoroso bem estabelecido em itens de luxo como jóias, lã e tecidos finos. As trocas monetárias com base em diferentes moedas européias já tinham se desenvolvido. Simplificando, o mundo econômico como o conhecemos hoje é baseado em fundações estabelecidas antes da época de Carlos, o Temerário.

O mundo de Carlos era, sem dúvida, traiçoeiro, embora todas as cortes da Europa tentassem seguir o modelo da Borgonha. A corte inglesa de Eduardo IV se espelhava na de Felipe da Borgonha, que foi descrita como "sendo uma corte real merecedora de liderar um reino, plena de riquezas e homens de todas as nações". A renda total do duque era estimada em 900 mil ducados (218,2 milhões de dólares ou 136,4 milhões de libras, em valores de hoje). Essa vasta soma era equivalente à renda total da República de Veneza. A República de Florença possuía apenas um quarto dessa quantia, e o papa, metade.

Quando Carlos herdou seus domínios com a morte de seu pai em 1467, ele imediatamente começou a colocar suas finanças em ordem, exatamente como outro guerreiro francês, Napoleão Bonaparte, faria 333 anos mais tarde, e sua primeira prioridade era avaliar o valor de suas jóias e pratarias. O papel das jóias, e mais especialmente das pedras preciosas, ia muito além de dar prazer e garantir *status*. Jóias eram, acima de tudo, um patrimônio negociável valorizado por casas bancárias e prestamistas, e freqüentemente eram a única garantia aceitável. João tinha empenhado o Sancy para formar um exército, e Carlos pretendia fazer o mesmo caso fosse necessário.

Assim como no caso de seus antecessores, o arquiinimigo de Carlos era o rei da França — dessa vez Luís XI, apelidado "A Aranha Universal". A desconfiança de Luís por Carlos era igualmente profunda, e sua maior ambição era conquistar o emergente duque da Borgonha e reincorporar os ducados ao reino da França. Ele ao mesmo tempo invejava e temia o poder da Borgonha, e não confiava em Carlos. Luís era um homem de aparência vulgar, com um grande nariz adunco, uma boca que exibia uma perpétua expressão de desdém, queixo duplo e olhos desconfiados de pálpebras pesadas. Ele estava determinado a conquistar seu vassalo renegado e iria enredar toda a Europa em sua teia de intrigas em dez anos após a ascensão de Carlos.

Carlos, por sua vez, estava obcecado com conquista, portanto precisava que sua riqueza o ajudasse a atingir seu objetivo. Commines, em defesa de Carlos, escreveu: "Como o dinheiro é o mecanismo pelo qual uma pessoa é capaz de se armar e se garantir contra os caprichos da vida (...) a necessidade de nosso príncipe de dinheiro e de guardá-lo bem não é apenas para ele, mas também para o fruto que poderá ser produzido em um momento mais oportuno."

As gemas de Carlos eram fundamentais para o seu futuro. Governante dinâmico, sempre pensando, planejando com antecedência como atingir seu objetivo de restabelecer o Reino Médio da Lotaríngia, como pretendido por Carlos Magno quando dividiu o Sacro Império Romano entre seus três filhos, Carlos era obstinado nesse propósito. Quando se tornou duque da Borgonha, tinha 34 anos de idade e já havia se casado duas vezes. Sua primeira esposa, Catarina da França, filha de Carlos VII e irmã de Luís XI, morreu sem dar um herdeiro a Carlos. Sua segunda esposa, Isabel de Bourbon, deu a ele uma filha, Maria, antes de morrer precocemente.

Desde o princípio parecia haver uma urgência, uma imprudência nas ações de Carlos, como se ele soubesse que estava ficando sem tempo para atingir seus objetivos. Essa urgência acabou sendo sua ruína. Carlos nunca teve nem mesmo a superficial cordialidade de seu pai, que o tinha tornado tão estimado por seus súditos. Carlos era passional mas reservado, e se mantinha distante de sua corte, sem amigos ou confidentes. Olivier de la Marche certa vez escreveu que o duque tinha "uma indefinível expressão bárbara que se ajustava perfeitamente à sua paixão por tempestades e mares encapelados".

Mas, acima de tudo, Carlos era irresponsavelmente ambicioso e teimoso, e era conhecido por não aceitar qualquer conselho de seus assessores. Ele era freqüentemente visto vociferando pelos castelos em que vivia, sua capa negra se agitando como velames, gritando ordens, marchando como um urso enjaulado quando não conseguia o que queria imediatamente. Commines afirmou que "nem mesmo metade da Europa o teria satisfeito". Essas características, combinadas com a natureza desconfiada que ele herdara de sua mãe, Isabel de Portugal, chamada de "a dama mais desconfiada que já viveu" pelo pai de Carlos, tornava tumultuosa a vida na corte da Borgonha.

Em 1470, com Bruges florescendo, a extraordinariamente rica Borgonha estava quase que inteiramente desligada de sua suserana, a França. Isso levou Carlos a acreditar que a Borgonha poderia custear seu próprio caminho. No entanto, ele também sentia que seu sucesso dependia do fracasso da França. Para incomodar e desorientar seu inimigo, Carlos afirmou ser inglês, já que era descendente de John de Gaunt. Em outros momentos ele alegou ser português, em função de sua mãe. Quanto à França, ele freqüentemente afirmou: "Desejo que ela tenha seis reis." Uma França menor e mais fraca seria mais fácil de conquistar caso se voltasse contra si mesma em uma guerra civil, raciocinava ele. Seu sonho era estabelecer o reino da Borgonha sobre as ruínas da França real, e em 1474 ele fez um discurso em Dijon definindo como isso seria atingido.

Embora talvez não fosse claro para as outras pessoas, o plano de Carlos foi posto em marcha desde o início de seu reinado. Utilizando o casamento para atingir seus objetivos, em 1467 ele colocou sua filha Maria, de dez anos de idade, à venda, de modo a conseguir alianças políticas confiáveis. De fato, a questão do casamento de Maria constitui um dos casos mais curiosos da história da Europa do século XV. Acompanhando a longa e tortuosa procissão de noivos franceses, austríacos, ingleses e italianos, é fácil acompanhar o raciocínio ousado, as aventuras arriscadas e as coalizões efêmeras de Carlos.

Incapaz de decidir qual candidato potencial seria o melhor aliado no casamento com sua filha, Carlos se casou pela terceira vez, em 1470, com Margarida de York, irmã do rei Eduardo IV da Inglaterra, da Casa de York, em uma cerimônia que pecou pela mais proeminente ostentação. A cerimônia durou dez dias, com banquetes de trinta pratos duas vezes por dia. Os vestidos cobertos de jóias, os homens elegantemente vestidos e os cavalos cobertos de diamantes foram descritos detalhadamente pelos historiógrafos borgonheses Molinet e La Marche.

Carlos usou seu chapéu com o "maior e mais puro diamante da cristandade" em um engaste de ouro com uma grande pérola oriental pendente dele, preso no centro, acima da sua testa. Georges Chastellain não apenas se referiu ao diamante como o mais puro e maior da cristandade, mas também claramente o descreveu como uma pedra em forma de pêra. No século XIX, alguns autores lapidários alegaram que este diamante era o Florentino de cor cítrica, não levando em consideração que um diamante amarelo nunca teria sido descrito como "puro".

Acredita-se que Carlos também usou o Sancy em sua coroação em 1468, embora ele provavelmente tenha sido colocado sob o manto de coroação, e não como ornamento de chapéu. De acordo com vários inventários, Carlos tinha três diamantes com mais de quarenta quilates, e teria usado todos eles no importante momento de seu casamento — simbolizando os laços indestrutíveis com sua poderosa aliada, a Inglaterra.

A Inglaterra e a França tinham encerrado sua Guerra dos Cem Anos apenas três anos antes, e durante quase toda uma geração a Inglaterra agonizou em sua Guerra das Rosas, basicamente uma guerra civil estimulada pela rivalidade feudal pessoal entre as Casas de York e Lancaster pelo trono inglês. Unindo-se ao rei inglês de York, Carlos estava lançando um desafio a Luís, aliado do rei inglês de Lancaster, Henrique VI.

Mas a tempestade que se formava sobre a França tinha apenas começado a ganhar força. Luís XI também tinha incorrido na ira de João II de Aragão ao apoiar a Casa de Anjou contra João. Em outubro de 1469, o filho de João, Fernando, casou-se com a poderosa Isabel de Castela, que durante seu próprio reinado iria ver o apogeu da Inquisição espanhola e financiar a primeira viagem de Colombo ao Novo Mundo. Agora, parecia que a França se encontraria sob um ataque simultâneo da Borgonha a leste, da Inglaterra ao norte e das duas primeiras províncias unidas de uma nova Espanha ao sul.

A tensa situação na França foi temporariamente amenizada quando Luís desferiu um golpe de mestre em Carlos ao estimular a perfídia do conde de Warwick, chamado na Inglaterra "o Fazedor de Reis", em apoio a Henrique VI de Lancaster. Eduardo IV foi forçado a deixar o país, e recebeu abrigo seguro na capital comercial de Carlos, Bruges. Com um único golpe, Luís tinha não apenas frustrado o plano de Carlos de conquistar a França, mas também prolongado a Guerra das Rosas inglesa.

Carlos retaliou utilizando sua enorme riqueza. Ele deu a Eduardo IV 50 mil coroas (1,8 milhão de dólares ou 1,1 milhão de libras, em valores de hoje) e um exército que permitiu a ele reconquistar a Inglaterra, colocando Luís diretamente nos planos de vingança do rei inglês. Em quatro anos, o pêndulo oscilou contra e a favor do duque Carlos.

Carlos, embora menos desonesto que Luís, retratava-se como poderoso defensor de Eduardo IV e de João II de Aragão unicamente para atender a seus próprios objetivos. Uma carta de Carlos para João, datada de 28 de março de 1473, mostra claramente como Carlos foi capaz de dirigir a situação em benefício próprio:

> Tendo em diversas oportunidades recebido de meu muito querido irmão e primo o duque da Bretanha o apelo de agir em benefício do rei da França, nosso inimigo comum (...) para acertar uma trégua com ele até 1º de abril de 1473 (...) eu concordei em fazê-lo, mas com a condição expressa de que o nome de Vossa Majestade seja incluído, com vosso consentimento, como um de meus confederados e aliados. (...) Soube também que o dito rei da França estivera propondo enviar contra vós o exército que ficou disponível com a rendição de Lectoure.
>
> Ao tomar conhecimento disso, eu imediatamente enviei mil lanceiros recrutados na Itália. (...) É minha intenção que essas tropas cooperem com os contingentes borgonheses contra nosso inimigo comum, se ele romper a trégua atacando Vossa Majestade.
>
> Eu estarei à frente de minhas tropas para garantir que ele não tenha descanso. (...) Mandei cartas e mensageiros convocando-os [o rei da Inglaterra e o duque da Bretanha] a uma pressão conjunta. (...)
>
> Espero que nosso inimigo comum saiba que a causa de Vossa Majestade e a minha estão tão fortemente ligadas e nossas políticas tão unificadas que ninguém pode atacar nenhum de nós sem que o outro intervenha imediatamente.

Com essa carta, Carlos estabeleceu a primeira aliança européia ao estilo Otan. Ele sem dúvida tinha um raciocínio militar, e montara seu exército cuidadosamente, mas não tinha paciência e sutileza para a diplomacia, nem a determinação para liderar um grande exército em combate, o que acabou reduzindo a pó essa máquina militar extraordinariamente poderosa.

Qualquer que fosse a renda de Carlos, ela nunca poderia financiar uma guerra pan-européia. O déficit da Borgonha aumentava ano após ano, da mesma forma alarmante que acontece hoje com os déficits nacionais em circunstâncias semelhantes. Mas, diferentemente de muitos reinos, a Borgonha podia recorrer a fontes de capital externas — adiantamentos de mercadores ou prestamistas que aceitassem apólices e outras formas de garantia, como jóias, em troca de ouro. Devemos ver essas operações paralelas como o mesmo tipo de manipulação de reservas de ouro utilizadas pelas nações até meados do século XX. Os mercadores de Bruges e Antuérpia eram, simplificando, as reservas de ouro de Carlos.

Entre os mercadores prestamistas — ou banqueiros mercantis, como eles preferiam ser conhecidos — sediados em Bruges estavam vários italiano de Florença, Lucca e Veneza. Eles também tinham aberto lojas em Antuérpia quando o rio Schelt começou a assorear, dessa forma dificultando o comércio marítimo a partir de Bruges. Famílias portuguesas como os Rodrigues d'Évora, originalmente judias, foram obrigadas a emigrar durante a Inquisição, e encontraram abrigo em Antuérpia. A grande casa bancária comercial alemã de Fugger também estava estabelecida em Antuérpia. Os Países Baixos — atuais Bélgica e Holanda — eram considerados milagres econômicos de crescimento acelerado. Esses mercadores e suas cidades iriam desempenhar um papel crucial no financiamento das guerras do duque Carlos, e depois a maioria deles iria se beneficiar do espólio.

Quando o duque de Lorena morreu em 1473, os objetivos de guerra de Carlos repentinamente se tornaram mais sucintos: anexar o ducado de Lorena. Isso faria dele o governante da antiga Lotaríngia e Burgúndia, estendendo-se rumo ao sul, esperava ele, até a Provença. Manobras clandestinas foram iniciadas para obter a herança de René, o duque de Anjou, que era pai da rainha Margarida da Inglaterra, esposa do indeciso Henrique VI de Lancaster, que no momento definhava na Torre de Londres.

Carlos sonhava com Marselha como o porto da Borgonha no Mediterrâneo, como fora no século V. E o sonho de reinado, uma vez oferecido como suborno a seu pai Felipe, parecia poder finalmente tornar-se realidade. Como no caso de muitos outros tiranos posteriores, aqueles que conheceram Carlos diziam que ele tinha se perdido em seus delírios de glória e na busca paradoxal de seu destino.

Um tratado de agressão voltado contra a França foi assinado entre Carlos e o rei Eduardo VI de York. A única peça que faltava no quebra-cabeça geopolítico do duque era uma aliança com o Sacro Imperador Romano Frederico III. E, como Napoleão e Hitler, ele equivocadamente se voltou para o Leste antes de consolidar o império no Oeste.

Carlos marcou um encontro com Frederico no dia 20 de setembro de 1473 em Trèves, sob o pretexto de discutir o casamento de Maria com o filho do imperador, Maximiliano. Enquanto contemplava seu próprio cortejo deslumbrante e ostentatório, Carlos confortou-se no fato de que o Sacro Imperador Romano chegou com um séqüito humilde. Os cavalos do duque usavam adornos de cabeça e armaduras cravejados de diamantes e selas estofadas de veludo, enquanto que os do imperador eram selados apenas com fardas de couro. Carlos apeou e saudou o Sacro Imperador Romano de joelhos, iniciando em segredo as negociações para elevar seu Estado ducal a um reino.

Mas o duque dificilmente esperava que Luís XI já houvesse envenenado Frederico contra ele. Após dois meses suportando as exigências exorbitantes de Carlos e os boatos de Luís de que o belicoso duque pretendia se apossar do Sacro Império Romano, Frederico III entrou em pânico e fugiu ao cair da noite de 25 de novembro. Seus barqueiros o transportaram através das águas escuras e geladas do Reno, dando a partida para o próximo movimento de Carlos e Luís.

Inacreditavelmente, Carlos não percebeu a saída indigna do imperador como um mau presságio. Ele estava preocupado com seu próprio desígnio de se tornar rei. Afinal, tudo estava pronto: os tronos, as vestes de coroação, toda a pompa e circunstância adequada a uma ocasião tão importante. Resoluto, ele se aproximava com vigor renovado do objetivo, segundo La Marche, de "criar um reino para si mesmo". O lema de Carlos — "Eu deitei minhas mãos" — gravado em seu elmo, seus escudos e uniforme, mostrava sua determinação.

Assim, quando Carlos fez sua primeira viagem oficial a sua capital, Dijon, no dia 23 de janeiro de 1474, cerca de dois meses depois de Frederico ter fugido para salvar a vida, o discurso que fez nos degraus de pedra do Hôtel de Ville lembrou a seus súditos fiéis que "o antigo reino da Borgonha tinha sido durante muito tempo usurpado pelos franceses e reduzido a um ducado da França, o que deve dar a todos os seus súditos motivos para lamentar".

Era nada menos que uma declaração de guerra. Nas palavras de Commines, "suas idéias eram grandiosas, mas nenhum homem saberia como torná-las realidade".

5

Dando vantagem aos ladrões

1474-1477

EMBORA CARLOS PREFERISSE JÓIAS em sua própria pessoa revestida de sedas e veludos, dessa forma exibindo seu poder, com freqüência suas riquezas foram utilizadas como instrumentos financeiros na compra de armas, homens e alimentos rapidamente, para construir um reino. Supersticioso, tinha um medo mortal de ser retratado em pinturas usando suas preciosas jóias e ornamentos, por medo de atrair ladrões ou, mais provavelmente, por medo de que seus inimigos compreendessem a fonte de seu poder.

Suas guerras para se tornar rei do Reino Médio da Lotaríngia (como originalmente pretendido por Carlos Magno) começaram com a assinatura, em 1474, do Tratado de Londres, com seu cunhado Eduardo IV. Ele estabelecia a invasão da França por Eduardo, até o verão de 1475, com uma força de dez mil homens. Carlos forneceria outros dez mil para ajudar Eduardo na conquista da França. O duque também reconhecia Eduardo como rei da França, um título vazio que todos os reis ingleses continuaram usando até Carlos II em 1660.

Enquanto Eduardo preparava seu exército em Calais, última possessão da Inglaterra na França, Luís IX não tinha dúvidas de que Carlos e Eduardo pretendiam destruí-lo. Luís, que nunca conseguiria formar um exército adequa-

58 O DIAMANTE MALDITO

do para defender a França contra Inglaterra e Borgonha, retaliou, fazendo com que os inquietos vizinhos de Carlos se distraíssem em preocupações com o próximo movimento do instável e temperamental duque. As insinuações e indiretas de Luís funcionaram. O duque de Lorena foi o primeiro a ser incitado contra o duque da Borgonha, cuja ambição, como Luís XI insinuara, era de se tornar o eleitor de Colônia. Em seguida, a Suíça se aliou à Áustria — sua inimiga mortal. Então Luís emprestou à Áustria dinheiro suficiente para que ela pagasse a Carlos as dívidas pelos territórios austríacos na Alsácia. Mas, em vez de devolver essas terras à Áustria, Carlos rapidamente se mobilizou para defender o que ele sentia ser seu por direito, e atacou a cidade de Neuss, na Lorena. Enquanto isso, França e Áustria incitaram os alsacianos a se revoltarem contra o cruel e tirânico bailio de Carlos, Peter de Hagenbach. Quando de Hagenbach foi brutalmente executado por uma multidão descontrolada, isso provocou uma das fúrias mais incendiárias de Carlos.

Com suas maquinações, Luís tinha ludibriado Carlos e o levado a desviar os olhos da França. O imprudente duque saiu em disparada para a Alsácia e para a armadilha de Luís, levando consigo para a guerra a maior parte de sua enorme riqueza por quatro motivos: para se proteger da derrota mantendo junto a si seus diamantes "invencíveis"; para exibir seu poder e opulência aos rebeldes empobrecidos; para proteger seus tesouros de roubo; e, mais importante, para utilizar sua riqueza, se repentinamente necessário, para financiar sua guerra.

Carlos foi informado por um mensageiro de que o rei inglês estava preparando sua invasão para o verão de 1475, como planejado no Tratado de Londres. Em vez de se reunir a Eduardo em Calais, como tinha sido acertado, Carlos seguiu combatendo na Alsácia, obcecado com o medo de derrota ou retirada. Commines exprimiu sucintamente o estado de espírito do duque quando disse: "Deus tinha permitido que seu bom senso e seu raciocínio se desordenassem, pois por toda a sua vida ele se esforçou para abrir para os ingleses um caminho até a França, e nesse momento, quando os ingleses estavam prontos, ele permaneceu obstinadamente determinado a embarcar em uma empreitada impossível."

DANDO VANTAGEM AOS LADRÕES 59

Quando Eduardo e o "melhor exército que já cruzara o Canal" (de acordo com o *Calendar of State Papers of England*, a relação de documentos oficiais da Inglaterra) desembarcaram, Carlos finalmente suspendeu o cerco de Neuss para se juntar a seu cunhado, deixando seus melhores homens de armas na Alsácia. Durante a maratona de três dias de discussões que se seguiu, o duque amedrontou seu cunhado real, levando-o a acreditar que uma mudança nos planos de batalha seria mutuamente vantajosa, e retornou rapidamente ao encontro de suas batalhas no leste. Assim, enquanto Eduardo avançava suas tropas para o sul, como acordado, Carlos se atolava em Lorena. Nesse ponto, Eduardo IV observava o comportamento de seu cunhado com inequívoca suspeita. Afinal, ele já estava na França havia dois meses sem a ajuda de Carlos. A campanha breve e vitoriosa prometida por Carlos estava se transformando em um pesadelo para Eduardo: os franceses resistiam resolutamente, enquanto as baixas por ferimentos e doenças nas tropas eram numerosas. Carlos, por sua vez, permanecia inteiramente absorto em suas batalhas encarniçadas contra o duque de Lorena, ignorando seu principal aliado.

Eduardo decidiu que não tinha outra escolha a não ser agir no melhor interesse da Inglaterra, e mandou dizer a Luís que gostaria de abrir negociações sobre um tratado entre seus dois países. Luís estava em seu elemento, e deu início às negociações clandestinas. Eduardo colocou seus termos na mesa imediatamente: se, em duas semanas, Luís pagasse a ele 75 mil coroas — a quantia gasta na guerra até aquele momento — e garantisse a Eduardo uma pensão anual vitalícia de 50 mil coroas, o rei inglês ficaria feliz em fazer a paz. Luís concordou, desde que seu filho pudesse desposar uma das princesas inglesas, à qual seria concedido um dote de 60 mil coroas. Eles apertaram as mãos no ato para selar o acordo, e a Guerra dos Cem Anos entre a França e a Inglaterra finalmente chegava ao fim.

Quando Carlos tomou conhecimento do acontecido, ficou furioso e partiu na direção do acampamento de Eduardo, censurando seu cunhado por ser um vira-casaca. Eduardo replicou no mesmo tom, criticando Carlos por não honrar o Tratado de Londres. Carlos partiu em cólera, afirmando que não precisava dos ingleses para atingir seus objetivos, e que não faria a paz

60 O DIAMANTE MALDITO

com a França antes de pelo menos três meses após a retirada do exército inglês. Eduardo deixou Carlos com seu acesso de raiva e voltou para a Inglaterra.

Tomando o lugar da Inglaterra contra a França juntamente com seus outros aliados, como o rei de Nápoles e João de Aragão, Carlos batalhou. Contudo, continuava obcecado com as insurreições na Lorena e na Suíça, e determinado a seguir lutando até que a vitória fosse sua.

Sem a ajuda financeira de seus aliados, as jóias de Carlos precisavam servir a seu objetivo primordial: comprar exércitos mercenários. Mas, por ser o símbolo máximo do poder, o Sancy permaneceu em posse de Carlos. Carlos submeteu Lorena com mão sanguinária e vingativa, tornando inevitável uma guerra em grande escala entre a Suíça e a Borgonha. O duque não tomou nenhuma iniciativa diplomática, e na verdade apreciava a perspectiva de uma batalha encarniçada.

Em janeiro de 1476, Carlos iniciou sua primeira campanha nos cantões suíços com 15 mil homens cuja lealdade fora comprada com seu ouro e suas jóias. O duque fez seu primeiro ataque cruel e impiedoso em Grandson, onde suas forças vitoriosas executaram por enforcamento quatrocentos defensores da cidade e jogaram centenas de outras vítimas no lago para que se afogassem. Estimulado por essa cruel vitória, ele então marchou para Neufchâtel.

Os cantões suíços, que por séculos haviam acordado em sair em auxílio uns dos outros, tinham criado um exército confederado e marcharam juntos ao encontro do tirano borgonhês em Neufchâtel. Eles expulsaram as desbaratadas forças de Carlos de volta a Grandson em 2 de março. Segundo todos os relatos, na manhã seguinte uma pesada neblina cobria o lago, que acompanhava toda a extensão direita da planície que se tornaria o campo de batalha. As forças de Carlos foram apanhadas de surpresa pelos suíços, que chegaram por uma ravina e partiram para o ataque soando suas trombetas, que reverberavam contra as encostas das montanhas. O alarido era ensurdecedor e desorientou os borgonheses. Carlos, fatalmente, ordenou que seus homens cedessem terreno, alegando mais tarde que suas ordens foram mal compreendidas, e provocou um pânico geral. Os borgonheses foram empurrados para trás — alguns para o rio, outros para dentro do lago e dos pântanos próximos. O ataque suíço em uma passagem na montanha implicara não permitir liberdade de manobra, e isso fez dos borgonheses presas fáceis. De acordo com o cronista Paradin (1510-1567), "todos pareciam fugir em uma maravilhosa desordem, como se eles estivessem sendo escorraçados do local por alguma força invisível. Os borgonheses fugiam mais rápido do que os suíços eram capazes de perseguir".

Os exultantes suíços infestaram o acampamento de Carlos e passaram os três dias seguintes em uma orgia de saque e violação dos maiores tesouros da época. De acordo com o cronista de Carlos, Molinet, que foi feito prisioneiro pelos suíços em Grandson, "e o duque René de Lorena, extremamente contente e orgulhoso de seu povo, passou a noite no acampamento do duque Carlos da Borgonha, que ele descobriu ser bem servido de provisões, anéis, jóias, prataria e utensílios. E em retribuição por seus serviços prestados aos suíços, estes deram a ele um parque e os despojos de guerra dos borgonheses, como os que ele encontrou no campo de batalha".

O cronista suíço Jean de Troyes relatou: "Foi aqui que ele perdeu toda a sua riqueza — ouro, prata, jóias, tapeçarias, toda a sua artilharia, barracas, pavilhões e tudo o que tinha levado para Grandson."

Olivier de la Marche, que foi um servo leal de Carlos até o amargo fim, escreveu pouco depois de se reunir a seu derrotado mestre de volta do campo de batalha: "O duque está terrivelmente triste e bastante melancólico por ter perdido neste dia, em que seus ricos anéis e jóias foram arrancados de seu exército destruído. Os suíços ganharam, neste dia de batalha, jóias, o palácio arborizado do duque com sua prataria mui rica, todos os seus pavilhões, as tapeçarias e riquezas do duque Carlos."

Mas talvez tenha sido Commines, que raramente escreveu em detalhe sobre as jóias ou a fortuna de Carlos, e que já tinha deserdado seu mestre borgonhês pela proteção de Luís XI, quem resumiu melhor a situação quando escreveu: "Agora podemos ver como o mundo mudou depois desta batalha."

62 O DIAMANTE MALDITO

É, porém, Paradin que nos revela o destino do Sancy naquele dia, quando conta a história do que se passou com ele. Ele interpreta para a posteridade a exata importância da perda de poder de Carlos quando escreve:

> Como, nesta viagem específica, ele [Carlos] teve de levar consigo tudo o que tinha, de modo a demonstrar sua excessiva grandeza para os estrangeiros. (...) A perda em que o duque incorreu neste dia foi estimada em termos monetários em trinta vezes cem mil *écus* [2,2 bilhões de dólares ou 1,4 bilhão de libras, em valores de hoje], que tornaram os suíços ricos, já que eles nunca antes haviam tido conhecimento deste tipo de riqueza e do valor do butim: ao separarem o butim, eles dividiram em pedaços os mais belos e suntuosos pavilhões que o mundo já vira e que eles poderiam revender bem caro para seu lucro pessoal. (...) Entre eles havia um soldado suíço que pegou o porta-jóias particular em que estava o grande diamante do duque, com uma grande pérola pendendo dele. Ele tirou o diamante da caixa, olhou para ele, então recolocou-o na caixa, jogou-a sob as rodas de uma carroça que passava e depois foi pegá-la. Ele a vendeu para um padre por um florim, e o padre o deu a seus mestres, que pagaram a ele três francos pelo objeto. Há um enorme mercado para isso, o mais belo dos diamantes da cristandade. É um de três jóias de tamanho inacreditável. O primeiro é chamado Os Três Irmãos, o seguinte, uma jóia chamada *La Hotte*, e o terceiro um rubi-balache chamado *La Balle de Flandres* [o Sancy], que são as mais belas pedras que alguém pode sonhar encontrar.

O relato de Paradin produziu séculos de confusão acerca da perda do Sancy em Grandson. Ele se refere corretamente pelo nome às três maiores jóias pertencentes a Carlos, mas se equivoca — sem dúvida não intencionalmente — em sua descrição. O Três Irmãos era uma grande jóia de rubi e diamante, reputada principalmente pelos rubis. *La Hotte* era um enorme rubi, não um diamante. Ao se referir ao "rubi-balache chamado *La Balle de Flandres*" ele confundiu o *Belle balais de Flandres* [o belo rubi-balache de Flandres] com o diamante *La Balle de Flandres*. Os mais belos diamantes da cristandade sem dúvida foram perdidos naquele dia em Grandson — juntamente com os mais belos rubis —, mas Paradin, infelizmente, não legou à posteridade uma descrição sólida na qual confiar. É certo que Carlos mandou criar um novo arranjo para *La Belle Fleur de Lys de Flandres*, o diadema originalmente produzido para João Sem Medo, do qual ele poderia extrair *La Balle de Flandres* (o Sancy) para usá-lo isoladamente. Mas isso não é motivo para descartar inteiramente o relato de Paradin.

Enquanto Carlos fugia em um estado quase catatônico, os cantões concordaram entre si em compilar uma lista completa do butim, conhecido como *Burgunderbeute*, ou Butim da Borgonha, que descreve em minúcias quem pegou o quê de quem e quanto do que tinha sido pego foi entregue. Os soldados suíços seriam condenados à morte se não entregassem sua parte no saque. Centenas de páginas descrevem a fortuna que Carlos levou consigo para Grandson e perdeu de forma tão despropositada naquele dia.

No butim levado a Lucerna, onde seria dividido igualmente entre os suíços, estavam potes, baixelas, tigelas, canecas e outros utensílios de prata, talheres de ouro e castiçais que foram pesados e avaliados em quatro quintais (o que corresponde a cerca de 240 quilos em prata ou ouro). Mas para cada item contabilizado em Lucerna estima-se que 99 outros itens de valor inestimável foram desviados pelos soldados suíços vitoriosos. Mesmo pela avaliação suíça mais conservadora, apenas um centésimo do butim foi documentado. O butim de Lucerna continha alguns mantos de prata e ouro, outras roupas e tecidos de seda e ouro e muitas iguarias que os empobrecidos suíços nunca tinham visto antes e que tiveram dificuldade de descrever em um registro escrito. Havia também muitas grandes tapeçarias, uma das quais era inteiramente feita de fios de ouro, com seis belas pérolas e seis grandes rubis costurados, juntamente com uma relíquia religiosa.

A lista do *Burgunderbeute* é impressionante, descrevendo com eficiência suíça quem adquiriu quais peças, a qual contingente suíço elas pertenciam, o número de homens naquele contingente e por fim as próprias peças, da melhor forma possível. Previsivelmente, embora haja mais de cem jóias mencionadas no *Burgunderbeute*, há poucos diamantes grandes. Há, porém, referência a um dos diamantes do duque da Borgonha e seus acompanhamentos, descritos como

64 O DIAMANTE MALDITO

"inestimáveis". Diz-se do diamante que é como a "metade de uma noz", engastado em ouro com duas grandes pérolas pendendo dele, como um pingente que poderia ser separado do diamante por um fecho. Ele estava inserido em um conjunto com sete grandes diamantes, sete grandes rubis e 15 grandes pérolas, e foi descrito como "algo maravilhoso e inestimável".

Poderia este ser o Sancy, anteriormente descrito como "uma noz"? Não há registro de Carlos haver cortado o grande diamante, nem teria ele motivo para fazê-lo. Embora haja diamantes e outras jóias inestimáveis nesta lista, nenhuma das grandes jóias de Carlos aparece, e certamente as três grandes jóias descritas por Paradin não estão nesta abrangente e impressionante litania da fenomenal riqueza do duque. Não consta a jóia da Ordem do Velo de Ouro. A jóia Rosa Branca, presenteada a ele por seu cunhado, não está em parte alguma. O *Federlin*, ou pequena pluma, que sabidamente esteve em posse dele, não aparece. *La Hotte* e *La Balle de Flandres*, ou o diadema *La Belle Fleur de Lys de Flandres*, não são mencionados. Se a precisão suíça determinava que *todo* o butim precisava ser registrado sob pena de morte, então certamente todo o saque estaria na lista.

Portanto, parece provável, tomando como ponto de partida Paradin, Schilling e outros cronistas suíços, e considerando onde o Sancy reapareceu depois, que o "padre" citado era um padre do bispado de Basiléia. Embora Basiléia tenha contribuído com seu próprio contingente de homens para a batalha como um parceiro menor na empreitada suíça, era amplamente sabido que não iria receber uma parcela "integral" do butim. O padre, tendo confirmado que o diamante era real quando ele não se despedaçou ao ser jogado sob as rodas da carroça (já que a "indestrutibilidade" dos diamantes não era questionada na época), teria procurado o bispo ou seu camareiro para dar a ele as boas novas de seu achado. O padre se sentia plenamente recompensado, já que não tinha idéia de seu valor. O bispo, porém, diante do extraordinário butim dos Três Irmãos, *La Hotte* e *La Balle de Flandres* (o Sancy), sabia precisamente o que fazer. Os termos da divisão do espólio estabeleciam que tudo precisava ser transportado para Lucerna, e lá dividido *igualmente* entre todos os participantes da batalha, do mesmo modo que em

DANDO VANTAGEM AOS LADRÕES   65

quaisquer outras batalhas por vir. A escolha do bispo de Basiléia era simples; ele ficou quieto, não fez nada, e esperou.

Nove meses depois de perder seus preciosos tesouros em Grandson, Carlos travou sua última batalha, em Nancy, onde foi irremediavelmente derrotado e golpeado até a morte pelo povo da cidade quando jazia, mortalmente ferido, no campo de batalha.

A notícia correu de boca em boca pela Europa como relâmpago. O poderoso duque Carlos perdera seus diamantes indestrutíveis, sua riqueza e um reino como o qual outro não havia. Ele certamente devia ter sido amaldiçoado para chegar a tal fim.

Enquanto isso, o Sancy e as outras gemas encontradas no porta-jóias esmagado de Carlos, o Temerário, permaneceriam trancadas em segredo por outros 14 anos.

6

O diamante desaparece

1476-1507

BEM ESCONDIDA NOS ARQUIVOS de Basiléia há uma nota de venda secreta, datada de 1504, para Jacob Fugger, dono de uma grande casa bancária comercial sediada em Augsburg, Alemanha, pela compra de quatro jóias do bispado de Basiléia. A forma de pagamento, o momento em que a venda deveria ser concluída e as condições pelas quais Jacob teria acesso às jóias estão todos determinados neste documento secreto.

O *Ehrenspiegel* (inventário) de Fugger de 1508 descreve essa transação e nos dá a primeira pista do paradeiro do Sancy:

> Os suíços o [Carlos] derrotaram inteiramente, dispersaram seu exército, tomaram todos os seus valores, armas e bens valendo bem mais de dez vezes cem mil *gulden*, ou florins. O valor da prataria passou despercebido, pois os suíços acreditaram que era peltre. Os esplêndidos pavilhões de seda e outros itens domésticos magníficos fizeram parte do butim suíço. Qualquer que tenha sido a forma de distribuição do saque, ele de alguma forma incluiu o grande diamante ogival, o que era conhecido em toda a cristandade [o Sancy]. A jóia Três Irmãos, desse modo chamada por seus três grandes rubis de mesmo tamanho, espessura e peso, também estava no butim. Ela é ornada com três

68 O DIAMANTE MALDITO

das maiores pérolas orientais, de acordo com o antigo costume. O primeiro diamante [o Sancy] não foi vendido imediatamente, mas em segredo, alguns anos mais tarde. A jóia seguinte foi oferecida a Jacob Fugger, conhecido em toda parte por sua enorme fortuna. Embora esta jóia, com suas pedras puras, tão grandes e magníficas, tenha também pertencido ao duque da Borgonha, o mesmo Jacob Fugger comprou, como descrito a seguir, a gema, mais um rubi e uma gema embutida, por 47 mil florins [34,2 milhões de dólares ou 21,4 milhões de libras] do cidadão suíço Kauffweiss e a manteve por alguns anos.

O *Ehrenspiegel* de Fugger, como todas as crônicas da época, retrata os suíços como desinteressados do butim tomado nas batalhas em Grandson, Morat e Nancy. Em verdade, o fato de que eles dividiram fisicamente as inestimáveis tapeçarias que caíram em suas mãos em vários pedaços comprova isso. Embora o bispo de Basiléia soubesse que o Sancy era precioso, ele provavelmente não tinha consciência do verdadeiro valor de mercado de tal gema, ou das outras jóias em seu poder. Sabiamente, o bispo esperou... e esperou. O Butim da Borgonha foi calculado, registrado e partilhado em Lucerna, enquanto cada vez mais "soldados" suíços vestiam blusões de ouro e seda, comiam em pratos de ouro, montavam belos cavalos e ostentavam outras formas de riqueza bem acima de suas possibilidades.

À medida que a riqueza acumulada no país começou a desaparecer com os anos, o bispo supôs que as jóias em seu poder eventualmente seriam esquecidas, assim como os cantões se "esqueceram" de perseguir aqueles que tinham escancaradamente roubado o Butim da Borgonha. O sagaz e cauteloso bispo sabia que, quando chegasse o momento de vender sua reserva preciosa, deveria fazê-lo por intermédio de um colega suíço. Isso daria a ele mais poder ao ameaçar o comprador com o fogo do inferno e a danação, para não falar na pena de morte como lavrado no Édito de Lucerna de 21 de março de 1477, que estabelecia as punições para todos aqueles que roubaram do Butim da Borgonha.

E foi assim, em 1491, 15 anos após a derrota de Carlos, como mostram os registros de Basiléia, que o Sancy, descrito como "um enorme diamante branco do tamanho de uma noz", foi vendido para a família Hertenstein, mercadores de Lucerna, por pouco mais de 5 mil florins (606 mil dólares ou 379 mil libras, em valores de hoje). Os Hertenstein não eram uma das grandes famílias de banqueiros mercantis que dominavam o comércio europeu na época, e nunca teriam acesso a tal capital. Eles podem ser mais bem descritos como intermediários atuando como agentes na obtenção de pequenos lucros do que como mercadores internacionais agindo em benefício de grandes famílias como os Fugger.

Hertenstein, embora não fosse um especialista em jóias finas ou diamantes, certamente sabia como conseguir um elevado lucro com aquela oportunidade. Ele nunca cogitaria ser um vira-casaca e receber uma recompensa insignificante por notificar os cantões da falha do bispo. Ele saberia exatamente quem o compraria dele *fora* da Suíça pelo maior valor — e pode muito bem ter sido o intermediário do comprador eventual. Com o idioma sendo uma barreira, e os relacionamentos comerciais, outra, Hertenstein teria uma preferência natural por um colega mercador de língua alemã. E o maior deles era Jacob Fugger.

Jacob era a estrela mais brilhante do negócio da família, que levou ao auge no início do século XVI. Os Fugger não eram uma das antigas e bem relacionadas famílias comerciantes de Augsburg como os Welser, os Herwart ou os Lagenmantel. De acordo com seu testamento de 1409, o mercador de tecidos Hans Fugger deixou uma considerável fortuna de 3 mil florins, mas ainda bem menos do que era necessário para criar um grande império bancário mercantil. O filho mais novo de Hans, Jacob (o Velho), um homem modesto e trabalhador, casou-se com a filha do tesoureiro de Augsburg, que, de acordo com o biógrafo de Fugger, Victor von Klarwill, "tinha ótimas relações e ligações comerciais com todos os tipos de mercadores". O sogro de Jacob acabou no Tirol, para onde Jacob e sua esposa seguiram, fazendo a primeira fortuna da família minerando prata.

Com sua morte em 1469, seus três filhos mais velhos — Ulrich, Georg e Peter — continuaram no negócio da família. Os dois mais novos, Marcus e Jacob, destinavam-se a ingressar na Igreja. Mas quando Peter morreu subitamente em 1473, o atormentado Jacob abandonou a perspectiva de se tornar padre para ingressar nos negócios da família. Aos 14 anos de idade, Jacob freqüentava a Fondaco dei Tedeschi (a Fundação Alemã) em Veneza, estudando administração, como faziam tantos jovens alemães, com a vantagem extra de observar os negócios da família em ação em seu escritório e depósito de Veneza. À época de sua maioridade, Jacob demonstrou uma aptidão para os negócios muito superior à de seus irmãos mais velhos. Ele era como um mestre de xadrez, sempre pensando três movimentos à frente de seus oponentes e sempre vencendo. Dizia-se que não ocorria nenhuma grande transação na Europa sem o conhecimento de Jacob Fugger, e que se ele pudesse cavar um papel para a Casa de Fugger em qualquer transação com lucro financeiro ou político, ele o faria.

Quando Georg morreu em 1506, seguido pouco depois por Ulrich, Jacob se descobriu o único encarregado pelo império da família. Quieto, altamente inteligente, e ponderado, Jacob conseguiu capitalizar com o relacionamento que Ulrich primeiramente cimentara com o Sacro Imperador Romano Habsburgo Frederico III em 1473, quando Jacob forneceu o traje de seda fina para a audiência de Frederico com Carlos, o Temerário, em Trèves. Não há dúvida de que Jacob acompanhou a derrota de Carlos com um olho na oportunidade, especialmente já que o genro de Carlos, Maximiliano I, era o monarca reinante com quem ele tinha de negociar a questão das minas de prata e cobre do Tirol.

Em 1496, Jacob abriu mão de seus prudentes acordos de financiamento usuais e concordou em adiantar 121.600 florins (14,7 milhões de dólares ou 9,2 milhões de libras, em valores de hoje) para sustentar a tolice de Maximiliano de ser coroado Sacro Imperador Romano em Roma. O único motivo para o sábio financista se envolver em um episódio tão custoso teria sido ganhar vantagens políticas. No final, Jacob precisou adiantar apenas 40 mil florins no total, o que teria sido um perfeito investimento na expansão de seu império financeiro na Itália.

Então, quando um diamante descrito como "do tamanho de uma noz" foi vendido para Hertenstein, há pouca dúvida de que Jacob Fugger sabia da transação e era um dos poucos comerciantes da Europa com meios políticos e financeiros de comprá-lo. Como freqüentemente era o caso, não sobreviveu nenhuma nota de venda, se é que houve alguma. A transação pode facilmente ter sido parte em dinheiro, parte em favores, ou um acerto por muitas contas não pagas, e talvez nunca saibamos como foi.

Em 1502, Jacob foi abordado por "homens de confiança" e abriu negociações diretamente com o bispado de Basiléia para comprar outras quatro jóias que tinham sido escondidas juntamente com o Sancy. Isto é em si uma outra prova de que o bispo acreditava que Jacob seria o comprador final do Sancy, e um dos pouquíssimos homens com uma fortuna suficiente para adquirir em segredo suas jóias remanescentes. Jacob estabeleceu um florescente comércio com o papa a partir de 1500, e já era conhecido como o "banqueiro do papa". Ele também era banqueiro dos Habsburgo e de Maximiliano.

Tendo inicialmente sido trienado para a Igreja, Jacob falava a língua do prelado, e foi recomendado a todos os outros opulentos curas como "um homem com quem é possível fazer negócios". O bispo não poderia desejar uma recomendação melhor do que a fortuna ou a discrição de Jacob. Em 16 de setembro de 1504, a nota de venda secreta entre Basiléia e Jacob Fugger foi assinada, dando a Jacob direito às outras quatro jóias "do tesouro de Carlos, o Temerário", especificamente:

1. A Ordem da Jarreteira, um colar da ordem criada por Eduardo III que em 10 de janeiro de 1459 Eduardo IV, rei da Inglaterra, conferiu a seu futuro cunhado Carlos da Borgonha;
2. A Rosa Branca, que representa o brasão de armas da família real de York, reis da Inglaterra, feita de pedras preciosas; provavelmente também um presente de Eduardo IV, rei da Inglaterra;
3. o *Federlin* (ou Pequena Pluma), um pequeno alfinete de chapéu composto de pedras preciosas e mais de setenta pérolas, também proveniente de Eduardo IV, rei da Inglaterra;
4. os Três Irmãos, com rubis adquiridos por João Sem Medo; a jóia, criada por Felipe, o Bom, foi herdada por Carlos, o Temerário, duque da Borgonha.

72 O DIAMANTE MALDITO

O preço de compra destas jóias foi de 40.200 florins renanos (10,7 milhões de dólares ou 6,7 milhões de libras, em valores de hoje), dos quais 19 mil florins seriam pagos em ouro e o restante em moedas de prata cunhadas em Milão, Zurique, Lucerna, Friburgo, Saint Gallen ou no distrito suíço de Valais. Até que toda a quantia fosse paga, as jóias permaneceriam com o vendedor, e os Fugger teriam autorização para ver as gemas, mas não para alterá-las de modo algum. Seriam cobrados juros sobre os extraordinários valores a pagar, e a venda deveria ser concluída dentro de cinco anos.

As negociações, assim como o acordo, foram mantidas inteiramente em segredo. A maior parte do dinheiro de Jacob Fugger foi utilizada especialmente para pagar dívidas da cidade de Basiléia com Estrasburgo, por serviços que Estrasburgo tinha prestado à cidade suíça fronteiriça. Uma parcela dos pagamentos foi feita em ouro, e foram cobrados juros de 3% sobre os pagamentos em moedas de prata feitos ao longo do tempo. No dia 15 de outubro de 1506, três "homens de confiança" da Casa de Fugger chegaram com a prestação final de prata e tomaram posse das jóias.

Mas por que motivo Jacob colecionaria tantas gemas valiosas da herança do último grande duque da Borgonha? Certamente Jacob era conhecido por sua aversão a bens de luxo pessoais e por sua tradicional prudência. Ele chegou mesmo a ignorar o título de "Conde" quando lhe foi oferecido mais tarde. Um motivo pode ter sido criar, por intermédio das gemas, uma "reserva de capital" facilmente transportável nos tempos tumultuosos em que vivia. Contudo, há pouca dúvida de que Jacob Fugger vira naquelas gemas fabulosas o valor de instrumentos de poder político e financeiro, a serem empunhados para ampliar seu próprio império financeiro e a Casa de Fugger.

Em janeiro de 1502 surgiu um provável "comprador" para o grande diamante de Flandres. Dom Manuel I, rei de Portugal, que nos sete anos anteriores consolidara um tremendo tesouro real para a emergente talassocracia de Portugal, tornou-se o próximo alvo financeiro de Jacob.

7

Os reis e as casas comerciais

1507-1522

O MUNDO CRISTÃO ESTAVA MUDANDO rapidamente desde a morte de Carlos, o Temerário, em 1477. O genro de Carlos, Maximiliano I, consolidou o império borgonhês e o acrescentou ao seu próprio, que se estendia do reino de Nápoles até a Áustria, no leste, com os principados de Milão, Florença, Gênova e Veneza permanecendo independentes. Os franceses expulsaram os ingleses de suas costas, mas permaneciam fracos e divididos por senhores da guerra provinciais. Henrique VII, o primeiro rei Tudor, usurpara o trono inglês, pondo fim a todas as esperanças de uma ressurreição da Guerra das Rosas entre as casas de Lancaster e York. Fernando de Aragão e Isabel de Castela unificaram suas coroas por uma Espanha unida, e puseram seu zelo religioso em prática intensificando a infame Inquisição espanhola em 1492. Os portugueses, sob os auspícios do papa e da onipresente Igreja católica, desde a época de João II (1481-1495), antecessor do então monarca dom Manuel (1495-1521), escravizavam ou expulsavam os mouros de suas terras. E o diamante Sancy desempenhou seu próprio importante papel no coração do poder, nas areias movediças que mudaram a civilização ocidental.

Como condição contratual para que dom Manuel I desposasse a filha mais velha de Fernando e Isabel (também chamada Isabel), ele também teria de

74 O DIAMANTE MALDITO

instituir a primeira Inquisição oficial, e ela foi decretada em 1497 contra os judeus. Alguns foram afortunados o bastante de escapar para Flandres, enquanto outros foram convertidos à força ao cristianismo e passaram a ser conhecidos como "marranos" por seus irmãos.

Essa conversão forçada em massa e a expulsão do que era a classe mercantil de Portugal combinaram-se com outros fatores para precipitar mudanças comerciais que estavam em marcha por toda a Europa. Bruges lentamente perdia sua proeminência para Antuérpia, à medida que o progressivo assoreamento de seu rio, o Shelt, dificultava o acesso a ela por mar. Os venezianos, que por séculos tinham mantido o monopólio da importação da maioria dos artigos de luxo do Oriente e da Índia, foram eclipsados pela mais importante mudança de poder — o surgimento da Era das Navegações e o domínio de Portugal.

O tio materno de Carlos, o Temerário, o príncipe Henrique, o Navegador, iniciou a sede portuguesa de exploração. O simples desejo de descoberta científica freqüentemente atribuído a Henrique na verdade estava inextricavelmente relacionado a sua compulsão de combater os muçulmanos em sua própria terra em uma Santa Cruzada não-oficial. Imperativos comerciais que surgiram com o crescimento do Estado português e do orgulho nacional sob o reinado de João II foram transmutados em uma busca insaciável por uma rota alternativa para o rico comércio de especiarias da Índia, e na formação de um mercado de escravos na África. Grande parte dessa expansão comercial foi racionalizada pela necessidade de converter os povos "não iluminados" da África e da Ásia ao cristianismo.

O rei Fernando e a rainha Isabel de Aragão e Castela financiaram a viagem do genovês Cristóvão Colombo às Índias Ocidentais em 1492. Dom Manuel I de Portugal financiou as viagens de Vasco da Gama à Índia em 1497 e 1500, abrindo pela primeira vez uma rota de comércio marítima que ameaçava o monopólio veneziano.

Mas o financiamento dessa fenomenal Era das Navegações não saiu, como normalmente se acredita, dos tesouros reais dos reinos da Espanha e de Portugal, mas de banqueiros mercantis chamados Fugger, Affaitadi, Rodrigues

OS REIS E AS CASAS COMERCIAIS 75

d'Évora, Schetz, Hochstetter, Médici, Strozzi e Balbani, entre muitos outros. E o viveiro para essas transações financeiras não era Madri, Lisboa, Veneza ou Nápoles. Era Antuérpia — o novo centro comercial de Flandres.

Quando a Era das Navegações ainda estava em sua infância, na última década do século XV e na primeira década do século XVI, o mapa da Europa e as poderosas dinastias governantes foram redesenhados e transformados por intermédio de casamentos e guerras. Apesar de todos os esforços de Luís XI para usurpar a herança de Maria da Borgonha após a morte do duque Carlos, Maria desposou o filho do Sacro Imperador Romano Maximiliano como Carlos tinha planejado, e juntos governaram Flandres, Holanda, Zelândia e outras regiões do antigo império borgonhês. Com a morte prematura de Maria, suas terras na Borgonha e seus títulos foram incorporados ao Sacro Império Romano de Maximiliano, outorgando-lhe direito, por intermédio de sua herança real, à Áustria e a regiões da Alemanha e de Nápoles.

O filho de Maximiliano e Maria, Felipe, o Justo, assumiu o título de rei da Holanda, e a partir de 1504, com a morte da rainha Isabel de Castela, herdou a coroa de Castela através de seu casamento com Joana, a Louca (outra filha de Fernando e Isabel) e tornou-se Felipe I da Espanha. Por intermédio do casamento, e sem derramamento de sangue, Maximiliano alcançou uma herança com a qual muito sonhara o avô de Felipe, Carlos, duque da Borgonha.

Enquanto Maximiliano consolidava seu novo império terrestre através da guerra no leste contra a Hungria, dom Manuel I de Portugal criava um domínio nos mares que tornaria seu país mais rico do que qualquer outro da Europa durante trinta anos. Em 1517, dom Manuel presidia um império comercial no Brasil, na costa ocidental da África, conhecida como costa da Guiné, em Moçambique, Congo, Angola, Málaga, Molucas, Goa e Hormuz, e tinha descoberto as ilhas de Madagascar, Tristão da Cunha, Cabo Verde e Santa Helena (onde morreu Napoleão). Postos comerciais foram estabelecidos através de uma brutal cruzada messiânica contra os muçulmanos, que eram os principais parceiros comerciais da Ásia. Ouro, pedras preciosas, prata, seda e especiarias eram empilhados em navios portugueses e levados para a

76 O DIAMANTE MALDITO

pátria. A supremacia portuguesa era inteiramente atribuída a seus lendários comandantes, como Albuquerque, Cabral, da Gama e Magalhães, bem como aos desconhecidos heróis portugueses fabricantes de navios e armas que equipavam barcos ágeis com armas e canhões superiores à capacidade do inimigo.

Contudo, o próximo dono do Sancy, dom Manuel I, continuava a ser uma figura obscura, eclipsada pelos familiares nomes dos navegadores e comerciantes aventureiros da época. O historiógrafo humanista Damião de Góis descreveu dom Manuel em 1567 como

> [Um] homem de boa estatura, com um corpo mais delicado e refinado que largo, com uma agradável cabeça redonda e cabelos castanhos. Seu cenho se projeta, lançando uma sombra sobre seus vivos olhos castanhos. Ele tem um sorriso branco e belos lábios, braços fortes, tão belos e longos quanto os dos cavalheiros mais fidalgos. Suas pernas são ricamente adornadas e bem formadas, bem proporcionadas em relação ao corpo, e nenhum homem poderia ser mais belo que ele.

Os livros ilustrados e as crônicas de Rui da Pina descrevem o rei mais como pessoa que em seus atributos físicos.

> Este rei dos homens trabalha muito e duro, e continua a escrever seus despachos nas primeiras horas da manhã. Come pouco, e bebe apenas água. De início importava pouco a ele se era rico ou pobre, e foi apenas muito mais tarde que passou a acordar antes do amanhecer e que seu mau humor surgiu. Foi quando ele caiu no vício do luxo e da ostentação, e passou a ignorar os riscos da Índia. A única coisa que ele obviamente apreciava era música e dança. Ele freqüentemente reclamava que gostaria de viajar para a Ásia, mas quando seus conselheiros o convenceram da necessidade de permanecer em Portugal, seus navios trouxeram para ele cinco elefantes e um rinoceronte da África e cavalos persas da Ásia.

Manuel tinha uma colossal corte de cinco mil pessoas. Ele tinha agudo interesse pessoal na vida comercial, tendo estabelecido a Casa das Índias em

Antuérpia para a segunda viagem de Vasco da Gama. A Casa das Índias era efetivamente o monopólio estatal para a venda e distribuição de todos os bens e produtos importados pelo império português em expansão. Freqüentemente ouvia-se dom Manuel referir-se a "seus lugares por lá" com um floreio de mãos e olhando para o mar. Esses "lugares" eram basicamente igrejas, palácios, postos comerciais e fortalezas em seus domínios além-mar. Para dom Manuel importava pouco se esses locais eram edifícios completos ou não, já que, a partir do momento em que estavam em construção, eles representavam uma extensa fonte de renda — um subsídio pessoal — para seu bolso real.

De acordo com o historiógrafo contemporâneo Virgílio Correia, "a Era Manuelina criou mais que romance". No entanto, como acontece com tantos governantes desligados do espírito do país e de suas necessidades, foi no reinado de dom Manuel que se lançaram as sementes da rápida destruição do breve império de Portugal.

Em seu *Origens da Inquisição portuguesa*, Alexandre Herculano retrata o Portugal de dom Manuel como uma terra corrompida:

> Os abusos administrativos e judiciais praticados em todos os casos eram mais que menos, e principalmente no mundo secular, embora o mundo eclesiástico fosse quase tão ruim quanto. Nosso reino se tornou indolente e vivia opulentamente, desconhecendo a arte de fazê-lo. Nosso predominante erro de avaliação em todas as classes, com conseqüências fatais, roubou de nós o respeito próprio, produziu desarmonia e miséria interna. Nosso gosto pela luxúria se tornou feroz e não conhecia limites. Nossos fígados reclamavam dos excessos, da mesma forma que o braço de uma pessoa sofre com o esforço de trabalhar duro na terra. A cada viagem, este rei iria buscar sua próxima vítima entre nosso pobre povo para descobrir quem ele poderia usar para realizar seu último capricho.

Dom Manuel sem dúvida era um rei de gastos pródigos. Apelidado "o Aventureiro" pela posteridade e "o Venturoso" em vida, ele estava determinado a não ser ofuscado por nenhum outro monarca. Egoísta, poderoso e obstinado, dom Manuel criou uma corte sem paralelo na história européia por sua

riqueza e desperdício frívolo, e o jovem rei via apenas os prazeres que a riqueza oferecia a ele pessoalmente, não como ela podia beneficiar seu povo.

O sonho mais docemente acalentado de dom Manuel era unir os reinos
da Península Ibérica sob *seu* comando — um sonho que ele esteve perto de
realizar. Tendo testemunhado como Maximiliano consolidara sua base de poder desposando Maria, duquesa da Borgonha, Manuel negociou com
Fernando e Isabel um contrato de casamento para a mão de sua filha mais
velha, colocando seus filhos na linha sucessória do trono espanhol.

Nas disposições para a instituição da Inquisição em Portugal, onde muitos dos judeus da Espanha tinham se refugiado, foi concedido aos judeus um
prazo de dez meses para se converterem ao catolicismo. Eles seriam caçados
se tentassem se esconder, e qualquer não-judeu flagrado protegendo-os também estaria sujeito à pena de morte.

Muitos compraram sua liberdade e "venderam" todo o seu patrimônio
— negócios e bens, já que não podiam possuir terras — por uma nova vida
em Flandres. Crianças judias com idades abaixo de 14 anos eram tiradas das
casas dos pais e "reassentadas" em outras cidades e aldeias, para serem criadas por estranhos como bons católicos. Mais de vinte mil judeus se conver-
teram ao longo de dois anos, e milhares mais emigraram ou foram mortos.

Os mouros "livres" que permaneceram em Portugal também foram vítimas e tiveram o mesmo destino dos judeus. Poucos muçulmanos pratican-
tes permaneciam no país, exceto se convertidos, e, mesmo assim,
freqüentemente eram alvo de ódio e preconceito racial, comuns em todo o
mundo cristão da época.

Aqueles que escaparam para Antuérpia com suas fortunas intactas, senti-
ram-se gratos porque podiam, de uma distância segura, manter boas relações com a coroa portuguesa. Outros, com menos sorte, perderam tudo. Esse
pogrom indizível garantiu a Manuel um rápido influxo de capital, jóias, ouro
e prata que ajudariam a financiar a primeira viagem de Vasco da Gama em
1497, dessa forma reduzindo o risco financeiro do próprio Manuel. Como a
maioria dos monarcas antes e depois dele, dom Manuel estava aprendendo a
dominar a arte de gastar o dinheiro dos outros.

OS REIS E AS CASAS COMERCIAIS 79

Bens e jóias seriam fundamentais para o poder e o objetivo de Manuel, e ele acreditava que a única forma de consegui-los era através do comércio indiano. O rei e sua nova fortuna, com a indispensável assistência financeira de grandes famílias de banqueiros mercantis portugueses em Antuérpia, como Ximenes, Lopes, Rodrigues d'Évora e Nunes — muitos dos quais também eram judeus marranos expulsos —, financiaram a primeira viagem de Vasco da Gama à Índia, em 1497. Quando as velas de Vasco da Gama assomaram no horizonte aproximadamente dois anos depois, em setembro de 1499, ele se lançou em uma nova era de comércio marítimo.

Curiosamente, Vasco da Gama inicialmente não disse nada sobre a recepção fria dos asiáticos à sua tripulação esfomeada, miserável, recendendo a suor e sujeira e mar após dez meses a bordo. Aqueles europeus deveriam ter parecido aos asiáticos verdadeiros extraterrestres, e parecem ter inspirado neles um medo semelhante ao que um alienígena de outro mundo provocaria em nós hoje. Vasco da Gama também não mencionou que as quinquilharias e tecidos com os quais os portugueses negociavam na África não passavam de curiosidades para os asiáticos, e sem qualquer valor para eles.

Um monarca inteligente e perspicaz, mas ainda não rico, dom Manuel sabia que, para realizar seus sonhos de dominação ibérica e de riqueza além de sua própria imaginação fértil, precisava negociar em Antuérpia os bens indianos trazidos por Vasco da Gama. O rei convocou ao palácio o confiável secretário particular, o nobre Thomé Lopes, parente da família de banqueiros mercantis de Antuérpia, para dar início ao jogo. Lopes contratou Lucas Rem, um mercador alemão, como agente do rei em Antuérpia para fechar um acordo com os comerciantes locais.

Dom Manuel não podia sustentar, literalmente, uma inimizade com o sedento de poder e belicoso Maximiliano, que governava Antuérpia, nem permitir que ele soubesse de seus planos de expansão como nação navegadora. O envolvimento em uma luta européia pelo poder seria algo dispendioso, e iria apenas impedir Portugal de se tornar a grande talassocracia imaginada por Vasco da Gama. Por isso foi uma decisão simples para o rei português sabiamente escolher uma postura de não-compromisso quando recebeu um

80 O DIAMANTE MALDITO

pedido de ajuda dos opositores de Maximiliano. A França, em particular, queria uma aliança portuguesa, mas o rei permaneceu inflexível.

Herdeiro por direito do Sancy, Maximiliano tinha seu próprio sonho, ou melhor, delírio: ser coroado Sacro Imperador Romano em Roma à frente de seu poderoso exército imperial. Naturalmente, a maior resistência a essa idéia ridícula vinha dos duques de Gênova, Milão e Florença, dos venezianos, dos franceses (que sob Luís XII se sentiam quase tão ameaçados quanto no tempo do sogro de Maximiliano) e de Fernando de Aragão, que já tinha assumido o título de Sua Mais Católica Majestade. Maximiliano se recusava a entender que efeito a marcha de seu exército imperial para Roma teria nas várias cidades-Estado que ele precisaria cruzar para chegar lá.

Mesmo assim, o rei dos romanos, como Maximiliano gostava de ser chamado, continuava teimosamente aferrado à idéia. Ele foi descrito pelo embaixador veneziano Quirini como um homem "que encontra soluções para seus problemas. Mas todas as soluções que ele encontra o confundem, ele não sabe qual é a melhor, e como tem uma imaginação fértil, executa todas perfeitamente e ao mesmo tempo". O rei Fernando teria dito de Maximiliano que "quando ele pensa em algo, acredita que já o fez". Mas o príncipe Maquiavel foi o mais mordaz quando disse que Maximiliano "é um esbanjador de seus bens acima de qualquer um em nossa época ou em épocas anteriores. (...) Se todas as folhas de todas as árvores da Itália se transformassem em ducados, elas não seriam suficientes para satisfazer suas necessidades".

As riquezas pessoais desses dois reis eram a melhor forma de exibir poder e prestígio, e a aquisição de bens invariavelmente os levava a Jacob Fugger. Jacob, por sua vez, ficava feliz de fazer um favor real. Afinal, Maximiliano era o monarca com a maior influência sobre a política européia, enquanto dom Manuel representava a promessa de um futuro financeiro mais brilhante. Jacob Fugger acalentava seu próprio sonho — ter o monopólio do comércio de pimenta da Índia.

A pimenta era e é a mais importante de todas as especiarias. Ela hoje representa um quarto de todas as importações mundiais de especiarias, sendo os Estados Unidos o maior importador. Na época de Jacob Fugger, ela era conhecida como a rainha das especiarias. Como o sal, era uma especiaria preciosa que valia seu peso em ouro. Comerciantes e mercadores árabes enriqueceram fornecendo pimenta aos romanos, por um valor tão alto que os merceeiros romanos eram conhecidos por freqüentemente misturar sementes de junípero na pimenta para aumentar o volume do produto e aumentar o lucro. O próprio dom Manuel chamava a pimenta "a luz do comércio de especiarias português". E se a pimenta era a luz, Jacob Fugger queria ser sua estrela brilhante.

Em 1506, Fugger adquiriu o Sancy e as outras quatro grandes jóias de Carlos, o Temerário. Fugger também vendeu um dos diamantes de Carlos para Maximiliano em 1504 por 10 mil florins e um outro para o papa Júlio II por 20 mil florins. As compras de gemas por Fugger, porém, não eram para ostentação. Fugger, o primeiro *workaholic* modelo, tinha uma mente de negócios afiada e sabia, para começar, que uma riqueza tão facilmente transportável permitia a ele uma fuga rápida, e, ainda mais importante, as gemas davam a ele a vantagem competitiva de que precisava para investir em contratos lucrativos que mais cedo ou mais tarde seriam colocados à venda por monarcas ambiciosos e poderosos. O fato de que os monarcas precisavam dessas gemas como parte de seu poder visível se adequava perfeitamente bem a ele. Era a relação simbiótica perfeita.

No início do século XVI, Jacob Fugger também havia montado um sistema de informações que rivalizava com o de qualquer governo bem administrado. Como os ducados veneziano e milanês, Fugger tinha os seus próprios "embaixadores", que eram seus agentes comerciais em cidades importantes e capitais por todo o mundo cristão. Suas missivas continham importantes informações sociais, políticas e comerciais que permitiam a ele se manter à frente da concorrência. Fugger administrava uma empresa multinacional da qual dependiam centenas de empregados e suas famílias, e qualquer conhecimento que ele conseguisse angariar para obter vantagem era recolhido. Ele era freqüentemente acusado pelas costas, por competidores invejosos, de espionagem, mas na Europa medieval é seguro dizer que a espionagem de um homem era a iniciativa e visão de outro.

Há poucas dúvidas de que Fugger organizou um enorme trabalho de inteligência sobre os planos de dom Manuel de construir um império marítimo para a importação de bens de luxo e especiarias das várias incursões portuguesas ao redor do globo. Jacob conhecia a ex .vagância de dom Manuel em relação a jóias e roupas finas, e sabia que o Sancy seria um grande prêmio para o ambicioso rei.

Em 1502, os primeiros contratos para a expansão do comércio de especiarias foram apresentados aos principais mercadores da Europa pelo agente de dom Manuel, Lucas Rem. Naquele momento, dom Manuel já havia decidido expandir seus horizontes para além dos mercadores portugueses de Antuérpia, e Thomé Lopes estava a caminho da Índia com Vasco da Gama em sua segunda viagem de conquista, como escrivão do explorador.

Fugger sabia que a família Affaitadi de Cremona e outros mercadores genoveses de Antuérpia seriam avaliados, juntamente com ele, para receber os contratos. Reunindo seus relatórios de informações, não apenas sobre dom Manuel, mas também sobre os rivais, Fugger trabalhou incansavelmente para descobrir como melhor seduzir dom Manuel com o Sancy para conseguir o lucrativo primeiro contrato de pimenta. A pimenta, mais valiosa para Fugger que qualquer diamante, era o futuro. Ao lado do açúcar, era uma das especiarias que melhor preservava alimentos. A pimenta era mais que um artigo de luxo, era a única especiaria importada que tinha apelo de consumo de massa.

É provável que a família Affaitadi de Cremona, atuando agora em Antuérpia, tenha dado a Fugger a solução. Eles eram amigos íntimos de Fugger. Jacob valorizava a amizade e respeitava a sábia perspicácia empresarial acima de tudo, e notavelmente possuía uma mercadoria tão rara hoje quanto na época: ética empresarial. Os Affaitadi, por sua vez, comerciavam com dom Manuel havia anos, e eram mercadores especializados em açúcar, empréstimos e gemas. De fato, os Affaitadi tinham seu próprio lapidador, um alemão chamado Franz Mesingh que trabalhava para eles em tempo integral. A família Affaitadi também era dos poucos mercadores de Antuérpia que em seus inventários dis-

OS REIS E AS CASAS COMERCIAIS 83

tinguia diamantes brutos de diamantes lapidados e de outras jóias finalizadas, ouro, prata, rubis e âmbar. E, como Fugger, os Affaitadi faziam relatórios comerciais, mas no caso deles os documentos eram enviados para os doges (o senado), em Veneza. Outros mercadores que não dedicavam os mesmos recursos à pesquisa de mercado como Fugger e Affaitadi chamavam a ambos de mercadores espiões que enviavam "relatórios de espionagem" para governantes estrangeiros. Esses relatórios, como os boletins de Fugger, são ainda impressionantes fontes de informação sobre a história social da época.

A vantagem competitiva de Fugger para conquistar o contrato de pimenta dependia de três coisas: primeiramente, apelar ao poder e à cobiça de dom Manuel; depois, neutralizar a competição tanto quanto possível; finalmente, propor um acordo que tornasse Fugger e seus sócios desimpedidos. O primeiro passo era abordar e persuadir os Affaitadi, que identificaram boas gemas com seu perito lapidador de diamantes Mesingh, a ajudar Fugger a minimizar suas perdas relapidando a grande *Balle de Flandres* (o Sancy). Fugger precisava manejar essas delicadas operações em total segredo, ou Maximiliano tomaria conhecimento de que ele tinha o maior e mais poderoso diamante branco da cristandade de Carlos, o Temerário — uma herança que Maximiliano poderia muito bem acreditar ser sua. Cortando o diamante, com sorte ao meio, Fugger seria capaz de repassar metade da valiosa gema, mantendo a outra metade — fosse como uma grande jóia ou como várias menores — e não ficar inteiramente sem reservas. Como Hertenstein de Lucerna tinha adquirido a gema por 5 mil florins, é provável que, em uma venda rápida para Fugger, ele tenha obtido 8 mil florins (970 mil dólares ou 606 mil libras, em valores de hoje) — ou a quitação de uma dívida que de outra forma fosse incapaz de pagar ao poderoso comerciante de Augsburg. Em termos simplesmente matemáticos, Fugger poderia esperar um lucro mínimo de 100% em um artigo como aquele, e o teria avaliado em 16 mil florins (1,9 milhão de dólares ou 1,2 milhão de libras).

Partindo ou serrando o diamante ao meio a partir de seu peso original de 106 quilates (21,2 gramas), mesmo que uma das metades precisasse ser vendida como pedras menores em função da perda pela quebra, a metade maior,

84 O DIAMANTE MALDITO

com sorte acima de 50 quilates, ainda seria o maior diamante da cristandade, com a vantagem adicional de ser inteiramente não-rastreável. Assim que o lapidador tivesse polido a pedra recém-cortada, ninguém saberia que ela tinha sido o grande diamante de Carlos, então envolto em mistério. Jacob Fugger poderia oferecê-lo a dom Manuel como um "adoçante" para levá-lo a aceitar sua proposta para o contrato de pimenta.

Enquanto os Affaitadi e seu lapidador de diamantes trabalhavam na pedra, Fugger começou a preparar o segundo passo: neutralizar a competição. Seus agentes rondaram de perto os mercadores portugueses, e relataram que contratos de especiarias os interessavam. Os homens de Fugger fizeram seu trabalho desencorajando esses mercadores de fazerem lances pelo contrato de pimenta, argumentando que eles estariam se insurgindo contra o poderoso Fugger e outros mercadores alemães que eram, afinal, os banqueiros de Maximiliano. A ameaça implícita não passaria desapercebida pelos mercadores imigrados.

Jacob Fugger formou seu consórcio da pimenta com os Welser de Nuremburg, bem como com um seleto grupo de mercadores italianos que incluía os Affaitadi, e negociou sigilosamente termos satisfatórios entre eles. Este, sem dúvida, era um acordo fundamental para Fugger, e como ele tinha um presente superespecial para o rei de Portugal, queria abrir as negociações pessoalmente.

Fugger se encontrou com dom Manuel em janeiro de 1502 e arrancou, ou pensou ter arrancado, um acordo bastante favorável para ele mesmo, assim como para seus parceiros. O recém-lapidado diamante facetado de 54 quilates (quilates antigos) não deixou de impressionar o rei, cujos olhos cobiçosos só viam a promessa de muitas outras jóias tais que chegariam das viagens que ele planejara à Índia. Em fevereiro, os "privilégios" concedidos por dom Manuel ao consórcio alemão ergueram as bases de um futuro relacionamento lucrativo entre o Estado português e seus excepcionais mercadores alemães e italianos.

No entanto, apesar de o negócio ter sido definitivamente fechado, dom Manuel hesitava em cumprir sua parte do acordo — os navios e soldados para proteger as embarcações comerciais. Piratas saqueadores de outras nações representavam ameaça constante — e piratas ingleses, ou mercadores aventureiros, eram notoriamente ativos. Seguiram-se dois anos frustrantes até que finalmente o agente do rei, Lucas Rem, assinou em 1º de abril de 1504 um contrato com os Welser e os Fugger para preparar três embarcações comerciais para a viagem à Índia. Curiosamente, os registros mostram que os Welser contribuíram com 20 mil cruzados para a empreitada, enquanto seu parceiro de 50% Fugger entrou com apenas 4 mil cruzados — sendo a diferença o suposto valor aproximado do diamante em 16 mil cruzados. Quando exatamente o Sancy foi entregue ao rei português jamais poderemos saber com certeza.

A flotilha de três navios mercantes com vários soldados a bordo, acompanhada por barcos de guerra, partiu finalmente em 1505, retornando a Antuérpia em 1506 carregada com 13.800 toneladas de especiarias. Mas, ao chegar ao "Cais da Índia", todas as especiarias a bordo foram confiscadas pela Casa da Índia da coroa portuguesa para revenda aos mercadores "segundo desejo de Sua Mais Católica Majestade". Fugger e seus parceiros ficaram ultrajados com tal grotesca transgressão de seu acerto com dom Manuel. Contudo, a carga continuou protegida pelos homens do rei, e não havia muito a fazer para remediar suas perdas a não ser continuar no jogo.

Lucas Rem sem dúvida alguma conspirou com o rei para tentar lucrar o máximo de sua primeira grande empreitada comercial na Índia, sem pensar por um momento sequer nas repercussões a longo prazo que isso traria a Portugal. De acordo com um despacho de Rem para a coroa, seus parceiros comerciais "não obstante lucraram 175%".

Fugger recusou-se peremptoriamente a voltar a negociar diretamente com dom Manuel, apesar das súplicas de Rem, e, mais tarde, de Thomé Lopes e Rui Fernandes. Para Jacob Fugger, seu aperto de mão era seu compromisso, e um contrato era um contrato. Era normal tentar arrancar um duro acordo, mas estava além da compreensão planejar o roubo de seus próprios parceiros. Fugger sabia que iria conseguir justiça de seu próprio jeito, e iria esperar por ela.

86   O DIAMANTE MALDITO

Contudo, o trabalho de Fugger para conseguir vantagens no contrato de pimenta através da venda do Sancy — apesar das ações de dom Manuel — foi amplamente recompensado. Tendo consolidado sua posição política e econômica com o papa, a Igreja católica, Maximiliano e depois Portugal, Jacob Fugger começou a bancar várias expedições comerciais espanholas ao Novo Mundo. Ele providenciou financiamento para diversas expedições à Colômbia e ao Peru para os espanhóis, então governados pelo filho de Maximiliano, Felipe I da Espanha. Fugger realizou facilmente a transição em acordos bancários de Maximiliano para Felipe, e a casa de Fugger continuou a financiar as cortes imperiais da Áustria pelo restante do século XVI.

À medida que Portugal criava estabelecimentos comerciais por toda a África e na costa ocidental da Índia, dom Manuel justificava o tratamento bárbaro dispensado aos habitantes daquelas terras, com aprovação papal, como uma forma de levar aos gentios o cristianismo e a salvação. Quando, em 1517, Martinho Lutero afixou na porta da igreja de Wittenburg suas 95 teses contra a venda de indulgências (pelas quais pecadores eram absolvidos pagando uma taxa), dessa forma mudando para sempre a face da Europa, dom Manuel estava ocupado revendo suas Ordenações Manuelinas, para centralizar o poder dando ao rei uma autoridade absoluta neo-romana. Dom Manuel tinha então pouco interesse pelos assuntos europeus, e voltou sua atenção para a melhoria do judiciário e de suas contas para com a coroa. Com exceção do estabelecimento de laços comerciais com a China, a talassocracia portuguesa estava completa.

No entanto, lenta e quase imperceptivelmente, a influência que Portugal exercia na Europa se desgastava. Antuérpia floresceu com, e brevemente sem, o comércio português quando dom Manuel tentou transferir todo o seu negócio para Lisboa. Os mercadores de Antuérpia se recusaram a pagar pelo transporte por terra de Lisboa para o norte, e passaram novamente a comprar dos venezianos e genoveses, que haviam restabelecido suas ligações com o Egito. Dom Manuel permaneceu em sua torre de marfim em Lisboa, sem compreender o significado de sua perda de influência comercial. Ele tinha riquezas incomparáveis, e nenhum outro monarca era mais rico.

Mas Rui Fernandes compreendia a força da posição comercial de Fugger na Europa, e principalmente a profunda desconfiança de Fugger em relação a dom Manuel. Rui Fernandes sabia bastante bem como os mercadores tinham sido prejudicados ao longo dos anos por continuados acordos injustos. Ele também sabia que, apesar de continuamente conceder a Fugger os contratos de pimenta da Índia, dom Manuel talvez tivesse irremediavelmente mudado a sorte de Portugal. De Antuérpia, ele tentou comunicar isso ao monarca português no dia 11 de fevereiro de 1521, quando escreveu: "Nas negociações com os Fugger, esta é a época daquele homem poderoso da Alemanha, e todos os príncipes já encontraram tempo para serem seus amigos. Esta era afetou muito o dito cavalheiro, e ele por sua parte ficará muito satisfeito por eu comunicar isso ao senhor."

Cerca de 14 anos depois da traição inicial, Fugger ainda sustentava uma vigorosa aversão pelo monarca português, e, como pode ser visto na carta, dom Manuel sabia disso. Mas ele se achava suficientemente poderoso para não precisar dele.

No dia de Natal de 1521, dom Manuel morreu em Lisboa. Seu secretário de confiança Thomé Lopes, então guardião das jóias, fez um inventário de todos os bens do rei. O inventário tem mais de cem páginas, detalhando não apenas gemas fabulosas — especialmente esmeraldas — mas também manuscritos ilustrados, baixelas de prata e ouro e outros bens. O primeiro item na lista é o Espelho de Portugal, um fabuloso diamante em lapidação mesa com um rubi e uma grande pérola oriental pendendo dele. O diamante estava engastado em esmalte branco, verde e azul, sendo cinza-escuro no verso. Essa jóia pesa, juntamente com seu engaste, 1 onça, 5 oitavos e 37 grãos.

O segundo item é: "Um grande broche de manto com um grande diamante pontiagudo com um grande rubi-balache pendurado dele como um pingente e o peso desse diamante e do rubi em conjunto com seu engaste de ouro na forma de uma bandeira é de 2 onças e 11 grãos."

Essa jóia pesava mais de 56 gramas. Apenas o Sancy, com 55,232 quilates métricos, pesa 11,06 gramas, e é o único possível diamante conhecido hoje que poderia ter composto essa jóia.

As duas grandes jóias de Portugal, o Espelho de Portugal e o diamante "sem nome" que Jacob Fugger repassou ao extravagante rei, ambos engastados com rubis pendendo deles, encontravam-se então em arranjos elaborados no topo do inventário.

8

A cobiçada pedra de toque do poder

1522-1578

DOM MANUEL SEM DÚVIDA estava ciente de que possuía o grande diamante do duque Carlos. Como ele descobriu que o maior diamante de sua coleção fabulosa pertenceu ao grande guerreiro Carlos, o Temerário, nunca poderemos saber. A fonte de informação mais provável não era Jacob Fugger, que viveu mais quatro anos após a morte do rei português, mas os mercadores portugueses residentes em Antuérpia. Embora as fofocas e a conversa fiada se espalhassem mais lentamente no século XVI do que hoje, eram mais perversas e freqüentemente tomadas por fatos, não diluídas por informações variadas em um fluxo interminável de notícias. À época de sua morte, em 1521, dom Manuel pôde se consolar com o conhecimento de que o todo-poderoso diamante de Carlos trilhou seu caminho até suas mãos. Infelizmente para Manuel, o sigilo que cercava sua compra significava que ele não poderia anunciar a origem de seu grande diamante sem arriscar incorrer na cólera de seu legítimo herdeiro, o Sacro Imperador Romano. Mas, como tinha acontecido com Carlos, o Temerário, esse conhecimento deve ter embalado o supersticioso e extravagante rei em uma falsa sensação de segurança — acreditando que enquanto o diamante permanecesse na coleção de jóias da coroa, a sorte dele e de Portugal estava a salvo.

90 O DIAMANTE MALDITO

Mas Portugal não estava a salvo. A disseminação do luteranismo e a luta religiosa por ele provocada se tornaram focos de tremenda inquietação e engendraram um novo tipo de guerra continental. Na península italiana, a Renascença na arte e na arquitetura comandada por Da Vinci e Michelangelo e financiada por grandes líderes comerciais como os Médici, Strozzi e Bórgia ganhava importância e influência. O sultão turco Suleimã, o Magnífico, estava batendo às portas de Viena em sua própria guerra santa. Guerras religiosas e casamentos continuaram a modificar a configuração geopolítica da Europa, com novas idéias e o surgimento de monarcas mais poderosos. O filho de dom Manuel, João III, pretendeu governar com os sonhos portugueses de um império ultramarino da mesma forma que seu pai, ignorando a falta de influência na Europa.

Independentemente disso, Portugal continuava a ser um grande alvo para qualquer governante que pudesse legitimar um direito a seu trono. Por fim, foi Carlos V (1500-1558), o último monarca europeu que aspiraria a unir o continente europeu em uma única nação sob seu comando, quem reivindicou Portugal ao desposar a irmã de João III e filha de dom Manuel, Isabel, em 1526. Carlos, como seu bisavô paterno Carlos, o Temerário, acreditava ser seu destino cumprir o grandioso desígnio borgonhês de dominar as questões européias. Para ele, a aquisição do "maior diamante da cristandade" ou de qualquer das impressionantes jóias de seu bisavô seria vista como uma "prova" de que seu desejo era abençoado por Deus.

Sua luta por poder o colocou em confronto direto com Francisco I (1494-1547), rei da França, e é possível dizer com segurança que o período em que seus governos coincidiram foi pontuado por apenas curtos períodos de paz. Sua rivalidade começou quando Francisco perdeu para Carlos a eleição de Sacro Imperador Romano após a morte de Maximiliano — uma eleição perdida em função da fenomenal contribuição de campanha de 544 mil florins holandeses (44 milhões de dólares ou 27,5 milhões de libras, em valores de hoje) feita pelo dono anterior do Sancy, Jacob Fugger, de um total estonteante de 852 mil florins holandeses (68,9 milhões de dólares ou 43,1 milhões de libras, em valores de hoje) gastos. Acabou com Carlos aprisionando Francisco durante anos e depois arrancando dele termos custosos, exigindo com sucesso que ele entregasse metade da França e seus filhos menores para que cumprissem seus próprios períodos de encarceramento.

Outros novos e poderosos governantes também ouviram boatos de que as jóias do duque Carlos estavam reaparecendo, e deram início à sua própria luta para encontrar e se apossar dessas gemas. O terceiro poderoso governante europeu a disputar poder com Carlos e Francisco I da França era Henrique VIII da Inglaterra (1491-1547), também um ávido amante de pedras preciosas. Henrique, mais lembrado por seus casamentos desastrosos, também acreditava na importância de uma marinha, e acompanhou com agudo interesse a colonização da Índia pelos portugueses. O agente financeiro de Henrique em Antuérpia, Stephen Vaughan, sabia tudo o que havia para saber sobre comércio, e era um especialista no mercado de jóias. Ele freqüentemente pecava por "administrar notícias" relativas aos insistentes boatos acerca do grande diamante de Carlos, bem como de outras grandes pedras, e seu fluxo de informações para Henrique normalmente era condicionado à capacidade de pagamento do rei.

Apesar de todas as mudanças ao longo da Europa na década de 1520, Antuérpia e Flandres mantinham seu monopólio como centros de comércio e, portanto, conhecimento e insinuação comercial. Antuérpia também prosperou com a entrada em cena de Henrique. Seus casamentos, suas guerras e suas escaramuças iriam inflamar as indústrias naval, de ferro, madeira e cobre, e seu gosto por opulência e esposas criaria uma indústria de roupas de luxo e jóias como o mundo jamais havia visto.

Henrique VIII era uma verdadeira usina de força, ambicionando a glória européia por intermédio da conquista. Ele tinha muito em comum com o monarca português. Portugal era o principal aliado da Inglaterra havia centenas de anos quando Henrique ascendeu ao trono em 1509, e a talassocracia de Portugal era invejada pela maioria das nações, especialmente a Inglaterra. Henrique era casado com a cunhada de dom Manuel, Catarina de Aragão, e possivelmente poderia, nas circunstâncias certas, figurar na linha de sucessão ao trono espanhol. Acima de tudo, Henrique Tudor assemelhava-se a dom

92 O DIAMANTE MALDITO

Manuel em sua ostentação e crueldade para conseguir o que queria. Henrique dava ordens de modo que qualquer coisa que os portugueses fizessem, Henrique faria melhor. Seu maior desafio se deu quando ordenou a formação na marinha inglesa, que, diferentemente de todos os outros países além de Portugal, seria uma marinha permanente para a defesa do reino.

À medida que as relações com a França se deterioravam em 1513, o embaixador veneziano escreveu para os doges: "O novo rei [Henrique VIII] tem 18 anos de idade, um rei valoroso e muito hostil à França. (...) acredita-se que ele indubitavelmente invadirá a França." Enormes fortificações costeiras foram construídas em Portsmouth e Dover. À disposição de Henrique estavam os maiores e mais bem armados navios da época, o *Mary Rose* e o *Peter Pomegranate*, construídos três anos antes para invadir a França e reclamar a coroa francesa para a Inglaterra.

Henrique também era um grande admirador de Jacob Fugger e de seus mecanismos de coleta de informações. Enquanto Portugal não parecia se importar com o que seus vizinhos europeus faziam, Henrique, como Fugger, estava plenamente consciente de que informação é poder. Como não havia embaixadas permanentes da Inglaterra no exterior, com exceção de Paris, Henrique imitou o exemplo de Fugger e estabeleceu uma rede primitiva de espiões para ajudá-lo a ganhar vantagem.

Com a morte de dom Manuel em 1522, Henrique sabia que diamantes dos postos comerciais portugueses ao longo da costa malabar da Índia tinham chegado em grande número a Antuérpia para venda, e comprou não apenas diamantes, mas também outras pedras preciosas em abundância. Enquanto isso, os venezianos restabeleceram suas ligações comerciais com alguns mercadores árabes que tinham sobrevivido ao massacre português e estavam novamente incursionando no mercado de jóias de Antuérpia. A proliferação de pedras preciosas significava não apenas que havia um número maior à disposição para venda, mas também que um maior número de pessoas podia usá-las.

Diamantes, rubis, safiras e pérolas eram agora usados por todos os nobres da Europa, com alguns membros das classes mercantis também come-

A COBIÇADA PEDRA DE TOQUE DO PODER 93

çando a usar pedras preciosas, apesar de antigas leis por todo o continente proibindo essa prática por plebeus. Jóias e joalheria eram varridas pela maré da Renascença italiana. Brincos eram decorados com pedras e colares de ouro e pedras preciosas indicavam o grau de nobreza e prestígio real. Gargantilhas e colares eram usados junto ao pescoço, braceletes de ouro e pedras preciosas no pulso. Correntes de ouro, pingentes e cruzes adornadas também enfeitavam o pescoço. O *tablet*, uma parte fundamental da vestimenta da corte, para ser usado na cintura da dama como uma jóia de duas faces com abertura projetada para revelar seu conteúdo (normalmente um retrato em miniatura), também poderia ser usado na garganta ou no peito. Henrique VIII encomendou monogramas com sua inicial e as de suas esposas; eram jóias com a ponta do diamante voltada para fora de modo a permitir que quem a usava escrevesse mensagens secretas com ela. Elas se tornaram a coqueluche entre os ricos. A iconografia religiosa era tão comum quanto na época do duque Carlos, e nos inventários as jóias distinguiam-se como adornos "seculares" ou "religiosos".

Qalquer um sabia que o caminho para o coração de Henrique — ou, de fato, para qualquer outro monarca europeu — era dar a ele jóias. E quando as boas relações retrocediam, o mesmo ocorria com as jóias. Quando o cardeal Wolsey caiu em desgraça em 1530 e foi enviado por Henrique à Torre de Londres para morrer, o rei não descuidou de se apropriar das jóias do cardeal, como fizera com aquelas de sua primeira rainha, Catarina de Aragão.

Em 1520, quando Henrique se encontrou com Francisco I no Campo do Velo de Ouro para negociar a paz, sua ostentação de jóias causou uma enorme perturbação. Entre 1527 e 1530 Henrique continuou gastando somas fenomenais em jóias — cerca de 10.801 libras (7,9 milhões de dólares ou 4,9 milhões de libras, em valores de hoje). No segundo encontro de Henrique com o rei francês, em 1532, Francisco não seria ofuscado, e chegou mesmo a levar um grande diamante para a nova e sensual rainha de Henrique, Ana Bolena.

Esse crescimento abrupto na venda de jóias na Inglaterra, bem como no restante da Europa, aumentou a pressão sobre Portugal, com outras coroas tramando deter ou dominar a exportação de jóias da Índia. Essa cobiça real logo iria colocar pressão política e econômica na busca dos monarcas europeus e de suas classes nobres por gemas.

Como os portugueses, Henrique não conseguiu todos os seus bens por meios lícitos. Quando sua discussão com o papa Clemente acerca da "grande questão do rei", como seu divórcio de Catarina de Aragão ficou conhecido, alcançou proporções épicas, o bombástico Henrique decretou que a autoridade papal deixava de existir na Inglaterra e que o rei passava a ser o chefe da Igreja lá. Thomas Cromwell, que era o guardião da casa de jóias desde 1532, concebeu e projetou a provocativa e efetiva dissolução dos mosteiros e garantiu que os tesouros da Igreja fossem "adquiridos" pela coroa. Um volume estimado em 289.786 onças de prataria e jóias foi pilhado e aproximadamente um sexto enviado diretamente para a casa de jóias real para ser recomposto em jóias, com o restante indo para a casa da moeda para cunhagem. Como freqüentemente se conta, Henrique VIII não se detinha por nada para atingir seus objetivos.

Os boatos de que a coroa de Portugal obtivera algumas das notórias e fabulosas jóias do duque Carlos continuaram a surgir ao longo dos anos, e, a cada vez que chegavam aos ouvidos de Henrique, ele ordenava que Stephen Vaughan descobrisse mais. Henrique simplesmente queria as maiores e mais importantes gemas para que todos vissem que ele era o maior monarca vivo. Ele sabia que, não importa o que tivesse passado para a posse da coroa portuguesa, estava fora de alcance, pelo menos enquanto ele precisasse de Portugal como aliado, mas se houvesse outras grandes gemas históricas à disposição, ele as queria.

Em algum momento no início da década de 1540, Vaughan recebeu a informação de que os Fugger tinham estado intimamente envolvidos na venda de algumas jóias do duque. Quando ele transmitiu as notícias a Henrique, recebeu ordens de questionar Anton Fugger, sobrinho de Jacob então encarregado da grande casa bancária mercantil, sobre a veracidade dos boatos. Vaughan e Henrique não se decepcionaram com a resposta de Anton. Foi confirmado que Jacob havia de fato obtido algumas das grandes jóias do duque

A COBIÇADA PEDRA DE TOQUE DO PODER 95

Carlos, mas que algumas delas tinham sido negociadas ou vendidas para outros monarcas desde a época da compra.

Mas o poder de compra de Henrique tornou-se limitado em função de seus gastos pródigos em guerras contra a França. Isso foi obliterado pelo fato de que um grande número de jóias confiscadas da Igreja tinha chegado aos cofres reais como resultado da dissolução dos mosteiros em 1547, o último ano de seu reinado. Mesmo assim, Henrique continuava obcecado com as grandes jóias do duque Carlos. Os Fugger permaneceram em silêncio acerca do preciso paradeiro do grande diamante e da *Balle de Flandres* (o Sancy), mas Henrique deve ter suposto, como tinham feito dom Manuel e seu filho João III, que ele estava então abrigado na coroa portuguesa.

Henrique comprou muitas jóias dos Fugger ao longo dos anos, e outras foram oferecidas a ele por vários mercadores de Antuérpia, incluindo um mercador florentino, Jasper Duchy — um homem descrito por Vaughan como "inconstante", o que hoje significaria que ele era um aproveitador. Duchy era um homem próximo ao poder mas que nunca chegou a ter a credibilidade ou a posição de um ator principal. Quando, em 1547, como intermediário dos Fugger, Duchy tentou vender a Henrique diamantes no valor de 50 mil florins (4 milhões de dólares ou 2,5 milhões de libras, em valores de hoje), Anton Fugger escreveu a Duchy uma carta sarcástica acerca da comissão que ele propunha:

> Sobre os 3 mil florins que você pede, além dos 5 mil florins de gratificação que Guido Horl, da parte do comprador, prometeu pagar, eu penso que os 5 mil são mais do que suficientes, e que você deveria se queixar de sua própria liberalidade ao deixar tudo para o rei da Inglaterra. (...) Estou certo de que o rei de bom grado pagaria de 12% a 13% de juros para as jóias e o dinheiro, como antes, e como ele negociou com outros.

Duchy, ao que parecia, também estava a soldo de Carlos V, e pode muito bem ter sido um espião para o Sacro Imperador Romano. Henrique muito provavelmente sabia disso, mas precisava de agentes que se comunicassem diretamente com Carlos em questões financeiras, já que a fundamental Antuérpia ainda estava nos domínios de Carlos. Mesmo que Henrique quisesse transferir dinheiro de Antuérpia para seus próprios domínios em Boulogne e Calais, precisaria de uma licença do regente da Holanda. De fato, Vaughan escreveu para Henrique em fevereiro de 1546 dizendo que ele e Duchy "consideram adequado relembrar a sua alteza que escreva para a dama regente pedindo licença, caso seus agentes consigam algum dinheiro aqui, para enviar 200 mil coroas para Calais ou Boulogne".

Em outras palavras, quem quisesse movimentar seu dinheiro através de Antuérpia até possessões inglesas, precisaria assegurar um salvo-conduto para Carlos e seus navios através do Canal. Esse casamento de interesse econômico com interesse político tinha se tornado comum, e monarcas estavam diretamente envolvidos em médias e grandes transações. As negociações comerciais freqüentemente se misturavam à correspondência política, como pode ser visto em outra das cartas de Vaughan para Henrique, de 1º de fevereiro de 1546:

> Desde o retorno de Jasper Duchy da corte do imperador, eu recebi sua promessa de servir ao senhor. Estive em contato com Duchy para saber se ele poderia servi-lo com 40 mil libras em dinheiro vivo, contra compromissos como aqueles oferecidos ao Fugger. (...) O Fugger que recentemente emprestou ao senhor os 100 mil florins irá emprestar mais 30 mil florins em dinheiro vivo com 10 mil florins em fustão [veludo de algodão] por seu preço atual na Inglaterra, pelos juros que o senhor estiver disposto a pagar. (...) Duchy se oferece para servi-lo a partir do próximo verão por seis meses (...) com 100 mil coroas mensais com o compromisso de Londres, se o senhor além disso ficar com uma jóia que ele estima em 100 mil coroas [8,1 milhões de dólares ou 5,1 milhões de libras, em valores de hoje].

Enquanto essa luta pelo poder se desenrolava entre Carlos, Francisco I e Henrique, o papel de João III de Portugal era uma mera nota de rodapé no contexto europeu, enquanto ele exigia taxas justas em Antuérpia e audiências

A COBIÇADA PEDRA DE TOQUE DO PODER   97

com os três monarcas poderosos para melhor tratamento aos cidadãos portugueses em seus países. Embora João houvesse expandido o império na década de 1530, ele não tinha um exército com o qual pudesse contar para sua defesa na Europa, e, em momentos de dificuldade, apelava para sua antiga aliança com a Inglaterra ou a Espanha.

Em 1547, Henrique esteve envolvido em diversos atos de pirataria contra portugueses e espanhóis, mas isto precisa ser compreendido no contexto de meados do século XVI, uma época particularmente difícil. Em todo o continente havia fome, provocada por um inverno inclemente, guerras e precários canais de distribuição de bens. A ascensão do protestantismo tornava-se militante, levando a conflitos em muitas cidades. Carlos V tinha decidido, juntamente com o papa, derrotar os heréticos luteranos e calvinistas com uma força armada de trinta mil mercenários italianos e dez mil soldados de elite espanhóis. Isto significava que havia muito pouca comida em circulação, e a Inglaterra estava utilizando sua recém-criada força naval na Europa para alimentar a si mesma. Stephen Vaughan escreveu de Antuérpia para Henrique em julho de 1546, com base na informação que havia recebido de Jasper Duchy, de que "os Fugger, que vivem em Augsbug, foram muito ameaçados pelos habitantes por emprestarem dinheiro para o imperador". A idéia de que menos deveria ser gasto na opulência da corte e mais em víveres para a sobrevivência parece jamais haver sido considerada por qualquer dos monarcas.

Parecia que Duchy estava então comerciando com João III regularmente de Antuérpia, e naquele preciso momento começara a oferecer algumas pedras preciosas de qualidade e tamanho notáveis. Duchy tentou oferecer algumas diretamente a Henrique, mas foi impedido de fechar acordos satisfatoriamente pelo sempre vigilante Vaughan. Ainda assim, um dos clientes de Duchy, Juan Carolo, abordou Vaughan com uma gema marcante em um incidente que Vaughan descreveu a Paget, ministro de Henrique:

Jantei ontem com John Carolo, que me mostrou, entre outras boas jóias, um diamante em lapidação mesa engastado em uma polegada de ouro pouco menor que o papel desenhado do outro lado [ilustrado como sendo de 1 po-

98 O DIAMANTE MALDITO

legada por ¼ de polegada de tamanho] que penso ser do melhor tipo que se pode encontrar. Se a espessura corresponder ao comprimento e à largura, seria uma jóia de preço impressionante. Ele [Carolo] o avalia em 40 mil coroas [3,2 milhões de dólares ou 2 milhões de libras, em valores de hoje]. Ele tem uma grande e impecável pérola oriental redonda pendendo dele. (...) Eu não escreverei a Sua Majestade Real sobre a grandeza desse diamante.

Havia dois motivos para a relutância de Vaughan em contar a Henrique sobre o diamante. Primeiramente, o rei precisava de dinheiro, não de jóias, para alimentar seu país. Em segundo lugar, Henrique ainda estava desesperadamente procurando pelas poderosas jóias de Carlos, e este grande diamante mesa, cuja descrição o assemelha notavelmente ao Espelho de Portugal — que bem poderia ter sido parte da coleção do duque Carlos em determinado momento e depois partilhado um destino comum com o Sancy —, certamente teria atraído o cobiçoso rei além do bom senso. Carolo estava desesperado para se livrar da pedra, apenas porque ela foi dada a ele inesperadamente em pagamento por grãos e, de acordo com o *Calendar of State Papers*, "por pagamentos em dinheiro para o agente de Portugal por especiarias".

Se essa gema de fato era o Espelho de Portugal nós nunca saberemos, mas ela apareceu no mercado ao mesmo tempo que outro fabuloso diamante, que tinha sido avaliado em 100 mil ducados, e que Vaughan descreveu ao ministro Paget de Henrique como "um grande diamante ogival engastado juntamente com outros diamantes ogivais como uma rosa". Poderia este ser o Sancy? É possível, já que os proprietários estavam constantemente mudando o desenho de suas jóias. Se era, Vaughan estava certo de ter escondido de Henrique a venda potencial da pedra, que mal poderia dar conta da compra. Da mesma forma, é perfeitamente possível que as duas pedras fossem da coroa portuguesa, que na época estava reduzida a pagar por víveres com jóias empenhadas devido a sua fraca administração fiscal do império do país e dos enormes gastos. Em qualquer dos casos, nenhuma das jóias foi vendida a Henrique ou a qualquer outro monarca, e ambas desapareceram novamente no tesouro português.

A COBIÇADA PEDRA DE TOQUE DO PODER 99

O rei João reagiu à tensa situação religiosa e política preservando zelosamente a ortodoxia católica como uma forma de conter a crescente doutrina luterana, e reinstalou a Inquisição portuguesa. Embora ela tivesse sido instituída já em 1536, apenas em 1548 foi colocada sob o comando fanático do perverso irmão de João, o cardeal Henrique (mais tarde rei Henrique). Em 1555, os jesuítas fundaram a faculdade de artes da Universidade de Coimbra e o domínio jesuíta na educação portuguesa seria absoluto por séculos. A influência jesuítica também dominava as colônias, com uma devoção messiânica à conversão das populações indígenas "pagãs".

As colheitas ruins, o êxodo rural e outros indícios de decadência nacional dominavam o final do reinado de João. As respostas de João a todas as calamidades que se abateram sobre ele foram aumentar a utilização de escravos africanos e ignorar suas dívidas. Mas as dívidas aumentaram muito além de seus meios de pagamento e muitas de suas mais estimadas jóias mais uma vez encontraram seu caminho informal para penhor no mercado de Antuérpia.

Portugal escorregara ladeira abaixo, enquanto a próxima potência econômica mundial, a Inglaterra — apesar de sua dívida —, continuava a subir. Henrique, um confuso "convertido" religioso que pensava ter permanecido católico mas que outras nações viam como protestante, era supersticioso, como todos em sua época. Suas pedras preciosas, e particularmente seus diamantes, eram sua "apólice de seguro" contra a perda de autoridade. E essa crença por sua vez inflamava a busca pelas onipotentes gemas de Carlos. Apesar de todos os seus esforços, Vaughan não foi inteiramente bem-sucedido em proteger Henrique de sua própria cobiça.

Quando os Fugger "relutantemente" anunciaram que ainda tinham os Três Irmãos — a jóia feita por Carlos, o Bom, com três rubis-balache perfeitamente idênticos colocados sem fundo ao redor de um diamante de ponta, com três pérolas redondas entre os rubis e uma quarta pérola como um pingente —, Henrique simplesmente tinha de ficar com ela. Na época, ele devia aos Fugger um volume de dinheiro astronômico — bem mais de 200 mil florins (16,2 milhões de dólares ou 10,1 milhões de libras, em valores de hoje).

100 O DIAMANTE MALDITO

Os Fugger se mostraram inflexíveis, insistindo em que alguma parcela disso precisava ser quitada antes que fizessem negócio com Henrique. Rapidamente, Henrique determinou que valores devidos aos Fugger teriam precedência sobre pagamentos a outros mercadores.

No final, a caça de Henrique às grandes jóias de Carlos terminou com seu filho e herdeiro Eduardo VI, aos 14 anos de idade, concluindo a aquisição dos Três Irmãos em 1553. A anotação inofensiva nos documentos oficiais de Eduardo diz: "Para os Fugger, 26.700 libras (a serem pagas em 15 de novembro de 1552). Para os Fugger, 20 mil libras; juros de 1.400 libras total, a pagar em 15 de fevereiro de 1553. Para os Fugger — 24 mil libras; juros 2.360 libras — total 27.352.13.4 [sic] a pagar em 15 de agosto de 1553."

Carlos V se recolheu a um mosteiro na Espanha em 1556, tendo lutado e conquistado o domínio sobre a maior parte da Europa ocidental, incluindo toda a atual Alemanha, Holanda, Bélgica, Luxemburgo, grande parte do norte da Itália, incluindo o ducado de Milão, o reino de Nápoles (que representava a maior parte do sul da Itália), a Hungria, regiões da França e, claro, a Espanha. Ele combateu onda após onda de luteranos e calvinistas convertidos ao protestantismo em suas províncias alemãs a um alto custo de vidas humanas e fundos, com pequeno sucesso. Tornou-se velho e cansado e se preparou para deixar seu império para seu filho e herdeiro, o futuro Felipe II. Em 1555 a Paz Religiosa foi assinada em Augsburg, decretando que a religião do governante seria partilhada no futuro por seus súditos, a despeito do fato de que muitos de seus príncipes súditos eram agora calvinistas ou luteranos.

Naquele mesmo ano, aos 27 anos de idade, o príncipe Felipe recebeu honrarias em todo o Sacro Império Romano, inclusive nos Estados protestantes rebeldes, como herdeiro de Carlos, em uma miríade de cerimônias de suprema pompa promovidas pelo próprio imperador como um exercício de propaganda para convencer seus súditos do poder absoluto de seu filho sobre eles. Para assegurar sua lealdade, Felipe permaneceu na Holanda pelos quatro anos seguintes, governando pessoalmente. Afinal, Antuérpia — e agora Amsterdã — eram os centros financeiros mais importantes da Europa. Além disso, Antuérpia era o principal porto a partir do qual o ouro e a prata da

América do Sul eram distribuídos. Felipe literalmente não podia arcar com súditos rebeldes na região.

Em 1578, a balança de poder e império pendeu de Portugal para a Espanha, com Inglaterra e França nos calcanhares uma da outra. O Sancy permaneceu por mais de setenta anos nas mãos da Casa de Avis e foi fundamental para a suposta invencibilidade do monarca reinante. Nos dois anos seguintes, ele se tornaria um dos mais importantes instrumentos financeiros nos problemas pan-europeus que estiveram fermentando nos cinqüenta anos anteriores — cobiçado por Elizabeth I da Inglaterra e usado por Henrique III da França.

9

No coração da luta pelo poder

1560-1580

Os SONHOS DE DOM MANUEL de riqueza e poder dinásticos para sua Casa de Avis estavam prestes a chegar ao fim. Seu filho João III, perdulário em seus gastos, foi reduzido a empenhar as jóias da família para comer e aquecer os palácios reais. Ainda assim, o império se estava expandindo, e a necessidade de mais dinheiro e bens finalmente levou João a conhecer, colonizar e explorar o grande patrimônio subestimado da coroa chamado Brasil. Mas as riquezas daquela terra distante se mostraram enganosas. As expedições e os assentamentos jesuíticos eram custosos, empurrando o reino cada vez mais próximo da ruína financeira. Seriam precisos ainda 150 anos antes que diamantes fossem descobertos nas Américas, e então outros vinte anos antes que grandes volumes de pedras preciosas fossem levados à Europa para venda. Quando o neto de João, Sebastião, tornou-se rei com a idade de três anos após a morte de seu avô em 1557, Portugal era culpado de alguns dos piores excessos da colonização. Os nobres eram altamente corruptos, enchendo os próprios bolsos à custa do país e finalmente de sua liberdade. Em 1561, a aristocracia portuguesa implorou à mãe de Sebastião, Isabel, que retornasse da corte espanhola para assumir seu lugar como regente, mas ela recusou, mandando dizer que "não poderia deixar sua corte no momento".

A avó de Sebastião, Catarina, irmã de Carlos V, atuou como regente do rei-menino, mas em 1566 cansou-se das disputas entre as facções nobres na corte e se retirou para um mosteiro. O irmão de João III, o cruel e impiedoso cardeal Henrique de Évora, mudou-se para o palácio, colocando-se na linha de frente como seu sucessor.

Quando as colônias do Brasil e da Índia se rebelaram em 1568, Sebastião, então com 14 anos de idade, finalmente retomou o poder dos nobres e reinou em seu próprio nome. Para piorar ainda mais as coisas para o jovem rei, Portugal sofria não apenas com perturbações internas e dificuldades financeiras, mas também tinha sido eclipsado pela Espanha e enfrentava a ameaça de uma invasão espanhola. Se Sebastião não produzisse um herdeiro, Felipe seria o próximo na linha sucessória ao trono, já que Felipe II da Espanha e Sebastião I de Portugal eram ambos descendentes de Joana, a Louca, e Felipe I. Todo o esforço foi feito para acertar o casamento do jovem rei com uma noiva adequada, e no final outra prima distante, a filha do imperador romano Fernando, tio de Felipe II, foi a escolhida.

Naquele momento havia apenas dois governantes tremendamente poderosos e carismáticos na Europa — Felipe II e Elizabeth I da Inglaterra. Um governava por direito divino conferido a ele pela Igreja católica, a outra simplesmente por inteligência, coragem e determinação como uma mulher formidável vivendo não apenas em um mundo masculino, mas como uma rainha protestante em um mundo católico. Por sua vez, Sebastião, que era muito influenciado por seu avaro tio cardeal Henrique, tornou-se rapidamente um fanático religioso intolerante, e estava destinado a desempenhar no palco europeu um papel ainda menor que aquele de seu avô. Ele relegou o que considerava serem querelas seculares européias a tipos como Felipe e Elizabeth, acreditando que se encontrava acima do mundo secular. Sebastião era motivado principalmente pelos exercícios militares e religiosos que, em sua cabeça, iriam levar à sua gloriosa conquista do Marrocos, que durante tanto tempo tinha escapado a seu avô João III. Para ele, o diamante Sancy — e de fato qualquer outra das jóias na coleção da coroa — só poderia ter um objetivo: comprar canhões, homens e munição para a conquista do Marrocos. Conseqüentemente, as jóias seriam exemplos ofuscantes de seu poder para o infiel muçulmano derrotado.

Por outro lado, a "guerra" de Elizabeth e Felipe dificilmente era secular. Felipe levava muito a sério seu título de "Sua Mais Católica Majestade". Ele também tinha sido o rei católico da Inglaterra durante seu breve casamento com a irmã de Elizabeth, a católica devota e amarga Maria I. Para Felipe, sua furiosa intolerância ao protestantismo, ou a outras religiões heréticas, e seu decidido fortalecimento da Inquisição eram, e sempre seriam, plenamente justificados. Ele era um homem intratável, malvisto pelos italianos, inteiramente detestado pelos flamengos e odiado pelos holandeses e alemães. Foi apenas com as repreensões de seu pai que ele conteve sua severidade para com qualquer um que não fosse espanhol, e mesmo esta concessão só era feita se fosse absolutamente necessária.

Felipe, juntamente com toda a Europa católica, viu o legado protestante desinteressado de Henrique VIII ser adotado sinceramente por seus dois filhos mais jovens, Eduardo VI e Elizabeth I. Eduardo tinha planos de fazer da Inglaterra um Estado luterano, e Elizabeth, que inicialmente tinha sido mantida em prisão domiciliar e depois jogada na Torre de Londres por Maria, era agora a devota rainha protestante da Inglaterra. Quando Maria estava à morte em 1558 e Felipe se comunicou com ela da Espanha, ele demonstrou pouco interesse por sua esposa e toda a preocupação com a religião de seu país adotivo. Ele mandou dizer a Maria que contasse à aprisionada princesa Elizabeth que nem ele nem a rainha acreditavam que ela era culpada de conspirar contra a rainha. Quando Felipe fez acompanhar o gesto com o presente de um grande anel de diamante para a princesa Elizabeth, não foi um presente de amor, mas uma oferta de paz, com o diamante representando a pureza de pensamento e ação da princesa. Felipe sabia que seria obrigado a deixar a Inglaterra nas mãos de Elizabeth, e esperava que, se conseguisse parecer ter sido útil em sua ascensão, ela lembraria com carinho de sua intervenção.

Mas Elizabeth não iria ser controlada. Como filha da decapitada rainha Ana Bolena, ela sentia que toda a sua vida — e mesmo seu poder soberano — era frágil, e decidiu se devotar a tornar a Inglaterra protestante e forte o

106 O DIAMANTE MALDITO

bastante para se defender dos príncipes católicos da Europa. Mas Felipe não poderia saber disso, já que Elizabeth jurou à irmã Maria no seu leito de morte que "a terra poderia se abrir e tragá-la viva se ela não fosse uma verdadeira católica romana".

Quando Elizabeth se tornou rainha em novembro de 1558, decidiu praticar abertamente a fé protestante. Um de seus primeiros atos foi determinar como reformar a Igreja. Foram feitos inventários revelando seu patrimônio, estudos sobre quem deveria permanecer como seus conselheiros e quem deveria ser dispensado e, mais importante, o que ela poderia investir para assumir o controle absoluto de seu reino. A renda da rainha era pequena, suas dívidas, grandes. Não haveria como ela governar a Inglaterra pela força de um exército de prontidão ou mesmo pelo que passou a ser conhecido como sua altamente estimada mas exagerada "rede onipresente de espiões", de acordo com lorde Burghley. De fato, toda a sua riqueza totalizava menos do que a renda anual que Felipe extraía de seu ducado de Milão.

Elizabeth Tudor sobrevivera à infância e à vida como protestante subjugada por Maria graças a seus estratagemas. Como monarca, detestada pelo papa, igualmente invejada e admirada por Felipe, Elizabeth tinha feito inimigos poderosos para ela mesma e para a Inglaterra, enquanto os ingleses davam início a um caso amoroso de 45 anos com a sua rainha.

Felipe acreditava no óbvio direito divino, que o levaria, com o tempo, à dominação espanhola do mundo. Havia um verdadeiro ascetismo na forma como ele trabalhava para a "Espanha Ltda." até as primeiras horas da manhã, com olhos vermelhos e os dedos doendo de escrever pessoalmente despachos como o auto-imposto escrevente-chefe do império espanhol. Ele acreditava na Inquisição e em recuperar os "hereges" para o rebanho católico. O fato de que o renovado fervor da Inquisição significava que milhares de mercadores fugiriam de Antuérpia (ainda na Holanda espanhola) para cidades-Estado como Colônia, Amsterdã e Hamburgo em busca da proteção de príncipes protestantes não significava nada para ele.

Mas essa devoção surgiu apenas depois de décadas de gastos libertinos. De fato, Felipe foi à falência duas vezes — a primeira em 1557 e a segunda em 1575. Durante a crise de 1557, Felipe suspendeu todos os pagamentos em Antuérpia em nome da coroa espanhola. O total da dívida em Antuérpia foi avaliado, como resultado de pagamentos posteriores, em aproximadamente 1.275.000 ducados (106,5 milhões de dólares ou 66,5 milhões de libras, em valores de hoje).

A situação de Felipe era precária; sem os mercadores de Antuérpia teria sido impossível fazer a guerra. O fato de que os mercadores de Antuérpia estavam definhando em função de sua perseguição religiosa mais uma vez passou despercebido. Assim, como meia-medida, Felipe deu aos mercadores letras de câmbio de 850 mil ducados, a serem pagas ao longo do tempo em um plano de prestação real.

Como Felipe, dom Sebastião também estava em medonhas dificuldades financeiras. Na mesma carta em que informava as dificuldades financeiras de Felipe aos doges de Veneza, o embaixador veneziano expressou suas últimas preocupações com relação ao jovem rei português, que até agora não tinha começado a governar em seu próprio nome:

O rei de Portugal tomou de seus súditos como um depósito cerca de um milhão de coroas, pelo qual ele paga a eles 10% ao ano, e agora declara que não irá pagar mais de cinco, afirmando que o faz para aliviar a sua consciência, tendo seus teólogos o censurado por esse pecado. Isso assustou bastante os mercadores, mais especialmente os genoveses, aos quais ele deve somas consideráveis, temendo que ele igualmente falhe em seu compromisso com eles (...) eles certamente serão pagos por meio do contrato de pimenta, pois há uma quantidade imensa de pimenta a bordo da frota cuja chegada é esperada dia após dia, ainda assim há a forte suspeita de que doravante esse rei irá perder boa parte do crédito dado a ele até então, já que ninguém mais facilmente que ele recebe dinheiro em troca de produto, de modo que na última feira de Medina ele obteve cerca de 900 mil coroas.

À luz da falência espanhola três anos antes, o nervosismo no mercado de Antuérpia em relação a Sebastião era compreensível. Para aumentar o problema, a constante perda de importância de Antuérpia no comércio em comparação com Amsterdã também estava tendo seu efeito. Os Fugger ainda achavam que *eles* tinham domínio do contrato de pimenta, e iriam descobrir nessa mensagem para Veneza que a rainha regente estava pronta para esquecer seus compromissos anteriores. Da mesma forma, os genoveses sabiam que sua exposição a dívidas reais portuguesas potencialmente danosas poderia derrubá-los. Todos corriam em busca de cobertura, mas haveria pouca proteção contra a tempestade anunciada.

Em 1566, quando o tio de Sebastião, o cardeal Henrique de Évora, foi colocado a cargo da Inquisição portuguesa, ele tinha sido capaz de saciar seu desejo de um papel administrativo ativo no império ao mesmo tempo que enchia os bolsos com suas riquezas. Em dois anos a influência e a cobiça do cardeal tinham provocado tanto ódio nos nobres que o adolescente Sebastião assumiu o poder por conta própria — para grande alívio de seu povo.

Embora a mudança tenha sido bem recebida, era amplamente reconhecido que Sebastião ainda era uma criança, seu governo arrastava-se e era contaminado pela indecisão em quaisquer questões que não dissessem respeito a suas paixões por conquista militar e religião. O primo biológico mais velho de Sebastião, dom António, prior de Crato, emergiu nesse momento como um favorito temporário e fez parte da primeira leva da nobreza portuguesa a buscar aventuras militares no Marrocos.

Dom António — mais tarde chamado de "o Determinado" — se tornou o personagem central da *débâcle* final que esmagou Portugal, sua independência e o futuro do Sancy. Ele era acima de tudo um oportunista com muito pouco a seu favor e foi freqüentemente descrito por aqueles que o conheceram como tendo "caráter e moral duvidosos". António freqüentemente discutia com Henrique e seu primo Sebastião, e, ironicamente, em mais de uma oportunidade foi obrigado a buscar refúgio na Espanha para escapar à sua ira. Mas entre 1571 e 1574 dom António estava em seu elemento, fanfarronando-se no Marrocos como governador de Tânger, tendo se recusado a assumir suas ordens religiosas na Igreja, para grande consternação do papa. A indicação de dom António como governador de Tânger permitiu

NO CORAÇÃO DA LUTA PELO PODER 109

a ele tomar parte da condenada expedição portuguesa ao Marrocos desde sua concepção, colocando-o no coração da labuta ao estilo cruzada.

A guerra de Sebastião contra os mouros "infiéis" começou a sério em 1578, quando ele se juntou aos 15 mil fidalgos portugueses já em combate. O rei tinha apenas 24 anos de idade, e prometera se casar com a filha do Sacro Imperador Romano ao retornar vitorioso. Um relato testemunhal do médico judeu do rei do Marrocos conta a história da decisiva batalha de Alcazar (hoje Ksar El-Kebir), lembrada em Portugal como a Batalha dos Três Reis:

> Nós ouvimos que o rei de Portugal estava marchando de Argilla em nossa direção, e assim levantamos acampamento e o reinstalamos em Alcazar. Após o jantar, o rei recebeu notícias de que os portugueses estavam começando a marchar; e ele mandou buscar sua indumentária, e se vestiu em trajes de ouro, enrolou em sua cabeça a *tora* e colocou nela seu broche com três pedras preciosas e suas plumas. Ele pegou sua espada, que era também muito rica e fora mandada para ele da Turquia, e sua adaga de mesmo estilo guarnecida com pedras preciosas, turquesas e rubis, e finalmente se arrumou como se fosse Páscoa com grandes anéis cheios de pedras preciosas nos dedos e partiu a cavalo, contra meu desejo.

À medida que a batalha progredia, o rei do Marrocos, o rei de Fez e Sebastião foram massacrados. Sebastião morreu com dois ferimentos na cabeça, um terceiro ferimento no braço, e foi enterrado em Alcazar em um caixão simples de madeira. Todos os três reis morreram na primeira hora de batalha, seus corpos foram pilhados das jóias e os sobreviventes vendidos como escravos. Dom António foi um dos sobreviventes.

O relato da testemunha prossegue:

> Toda a nobreza de Portugal, do filho do duque de Bragança aos escudeiros, está morta ou cativa, algo que nunca se viu ou ouviu. Deus milagrosamente tomou o reino de Portugal e o entregou ao nosso povo. O massacre, pelo que vimos, deve ter sido de cerca de 15 mil homens. Quanto aos cativos, posso fazer uma avaliação porque todo tenente ["Wildmore"] tem um cristão como

110   O DIAMANTE MALDITO

seu escudeiro, todo cavaleiro tem pajens atrás de si. Cada artesão tem dois ou três cristãos prisioneiros, assim como os cidadãos para seus jardins. O valor deles varia de 100 a 150 onças [de 3.234 a 4.849 dólares ou de 2.021 a 3.031 libras, em valores de hoje], e alguns deles variam entre 300 e 500 onças [de 9.699 a 16.165 dólares ou de 6.062 a 10.103 libras, em valores de hoje].

O cardeal Henrique, então um homem velho, foi coroado rei assim que a notícia chegou a Portugal. Não apenas a nata da nobreza portuguesa tinha sido morta juntamente com Sebastião, mas também aqueles que tinham permanecido vivos — incluindo o herdeiro presuntivo do trono, dom António — eram agora reféns dos mouros. Henrique tinha pouco tempo para reagir. Se ele não resgatasse os nobres remanescentes, haveria tumultos. Ele acertou para enviar para a Casa da Índia em Antuérpia uma enorme quantidade de jóias com instruções para vendê-las em troca de ouro, e fez todos os outros acordos que pôde com a venda de contratos de especiarias e carregamentos futuros para conseguir as centenas de milhares de cruzados necessários para libertar os nobres mantidos como reféns. Como um vendedor apavorado em um mercado financeiro abalado, dom Henrique certamente não conseguiu o valor pleno por quaisquer dos preciosos ornamentos e das jóias que foram rapidamente transferidos. Apesar da enorme quantidade de jóias oferecidas no mercado de Antuérpia e em outros locais, as maiores e mais fabulosas jóias da coroa permaneceram guardadas em Lisboa, incluindo o Espelho de Portugal e o Sancy.

Na época em que os primeiros nobres começaram a retornar do Marrocos, entre eles dom António, o cardeal Henrique estava morrendo de tuberculose em Lisboa. A duquesa Catarina de Bragança tinha o maior direito ao trono, juntamente com Felipe II da Espanha, já que eles eram ambos descendentes legítimos de Manuel I, enquanto dom António de Crato era o filho biológico do irmão de João III, Luís. Embora a reivindicação de Catarina fosse a preferida dos nobres portugueses, ela não fez pressão, já que estava bem consciente dos planos de Felipe. Seguiu-se uma luta pela coroa, com o rei Henrique apelando a Roma para a compra de uma bula papal em favor do rei Felipe. O embaixador temporário da rainha Elizabeth em Portugal, Edward Wotton, convenientemente escreveu para seu ministro Walsingham:

> Em relação à sucessão em Portugal, não sei o que dizer; muito pode ser dito tanto a favor quanto contra todos os pretendentes, sendo estes o rei da Espanha, o duque de Bragança e dom António, eles são equivalentes. (...) O que pode prejudicar dom António é que (...) O rei não gosta dele por sua vida dissoluta. Ele tem muitos bastardos com mulheres baixas, a maioria deles com "cristãs novas" [judias convertidas]. Assim, há o temor da nobreza de que se ele se tornar rei, sendo incapaz por meios normais de os tornar grandes a todos, irá tentar elevá-los por meios extraordinários, e talvez tomar posições ou títulos do resto da nobreza para dar a eles. Ele é muito pobre, e portanto incapaz de conquistar o tipo de nobreza que é conquistado pelo dinheiro; nem caso chegue-se à força, seria capaz de manter o poder no campo de batalha.

O sucesso de dom António dependia, ou assim ele pensava, de ser proclamado "legítimo" pelo papa Gregório XIII. Na ocasião, o rei Henrique escreveu a António dizendo que nenhum casamento ocorreu entre seu pai, Luís, e sua mãe, dona Violante, e que "nosso falecido irmão em seu testamento sempre se refere a dom António como seu filho natural, e há razões notórias e fortes suposições contra tal casamento; nós pronunciamos e declaramos que não há prova de casamento, e sim uma muito firme suposição de que tudo é uma maquinação, e declaramos dom António ilegítimo e adequadamente impomos a ele silêncio perpétuo sobre a questão".

Dom António continuou decidido e sedento de poder, e, como um homem sem fortuna, considerou a coroa adornada de Portugal tentadora demais para ser abandonada sem luta. Ele reagiu com uma violenta mensagem que sensibilizou os homens do povo:

> Vocês me ordenaram evitar a corte à noite porque eu não encontraria ninguém para ter compaixão de mim, e mantiveram-me um homem banido todo o tempo de minha pretensão, para grande descrédito de minha pessoa, en-

quanto os outros pretendentes abertamente cobravam justiça de vocês; sendo "bem-vistos" e favorecidos por vocês e acompanhados por seus amigos. Vocês também conseguiram contra mim uma Bula do Papa, como vergonhosamente se viu, na qual vocês se mostraram esquecidos da honra do Infante [meu pai] e de seu irmão.

Dom António realmente acreditava ser o único herdeiro legítimo do trono, e, com a morte de Henrique duas semanas mais tarde, autoproclamou-se rei.

Um Felipe furioso deixou claro ao mundo que o trono português era seu, e preparou um exército para, afirmou ele, "tomar o que era seu por direito". De acordo com o embaixador veneziano na corte da França, "o rei tinha esperança de, sem precisar recorrer às armas, tornar-se senhor de Portugal, e a partir dali atacar a França; e agora que sua tentativa falhou, ele está buscando ocupar aquele reino [Portugal] pela força, tanto contra o desejo da nação quanto contra o direito".

Para complicar ainda mais a sucessão, a ardilosa mãe do dissoluto rei Henrique III da França, a rainha-mãe Catarina de Médici, também fingia ter direito ao trono de Portugal. Por meio de intrigas, ela já tinha conseguido a coroa da Polônia para seu filho Henrique sete anos antes, em 1573. Mesmo que perdesse a coroa de Portugal, a rainha-mãe asseguraria através de intrigas que Felipe jamais fosse capaz de mantê-la.

Em janeiro de 1580, dom António escondera os tesouros da coroa — incluindo o Sancy e o Espelho de Portugal — para seu uso pessoal, e preparou o reino para uma guerra que ele acreditava que conseguiria ganhar. Portugal ainda tinha a mais poderosa frota mercante da Europa, e sua independência era equivalente àquela do mais antigo aliado de Portugal, a Inglaterra, bem como da França. Seguramente, raciocinou ele, ambas as potências iriam orgulhosamente formar ao lado de Portugal. E tão certamente quanto ele assim pensou, ele certamente estava errado.

10

O peão no xadrez dos gigantes

1580-1584

SE AS JÓIAS DA COROA DE PORTUGAL eram reputadas como sem paralelo pelo tamanho e qualidade das pedras, em 1580 era amplamente sabido que o grande diamante de Carlos, o Temerário, o Sancy, estava entre seus tesouros. Tanto Henrique da França quanto Elizabeth da Inglaterra desejavam ardentemente esta gema e as outras jóias da coroa, e conspiraram um contra o outro para consegui-las. Os diamantes continuavam a ser o símbolo máximo de poder e pureza no século XVI, e o Sancy, como o maior diamante branco da Europa, era o ápice desse poder.

Precisamos não esquecer que a superstição e o folclore continuavam a cercar jóias de todos os valores. Elizabeth usava muitas jóias que tinham poderes "mágicos", incluindo duas que alegadamente eram feitas de "chifres de unicórnio" como reagentes para identificar venenos, e anéis de rocha vulcânica como antídoto para envenenamento, e dava anéis que eram "abençoados pelo toque real", como seu pai tinha feito, para proteger seus favoritos. Jóias e gemas não eram apenas coisas belas, mas também talismãs para proteger e beneficiar quem as usava.

As jóias também representavam força e cobiça. Catarina de Médici já havia perdido para Elizabeth as famosas pérolas Médici que certa vez dera a sua ex-nora, a derrotada e aprisionada Maria, rainha dos escoceses, e estava determinada a não perder outras para ela. Henrique III também estava ávido em pôr as mãos nos invencíveis diamantes da coroa portuguesa para ajudá-lo a consolidar seu frágil controle sobre uma França devastada pela guerra. A batalha por Portugal estava próxima; horóscopos reais eram preparados na Inglaterra, na França e na Espanha; e começava a corrida entre a coroa francesa e Elizabeth para obter o Sancy e os outros tesouros de dom António. Quem desse o máximo em apoio militar e dinheiro seria bem-sucedido em conseguir as jóias — mesmo que Felipe conseguisse conquistar o país.

Dom António, como possuidor das mais poderosas gemas e jóias da cristandade, acreditava em sua própria infalibilidade e ignorava sua cobiça. Considerava-se esperto o bastante para manipular Felipe II, a rainha Elizabeth, a rainha-mãe da França, Catarina de Médici, e seu terceiro filho, o fraco e depravado rei Henrique III. Dom António nunca percebeu que iria se revelar a arma mais formidável nas mãos dos inimigos de Felipe, e um peão dispensável no xadrez dos gigantes.

Em um mês da ascensão de dom António ao trono, o embaixador veneziano na Espanha sinalizou em um despacho para os doges que a armada espanhola reunida no Mediterrâneo não se encaminhava para a Irlanda para fomentar problemas para a Inglaterra, como tinha sido temido inicialmente, mas para Portugal. Ele então acrescentou, em código:

> E essa cobiça do rei da Espanha é excessiva demais, pois ele não se contenta com os muitos reinos que possui. Agora está empenhado em tomar os reinos de outros soberanos e fazer-se monarca de toda a cristandade.
>
> Tendo um rei tão poderoso e ambicioso como vizinho [o ducado de Milão de Felipe da Espanha] e tomando ele Portugal, o que será feito de seu comércio? Pois se ele sofreu um grande golpe quando os portugueses tomaram posse das Índias, pense no que acontecerá quando os espanhóis que têm o poder de reduzir esses países à sujeição forem os senhores ali.

Felipe representava um perigo claro e imediato para Portugal, bem como para outras nações européias. Ele estava atrás das riquezas que Portugal representava — incluindo sua desfalcada mas ainda fabulosa coleção de jóias da coroa. A importância e o simbolismo dessas jóias eram significativos para o envelhecido governante espanhol que, afinal, tinha levado a coroa espanhola à falência duas vezes, a segunda delas apenas quatro anos antes. Os entrepostos comerciais portugueses na Índia estavam abarrotados de milhares de gemas preciosas, juntamente com uma vasta fortuna em especiarias, e embarcavam-nas para a Europa regularmente. O comércio de luxo simbolizava uma renda em giro significativa para o financeiramente desgastado Felipe, e um alvo tentador.

Também a rainha Elizabeth estava alarmada com o domínio espanhol, e tentada pelas riquezas de Portugal. Felipe pagou por uma bula papal que condenava a rainha por suas práticas religiosas, reduzindo toda a Inglaterra ao *status* de um Estado ilegal. A monumental proeza de Francis Drake de circunavegar o globo entre 1577 e 1580 tornou-se um "segredo de Estado", para esconder dos espanhóis o objetivo dos ingleses de se tornarem senhores do alto-mar.

Uma guerra econômica, fantasiada de guerra dinástica, estava prestes a estourar.

Em 1580, o nome de Drake infundia terror nos corações dos espanhóis, e particularmente no de Felipe, já que *El Draco* (O Dragão) tornou seu ódio e sua vingança contra a Espanha algo bastante pessoal. Os ataques de Drake aos galeões espanhóis que retornavam da Nova Espanha não passavam de pirataria, beneficiando sua tripulação, seus patrocinadores e a própria Elizabeth.

Ainda em 1580, a opulência da corte de Elizabeth, como expressa em suas roupas, assegurava seu poder atemporal, e supostamente mantinha imutável a sua aparência "jovial". A rainha era extremamente vaidosa, e com o passar do tempo essa vaidade se tornou inacreditável para sua corte. Acima de tudo, Elizabeth precisava de gemas, que eram fundamentais para sua imagem e seu poder atemporais, e ela de bom grado recebia muitas delas como a "rainha saqueadora" da Europa — generosamente fornecidas pelos ataques de Drake. Seria a vaidade de Elizabeth que iria estabelecer o curso para romper o domínio do mundo por Felipe, uma estrada que terminaria em vitória na batalha da Armada Espanhola em 1588. Mas para tomar esta estrada ela precisava manipular dom António. Em abril de 1580, o embaixador veneziano relatou que grandes provisões estavam sendo enviadas por mar para Portugal em navios mercantes e que a rainha da Inglaterra se estava armando.

Simultaneamente, Elizabeth embarcou em um subterfúgio excepcionalmente engenhoso ao reiniciar negociações para desposar o duque de Anjou (anteriormente o duque de Alençon), irmão mais novo de Henrique III da França. Anjou apelava para sua vaidade, cobrindo-a com diamantes pelos quais ele mal era capaz de pagar. Elizabeth, tendo sido levada a aguardar um corcunda com nariz enorme e o rosto deformado pela varíola, encontrou um semelhante inteligente que era confiante e exótico, com uma sexualidade insinuante. Teria sido uma combinação divina e que teria aborrecido profundamente tanto Henrique da França quanto Felipe da Espanha.

Quando Anjou partiu da corte em Blois, contra os desejos de sua mãe e de seu irmão, para fechar o contrato de casamento com Elizabeth, vociferando para Henrique "Se Vossa Majestade foi à Polônia para conseguir aquele reino, por que não deveria eu ir à Inglaterra com objetivo semelhante?", foi relatado a Veneza em um despacho aberto que:

> *Monsieur* [Anjou] foi para a Inglaterra nem tanto em função do casamento, mas em função das questões dos Países Baixos, pois a rainha tinha dado esperanças de adiantar a ele dinheiro e o ajudar de modo que ele pudesse se fazer senhor de alguma região de Flandres; a rainha desejava atormentar os espanhóis o máximo possível, tanto para expulsá-los quanto para afastá-los de qualquer perspectiva de perturbar sua tranqüilidade, como eles parecem dar sinais de pretender fazer, e igualmente que eles desistissem do projeto de tomar posse de Portugal pela força das armas.

Quando Anjou chegou a Londres, a rainha o presenteou, como um símbolo de sua confiança e amor, com uma grande chave de ouro com a qual ele podia pessoalmente abrir e entrar em todos os aposentos do palácio. Anjou,

O PEÃO NO XADREZ DOS GIGANTES 117

para não ser sobrepujado, colocou um grande e perfeito diamante no dedo da rainha, e Elizabeth deu a ele um pequeno arcabuz (porta-jóias) de enorme valor. Todos os cortesãos e damas de companhia foram então dispensados, para sua grande consternação, e a rainha e seu noivo foram deixados a sós durante a maior parte de dois dias. Embora não haja dúvidas de que tenha havido uma boa dose de paixão, um complô político foi urdido para pôr em xeque as ambições de Felipe e conseguir um reino para Anjou. No momento em que deixou a Inglaterra, um mês mais tarde, Anjou presenteou Elizabeth com uma tiara cravejada no valor de 8 mil coroas (388 mil dólares ou 242 mil libras, em valores de hoje), e Elizabeth deu a ele um diamante em forma de coração.

A rainha, por sua vez, estava preparada para financiar um reino para Anjou — Flandres — e arrebatar a mais importante região comercial do norte do controle de Felipe, determinando que Anjou teria um ativo papel nos assuntos de Portugal e daria seu apoio a dom António.

Enquanto Elizabeth mandava auxílio militar a dom António, Henrique III, de forma verdadeiramente dissoluta, parecia não se preocupar com a iminente tempestade, e de fato "retirou-se, para seu deleite, em St. Germain, onde passou a semana". Se algo deveria ser feito em relação a Felipe, isso dependeria de Elizabeth e Anjou, e nenhum dos dois se esquivou à tarefa.

A rede elisabetana de espionagem funcionava a pleno vapor no início do verão, fornecendo informações sobre os movimentos previstos de Felipe. O próprio Anjou enviou mensageiros, homens e dinheiro a dom António, e Catarina de Médici também apoiava em segredo.

No início de julho, o exército de Felipe estava em marcha e tendo cruzado Portugal na direção de Lisboa em 12 dias. No dia 15 de julho de 1580, um longo relatório foi preparado por dom Rodrigo de Mendoza, um dos espiões de Elizabeth, e dizia:

> Dom António tem muito poucos homens de confiança consigo. (...) Diz-se que ele dá o que tem de forma muito liberal aos que o acompanham, e que elevou diversas pessoas de baixo nível ao grau de cavaleiro. (...) dom António

118   O DIAMANTE MALDITO

está muito triste e deprimido, o que não surpreende, visto que ele se encontra fraco demais para cumprir seus desígnios; pois embora ele seja apoiado pelos homens do povo e alguns cavalheiros, ele deseja tanto aconselhamento quanto dinheiro, sem os quais a guerra irá se arrastar.

Na época em que a rainha Elizabeth recebeu este relatório, o exército de Felipe, comandado pelo duque de Alba, já estava em Portugal havia várias semanas e tinha derrotado o aspirante português em Setúbal. As forças de dom António desmoronaram frente ao poder e à experiência do exército mercenário de Felipe — formado por mais de 25 mil homens em armas de Itália, Alemanha e Espanha — em comparação com os 12 mil conscritos de António. Os portugueses voltaram para Lisboa em debandada, enquanto os espanhóis saqueavam o interior no seu rastro. Quando Felipe, ainda em seu palácio em Madri, recebeu as boas novas desse primeiro grande combate, ficou tão encantado que gratificou o mensageiro com 100 coroas (19 mil dólares ou 12 mil libras, em valores de hoje). Dom António, que precisava desesperadamente de armas, alimentos e dinheiro, escondeu-se em Santarém. Apenas algumas poucas cidades continuaram a apoiá-lo no continente, com unicamente os Açores permanecendo inteiramente leais.

Em uma mensagem em código para Veneza, datada de outubro de 1580, o embaixador veneziano na França relatou:

> Chegaram notícias da Espanha dando conta de que dom António fugiu para as montanhas com 12 mil homens. Ele é apoiado pelo clero e também pelas principais cidades portuárias, Porto e Viana, de modo que mesmo que ele tenha desistido de seus objetivos em relação a Portugal, Strozzi [financista genovês da coroa da França], por sugestão de *Monsieur* [Anjou] e do embaixador da rainha da Inglaterra que ofereceu sessenta mil coroas para o pagamento de soldados, ainda assim mandou um representante a Portugal para tomar conhecimento do estado das coisas.

Catarina de Médici então deu seu considerável apoio a dom António, nem tanto para ajudá-lo, mas para manter sua reivindicação viva nos corações e mentes da nobreza de Portugal. A mulher de Felipe, Isabel, filha de Catarina, tinha morrido recentemente durante o parto, liberando a ardilosa rainha-mãe de qualquer obrigação para com o monarca espanhol. Ela havia sido profundamente insultada pela recusa de Felipe a sua própria reivindicação ao trono português.

Então, de repente, em um inquieto relatório de seus agentes em Antuérpia, Elizabeth foi informada de que dom António "tem em suas mãos todos os tesouros de seus antecessores, ditos grandiosos". As jóias da coroa, incluindo o Sancy e o Espelho de Portugal, tinham sido roubadas pelo aspirante português.

Dom António resistia em sua fortaleza nas montanhas e enviou uma mensagem pessoal para a rainha Elizabeth por seu mensageiro particular de confiança, Ruy Lopes, juntamente com uma nota com a caligrafia do embaixador português pedindo:

1. Doze navios bem equipados com artilharia, homens e munição;
2. Dois mil arcabuzeiros com seus oficiais, que serão todos pagos em Portugal a partir do dia em que deixarem a Inglaterra até seu retorno;
3. Tanta artilharia de bronze de todos os tipos quanto a rainha deseje encaminhar, estando o reino em grande necessidade dela;
4. Mil quintais de pólvora;
5. Dois mil quintais de bolas de ferro de todos os tipos.
6. O pagamento será feito em Portugal, em moeda, jóias ou espécie, à escolha da rainha.

Elizabeth dispensou seus funcionários e concedeu ao mensageiro de dom António uma audiência particular, cujo conteúdo nunca foi registrado. Teria ela exigido as jóias em troca de atender seus pedidos?

É muito provável que dom António tenha enviado um pedido desesperado semelhante para Henrique da França, já que foi relatado na Inglaterra que "Strozzi é a pessoa encarregada do assunto". Strozzi foi pessoalmente encarregado do embarque de homens e armas para Portugal, mas eles foram

120 O DIAMANTE MALDITO

repelidos pelos espanhóis e voltaram inutilmente para Nantes. Obviamente, um financista só teria sido utilizado em uma missão como essa se houvesse a necessidade de avaliar as garantias do empréstimo.

O primeiro revés de dom António em seu pedido de ajuda internacional a Inglaterra e França não demorou. Armas e homens franceses falharam em superar o bloqueio espanhol. Dom António então reconheceu que Elizabeth tinha poderio naval e financeiro superior ao da França, e designou dois cavalheiros para ir à Inglaterra com jóias e "outras coisas de valor" para vender esses itens à rainha em troca de sua assistência militar. A rainha, que não era tola, compreendeu imediatamente que tudo estava perdido, no entanto recebeu os homens de dom António em segredo, da mesma forma que tinha feito com o mensageiro anterior.

Então, subitamente, de forma quase mágica, dom António desapareceu. Houve vários relatos de que ele foi capturado ou morto, nenhum dos quais pôde ser consubstanciado. Felipe se proclamou rei de Portugal nas Cortes (o Parlamento), prometendo defender a independência de Portugal dentro do império espanhol, mas os partidários de António foram detidos e vários deles torturados, mortos ou punidos. A Europa estava cheia de boatos sobre a morte de António, até que o embaixador veneziano na França relatou em uma carta em código datada de 2 de março de 1581 que "Strozzi foi a Tours para conversar com aqueles cavalheiros portugueses mencionados em meu despacho de 24 de fevereiro. Eles dizem que entre eles há um personagem importante. Alguns poucos insistem em que o próprio dom António está na França e tem consigo, em ouro e jóias, cerca de dois milhões, que ele subscreveu para *Monsieur* [Anjou] para defender sua causa junto ao rei. Se sua presença for verdade, não poderá permanecer escondida muito tempo".

Em 1º de abril havia na corte, em Tours, uma grande boataria de que os cavalheiros portugueses estavam agindo a mando de dom António, que não iria "se expor" até que chegasse a um entendimento com o rei ou mesmo Anjou. António temia muito por sua vida — não apenas pela ameaça espanhola, mas também por aqueles que poderiam tomar dele sua imensa fortu-

O PEÃO NO XADREZ DOS GIGANTES   121

na em jóias. É provável que esse enorme e racional medo de retaliação signi-
ficasse que, para minimizar o risco de perder, ou mesmo empenhar, de uma
só vez, tudo o que ele tinha, dom António tenha enterrado ou escondido de
outra forma uma parcela substancial das jóias para utilização em momento
posterior. Seu destino principal continuava a ser a Inglaterra, mas não tendo
nenhum barco à sua disposição, a única rota disponível era através da França,
o que significava lidar com as complexidades, intrigas e facções políticas que
cercavam a coroa francesa.

Um dos conselheiros financeiros e militares do rei da França, e conhecedor de diamantes e outras jóias, Nicolas Harlay de Sancy, encontrou-se
secretamente com dom António perto de La Rochelle para dissuadi-lo de
fazer a travessia até a Inglaterra e para apresentar as vantagens de empenhar
as gemas na França sob os seus auspícios. Mas o rei português não seria
desencorajado.

Em julho de 1581, o rei destronado finalmente abriu caminho até o Canal da Mancha e o cruzou em direção a uma segurança relativa sob a proteção de Elizabeth. Dom António estava ansioso para procurar o almirante
favorito de Elizabeth, Drake, que havia retornado de sua circunavegação de
três anos do planeta no mês de setembro anterior. Embora aquele feito em
especial ainda fosse um segredo, o dano que ele infligira às colônias espanholas — e particularmente o butim que ele espoliou — eram motivo suficiente para que dom António angariasse o apoio de Drake à sua causa. Nada
teria tirado de Drake uma oportunidade de continuar a causar estragos entre
os espanhóis, e juntos eles abordaram a rainha em busca de sua permissão
para zarpar imediatamente para Portugal.

Todas as guerras têm um custo, e a rainha queria se assegurar de que
poderia arcar com o custo financeiro necessário para uma missão tão arriscada. Quando a disputa começou de verdade naquele verão, a promessa inicial
de dom António a Elizabeth de que ele poderia levantar dinheiro com os
navios da Índia assim que eles chegassem a Antuérpia era difícil de acreditar,
já que era altamente improvável que os mercadores indo-portugueses man-
dassem seus bens ao mar enquanto a situação doméstica estivesse tão confu-

122 O DIAMANTE MALDITO

sa. Ela precisava de segurança, e muita. Ela levantou a questão das jóias, e seu valor foi longamente debatido. A rainha já estava dando 30 mil coroas por mês a Anjou para a rebelião em Flandres contra Felipe, e a idéia de colocar ainda mais dinheiro à vista em uma aventura arriscada era particularmente desinteressante.

Em 4 de agosto foi fechado um acordo entre lorde Burghley, em sua função de chanceler da rainha, e o rei português. As jóias que dom António tinha consigo foram avaliadas, ou melhor, subavaliadas, em 30 mil coroas (7 milhões de dólares ou 4,4 milhões de libras, em valores de hoje), e dom António comprou dois navios com o dinheiro recebido. É muito possível que o Sancy estivesse nesse primeiro lote de jóias empenhado junto a joalheiros ingleses, mas as descrições das pedras não permitem uma identificação definitiva. Uma carta de lorde Burghley à rainha indica que ela deveria pagar aos mercadores que tinham adiantado fundos pelo maior diamante de dom António, que estava então em sua posse. Mas seria o Sancy ou o Espelho de Portugal? Sabemos que o Espelho de Portugal passou para as mãos da rainha e foi avaliado em apenas 5 mil coroas (1,2 milhão de dólares ou 727 mil libras, em valores de hoje) e que dom António recebeu meras 3 mil coroas por ele. Se as jóias que dom António tinha consigo valiam milhões, como o embaixador veneziano afirmou aos doges, e o segundo maior diamante da coleção — o Espelho de Portugal — fora avaliado em apenas 5 mil coroas, é difícil imaginar que o Sancy tenha sido de alguma forma apartado das jóias avaliadas, especialmente em função do que transpirou a seguir.

Para reinvadir Portugal e recuperar sua coroa, António precisava de pelo menos mais vinte navios e um exército. Elizabeth tinha subavaliado sua coleção de jóias da coroa e demorado a fornecer navios e provisões. A reputação de Drake obviamente atraíra António para a Inglaterra, tanto quanto a capacidade da Inglaterra de financiar seus ataques a moinhos de vento, como Dom Quixote. Mas a interminável protelação de Elizabeth o estava desgastando, então dom António retornou à França para resgatar mais jóias do seu esconderijo e tentar a sorte com os franceses.

Strozzi mais uma vez visitou dom António perto de La Rochelle com Harlay de Sancy e outros, para chegar a um acordo. O rei em pessoa não tinha dinheiro para financiar a empreitada, mas tanto Strozzi quanto Harlay de Sancy eram não apenas muito ricos como tinham excelentes ligações. Contudo, o desconfiado rei português não desejava separar-se de sua maior — e mais importante — gema, já que as promessas de navios podiam não ser cumpridas e mercenários franceses podiam ser reconvocados ou, pior, sua fidelidade podia ser comprada por Felipe da Espanha. As negociações continuaram por várias semanas, e Harlay de Sancy finalmente conseguiu um acordo com o rei português para receber — como garantia — um grande diamante facetado de 36 quilates mais tarde chamado de *Le Beau Sancy* (Pequeno Sancy). Harlay conseguiu que dois navios franceses e provisões fossem empenhados pelo rei francês, e dom António começou a trabalhar para reconquistar seu reino a partir de Açores com seus dois barcos ingleses e dois franceses, e uma força mercenária de baixa qualidade.

A primeira identificação bem definida do Sancy nesses procedimentos clandestinos foi quando o diamante passou para as mãos de um confiável mercador português e "cristão novo" baseado em Antuérpia, Francisco Rodrigues d'Évora, diretamente por intermédio das negociações com Strozzi, Harlay de Sancy e os outros mercadores de La Rochelle, ou por intermédio de Strozzi ou mesmo de Elizabeth para Anjou, que por sua vez empenhou o diamante com Rodrigues d'Évora para levantar mais dinheiro, de modo que seu exército flamengo se erguesse contra o rei Felipe. Qualquer que tenha sido o caminho que ele seguiu até Rodrigues d'Évora, o certo é que ele era uma pessoa em quem tanto dom António quanto Strozzi confiavam para guardar o magnífico diamante até que ele pudesse ser resgatado.

Os boletins de Fugger e do embaixador veneziano relataram em janeiro de 1582 — apenas quatro meses após dom António ter conseguido seus dois navios da Inglaterra e dois meses depois de os navios franceses estarem prontos — que todos os quatro barcos foram apanhados em uma tempestade, e um tinha naufragado. Em alguns dias dom António estava de volta a Paris, in-

124 O DIAMANTE MALDITO

cógnito, tentando vender ou empenhar mais jóias diretamente para Catarina de Médici.

De acordo com o embaixador espanhol na Inglaterra, que descreveu a batalha, Drake honrou sua palavra, e zarpou para a baía de Biscaia, embora declarando publicamente que estava a caminho do Peru. As forças de António, porém, rumaram separadamente e foram derrotadas pelos espanhóis antes que pudessem se unir a Drake. Strozzi foi morto no combate. Dom António escapou de volta para a França e para os braços acolhedores da rainha-mãe, que abertamente colocou o rei derrotado sob sua proteção e prometeu a ele uma nova frota no ano seguinte. Quando perguntado sobre a luta, dom António respondeu que tinha ficado "mais ferido por ver que o ouro espanhol tinha tanto peso para os franceses que lutavam ao lado dos espanhóis".

Catarina de Médici era a única pessoa a "ganhar" em toda essa situação. Sua proteção a dom António contra Felipe foi inteiramente bem-sucedida e absoluta. Ademais, Elizabeth perturbara-se com o fato de sua rival francesa ter obtido muitas das jóias da coroa portuguesa que ela mesma havia ambicionado. Essa disputa por jóias entre as duas rainhas não deve ser subestimada, já que era um antigo pomo da discórdia que Elizabeth sempre usasse as pérolas dos Médici que Catarina havia dado a Maria, rainha dos escoceses, como presente de noivado por ocasião de seu casamento com o filho mais velho de Catarina, Francisco II.

No entanto, apesar dessa vitória "moral" sobre Felipe e Elizabeth, Catarina também se cansou das intermináveis exigências de dom António. Ele fez discursos bombásticos para a rainha-mãe pedindo mais dinheiro para organizar outra campanha para invadir Portugal, e Catarina replicou peremptoriamente: "Não há mais dinheiro." Com seu temor paranóico de assassinato e seus modos arrogantes, ele era visto por muitos, após quatro anos vivendo à custa dos tesouros reais de França e Inglaterra, como pesado demais para as duas coroas. O embaixador veneziano relatou que "dom António, cuja fortuna míngua diariamente, recebeu da rainha-mãe um pequeno castelo na Bretanha, perto de Vannes, e 500 ducados por mês [83 mil dólares ou 51 mil libras, em valores de hoje]. Ele está cheio de dívidas e vive em aposentos alugados em Paris".

Dom António evidentemente tinha se demorado demais na França, e sua única esperança de retaliar — e sobreviver — era estimular Drake a entrar em ação, recuperar sua coroa e resgatar suas jóias.

11

Três homens determinados de caráter duvidoso

1584-1590

NÃO HÁ OUTROS REGISTROS ESCRITOS sobre o Sancy na década de 1580. Também não há registros completos das conversas ou da correspondência entre dom António e *sir* Francis Drake em 1584, mas Drake não precisava de muito estímulo para retomar seus ataques aos espanhóis. Seu ódio permanente ao monarca espanhol remontava a cerca de trinta anos antes, em sua viagem inaugural, quando Felipe afundou o primeiro barco de Drake, deixando-o encalhado no Caribe sem meios claros de voltar para casa. Foi uma humilhação que Drake jamais esqueceria.

Nem era necessário seduzir Elizabeth para que ela entrasse em ação nos primeiros dias do outono de 1584. Ela se sentia vulnerável. Antuérpia tinha mais uma vez caído em mãos espanholas, Anjou estava morto, o protestante fanfarrão Henrique de Navarra era agora herdeiro presuntivo ao trono francês e a Inglaterra literalmente não podia pagar por uma derrota. Dom António, que havia se tornado um incômodo na França, era agora apoiado pela Inglaterra, embora estivesse sendo novamente cortejado por Catarina de Médici com novas promessas de dinheiro "real" — 6 mil coroas — e a restauração

128 O DIAMANTE MALDITO

de sua pensão se ele retornasse imediatamente à França. Ele recusou a oferta tardia, embora de certo modo provocante.

A longo prazo, a noção de tempo de dom António parecia perfeita. De fato, o embaixador francês comentou exatamente esse ponto quando relatou a Paris que "dom António, no dia 21 de setembro, embarcou oito mil soldados de infantaria e duzentos cavalheiros ingleses em 62 navios e zarpou para Portugal para tentar a sorte de recuperar seu reino. Surpreendeu a todos o quão rapidamente a rainha da Inglaterra se convenceu [dessa vez] a dar a ele tamanha força".

De fato, seu ceticismo era justificado. Elizabeth, conhecida por mudar de idéia, ordenou que tanto Drake quanto António retornassem à costa, tendo pensado melhor na incursão e nas terríveis conseqüências para a Inglaterra se fracassasse. Ela acreditava que não podia proteger os Países Baixos e atacar Felipe através de Portugal e ser bem-sucedida nas duas empreitadas. Um mensageiro partiu de Londres no corcel mais rápido disponível com uma carta da rainha para Drake, dizendo a ele que ocorreu uma mudança de planos. A rainha desejava que ele saqueasse a Nova Espanha e voltasse à Inglaterra com uma nova fortuna em pilhagem. Não importava o quanto Drake quisesse "depenar" o rei da Espanha, ele reconhecia uma ordem real quando via uma, e teve de se separar de dom António para levar a cabo sua tarefa. Enquanto Drake estivesse pilhando as colônias espanholas — e então também portuguesas —, Felipe precisaria de dinheiro e seria incapaz de abastecer seus exércitos nos Países Baixos. Elizabeth raciocinou que aquela era uma forma eficaz e menos arriscada de atingir seus objetivos. Ela e a Inglaterra ainda poderiam ter uma chance.

Sua intuição foi infalível. Juntamente com a serenidade de Felipe, dinheiro era a mercadoria mais em falta na Europa naquela época. Em janeiro de 1585, o papa publicou uma bula das Cruzadas para ser utilizada contra a Inglaterra que efetivamente deu a Felipe, por um período de cinco anos, 1,8 milhão de coroas anuais (997 milhões de dólares ou 623 milhões de libras, em valores de hoje) pela concessão de privilégios papais à coroa da Espanha. O dinheiro seria reunido em fundos especiais na casa da moeda de Madri para uso do rei

TRÊS HOMENS DETERMINADOS DE CARÁTER DUVIDOSO 129

contra o Estado "herético" da Inglaterra. Abundavam boatos de uma liga formada pelo papa, Felipe, a República de Veneza, Sabóia e Toscana contra a Inglaterra. Felipe, como um homem possuído tentando se livrar dos demônios que o enlouqueciam, levantou outros empréstimos de 900 mil coroas.

O duque de Guise, a quem Felipe via como seu títere pessoal na luta pela coroa da França ao lado da Liga Católica contra Henrique III e Henrique de Navarra, deu a Felipe 50 mil ducados de seu próprio dinheiro para "A Causa" contra a Inglaterra. Dois milhões de florins renanos em ouro foram arrancados de príncipes alemães relutantes. Até mesmo os Fugger levantaram meio milhão de florins renanos em ouro para o rei da Espanha, de seus próprios cofres e outras fontes desconhecidas. Esses últimos empréstimos foram concedidos a Felipe em represália à pirataria praticada pelos mercadores aventureiros de Elizabeth contra seus carregamentos das Índias e da Nova Espanha que jamais chegaram ao porto — em boa parte graças a Drake.

Felipe estava farto, e acumulou fundos de guerra de inimaginável magnitude. Todo homem que ele podia convocar ou colocar em serviço foi intimado a acabar com a interferência "daquela inglesa".

Ao mesmo tempo, Henrique III estava lutando por sua existência política. A guerra religiosa progrediu em uma guerra política, no que seria conhecido como a "Guerra dos três Henriques", entre Henrique III, Henrique de Guise e Henrique de Navarra. Henrique III, para vencer, precisava de um dinheiro que não tinha, e precisava muito. Nos dez anos desde que assumira o trono, ele já havia empenhado ou vendido todas as jóias da coroa e taxado seu povo descontente e oprimido o quanto quis. Qualquer um com um mínimo de riqueza pessoal poderia superar a influência dos favoritos e tentar uma posição de poder na corte. Um homem esperto com riqueza pessoal e raciocínio militar poderia se tornar inestimável — e produzir uma fortuna ainda maior com os despojos de guerra. Nicolas de Harlay, *seigneur* de Sancy e barão de Maule, era exatamente esse tipo de homem.

Harlay era general de exército dos suíços e um cavalheiro da Casa Real. Ele tinha apenas 25 anos de idade no momento de seu primeiro encontro com dom António, em 1580. Ele era um bom amigo do secretário de Estado

130 O DIAMANTE MALDITO

do rei francês, Villeroy, e sua filha mais tarde se casaria com o filho de Villeroy. Harlay era inteligente, bonito, e excessivamente consciente de sua própria importância. Ele tinha uma estranha semelhança com dom António e, como o rei português, estava convencido de seu lugar na história, e freqüentemente era econômico com a verdade. Nada disso, porém, tinha importância para Henrique III. Harlay parecia ter uma grande fortuna pessoal e estava preparado para colocá-la em ação em nome do rei. Harlay afirmava a seus muitos detratores que herdara grande parte daquela fortuna, mas ele era um mestre em tecer boas mentiras. Muitas de suas afirmações simplesmente não podiam ser levadas em consideração. Como no caso da maioria dos comandantes militares de sua época, sua riqueza foi obtida no campo de batalha ou perto dele, onde poucas (ou nenhuma) perguntas eram feitas e certamente não eram dadas respostas. Tendo recebido formação de advogado em Orleans, Harlay sabia mais do que a maioria das pessoas sobre a importância da desinformação como meio de combater provas frágeis, e se valia disso repetidamente em seu benefício.

Nascido protestante, Harlay converteu-se ao catolicismo depois do Massacre do Dia de São Bartolomeu em 1572, para garantir seu lugar na corte. O subterfúgio valeu uma indicação para a importante posição estratégica de governador de Châlon-sur-Saône, que estava destinada a ser a passagem para a Suíça e os Alpes, e de "cavalheiro da Casa Real". Mas entre seus contemporâneos a fama de Harlay não era fruto de sua ascensão meteórica na corte de Henrique III, mas de sua posse inexplicável de muitos diamantes de alta qualidade — dois dos quais eram pedras excepcionalmente grandes e perfeitas. Esses bens preciosos parecem ainda mais extraordinários quando se considera o fato de que Harlay tinha retornado a Paris de sua missão na Suíça e em Sabóia como embaixador de Henrique em dezembro de 1580 com pesadas dívidas, em função das exigências impostas a ele por um monarca irresponsável, assediado por seus credores e preocupado com o revés potencial de sua sorte política por seu insucesso. Todavia ninguém questionou, se ele estava tão pobre em dezembro de 1580, como tinha se tornado tão rico na época em que se encontrou com dom António em La Rochelle em 1581. Ou

TRÊS HOMENS DETERMINADOS DE CARÁTER DUVIDOSO 131

ainda, como ele foi capaz de compensar o descontentamento dos suíços com ele em janeiro de 1582. Certamente nunca teremos as respostas para essas perguntas, já que Harlay era, sem dúvida alguma, um mestre do embuste e da manipulação — ambas qualidades raras na *entourage* real de Henrique III. Ninguém iria pressionar Harlay demais sobre o exato estado de seus negócios enquanto ele continuasse a utilizar sua inteligência e seu dinheiro em benefício do rei.

Harlay claramente utilizava desinformação e astúcia para desviar a atenção do verdadeiro estado de suas finanças, para não falar das fontes exatas de sua inestimável riqueza. Na época em que se encontrou com dom António em La Rochelle, Harlay era evidentemente capaz de conseguir dinheiro para o monarca destronado em troca de diamantes, e teria conseguido ele mesmo uma considerável comissão com a transação. Continua a ser um mistério se ele deu uma parcela de seu próprio dinheiro a dom António como parte do negócio, mas é uma suposição razoável que as bases para sua reivindicação de muitos grandes diamantes, incluindo o Sancy, datem desse primeiro encontro.

Harlay, quando pressionado sobre a origem das jóias pela crescente facção da corte inamistosa a ele, fingiu em certa ocasião que os diamantes tinham sido comprados em uma viagem a Constantinopla, uma viagem que ele nunca fez. Anos mais tarde ele alegou que seu filho Achille as trouxe consigo de Constantinopla — o único problema com essa explicação era o fato de que seu filho ainda não havia estado naquela cidade, já que na época era um menino.

Apesar de, ou talvez por causa desse subterfúgio, Harlay se tornou conhecido por seus diamantes. Ele estava indo de vento em popa com suas mentiras sobre as pedras. Sua necessidade insaciável de auto-engrandecimento e o prazer de ser o centro das atenções seriam, no final das contas, sua derrocada. Embora Harlay não quisesse anunciar a fonte de suas "compras" de diamantes — afinal, era um saqueador confesso —, ele não era tolo. Harlay sabia que Catarina de Médici queria o Sancy e a pedra menor de 36 quilates, o *Beau Sancy*, para si mesma, mas dificilmente poderia comprá-los. Ele temia, corretamente, que a verdade vazasse na corte e a punição desagradável que a rainha-mãe poderia impor a ele por sua descoberta deslealdade. Seu saudável medo de Catarina de Médici, somado ao fato de que ele tinha chegado ao Sancy e a outros diamantes em sua posse por métodos que seriam desaprovados na corte, tornava a descoberta de seus atos uma questão potencialmente mortal. Afinal, ele estava em missão oficial do rei e da rainha-mãe quando conspirou para tomar as gemas para si mesmo.

O grande drama acerca da aquisição e compra das jóias da coroa na França — ou em qualquer outra parte — não deve ser subestimado. Quando Henrique III herdou o trono de seu irmão Carlos IX em maio de 1574, um dos primeiros atos de Henrique foi publicar uma carta patente desapropriando a viúva de Carlos, a rainha Isabel da Áustria, das jóias da coroa e dando-as a sua esposa, Luísa de Lorena-Vaudemont, com quem ele havia se casado no mês de fevereiro anterior. Ao mesmo tempo, Catarina de Médici promulgou uma carta patente determinando que se Henrique III morresse sem um herdeiro varão, as jóias da coroa passariam para sua filha ou filhas, já que ela odiava Henrique de Navarra de Bourbon e não poderia suportar que ele as herdasse como herdeiro legítimo segundo a lei sálica. A rainha-mãe alegou que sua carta patente servia para assegurar a inalienabilidade das gemas. Poderíamos ter acreditado nela se ela não houvesse acrescentado: "e se o rei morrer sem prole, todas as jóias reverterão à rainha-mãe para que ela disponha delas segundo sua vontade".

Uma coisa é certa: quando Harlay estava utilizando o Sancy para promover sua carreira e a causa do rei formando exércitos mercenários na Suíça, ainda não era inteiramente propriedade de Harlay para emprestar ou empenhar. François d'O, o superintendente de finanças do rei, possuía pelo menos um terço do diamante até janeiro de 1588, quando ele o cedeu a Harlay por uma quantia não especificada em dinheiro vivo. A nota de venda foi registrada três anos mais tarde, provavelmente em função do atraso na conclusão da compra do Sancy por Harlay, na quarta-feira, 12 de junho de 1591, em Vernon, diante de um notário, pouco antes do meio-dia, quando François d'O assinou o documento em que ele

TRÊS HOMENS DETERMINADOS DE CARÁTER DUVIDOSO 133

transfere ao *Monsieur* Nicolas de Harlay, *seigneur* de Sancy, também conselheiro do rei em seu Conselho de Estado e capitão de 50 homens de armas, um terço de um grande diamante pesando sessenta quilates, do qual os outros dois terços pertencem aos herdeiros de Francisco Rodrigues, português, em cujas mãos o diamante deverá permanecer, como foi declarado pelos cavalheiros d'O e Harlay. Este terço de um diamante pertencente ao dito *Monsieur* d'O e ao qual tinham sido cedidos todos os direitos, nomes e ações, é transferido por este efeito ao dito *Monsieur* de Sancy em todos os seus direitos, nomes, premissas e ações, declarando que ele não tem pretensões ao dito diamante e que o dito *Monsieur* d'O, por ter recebido pagamento, reconhece e confessa ter recebido do dito *Monsieur* de Sancy neste mês de janeiro de 1588 o pagamento satisfatório pelo diamante, pelo qual ele não tem mais nada a reclamar.

O documento foi assinado por François d'O e por Harlay com sua marca característica, bem como pelo notário.

Mas permanece o mistério de por que o diamante não permaneceu com os herdeiros de Francisco Rodrigues antes dessas datas, ou se Harlay adquirira sua terça parte antes de "emprestar" o Sancy como sua propriedade para Henrique III para o uso pessoal do rei. Se François d'O tinha originalmente tomado o diamante de dom António sozinho, ou com a conivência de Harlay de Sancy, não sabemos. O que sabemos é que mais tarde Harlay alegou que o diamante esteve empenhado desde 1591 com os "judeus de Metz", quando na verdade os herdeiros de Rodrigues o guardaram até que ele fosse capaz de pagar pelos dois terços restantes. Admite-se que os Rodrigues d'Évora eram originalmente judeus no tempo de dom Manuel, quando o chefe da família era o médico do rei, mas isso é o mais perto da verdade que chegam as afirmações de Harlay.

Por fim, foram os diamantes de Harlay que mais deslumbraram e impressionaram o rei, e Harlay foi "obrigado" a emprestar o que ainda era o maior diamante branco da Europa, que ele agora chamava *le grand Sancy*, para que o rei Henrique o usasse na frente de seu toque, um chapéu de veludo que cobria a calvície do vaidoso rei. O retrato de Henrique usando o Sancy,

134 O DIAMANTE MALDITO

atribuído a François Quesnel, foi pintado por volta de 1585 — aproximadamente a mesma data do retrato de Elizabeth I por John Bettes, o Jovem, em que ela usa o Espelho de Portugal pela primeira vez. Não há coincidências na história, especialmente uma coincidência dessa natureza. Duas diferentes gemas chegaram a duas diferentes coroas da Europa saídas da mesma fonte: dom António de Crato, em seu esforço desesperado para recuperar seu reino. Há poucas dúvidas de que Harlay, por meios lícitos ou ilícitos, devia agradecer ao delírio de dom António por sua proeminência.

Descontando todas as falhas de Nicolas Harlay de Sancy — e elas foram muitas —, ele permaneceu um servo excepcionalmente leal de Henrique III, lutando contra seu próprio irmão Robert, que se manteve ao lado de Henrique, duque de Guise, no conflito que irrompeu na França. O conhecimento militar de Harlay repeliu incursões do duque de Sabóia e do duque de Guise em territórios do leste leais ao rei, e Harlay conseguiu controlar política e financeiramente as problemáticas forças mercenárias suíças; era crucial mantê-las ao seu lado. Naquela época era fácil saquear, e Harlay não apenas ficou com saques como conseguiu fazer os suíços pagarem a ele por receberem "favores".

Enquanto Sancy forrava seu ninho sob a demonstração de lealdade a Henrique, o ano de 1587 seria um divisor de águas na história européia. Em fevereiro foi encenado o último ato de um drama de vinte anos no castelo do conde de Shrewsbury em Fotheringhay: Maria, rainha dos escoceses, foi levada a julgamento pelo Complô de Babington, que foi uma clara tentativa de assassinar a rainha Elizabeth. Já haviam passado quase trinta anos desde que Maria se casara com o irmão mais velho de Henrique, Francisco II, e embora ela não tivesse conseguido aprender importantes lições políticas, continuaria a ser, após sua execução, o símbolo para que todos os bons católicos se erguessem contra a "herege rainha Elizabeth". Quando foi lido em voz alta o veredicto de "persistente desobediência (...) incitamento à insurreição (...) contra a vida e a pessoa de sua santa majestade (...) alta traição (...) morte", o último movimento dos quarenta anos anteriores de intriga entre as duas rainhas das Ilhas Britânicas finalmente estava em jogo. Quando a cabeleira

TRÊS HOMENS DETERMINADOS DE CARÁTER DUVIDOSO **135**

ruiva e a cabeça de Maria foram erguidas pelo carrasco para que fossem ditas as tradicionais palavras "Longa vida à rainha" em nome de Elizabeth, Felipe da Espanha decidiu — finalmente — preparar sua Armada para a invasão. Para isso, Henrique de Guise precisaria controlar a França enquanto Felipe voltava toda a sua atenção para a Inglaterra.

Em abril, a empreitada secreta de Felipe já não era um segredo — afinal, os espiões de dom António em Lisboa informavam sobre os grandes preparativos em curso, e António identificou sua última oportunidade de persuadir Drake a ajudá-lo. O ultraje sentido em toda a Europa católica pelo assassinato desumano de Maria por Elizabeth significava que Elizabeth já não podia se equivocar contra a Espanha, e no final ela deu sua aprovação a Drake para promover uma invasão em grande escala de Portugal, com Lisboa como alvo principal. Dom António iria com eles, e teria finalmente a oportunidade de testar suas repetidas declarações dos seis anos anteriores de que uma vez que ele pisasse em Portugal seus súditos leais se ergueriam como um só e expulsariam os intrusos espanhóis de volta para casa.

Elizabeth, então com 54 anos de idade, estava desesperada por uma vitória. Os preparativos para o ataque da Armada, a longa espera pela chegada do inimigo, e especialmente a prolongada mobilização em terra e mar custaram mais dinheiro do que ela gostaria de gastar. Para neutralizar o ultraje francês em relação a Maria, rainha dos escoceses, Elizabeth finalmente cedeu e fez do filho calvinista de Maria, Jaime VI da Escócia, seu herdeiro. Henrique foi aplacado, principalmente porque não estava em posição de objetar, sendo ameaçado todos os dias alternadamente por Henrique, duque de Guise, e Henrique de Navarra.

A rainha já conhecia bem Felipe, e sabia que ele era um rival à altura em obstinação. Embora ela fosse mestra em administrar a paz como se fosse guerra, uma guerra que lamentavelmente seria travada em solo britânico, ou em águas britânicas, era algo que iria no mínimo estimular o patriotismo de seu povo, para não falar da permanente xenofobia de sua nação insular. Era uma situação que ela esperava evitar, mas sua única chance de impedir o inevitá-

136 O DIAMANTE MALDITO

vel era o sucesso de Drake e António. Um Felipe enlevado recebeu um relatório em código informando que:

> A rainha da Inglaterra está totalmente preocupada com sua própria vida e com a segurança de seu reino, tanto em função das conspirações que estão constantemente vindo à luz quanto em função dos grandes preparativos de guerra que os boatos dizem estar sendo feitos na Espanha. De modo a assegurar o apoio da França, ela oferece a Sua Mais Cristã Majestade [Henrique III] fortificações na Holanda e na Zelândia; em todo caso, Drake a encoraja, assegurando a ela que a gritaria espanhola não passa de salvas de festim que fazem barulho mas não quebram ossos.

Felipe estava gastando 10.500 reais por dia nas comissões de seus funcionários. Como Elizabeth, ele detestava gastar dinheiro desnecessariamente, especialmente se fosse dinheiro que ele ainda não tinha. Apesar das vastas somas que ele já havia levantado para equipar sua poderosa Armada, outros 3 milhões de reais em ouro eram necessários urgentemente.

Quando sopraram os favoráveis ventos do final da primavera, os navios de Drake foram vistos na costa da Espanha. Por razões que permanecem um mistério, Drake e dom António, tendo chegado ao Rochedo de Lisboa, decidiram que Cádiz seria o seu primeiro objetivo. Alguns acreditam que isso aconteceu porque o almirante inglês ouvira falar da Armada de Felipe, enquanto outros afirmam que ele farejou o butim no ar.

Assim que seus navios foram avistados no porto de Cádiz, irromperam gritos de "El Draco!", e as pessoas fugiram para dentro do velho castelo para preservar suas vidas; elas foram imediatamente trancadas do lado de dentro pelo capitão da guarda. Na fortaleza superlotada, abarrotada de cidadãos apavorados, a histeria explodiu e 25 mulheres e crianças foram pisoteadas até a morte. Drake tentou tomar os 60 navios ancorados, enquanto seus defensores entravam em pânico e fugiam. Pela manhã, Drake havia afundado um barco de 700 toneladas carregado de cochinilha, campeche, peles e lã destinado a Gênova; saqueado tudo o que merecia ser tomado nas vizinhanças do

TRÊS HOMENS DETERMINADOS DE CARÁTER DUVIDOSO 137

porto; e marcado os outros barcos no porto para destruição. O próprio Drake estimou que havia afundado, queimado ou capturado 37 navios no porto de Cádiz. O rei Felipe sabia o verdadeiro custo — 24 navios no valor de 172 mil ducados — e admitiu que "a ousadia do ataque de fato foi grande".

Drake, tendo depenado o rei, sabia que a incursão era apenas uma alfinetada, e escreveu a Walsingham dizendo que:

> Da adequada preparação não se soube nem se ouviu dizer enquanto o rei da Espanha diariamente se preparou e maquinou para invadir a Inglaterra (...) e se eles não forem impedidos antes de se juntarem serão muito perigosos. (...) Esse serviço que com a permissão de Deus nós realizamos produzirá algumas alterações, mas todos os preparativos possíveis para a defesa são urgentes. (...) Quase não ouso escrever sobre as grandes forças que nós ouvimos ter o rei da Espanha. Prepare a Inglaterra fortemente, e principalmente por mar!

Drake rumou novamente para o norte ao longo da costa portuguesa e desembarcou sem resistência, mas sob observação, em Lagos. Colunas de cavaleiros cercaram os invasores e abriram fogo e os ingleses se lançaram na direção do castelo de Sagres — um forte de terceira classe que protegia uma aldeia de pescadores contra incursões mouras a partir da costa mediterrânea da África — e o tomaram. Drake provavelmente nunca soube que aquele era o castelo de Henrique, o Navegador, o primeiro membro da nobreza a compreender a importância da exploração marítima. No entanto, mais importante, o levante popular havia tanto prometido por dom António não ocorreu. António declarou-se perplexo, e prometeu uma recepção melhor em Lisboa.

Cinco dias mais tarde, a frota inglesa aproximara-se da costa de uma Lisboa pesadamente fortificada, e Drake estava convencido de que os portugueses sabiam que ele trazia "seu rei" de volta para casa. Quando mais uma vez o levante popular não ocorreu, Drake declarou que tinha "ido a Lisboa apenas para saber do estado das coisas", e um dom António atormentado viu a costa portuguesa desaparecer do horizonte enquanto Drake navegava para os últimos portos de escala da aventura: Cabo São Vicente e Açores. Dom António empenhara o Sancy juntamente com a mais valiosa coleção de jóias reais de sua época por um levante que nunca aconteceu.

Drake escreveu naquele dia em seu diário de bordo: "seguir até o fim leva à verdadeira glória" — uma frase que poderia facilmente ter sido murmurada para dom António em seu desespero. Em cabo de São Vicente Drake espreitou o galeão *San Felipe*, vindo de Goa rumo à pátria com sua carga anual de especiarias, jóias e outros bens orientais que eram fruto do império oriental português. Drake tomou o barco facilmente, já que suas canhoneiras estavam tão repletas de carga preciosa que não conseguiram usar os canhões contra ele. O galeão estava carregado de pimenta, cravo, canela, tecidos, seda, marfim, ouro, prata e dezenas de escrínios de jóias. O valor total era de 114 mil libras (27,6 milhões de dólares ou 17,3 milhões de libras, em valores de hoje), três vezes o valor de todos os 37 barcos tomados na baía de Cádiz. Considerando que seu navio, o *Elizabeth Bonaventure*, podia ser aprovisionado por 175 libras por mês, e 40 mil libras colocavam em ação todo um exército, aquele era um butim gigantesco — mesmo para Drake.

Isso também significava que o almirante pirata precisaria se encaminhar imediatamente para a Inglaterra para preservar seu prêmio, e dar um fim a quaisquer ilusões que dom António ainda continuasse a acalentar sobre tomar seu trono. A parte da rainha no butim ajudaria na batalha contra a Armada de Felipe que se avizinhava, e ele tinha de alertar a rainha sobre o que vira. Dom António, a despeito de seus violentos protestos, poderia pular da amurada, no que dizia respeito a Drake.

Quando a frota de Felipe atacou os ingleses no Canal da Mancha em julho de 1588, foi derrotada, nem tanto pelos menores, mais ágeis e tecnologicamente mais avançados barcos ingleses, quanto pelo famoso clima inglês. A Armada de 134 navios se arrastou de volta à Espanha completamente derrotada, e o sonho de Felipe de uma Europa católica tinha sido destruído. Sua última esperança era que seu títere Henrique, duque de Guise, vencesse na França. Se o protestante Henrique de Navarra de Bourbon se tornasse rei da França, Elizabeth da Inglaterra triunfaria.

TRÊS HOMENS DETERMINADOS DE CARÁTER DUVIDOSO 139

Mas Felipe não contou com Henrique III tomar a única resolução decisiva de todo o seu reinado: assassinar Guise. Quando o corpo ensangüentado de Guise foi localizado, foi encontrada uma carta inacabada para Felipe que começava: "Sustentar a guerra civil na França irá custar 700 mil *livres* por mês."

Harlay e François d'O, como superintendente de finanças, eram os personagens principais na França de Henrique III em 1588 e convenceram Henrique a mandar assassinar Guise. A guerra civil era dispendiosa demais e nem Harlay nem d'O tinham à sua disposição os meios — nem o império — que Felipe da Espanha tinha. Matar Guise era sua única opção, então eles recomendaram o assassinato de Guise em suas funções de financistas do rei a cargo dos fundos de guerra dilapidados de Henrique III. O então angustiado Felipe se consolou com a idéia de que ele provavelmente não teria sido capaz de "governar" o duque de Guise se ele tomasse o trono da França. Ao saber da morte do duque, o papa anuiu e disse: "Então o rei da Espanha perdeu mais um capitão."

Sete meses mais tarde, o próprio Henrique III foi assassinado, dando um fim à Casa de Valois e colocando Henrique de Navarra e a Casa de Bourbon no trono francês. Começava a luta para Harlay de Sancy garantir seu futuro como um servo católico de um rei protestante extremamente astuto. Havia poucas dúvidas de que seus diamantes seriam necessários, e mesmo que não fossem, ele iria garantir que Henrique IV pensasse que eram.

12

O homem que "transpirava mentiras por todos os poros"

Janeiro de 1591 / Agosto de 1596

QUANDO HENRIQUE DE NAVARRA se tornou Henrique IV da França em 1588, ele era literalmente o último dos três Henriques que disputavam a coroa. Descendente de oitava geração da dinastia Capeto de São Luís, Henrique se tornou o fundador da dinastia francesa Bourbon, que iria durar, sem interrupções, até 1792. Seu governo, contudo, continuava ameaçado. Embora os outros dois Henriques estivessem mortos, o duque de Mayenne, primo da decapitada Maria, rainha dos escoceses, e outros nobres formidáveis combatiam pela Liga Católica (nobres católicos franceses que se opunham a Henrique IV e aos protestantes) na esperança de livrar o país de seu rei protestante.

Henrique era um homem vibrante, belo e inteligente, de enorme coragem e ousadia e uma sexualidade reconhecidamente exuberante. Alguns criticavam sua esposa de cerca de 15 anos, Margarida de Valois, por ter falhado em dar a ele um herdeiro, já que ele passava todo o seu tempo na corte com suas muitas amantes. Onde Henrique III tinha sido indeciso e fraco, Henrique IV era obstinado e não se detinha por nada para atingir seus objetivos. Para reconstruir a França, ele precisava derrotar a Liga Católica e Mayenne de forma decisiva. Mas guerras custavam dinheiro, e Henrique estava tão falido quanto seu antecessor por anos de batalha pela coroa. Ele e sua mãe tinham, havia muito, empenhado o restante de sua coleção de jóias da coroa para a rainha Elizabeth por apenas 20 mil libras (5,8 milhões de dólares ou 3,6 milhões de libras, em valores de hoje), apesar do fato de que a coleção fora avaliada em três vezes esse valor.

O tesouro francês também estava vazio. Para agravar a situação, a guerra civil de modo algum tinha terminado. Havia inimigos à espreita na forma de Felipe da Espanha, o papa, príncipes alemães e os suíços. Não apenas Henrique pagava pelo crime horrendo de ser protestante, mas ele também tinha de defender a França e ser mais esperto que sua população católica e seus vizinhos para manter o poder. A França era como um animal fraco e ferido perigosamente sofrendo por duas décadas de guerra civil religiosa, e a única certeza era a imprevisibilidade da situação.

Como o método testado e aprovado de levantar fundos — empenhar a coleção de jóias da coroa — já não estava à disposição, a única forma pela qual o rei poderia esperar sobreviver seria instilando um fervor patriótico em seus seguidores e cercando-se de homens ricos dispostos a colocar suas riquezas em perigo pela "glória da França" e da coroa. O mais notável destes homens era Nicolas Harlay de Sancy. Harlay abriu seu caminho para a linha de frente apressando-se em bajular os príncipes luteranos do sul da Alemanha, rogando em nome de Henrique IV que eles depusessem armas. Como soldado-embaixador da França na Suíça ele foi menos bem-sucedido que no sul da Alemanha, e foi difamado pelos suíços. Seus muitos críticos já o apelidavam de "Maquiavel de pés pequenos", "aventureiro sem escrúpulos" e "um homem que transpirava mentiras por todos os poros". Seu pior inimigo e colega de viagem no séquito de Henrique IV, Theodore Agrippa d'Aubigné, acabaria tão ultrajado com as meias verdades e a arrogância de Harlay que iria escrever uma diatribe que roubaria de Harlay seu lugar na história.

Como coronel das tropas mercenárias suíças, Harlay estava em uma ótima posição para se beneficiar dos carregamentos por terra entre os reinos

O HOMEM QUE "TRANSPIRAVA MENTIRAS POR TODOS OS POROS" 143

dependentes de Felipe II: o ducado de Milão e os Países Baixos. Em setembro de 1590 ele atacou um carregamento de dinheiro e armas de Milão destinado ao duque de Parma, governador dos Países Baixos. O dinheiro chegava a cerca de 56 mil *écus* (10,4 milhões de dólares ou 6,5 milhões de libras, em valores de hoje), que Harlay, em suas próprias palavras, "converteu em seu próprio benefício". Como Drake fizera para a Inglaterra, Harlay raciocinou que qualquer butim que ele pudesse tomar do rei da Espanha tornaria mais difícil para Felipe a tarefa de atacar a França. Como Drake, Harlay rapidamente ganhou na corte — e na Espanha — a reputação de saqueador, e muitos atos de roubo e pilhagem foram equivocadamente atribuídos a ele.

Foi questionado por pessoas como Théodore Agrippa d'Aubigné se os impressionantes diamantes de Harlay tinham sido adquiridos por meios ilícitos. Sua repentina e fabulosa fortuna em diamantes e outras gemas transformou-se em fonte de tremendo ciúme entre os outros nobres em ambas as cortes de Henrique III e Henrique IV. Os dois maiores diamantes em sua posse — o *Grand Sancy*, reputado em 60 quilates, incluindo seu engaste, e o *Beau Sancy*, pesando 36 quilates — foram adquiridos por Harlay, como vimos, em circunstâncias imprecisas e misteriosas. Ele nunca aludiu ao fato de que tinha "comprado" essas gemas em suas negociações com o aspirante português dom António. De fato, Harlay deu não uma nem duas, mas várias explicações diferentes para como ele havia adquirido as pedras — desde elas serem um presente, ou compradas em uma viagem a Constantinopla, até terem sido compradas de um "mercador" de nacionalidade desconhecida, passando por já ter a posse dos diamantes havia algum tempo. Ao batizar os diamantes em sua homenagem, ele perpetuava o mito de propriedade antiga. Proprietários de gemas tão fabulosas estavam em seu direito de esconder o fato de que tinham as pedras, de modo a evitar roubo ou mesmo assassinato, mas, no caso de Harlay, ele se jactava da propriedade, utilizando-as para o avanço da coroa e o seu próprio, embora ativamente escondendo como e quando chegou a elas. A única explicação lógica é que revelando a fonte e a data da aquisição ele teria revelado certa deslealdade para com o rei.

144   O DIAMANTE MALDITO

Até 1590 Harlay usou o Sancy em diversas oportunidades para levantar dinheiro e formar exércitos mercenários entre os suíços; e em uma oportunidade, quando ele foi empenhado para levantar 50 mil *écus* para pagar seu exército mercenário, Harlay mandou o diamante com um servo fiel ao prestamista. Na região das montanhas Jura, o servo foi atacado por um bando de salteadores e ferido mortalmente. Harlay recebeu rapidamente a notícia de que seu servo estava à morte. Em pânico, Harlay correu para a hospedaria para onde o servo tinha sido levado. Suado e imundo da viagem a cavalo, com sua capa se agitando atrás dele, Harlay correu pela taberna lotada até o aposento dos fundos para onde o corpo do servo tinha sido levado e exigiu ficar a sós com o homem morto. De acordo com o próprio Harlay, ele tirou a estopa embebida de sangue, revelando múltiplos ferimentos a faca, e ficou desolado. Se o diamante estivesse perdido, ele também estaria. Então a desesperada arrogância de Harlay de repente superou seu pânico. Ele intuiu que o servo jamais o trairia. Certamente o homem teria ouvido os salteadores correndo atrás dele, raciocinou. Ele certamente teria feito algo para esconder o diamante e salvar seu mestre. Sem hesitar, Harlay sondou o abdômen aberto do homem, procurando a pedra, mas não conseguiu encontrar. Com as mãos manchadas de sangue, ele abriu os maxilares do homem com toda a força que pôde reunir, e encontrou o diamante no fundo da garganta. O alívio que Harlay sentiu só pode ser imaginado. Se ele tivesse fracassado em entregar o diamante em troca de dinheiro, sua utilidade para o rei teria terminado, e sua vantagem competitiva sobre os outros nobres para sempre estaria perdida. O diamante foi empenhado alguns dias depois, provavelmente com Henry Balbani, mercador de Lucca residente em Genebra, e a carreira de Harlay estava salva. Muitos anos depois, ele escreveu em seu *Discours* que "como eu já tinha gastado os 50 mil *écus* que tomara do inimigo e outros 50 mil que Henry Balbani tinha emprestado com a garantia de meus anéis de diamante, fomos forçados a retornar ao acampamento, já que não tínhamos mais nenhum dinheiro".

O dinheiro tinha sido tomado em nome de Henrique IV, emprestado pelos cidadãos de Berna, e subscrito por Balbani para ser gasto na guerra contra o duque de Sabóia. Balbani, por sua vez, precisava de uma garantia de que a

Genebra calvinista teria assegurada a liberdade religiosa diante de seus vizinhos católicos, como o duque de Sabóia, mas nunca teria sido tentado a emprestar qualquer soma sem uma contrapartida adequada. Assim, o diamante Sancy seguiu o seu caminho — por muito pouco tempo — para suas mãos.

Mas mesmo com esses enormes empréstimos, o capital necessário para manter os mercenários suíços satisfeitos e em armas era gigantesco. De acordo com Harlay, "as cinqüenta companhias custavam, cada, 150 *écus* em soldo por semana, o que correspondia a apenas um terço de sua remuneração, e elas já não tinham meios de continuar a lutar. Muitos se recusavam a servir se não recebessem o que lhes era devido. (...) Nós não temos dinheiro nem para isso a não ser com a venda de alguns domínios em Navarra".

Henrique de fato vendeu parte de suas terras em Navarra para manter seus soldados suíços calvinistas em armas. Paradoxalmente, o rei confiava mais nas tropas estrangeiras protestantes que em seus próprios franceses, já que muitos deles eram católicos. No final, os suíços derrotaram o duque de Sabóia, e Harlay foi aclamado como um herói pelo rei.

Felipe II já não podia ignorar a situação. Ele havia se retirado para o mosteiro do Escorial desde a derrota da Armada, e sua saúde estava abalada. Ainda assim, seu ódio cego pelos protestantes não se abateu, e o embaixador veneziano em Madri registrou em código em março de 1591:

> Sua Majestade está sendo constantemente convocado pelos membros da Liga na França a fornecer ajuda; o duque de Joyeuse pede homens para fazer frente a Montmorency; o duque de Mercure implora o envio de uma guarnição espanhola para a Bretanha; o duque de Parma tenta proteger o dinheiro que irá pacificar seus amotinados. Todos recebem palavras gentis e promessas; e pareceria que há um desejo de atendê-los até um certo ponto. Tem sido levantado dinheiro, em parte sob a garantia dos oito milhões votados pelas Cortes, em parte pela venda de uma parcela da renda real em Nápoles, em parte prolongando o usufruto vitalício nas Índias.

Em duas semanas, pedidos urgentes de dinheiro chegaram do duque de Parma em Flandres, e Felipe foi obrigado a levantar um empréstimo de 800 mil coroas com os Fugger. As finanças do rei estavam em péssimo estado como sempre, e os Fugger exigiram garantias em gemas para 300 mil coroas (142,4 milhões de dólares ou 89 milhões de libras, em valores de hoje) adiantadas previamente.

Sabendo que Felipe estava se equipando para a guerra, Henrique precisava de alguma forma arrastar Elizabeth para a batalha ao lado da França. Após os eventuais sucessos de Nicolas Harlay na Suíça em abril de 1591, Henrique decidiu que ele seria o homem a dar conta da tarefa. Seria a missão diplomática mais importante de Harlay até aquele momento, e em outubro daquele mesmo ano ele foi enviado como embaixador de Henrique à rainha Elizabeth para pedir mais dinheiro e homens para combater os espanhóis. Harlay iria apelar para o medo de que os espanhóis fizessem incursões na França a partir dos Países Baixos — um medo que Elizabeth freqüentemente partilhava. Henrique queria cinco mil soldados armados para juntar a suas próprias forças na Picardia.

Era do interesse da rainha Elizabeth, bem como dos outros governantes protestantes, apoiar Henrique IV e evitar a ampliação da esfera de influência de Felipe. Afinal, a filha de Felipe descendia diretamente de Henrique II da França, e o papa claramente favorecia sua reivindicação ao trono, como princesa católica, contra a de Henrique IV como príncipe protestante. Mas esperava-se amplamente que Elizabeth só desse apoio a Henrique para expulsar os espanhóis das províncias marítimas da Bretanha, Normandia e Picardia, que eram as mais próximas da Inglaterra e, portanto, com maiores conseqüências para ela. Henrique queria expulsar os inimigos do coração de seu reino antes de pensar em atacá-los nas fronteiras. A tarefa de Harlay era conciliar os dois.

A rainha Elizabeth, então se aproximando da impressionante (para a época) idade de 60 anos, tinha se tornado — se possível — ainda mais dura em seus modos rabugentos, vaidosos e vacilantes. A derrota da Armada serviu apenas para reforçar seu ódio à guerra, à desordem, à incerteza e acima de tudo o seu enorme custo para os fundos particulares. Todavia Harlay, em sua arrogância, descreve sua visita como uma missão simples, "tendo conseguido da rainha da Inglaterra, em duas semanas, tudo o que ele havia requerido". O pedido ia de encontro à regra de quarenta anos de Elizabeth de fazer a paz. É verdade que o coronel Norris foi enviado com cinco mil homens, mas o verdadeiro motivo pelo qual Elizabeth concordou tão rapidamente em ajudar os franceses no norte foi sua esperança vã de reconquistar Calais para os ingleses. Afinal, tinha sido sua irmã Maria quem perdera Calais, e, portanto, sua reputação como uma rainha que podia proteger seu reino. Elizabeth nunca esmoreceu em seu desejo de recuperar o seu ponto de apoio no continente para a segurança de seu país e para provar sua superioridade como monarca sobre sua irmã. Assim, a jactância de Harlay para o rei e a corte sobre sua vitória fácil sobre a rainha da Inglaterra era de uma miopia inconcebível. Felizmente, tanto para Harlay quanto para a rainha, a campanha foi um sucesso, e os espanhóis foram expulsos.

Como Elizabeth se orgulhava de sua rede de espiões por intermédio do onipresente Walsingham, ela certamente tinha conhecimento dos grandes diamantes de Harlay. Mesmo que os espiões de Walsingham houvessem falhado, Elizabeth tinha conhecimento do paradeiro do Sancy através dos deslizes de dom António e fez saber que ela esperava receber a famosa gema como garantia. O fracasso de Harlay em entregar o diamante — pelo menos como uma garantia pelos soldados — era uma decisão sábia se ele queria voltar a ver sua gema preciosa, mas também era um enorme desrespeito à idosa rainha, que não iria esquecer facilmente.

Em sua defesa, Harlay tinha driblado princípios morais mais de uma vez e tinha visto sua fortuna material diminuir substancialmente nas mãos da coroa francesa. A morte de dom António em Paris em janeiro de 1592 — como um indigente morando em acomodações alugadas — deve ter sublinhado seu próprio medo de perder sua fortuna para uma coroa que não era sua. Tendo visto suas preciosas gemas e sua fortuna pessoal serem tragadas em um aparente buraco negro na luta contra os inimigos de Henrique, Harlay começou a conceber um esquema brilhante para neutralizar os nobres franceses e manter intacta sua fortuna. O rei poderia simplesmente abjurar sua fé protestante e tornar-se católico. Previsivelmente, Harlay inicialmente enfrentou considerável resistência. Mas ele recebeu repetidas garantias das facções católicas em luta de que elas deporiam as espadas se Henrique e seus ministros se convertessem. Mesmo François d'O, que tinha sido bastante veemente contra a proposta, foi lentamente convencido. Essa única recomendação colocou Harlay de Sancy no cerne do poder francês e fez dele um respeitado conselheiro do rei. François d'O foi afastado como superintendente de finanças e Harlay tomou seu lugar.

À época da conversão de Henrique, em 25 de julho de 1593, contra as recomendações de François d'O e de Gabrielle d'Estrées, a adorada amante de Henrique, Harlay de Sancy estava plenamente instalado ao lado do rei. Embora o custo de sua posição de influência fosse inacreditavelmente alto, Harlay finalmente obtivera aquilo pelo que tinha lutado por tanto tempo: poder. Um a um, Harlay abateu os oponentes de Henrique. Com todos os nobres intimidados sob sua pressão e coerção, o rei se tornou cada vez mais encantado com o poder de persuasão de Harlay. Nenhum outro conselheiro ou secretário de Estado tinha a mesma influência sobre o rei — ou era tão escutado pelo rei quanto Harlay de Sancy. Mesmo Sully, que mais tarde iria substituir Harlay na consideração do rei como ministro das finanças, admitiu que em 1593 Harlay "tinha todo o crédito com o rei nas questões da Liga Católica".

Em suas memórias, *Oeconomies Royales*, Sully mais tarde refletiu sobre Harlay e seus feitos inacreditáveis na época:

> Mr. de Sancy — por mais que ele tenha servido sinceramente tanto a Henrique III quanto a Henrique IV, e suas viagens e negociações com os suíços e alemães, ele tinha um espírito ativo e empreendedor e freqüentemente deu ao rei conselhos de má administração das finanças do país, que seus tesoureiros e financistas, por prudência, tolerância ou a indiferença de François d'O seguiram, e como o conselho finalmente não era do agrado de Sua Majestade, ele deu a ele [Harlay] mil pequenas esperanças, mantendo-o por perto em jogos, festividades ou outras pequenas aparições — de modo que ele imaginou que poderia substituir *Monsieur* d'O e obter o mesmo poder e autoridade que ele tinha nessas questões, assim como em finanças.

O HOMEM QUE "TRANSPIRAVA MENTIRAS POR TODOS OS POROS" 149

De 1593 a 1594 Harlay foi supremo na França. Quando François d'O morreu como um homem arruinado em 1594, Harlay finalmente substituiu seu rival — e proprietário de um terço do diamante Sancy — como superintendente de finanças. Mas com o poder veio a soberba da invencibilidade, e Harlay se tornou imprudente. Ele cometeu a temeridade de abertamente criticar Gabrielle d'Estrées, que havia recentemente dado à luz um filho de Henrique IV, César. Gabrielle, desejosa de se tornar rainha da França, reagiu nomeando o inimigo de Harlay, Théodore Agrippa d'Aubigné, como encarregado da educação do menino. Falava-se na corte sobre a questão do divórcio de Henrique de Margarida de Valois, e Harlay se pronunciou violentamente contra ele, comparando o dano que isso poderia acarretar para o trono de Henrique com o fato de Henrique VIII da Inglaterra ter abandonado Catarina de Aragão por Ana Bolena. Como Henrique IV tinha recentemente se convertido ao catolicismo, ele dificilmente poderia trocar uma esposa de vinte anos por sua amante, mãe de seu filho. Complicações relativas à sucessão foram apontadas a Henrique, e no momento Harlay parecia ter saído vencedor.

Mas a verdadeira fenda na armadura de Harlay era o fato de que ele era um soldado-embaixador, não um administrador de finanças. Previsivelmente, ele era abertamente crítico de seu antecessor falecido, embora incapaz de administrar a economia da nação. Harlay promoveu o relativamente obscuro mas inacreditavelmente competente Sully a administrador cotidiano do novo Conselho de Finanças.

Após muitas críticas de Henrique IV e outros nobres, o fracasso de Harlay em administrar as finanças da nação acabou acentuando nitidamente a questão incômoda de sua riqueza pessoal. Apesar de alegações posteriores de que seus anéis ainda estavam empenhados durante todo esse período, ele de alguma forma conseguiu ser indenizado pelo combalido tesouro francês e recuperar seus famosos diamantes, o Sancy e o *Beau Sancy*. Harlay vivia em grande estilo, proprietário de enormes mansões, e embora alegasse pobreza durante esse período, vivia mais suntuosamente que qualquer outra pessoa. Como freqüentemente era o caso com Harlay, nada era o que parecia, e a verdade raramente correspondia à sua versão dos fatos. Ele podia ser rico em bens, mas era pobre de dinheiro. Qualquer que fosse o caso, ele decidiu mudar aquele estado de coisas e vender seus diamantes.

O ano de 1596 se mostrou um divisor de águas na sorte política de Harlay. Mais uma vez de posse de seus diamantes, ele buscou realizar uma missão "diplomática" em Constantinopla em nome do rei. Seu argumento era o de que o sultão Murad poderia funcionar como um contraponto no Mediterrâneo ao rei da Espanha. A rainha Elizabeth já tinha adotado esse rumo, e Harlay implorou a Henrique que fizesse o mesmo. Contudo, o verdadeiro motivo para Harlay querer viajar pessoalmente a Constantinopla era para vender os dois diamantes ao sultão. Como era costume levar jóias e tesouros de seu próprio país quando em visita a outras majestades — especialmente quando em uma missão diplomática —, é muito provável que Henrique tenha sugerido a Harlay que ele "desse" seus diamantes ao sultão como prova da estima do rei. Não surpreende que a missão urgente a Constantinopla tenha sido abandonada e que Harlay tenha voltado sua atenção para as Províncias Unidas (Holanda), ostensivamente para conseguir tropas holandesas. Na verdade, ele queria entrar em contato com os mercadores internacionais mais influentes para descobrir se eles poderiam facilitar a venda de seus diamantes.

A missão holandesa de Harlay não fez nada para granjear a ele o afeto da rainha da Inglaterra. Mesmo os Estados Gerais, que governavam as Províncias Unidas, imploraram a Henrique IV que não mandasse Harlay de Sancy até eles, temendo que isso provocasse o "ciúme de Sua Majestade". Uma carta oficial foi enviada de Burghley para Buzenval, representante das Províncias Unidas, afirmando claramente que "a rainha inquiriu em demasia sobre Harlay de Sancy". Uma carta de Harlay para Buzenval na qual ele aceitava o conselho holandês de não ir para as Províncias Unidas antes de primeiramente falar com Elizabeth foi apresentada na corte inglesa, mas Harlay fez exatamente o contrário. Suas ações irritaram a forte sensibilidade política de Elizabeth. Ou Harlay estava planejando trair a Inglaterra através de um pacto com os espanhóis, ou estava planejando vender seus diamantes para qualquer um, exceto ela.

Elizabeth exigiu de Henrique garantias de que não haveria uma liga ou qualquer outro pacto com os espanhóis, e foi temporariamente apaziguada quando Henrique respondeu que não tinha nenhuma intenção de firmar qualquer paz ou trégua com a ralé espanhola. Os holandeses acabaram enviando dois mil homens à França, mas os recuaram para Hainault, perto da fronteira holandesa, pouco depois. Do ponto de vista de Henrique, a situação ficava desesperadora: a Holanda não podia ajudar, e a Inglaterra não o faria. Buzenval sugeriu que o embaixador de Henrique na Holanda, o duque de Bouillon, poderia acalmar a situação e que "sua presença iria impedir muitos conselhos malignos, restaurar vigor ao bem e restaurar a reputação dos negócios quando todos vissem Suas Majestades entrando em acordo para o bem deste Estado". Bouillon engendrou uma tríplice aliança com os holandeses, os ingleses e os franceses, enquanto Harlay se ocupava com outros assuntos, não especificados, na Holanda.

A guerra eclodiu novamente com o regiamente financiado duque de Mayenne em janeiro de 1596, e dizia-se amplamente que se as forças de Mayenne não trucidassem o exército de Henrique, a doença o faria. O rei tinha mil cavalos, 3 mil suíços, 1.500 *landsknechts* (soldados de infantaria mercenários), 4 mil franceses mal pagos e desertando diariamente, e 1.800 franceses bem armados e disciplinados remunerados pelos Estados Gerais. Os mercenários suíços de Harlay e os *landsknechts* se amotinavam diariamente por seu pagamento, e Harlay retornou às pressas a Paris para conseguir para eles 50 mil coroas do tesouro. O embaixador inglês escreveu para Burghley dizendo que "o rei estava mais necessitado de dinheiro do que em qualquer outra época". Henrique estava inflexível: não haveria rendição.

No final do inverno, as tropas suíças do rei no cerco estavam todas mortas, mais de fome ou dos rigores do inverno que das armas inimigas. Enquanto isso, os espanhóis, bem equipados e descansados, concentravam-se na fronteira da França na Picardia. Consideravelmente alarmados, os governadores da província imploraram ao rei por dinheiro e recursos. O governador de Calais chegou mesmo a escrever a Henrique utilizando a velha cartada da chantagem política dizendo como ele estava "muito desgostoso de Sua

152   O DIAMANTE MALDITO

Majestade [Elizabeth], que estava tentando tirá-lo de seu governo". A ameaça implícita funcionou. Bouillon e Harlay foram despachados apressadamente
para Elizabeth com uma pequena *entourage* na esperança de que ela fornecas-
se dinheiro e homens para combater o inimigo comum.

Harlay de Sancy, então citado na maior parte da correspondência simplesmente como "Sancy", antecipou-se a Bouillon e escreveu a primeira carta desta missão extremamente importante no dia 1º de maio de 1596 para
William Cecil, pedindo uma audiência com a rainha: "*Sire*, temos uma carta
do rei para a rainha que ele deseja que o signatário desta carta tenha uma
audiência hoje com a rainha, já que *Monsieur le duc* de Bouillon adoeceu e
não poderá se encontrar com ela. Eu peço que o senhor me recomende se
puder e permaneço seu humilde servo, Sancy."

Bouillon já tinha criado uma impressão favorável na rainha nas negociações anteriores com ela e as Províncias Unidas. Harlay de Sancy a havia irri-
tado e levado a pensar que ele não era confiável. Esta carta mostra pouco da
habitual deferência e etiqueta que a envelhecida rainha da Inglaterra esperava, e muito da arrogância de Harlay. É duvidoso que Harlay tenha levado
presentes — jóias ou não — para Elizabeth, o que nas regras da corte de então era pior que ser convidado a passar uma semana com amigos em uma
suntuosa propriedade no interior e não levar mais do que uma garrafa de vinho
barato. Elizabeth, naturalmente, ignorou seu pedido.

Três dias mais tarde, Harlay escreveu a Burghley:

Sire,
   Eu recebi na noite de ontem um despacho do rei, e outro nesta manhã no
qual ele me dá notícias de que eles penetraram na cidadela de Calais. Eu fui
me encontrar com Sua Majestade esta manhã para me comunicar com ele.
(...) (Calais está sob ataque e Sua Majestade irá embarcar uma força para
defendê-la.) (...) Seria oportuno que o senhor pudesse ver a rainha hoje de
modo que eu possa ter uma resposta ao que nos preocupa e que aguardamos
com apreensão cada vez maior. A rainha me ordenou que deseja que o rei
consiga um "*malheur*", significando conseguir de imediato a vantagem e vencer. (...) A mensagem coloca a vida do rei a serviço da rainha. Sancy.

O HOMEM QUE "TRANSPIRAVA MENTIRAS POR TODOS OS POROS" 153

Mais uma vez, não houve resposta da rainha. Mais dois dias se passaram e em 5 de maio Harlay enviou a carta seguinte a Burghley, de Boulogne:

> *Sire*, peço ao senhor humildemente que considere quanto o tempo, como areia pela ampulheta, desliza quase perceptivelmente de meu local de residência em Boulogne, que se eu tivesse sabido antes de parar aqui nunca teria dado os meios para atrasos, que me faz pedir ao senhor hoje que a boa vontade da rainha não se perca. Permaneço seu humilde servo e beijo sua mão, seu, Sancy.

Elizabeth estava brincando com o homem. Ela finalmente mandou dizer que assim que Bouillon se recuperasse ela iria se encontrar com *ambos* os embaixadores do rei em Londres. O encontro, de acordo com todos os relatos ingleses, foi gélido, com a rainha ouvindo educadamente quando Bouillon falou e interrompendo com impaciência quando Harlay apresentou o caso de seu mestre. Seus pedidos eram excessivos, afirmou ela: mais cinco mil homens quando eles ainda não haviam pagado pelos homens e armas que ela emprestara apenas cinco anos antes. O resultado foi inconclusivo, com Elizabeth afirmando insipidamente que precisava estudar seu pedido e que iria responder no momento devido.

Difícil dizer se foi Bouillon ou Harlay de Sancy quem escreveu a carta de dez páginas assinada por ambos após a audiência com a rainha em 10 de maio. A ameaça implícita à rainha e à Inglaterra no último parágrafo, porém, é inequívoca:

> Se sua decisão for outra que não nosso desejo e suas palavras, permita-nos saber imediatamente, pelo menos de modo que o resultado possa ser levado para nosso mestre e cada homem a seu serviço possa ajudá-lo a melhor salvar o que for possível de nosso navio quebrado daquilo que o ameaça, que o rei não permaneça flutuando em incerteza, sem alimentar inutilmente esperanças e possa tomar o caminho que ele julgue o correto para a saúde de seu Estado. Quanto à senhora, Madame, na medida em que, de acordo com a avaliação de seus conselheiros, considera que essa guerra diz respeito ao rei da França contra os espanhóis, e que sua intervenção é inútil; essa é uma crença que foi

154 O DIAMANTE MALDITO

freqüentemente sustentada por muitos reis, e é uma das mais perigosas de sustentar. Sua etiqueta será para sempre mais pobre, pois terá abandonado um de seus amigos, sem necessidade, para dar atenção [a] seu próprio conselho seguindo seu próprio exemplo acima de todas as outras considerações. Ele cuida de buscar a saúde de seu Estado e de seu povo, em detrimento ou vantagem de seus inimigos.

Elizabeth tinha brincado demais com Harlay. A necessidade suprema de deter os espanhóis devia ter precedência sobre qualquer insulto ou mal. O duque de Parma havia ameaçado Paris antes, e o norte da França cairia sem a intervenção inglesa. Cecil e Burghley argumentaram que ela poderia fazer Harlay pagar por sua insolência para com ela em outro momento, mas que por ora ela precisava enviar tropas para defender o lado continental do Canal da Mancha. Elizabeth acabou concordando e foi fechado um tratado em Greenwich baseado na carta que Bouillon e Sancy escreveram no dia seguinte para o rei Henrique:

> Nós, Henry de la Tour, *duc* de Bouillon, marechal da França, e Nicolas de Harlay, *Sieur* de Sancy, conselheiro do rei e do Conselho de Estado, encarregados pelo rei de negociar com a rainha da Inglaterra uma aliança ofensiva e defensiva contra o rei da Espanha, afirmamos que, de acordo com os artigos da dita aliança, hoje tratamos e concordamos entre nós que a dita rainha estará pronta a ajudar o rei com quatro mil homens de guerra, assim que ela os tiver reunido (...) assim que o rei tiver assinado e aprovado o tratado da aliança, que ela também fornecerá ao rei dois mil homens com soldo que não serão usados para outras funções e que devem ser utilizados nas cidades de Montreuil e Boulogne. (...) Ao mesmo tempo a rainha fará um adiantamento de quatro meses nos soldos dos dois mil homens e, se o rei desejar mantê-los por mais tempo, o rei irá pagar a eles os vinte mil que a rainha já emprestou a ele nominalmente.
>
> Por favor observe nosso alerta particular de que vinte mil *écus* não serão suficientes para o caso de quatro meses de soldos e que [a] rainha terá utilizado isso efetivamente para ter sua dívida quitada. (...) Nós retrucamos que após

O HOMEM QUE "TRANSPIRAVA MENTIRAS POR TODOS OS POROS" **155**

12 meses Vossa Majestade irá assumir os soldos dos homens e dissemos que iríamos nos comunicar com o rei e que ele nos faria saber se isso seria aceitável de modo que a rainha possa fazer a declaração ao rei como estabelecido. Bouillon e Sancy

Em uma semana, Elizabeth escreveu diretamente a Henrique elogiando o trabalho feito por Bouillon e amaldiçoando Harlay com elogios tímidos:

Greenwich, 18 de maio de 1596

Por mil graças eu me dirijo a você para recomendar seu mui leal duque que o fez orgulhoso após tantos anos de serviços constantes e valiosos, esperando que ele tenha bom tratamento e que todos os seus servos sejam da mesma disposição para servi-lo bem na sua hora de necessidade. Diz-se que o velho ditado de que os velhos servos são os mais amados é sempre reconfortante. Acredite nisso. Rogo a você que faça isso de modo que os outros o vejam com inveja e vivam pior. Ele [Bouillon] e *Monsieur* de Sancy falaram a você muito de mim, e fazer menos iria aborrecê-lo em minha carta. (...) Mas uma coisa que ouso prometer a você é que, assim como o mais belo pode ser facilmente encontrado, da mesma forma uma grande dor do mais leal de todo o mundo pode se mostrar a você, sabe Deus, a quem eu rogo que o proteja sob suas asas e dê a você a vitória sobre seus inimigos, como você deseja.

Sua muito confiante irmã, Elizabeth R.

Bouillon e Harlay bateram em uma retirada rápida, e a rainha escreveu novamente alguns dias mais tarde para Henrique comentando o caso e alertando o rei de que "o melhor é que eu espero não deixar este rei esquecer seus amigos nem negligenciá-los (...) os ingleses tornaram seu respeito por seu lugar e seu príncipe conhecido, pelos desígnios da rainha, sua própria causa".

Harlay e Bouillon retornaram à França alegando vitória sobre a intratável rainha, e mais tarde Harlay iria afirmar em seu *Discours* que a rainha da Inglaterra "emprestou a mim 20 mil *écus* apenas com minha simples promessa, que eu mandei no dia seguinte". A afirmação ultrajante seria hilária não fosse a gravidade dos negócios franceses e o endividamento de seu rei. Na verdade, dez dias após a retirada às pressas de Bouillon e Sancy, William Cecil enviou um relato para Villeroy na França, listando as dívidas de Henrique IV com a coroa inglesa:

Data	Dívida	Valor (em libras esterlinas britânicas)	Valor (em francos)
1589	Pelo compromisso de M de Beauvoir, Buby, Burinual	22m 3£ 5s	71.165,20
1591	Desembolso. Para as despesas do exército sob o comando do conde d'Glise na Normandia	60m 192£ 22s	200.640
	Desembolso. Para as despesas dos soldados empregados na Bretanha desde o mês de abril de 1591 até o mês de fevereiro de 1594	190m 3£ 50s 6d	634.502,46
1590	19 de novembro — compromisso de M de Beauvoir com o prefeito de Londres	2m 1£	7.000
1590	25 setembro apresentado pelo compromisso de M de Beauvoir	10m	33.333,20
1594	Desembolso. Para as despesas da marinha empregada pelos comandantes do rei em Brest	14m 1£ 73s	47.234,20
1589	Apresentado pela obrigação de M de Beauvoir e Mr du Fresnes	15m 7£ 50s	52.500
1596	Pelo compromisso de M de Bouillon e M. de Sancy	6m	20.000
1596	9 de julho — Desembolso. Para as despesas de 2.000 soldados na Picardia pelos primeiros seis meses	20m 2£ 51s 4d	67.505
	Total	£341.166 26s 5d	1.137.222,45

Todas as despesas são confirmadas pelo compromisso expresso do rei ou pela perfeita verificação das contas feita de acordo com os cronogramas contidos nos contratos.

ALÉM DE:

1596	Desembolso para a intervenção de 2.000 soldados por oito meses, que permaneceram pela mesma razão fora das contas	£20.100	67.000
1589	Desembolso pelos gastos e pelo transporte dos soldados em ajuda ao rei sob o comando do barão Willoughby	£6M	20.000
1587	Desembolso pela mão de Horatio Palanicino. Para a chegada do exército alemão, comandado pelo barão D'Auncan pela qual [quantia] há um compromisso dos embaixadores do rei datado em Frankfurt	£30.468	101.560
1590	Apresentado em 1590 pela chegada do exército alemão sob o comando do príncipe d'Ansalt com o compromisso de M. le Viscomte de Turinne	£10.000	33.333,20
	Valores em libras esterlinas	£407.734	
	Valores em francos		1.359.116,20
Dos quais já foram recebidos:		£6.000	20.000
Portanto, faltando a receber:		£401.734 16s 6d	1.339.116,20

Era um fato inegável que Henrique IV estava falido, e seus homens do dinheiro também ficariam a seguir se a paz escapasse à França. Tendo voltado para casa para casar sua filha com o filho de Villeroy, Harlay planejou sua próxima aventura pelo "bem da França". Era hora, pensou ele, de remover Gabrielle d'Estrées do afeto do rei.

13

A maldição da ambição cega

Setembro de 1596 / Março de 1604

BOUILLON E SANCY VOLTARAM a Paris em julho com um tratado que, nas palavras do próprio Henrique, "não era suficiente para libertá-lo das necessidades em que as vantagens obtidas pelo inimigo o tinham lançado". Ainda assim, Henrique nunca pensou em desfazer o que tinha sido acertado e desautorizar seus servidores. Ele ordenou a Harlay que fizesse o possível para levantar mais tropas na Alemanha, na Suíça e na Itália, enquanto ele tentava embalar as Províncias Unidas holandesas em uma sensação de segurança — utilizando a cenoura das promessas e o chicote das ameaças — para levá-las a seguir o curso de ação estabelecido entre França e Inglaterra.

Elizabeth mandou o conde de Essex para a França na vanguarda de sua força de dois mil homens, acompanhado por um dos membros do séquito de Harlay, o insidioso e pernicioso António Perez. Perez era o ex-secretário de Estado de Felipe II que foi sentenciado à morte na Espanha mas fugira para a Inglaterra alguns anos antes. Mais tarde ele buscou abrigo na corte de Henrique IV. Perez escreveu para a rainha: "Seu retorno à França seria como ir para a morte, a não ser que ele pudesse pensar em retornar à Inglaterra como uma esperança de ressurreição." Este sentimento, inicialmente tomado por lisonja, era um presságio do que estava por vir.

160 O DIAMANTE MALDITO

Enquanto isso, Harlay, tendo reunido tantas tropas mercenárias quanto pôde na Suíça, na Alemanha e na Itália com as 20 mil coroas da rainha, retornou a Paris para defender a ratificação do Tratado de Greenwich, recentemente negociado com Elizabeth pelos Estados Gerais (Parlamento). Ele felizmente foi aprovado, mas por uma magra maioria. Contudo, quando o tratado foi publicado, diversas cláusulas fundamentais foram mantidas em segredo — sendo as mais notáveis as de que o rei francês só poderia pedir dois mil soldados de infantaria por seis meses e que um "igual" número de soldados franceses precisaria ser providenciado; se o rei não pagasse à rainha integralmente por todas as suas despesas pelos dois mil soldados de infantaria, ela não estaria mais obrigada pelo tratado a fornecer mais ajuda no futuro; e que Bouillon e Harlay de Sancy pagariam as 20 mil coroas em quatro meses a partir de 7 de maio (data de sua promessa) e não 12, como tinha sido originalmente acordado. A soma total estimada de £15.655 4s (3,2 milhões de dólares ou 2 milhões de libras, em valores de hoje) pela intervenção da rainha da Inglaterra também foi mantida em sigilo.

Bouillon retornou à Inglaterra em 24 de agosto com o tratado ratificado e um novo embaixador, de Reaux, cuja nomeação fora tão repentina que ele teve de pedir uma dispensa a Sua Majestade para retornar à França por seis semanas para acertar seus próprios negócios. Não foi dada a Elizabeth nenhuma explicação para a mudança de embaixador. De fato, nenhuma era necessária. A rainha da Inglaterra tinha deixado suas opiniões acerca de Nicolas Harlay bem claras ao rei Henrique no período anterior, por intermédio de seu próprio embaixador e confidente, Essex. Para piorar as coisas, a missão de Bouillon com de Reaux foi frustrada pelo fato misterioso de que o Conselho Privado de Elizabeth acreditava que o tratado ratificado com os selos de Henrique IV era uma falsificação, e pediu que a rainha enviasse seus próprios embaixadores à França para que se encontrassem com Henrique e esclarecessem a questão de uma vez por todas.

Os problemas de Bouillon continuaram quando ele descobriu que Harlay não fizera o primeiro pagamento das 20 mil coroas à rainha. Elizabeth ameaçava postergar o primeiro envio de homens e armas para a Picardia por um mês até receber sua prestação. Todavia, como uma prova de sua crença em Bouillon, ela mandou a ele um presente, pelo qual Bouillon agradeceu por escrito, mas dizendo que "seria melhor não fazer nada pelo servo e mais por seu mestre". Isso teve o efeito desejado em Elizabeth, e ela respondeu dizendo que iria cumprir imediatamente todas as condições da aliança com a França, mas que "competia a Bouillon e Harlay de Sancy de início garantir a devida realização de todo o contratado no estabelecimento da aliança de modo que pequenas falhas no início não levassem Sua Majestade a esperar o pior no fim".

Ao mesmo tempo, o arquiinimigo de Elizabeth, Felipe II, que estava muito doente, enfrentava outra falência. Anos de guerra contra a Inglaterra e a insurreição nos Países Baixos drenaram seus recursos, apesar dos carregamentos de ouro e prata das Américas e de gemas e especiarias do Oriente. Drake tinha enriquecido a Inglaterra além de qualquer avaliação com o ouro espanhol. Mais de metade dos carregamentos da Espanha foram perdidos para a pirataria ou o mau tempo. As sete Províncias Unidas holandesas abjuraram sua obediência a Felipe e à Espanha em 1581, e Amsterdã estava rapidamente eclipsando Antuérpia como centro do comércio de luxo, já que Antuérpia ainda estava na Holanda controlada pela Espanha. Antuérpia foi pilhada pelos espanhóis em 1585 e tornou-se suspeita. Leis católicas draconianas foram instituídas em Antuérpia e Felipe, mais uma vez, suspendeu os pagamentos a seus credores-mercadores de Antuérpia.

Felipe declarou que sua suspensão dos pagamentos não se devia à falência, e sim a "informações de que alguns mercadores prometeram ao rei da França um milhão e meio em ouro". Felipe provavelmente acreditava que pagando a seus banqueiros mercantis de Antuérpia estaria financiando uma guerra contra ele mesmo. Ele poderia muito bem estar certo.

Essa afronta aos mercadores holandeses e flamengos mais uma vez acirrou as hostilidades entre Inglaterra e Espanha. Cádiz foi escolhida como alvo porque tinha oferecido a Felipe 30 milhões de *malaverdes* em ouro, a serem pagos em vinte anos, os quais o rei teve a temeridade de recusar, esperando, em vez disso, nunca ter de pagar a quantia. De acordo com um "relatório de informações" de Madri enviado a um mercador italiano em Rouen, os clérigos e os confederados eclesiásticos da cidade concederam, em vez disso, 20 milhões de *malaverdes* pagáveis em vinte anos com o único objetivo de "mover guerras contra Sua Majestade e seu Estado da Inglaterra". Elizabeth agiu imediatamente ordenando a pilhagem de Cádiz por sua frota, comandada pelo conde de Essex. Em um dia ele tomou o castelo de Cádiz e 40 mil ducados que o pagador da marinha do rei da Espanha detinha para pagamento dos soldados. Havia também uma grande quantidade de prata e jóias pertencentes a moradores da cidade que foram tomadas como butim e levadas para a Inglaterra com Essex. Era apenas uma alfinetada, mas uma que ajudou o esforço de guerra inglês e que iria atrapalhar Felipe nos meses por vir.

Enquanto isso, aparentemente desligado deste lado das questões internacionais, Harlay outorgou um considerável dote de 40 mil *écus* para o casamento de sua filha Jacqueline com o barão d'Alincourt, filho mais velho de Villeroy, embora mais uma vez alegando a todos sua pobreza. Ele também lamentou publicamente o fato de que o lamentável estado de seus negócios se devia à sua irrestrita lealdade ao rei, e à utilização de toda a sua fortuna pessoal pelo bem da França. Para piorar as coisas, o rei estava então retribuindo a ele — e a outros servidores leais — falando em casamento com sua jovem e bela amante, em um caso que, na opinião de Harlay, colocava em risco a coroa de Henrique.

À época do casamento de sua filha, Harlay deu início a uma intensa campanha de insinuações contra Gabrielle d'Estrées no seu círculo da corte. Ele era inteiramente imprudente em suas críticas ao modo como a ligação real minava a estabilidade da coroa, já que Henrique não tinha filhos com Margarida de Valois, e Gabrielle d'Estrées recentemente tinha dado à luz o segundo filho de Henrique. De acordo com Harlay, a situação estava se tornando insustentável. Outros ministros concordavam cautelosamente, mas nenhum expressou sua própria opinião sobre o caso. Harlay confundiu seus acenos com apoio, e lançou sua campanha contra a bela cortesã quando a marquesa de Montceaux, como Gabrielle era conhecida na época, atuou como rainha de Henrique durante a missão diplomática de lorde Shrewsbury a Henrique em Rouen. A crítica de Harlay tornou-se furiosa e impiedosa. Ele vociferava que Gabrielle d'Estrées queria se tornar rainha da França à custa da própria coroa de Henrique. Harlay argumentava que ela era ambiciosa, gananciosa e que tinha enfeitiçado o rei. Afinal, o rei não tomou de volta a coleção particular de jóias da viúva de Henrique III, Louise de Vaudremont, apenas para colocar a maioria das jóias da rainha viúva em Gabrielle d'Estrées? Mesmo o embaixador veneziano notou que o rei tinha "colocado em seu dedo o anel de diamante que ele recebera em sua cerimônia de coroação: um verdadeiro sacrilégio".

Harlay, convencido de sua invencibilidade e cego pela ambição como muitos dos proprietários anteriores do diamante Sancy, parecia ignorar as conseqüências de sua virulência contra Gabrielle e seus desejos matrimoniais. Gabrielle, por outro lado, estava plenamente consciente da antipatia de Harlay, e providenciou para que Henrique ouvisse isso indiretamente, através do inimigo protestante de Harlay e seu improvável aliado Agrippa d'Aubigné. Inicialmente de modo quase imperceptível, Harlay foi mantido a distância do rei. Sully era consultado diretamente em assuntos de finanças e o papel chave de Harlay como embaixador na Inglaterra estava igualmente chegando ao fim. Com a gradual implantação da paz entre 1597 e 1598, sua importância como financiador do rei empalideceu. Finalmente, mesmo *ele* foi obrigado a admitir que talvez tivesse sido explícito demais na questão de Gabrielle d'Estrées e que sua "desgraça só poderia ter sido causada por esse caso".

Mas por que Henrique simplesmente não disse a seu ministro para calar a boca? Afinal, Harlay de Sancy tinha sido seu ministro predileto, um dos autores de sua conversão ao catolicismo e do Édito de Nantes de 1598 garantindo liberdade de culto aos protestantes huguenotes. Harlay também foi o cérebro por trás da submissão do duque de Mercure na Bretanha, dessa forma encerrando as atividades da Liga Católica ali. Parece provável que Henrique sabia que *este* ministro não seria silenciado. Ademais, ele também sabia que Harlay havia não apenas criticado a amante do rei e mãe de seus filhos, mas também traído a ele e à França.

164 O DIAMANTE MALDITO

Mas em quem Henrique teria confiado tanto para perder um grande financiador como Harlay? A resposta é Elizabeth I.

Elizabeth fizera Henrique saber em termos indubitáveis que estava insatisfeita com seu ministro. Era uma insatisfação que o rei não podia sustentar, já que Elizabeth era sua principal credora e poderia retirar seus soldados da França e exigir pagamento por seus problemas em um de seus famosos caprichos. E, mais importante, durante o período de Harlay na Inglaterra como embaixador, ele cometeu uma grave "imprudência" que foi misteriosamente relatada como um "grande segredo" em documentos oficiais. Esse crime foi a conspiração com o pérfido António Perez. Perez, que simpatizara com dom António, era insultado na corte da Inglaterra, e sua natureza melíflua e insinuante o tornava objeto de ridículo e desprezo tremendos.

Mas Harlay de Sancy gostava de Perez e até mesmo admirava sua audácia, e estabeleceu uma sólida amizade com o espanhol exilado. Uma carta confidencial de 1596, escrita por lorde Naunton, que era o homem do conde de Essex na França, afirmava:

> Nas negociações para a paz em Vervins, Henrique IV insistiu fortemente no perdão a Perez: mas os espanhóis alegaram que, tendo ele fugido da Inquisição, o rei não poderia perdoá-lo; nem, caso ele retornasse à Espanha, impedir aquele tribunal de prendê-lo. Em várias de suas cartas Perez fala sobre Henrique IV ter prometido não restaurar o duque d'Aumale, por insistência da Espanha, até que sua mulher, seus filhos e seu patrimônio fossem devolvidos a ele; e sobre aquele rei ter persistido nessa decisão até essa dificuldade relativa à Inquisição ter sido levantada pelos espanhóis.
>
> Nicolas de Harlay, barão de Sancy, que foi mandado pelo rei para a Inglaterra em 1596, fora antes magistrado e empenhara toda a sua fortuna de modo a reunir um corpo de tropas suíças a serviço de Henrique III em 1588; e depois foi Intendente de Finanças, posto no qual foi sucedido por *Monsieur* de Rosny, mais tarde duque de Sully. Mr. de Perefixe, em sua *Histoire de Henri IV*, parte III, diz: "Ele era um homem de grande intrepidez, e não temia pessoa alguma quando agia a serviço de seu mestre; mas era um tanto grosseiro e liberal na linguagem para com ele [o rei]."

A MALDIÇÃO DA AMBIÇÃO CEGA 165

Harlay viu Perez como um espírito afim, e apesar de alegações posteriores de que fora seduzido pela malícia de Perez, ele foi mais do que um parceiro de bom grado no complô que se seguiu contra Gabrielle d'Estrées e mesmo o rei. A triste saga começou quando Harlay estava em Greenwich negociando em nome de Henrique. Harlay fez saber nos círculos certos — ou os círculos que fariam com que a informação chegasse à rainha Elizabeth — que Gabrielle d'Estrées e seu filho César receberiam a cidade de Calais no caso de Essex libertar a cidade sitiada. Em função da fixação de Elizabeth em recuperar Calais, do ódio de Harlay a Gabrielle e do fato de que Perez e Harlay revelaram essa informação politicamente sensível a Elizabeth para frustrar os planos do rei, é inacreditável que Harlay não tenha perdido mais que sua proeminência na corte. Perez sequer pensou em trair Harlay em seu retorno à França quando confrontado por Henrique.

Mas esse não era o limite da ambição cega de Harlay. Quando em missão para formar um novo exército mercenário na Itália, ele iniciou negociações para vender os diamantes Sancy e Beau Sancy para o duque de Mântua. Harlay admirava o estilo de vida e a opulência do duque e identificou uma oportunidade de criar algo de natureza semelhante para si mesmo. O ducado de Milão, ainda leal à Espanha, representava o maior perigo da península italiana, e aquele novo exército mercenário evitaria, esperava ele, que os espanhóis penetrassem na França por ali. Certamente, raciocinou Harlay, se o rei não pagasse a ele o que era "devido", então Harlay e seus soldados suíços, alemães e italianos poderiam ocupar Milão por conta própria.

A irritação de Harlay com a situação em que se encontrava foi transmitida pessoalmente a lorde Naunton, que por sua vez escreveu, em novembro de 1596, ao conde de Essex:

> Sancy toma um rumo deveras contrário a todos os outros, levando sua ira ao encontro da ira. Por quê? Sua pensão não está sendo devidamente paga? Não foi ele feito Conselheiro de Estado por sua reputação? E para onde mais ele irá? Ou estando ausente daqui, onde poderia ele ponderadamente aplicar-se melhor que aqui [Paris], seja para participar dessa paz, caso ela vá em frente,

166   O DIAMANTE MALDITO

ou para viver relaxadamente com sua pensão se a guerra continuar? Isso o exaspera mais que tudo. Ele escreveu para este seu carrasco [Perez] uma carta muito franca sobre todo o resto. E nesse ardor ele confidenciou a mim aquele grande segredo, que ele havia anteriormente vislumbrado, mas não elucidado até agora. Eu me atrevo a transmiti-lo a Vossa Senhoria (...) pois eu me considero hoje mais merecedor de seu presente ódio do que poderia ser de toda sua anterior gentileza.

Seria de fato o plano de Harlay culpar Perez por quaisquer complôs contra Henrique e a traição aos ingleses? Essex, como favorito de Elizabeth, certamente iria repassar essa informação à rainha — que já havia deixado Harlay pessoalmente consciente de sua antipatia por ele por vários crimes de etiqueta. Parece ainda inconcebível que ele tenha de algum modo acreditado que Perez, e apenas Perez, seria acusado pelo complô para tomar Milão. O ego colossal de Harlay e sua ambição presunçosa devem ter superado qualquer dose de razão. Naunton, atônito com o absoluto atrevimento do homem, relatou a Essex os detalhes sórdidos, das origens da riqueza de Harlay ao esquema ridículo para tomar Milão:

Sancy, sendo poderoso (...) pariu a si mesmo na forma de uma vã ostentação de seu próprio patrimônio e riqueza, que tais obteve e tão enorme volume de tesouros por jogo e apostas: que ele tinha suprido muitas das maiores necessidades do rei por sua própria conta, seja pelo empréstimo de seu próprio dinheiro a ele, seja pelo empenho de um grande valor de ricas jóias na Alemanha para seu uso: Que ele calculou que o rei teria encerrado todas as suas guerras aqui na França em um ano ou dois no máximo; e que então ele [o rei] prometeu pagar, de todas as suas dívidas, primeiro a que tinha com ele, e dar a ele sigilosamente, sendo ele Superintendente de suas Finanças, cerca de 150 mil coroas por dois anos. Agora que com estes meios, e com as informações, os obséquios e as assistências de seus muitos amigos, que ele acumulou na Suíça e naqueles confins, ele poderia, a seu bel-prazer, sem qualquer dificuldade, fazer sua entrada no Estado de Milão, tomar a própria Cidade e se apossar do Ducado. Deveras, ele foi tão precipitado em descrever a sua expedição em mapas, que ele já tinha desenhados, e ilustrados por ele, que Perez podia apenas divertir-se com a cegueira de sua ambição. Se ele não tivesse sido igualmente liberal em confidenciar a ele diversos outros segredos importantes, como o da última rusga capital do rei com o duque de Bouillon; de sua igual desconfiança e reprovação a Vossa Senhoria; de seu recém-concebido projeto concernente a essa nova sucessão etc. seria possível imaginar que isso não passou de uma confissão simulada, concebida para testar Perez, tanto em sua capacidade de acreditar quanto em seu sigilo ao manter para si tal empreitada.

Perez duas ou três vezes elucubrou sobre o porquê de Sancy se envolver tanto e a todo o seu patrimônio tão profundamente nos negócios do rei, como fez. "Certamente", disse ele, "ou ele ama sua Majestade mais do que um homem pode amar outro, ou ele tem na cabeça algum grande projeto relacionado a essa profunda dívida de gratidão que ele busca impor a Sua Majestade." O rei respondeu a ele sucintamente que o único motivo do compromisso de Sancy para com ele era "que esse bruto o faz por meu amor". Perez interpretou essa grande insinuação do rei em relação a Sancy como uma suposição desconfiada da cabeça do próprio rei. (...) E ele deduz disto que ou Sancy revelou esse fingimento de modo semelhante a outra pessoa, que poderia tê-lo traído junto ao rei, ou o próprio rei já temia algum complô como esse. (...) Quanto a mim, ele nunca pediu nem impediu que eu comunicasse isso a Vossa Senhoria. Se Sancy, em sua disposição ostentatória, revelou suas próprias aspirações a outros, pode ser que a descoberta disso tenha sido uma das principais causas, entre outras, de sua posterior desgraça com o rei.

Henrique pode ter sentido que talvez não estivesse em posição de agir mais firmemente contra Harlay no momento em que soube da traição, e decidiu que a punição justa seria afastar Harlay da corte.

Em vez de deixar o degelo acontecer normalmente com o tempo, Harlay reagiu com seu previsível veneno. Ele fez discursos sobre como havia feito inúmeras contribuições para o bem do país, como ele se tinha empobrecido em benefício da coroa real, como ele havia colocado toda a sua fortuna à disposição da França e como o tratamento dispensado a ele pelo rei era improcedente e insondável. No seu *Discours*, Harlay chega a ponto de insinuar que ele

168 O DIAMANTE MALDITO

e sua fortuna eram os responsáveis pela liberdade da França. Essa afirmação desleal era ofensiva a Henrique, detestável para a rainha Elizabeth e pérfida para os Médici, que contribuíram com muito mais que Harlay para garantir a independência da França. Quanto mais Harlay se queixava amargamente, mais o rei se fazia de surdo. E com a surdez do rei, a idéia de Harlay de vender seus famosos diamantes se tornou uma necessidade absoluta. Henrique IV os tomou emprestados em diversas oportunidades e desejava que fossem "dados" a ele como rei para a coleção de jóias da coroa. Harlay negociou experimentalmente com Henrique, mas nunca iria dá-los ou vendê-los ao rei enquanto houvesse a mais remota possibilidade de que eles acabassem sendo usados por Gabrielle d'Estrées — e enquanto o rei não quitasse suas dívidas.

Quando todo o seu teatro não levou a nada na corte, Harlay mudou de tática, e pensou que poderia melhorar sua posição na corte tornando-se novamente católico — como tinha feito sob o reinado de Henrique III. Naunton especula com impressionante antecipação sobre esse blefe quando escreve para Essex:

> Talvez essa disposição [o caso Milão] não tenha sido a causa final de sua última mudança de religião por meio da qual ele tentava se tornar mais capaz de atingir os seus objetivos; ele parece ter-se frustrado dos meios de chegar a eles. Eu duvido que ele hoje esteja muito longe de pegar grandes somas dos cofres do rei, já que dificilmente irá recuperar seus empréstimos.

De fato, Henrique não tinha qualquer intenção de pagar um centavo sequer a seu ex-confidente. Com o tempo, a totalidade da traição de seu ministro se tornou evidente, e sua utilidade para o rei, mais dispensável. Harlay seria afastado da corte e morreria na pobreza como merecia — julgamento e morte seriam bons demais para ele. Mas o enorme ego de Harlay também seria esmagado. Seu irmão Luís seria o novo embaixador de Henrique junto à corte de Elizabeth, coberto de favores e louvores.

Harlay estava agora desesperado. Ele tinha bens — em seus dois diamantes e outras gemas — mas nenhum dinheiro. Seus credores estavam em seus

A MALDIÇÃO DA AMBIÇÃO CEGA   169

calcanhares, tendo tomado conhecimento das graves notícias de seu descrédito na corte. Foi tomado de um pânico controlado, e fez uma oferta mais séria dos diamantes a Vincent, duque de Mântua. Vincent era conhecido por sua impressionante beleza física e sua ardente busca de prazer. O duque levava o estilo de vida suntuoso dos reis, acreditava em fidalguia e tinha uma mente curiosa. Ele era patrono dos artistas Peter Paul Rubens e Porbus, e adorava a beleza em todas as suas formas. Para Harlay, o duque representava um proprietário merecedor de seus diamantes — e uma resposta a seus apuros políticos e financeiros. Milão poderia até mesmo chegar às suas mãos com a ajuda de Mântua. Harlay ofereceu o Sancy e o Beau Sancy por 100 mil *écus* (6,2 milhões de dólares ou 3,9 milhões de libras, em valores de hoje). O duque respondeu com uma oferta de castelos em vez de dinheiro. Houve uma rápida troca de cartas, e a cada carta o preço oferecido pelo Sancy e pelo Beau Sancy diminuía. Era uma situação totalmente lamentável para um homem que já não podia pagar a seus credores.

Havia outras fontes de dinheiro — outros governantes ricos na Europa e na Ásia. Mas Harlay estava determinado a que a rainha Elizabeth, apesar do fato de que ela nunca escondeu o desejo de possuir o Sancy, nunca o tivesse.

Harlay retomou seus esforços com o sultão Murad, e chegou mesmo ao ponto de fazer réplicas de cristal para mostrar a ele a perfeição das pedras. Mas, sem o conhecimento de Harlay, seu homem em Constantinopla, chamado Brèves, também representava Henrique, a quem se destinava sua verdadeira lealdade. No dia 28 de janeiro de 1597, Brèves escreveu para o rei informando os detalhes da transação proposta, destacando que Harlay enviou a ele as réplicas dos dois diamantes, bem como uma réplica de um grande rubi. O que Harlay não esperava era que Brèves informasse ao sultão Murad que:

> *Sire*, Estes grandes diamantes eram propriedade do falecido imperador e pertencem aos súditos de Sua Majestade, Henrique IV da França. Como um cavalheiro da corte de Sua Majestade está propondo enviar a Sua Alteza um grande diamante como representado em cristal na esperança de que Sua Alteza o Sultão o considere agradável, eu recomendo que Sua Alteza o Sultão

apresente suas desculpas e não adquira os diamantes. (...) Seu muito humilde e muito obediente e leal servo e súdito, Brèves.

Ao mesmo tempo, o embaixador veneziano relatou aos doges que "a rainha tomou conhecimento de que Mr. de Sancy quer vender seus diamantes e está ansiosa para comprá-los". Elizabeth estava prestes a explodir. Mais uma vez, as pedras não foram oferecidas a ela. Ela enviou seu embaixador ao sultão com jóias de presente e confirmou seu apoio a ele e seu novo primeiro-vizir. A mensagem ao sultão era inconfundível: não toque nos diamantes.

Elizabeth também se assegurou de que Henrique soubesse dos detalhes de todas as transgressões de Harlay. Essex foi enviado para transmitir as notícias pessoalmente, com base na correspondência de Naunton e nas próprias experiências da rainha. O destino de Harlay estava selado.

Nos 15 meses seguintes, Harlay, embora frustrado em Constantinopla, continuou a visitar diversos governantes da Europa — chegando mesmo a abordar o príncipe coroado da Rússia — em busca de um comprador com dinheiro. Ele abordou todos os governantes imagináveis, exceto a rainha Elizabeth, que, no final das contas, era possivelmente a única compradora capaz de, ou disposta a, pagar o que Harlay queria pelo Sancy e o Beau Sancy. A omissão de incluir Elizabeth na lista de possíveis compradores diz muito. Como Gabrielle d'Estrées, Elizabeth era vista por Harlay como sua nêmesis, e ela só teria o diamante Sancy "sobre o seu cadáver".

Enquanto Harlay tentava resolver seus apuros financeiros, o rei dava a partida nos procedimentos para seu divórcio de Margarida de Valois. O papa foi abordado, e dizia-se na França que Henrique havia tomado todas as providências necessárias para tornar legítimos seus filhos com Gabrielle d'Estrées, e herdeiros da coroa.

Então, em 10 de abril de 1599, aconteceu algo inteiramente inesperado e misterioso. A jovem e bela Gabrielle d'Estrées adoeceu durante uma festa, foi levada para um quarto confortável, e morreu. Henrique IV ficou arrasado e chorou inconsolavelmente durante dias, oferecendo a ela tanto de um funeral de Estado quanto o decoro permitia. O embaixador veneziano relatou que:

A efígie da duquesa de Beaufort (Gabrielle d'Estrées) foi exibida ao público por quatro dias seguidos. Foi feita em gesso, em tamanho natural, e colocada em um dos quartos de sua casa em uma grande cama à qual se chega subindo três degraus. A figura parecia estar sentada, e tinha na cabeça um diadema ducal e um manto dourado forrado de arminho; havia acima um dossel, também de tecido de ouro. O quarto estava decorado com as magníficas tapeçarias pertencentes ao rei. Os arqueiros da guarda real estavam de prontidão, assim como os mestres-de-cerimônias, os cavalheiros de honra e outros oficiais da corte.

Então o embaixador acrescentou, em código: "O rei está bem; ele tomou um purgante e fez uma sangria. Ele declara abertamente que pretende se casar novamente, e mostrou alguma inclinação para a princesa Maria [de Médici], sobrinha do grão-duque da Toscana."

Agrippa d'Aubigné lançou um boato que nunca foi consubstanciado: que Harlay — que por acaso estava na casa no momento em que Gabrielle foi para a cama — envenenou-a, como se dizia que ele havia feito com o cardeal de Plaisance. A reação de Harlay à morte dela levou muitos a acreditarem que a alegação de Agrippa d'Aubigné era verdadeira, já que ele simplesmente não conseguiu esconder sua satisfação. Nenhuma acusação chegou a ser feita contra o ministro caído em desgraça, embora o boato tenha sobrevivido muito além de sua própria morte.

Ao contrário das afirmações de Harlay, grande parte do sucesso e do triunfo de Henrique IV sobre a Liga Católica na França se deveu ao dinheiro dos Médici, e poderia muito bem ser uma de suas cartadas desposar a sobrinha do duque reinante da Toscana, mesmo que Gabrielle d'Estrées vivesse. Henrique não era tolo; ele sabia que seu reino precisava da influência, do dinheiro e do poder que os Médici podiam garantir. Ele também precisava de herdeiros cuja legitimidade estivesse acima de questionamento.

Dezoito meses após a morte de Gabrielle d'Estrées, ocorreu o casamento por procuração entre Henrique IV e Maria de Médici, na catedral de Florença, em 5 de outubro de 1600. Um banquete de tirar o fôlego foi oferecido no Palazzo Vecchio, onde cada prato prodigamente montado e decorado fazia

172   O DIAMANTE MALDITO

parte de uma alegoria extraordinária sobre o brilhantismo marcial do rei francês e as deslumbrantes virtudes da Casa de Médici à qual ele sabiamente tinha se unido. Houve corridas de cavalo e torneios, procissões e cortejos, espetáculos de fogos de artifício e festivais de água, e apresentações ao vivo no Uffizi com a montagem, por Buontalenti, da *Eurídice* de Jacopo Peri, o compositor da primeira ópera apresentada ali. A cerimônia iria inspirar muitas das festas dadas em Versalhes para o prazer do neto de Henrique e Maria, Luís XIV.

Harlay de Sancy finalmente viu uma oportunidade de reabilitar-se dos erros passados. A nova rainha, Maria, tinha reputação de ser apaixonada por diamantes. Se ele conseguisse fazer com que ela se interessasse por suas gemas mais preciosas, poderia ser capaz de recuperar a preferência do rei e também conseguir o pagamento das dívidas que ele acreditava que Henrique tinha com ele. Mas o rei não seria convencido a comprar nada — muito menos os diamantes que ele acreditava já pertencerem à coroa — do cortesão caído em desgraça. A rainha Maria, por outro lado, estava inflexível. Não bastava que Henrique a cobrisse de jóias e diamantes em todas as oportunidades possíveis — nascimento de filhos, feriados nacionais e religiosos, Ano Novo, aniversários, banquetes e préstitos. Ela estava determinada a ter os diamantes de Harlay, que ainda eram os maiores da Europa, e atormentou seu marido impiedosamente. Mas Henrique não iria mudar de idéia.

Então a sorte pareceu sorrir para o renegado Harlay. Em março de 1603 a rainha Elizabeth ficou fraca, mas se recusou a ir para a cama repousar. O lorde almirante foi convocado e ela foi levada à força para seus aposentos. Ela tinha setenta anos de idade, e todos sabiam que não havia esperança de recuperação. A rainha recusou todos os remédios e ficou incapaz de falar na manhã de quarta-feira, 23 de março. Ela morreu no dia seguinte.

Jaime VI da Escócia foi proclamado Jaime I da Inglaterra, e Harlay enviou mensagem a seu irmão Luís, ainda embaixador francês na Inglaterra, para oferecer o diamante Sancy ao novo monarca. Após quase um ano de negociações depois da morte de Elizabeth, Luís, barão de Monglat, finalmente conseguiu, em março de 1604, vender o diamante Sancy para Jaime I da Inglaterra por 60 mil *écus*, ou 20 mil libras (4,2 milhões de dólares ou 2,6 milhões de libras, em valores de hoje). Jaime ordenou que o erário pagasse um terço do valor no recebimento da gema, com os outros dois pagamentos acontecendo nos dois anos seguintes.

Harlay tirou vantagem da venda do Sancy em uma última tentativa de persuadir o rei a perdoá-lo. Ele pensou que estava usando sua astúcia habitual, que havia muito tempo o iludira, para concluir satisfatoriamente a venda do Beau Sancy para a rainha Maria, mas, como mostra claramente a carta de Henrique autorizando Sully a comprar a pedra para sua esposa, o rei não estava satisfeito com as excentricidades de seu ex-favorito: "Eu me sinto melhor as recuperando [as gemas] que permitindo que elas saiam do meu reino para serem vendidas a estrangeiros, e se eu comprá-las, então ninguém mais as terá, a não ser eu."

Maria mandou engastar seu diamante, o Beau Sancy, no alto de sua coroa, e fez Porbus pintar seu retrato usando-o. Jaime engastou o diamante Sancy em um extravagante alfinete de chapéu com o Espelho de Portugal e também certificou-se de que seu retrato usando o mais histórico de todos os diamantes fosse pintado duas vezes.

Quanto a Nicolas Harlay de Sancy, seu filho foi morto no cerco de Ostende, e sua saúde e finanças continuaram a deteriorar-se inexoravelmente. Após a venda do Beau Sancy para a rainha, ela garantiu que Harlay fosse nomeado *Chevalier de l'Ordre du Roi*, ou Cavaleiro da Ordem do Rei, efetivamente como reconhecimento por seus serviços prestados à coroa. Harlay se encrespou com a vacuidade do gesto simbólico: ele queria reconhecimento real; poder renovado; e, acima de tudo, seu dinheiro.

Henrique e Maria se lançaram de corpo e alma na formação de uma coleção de jóias real que rivalizasse com a de qualquer reino da Europa, recrutando alguns dos mais talentosos joalheiros para seu *garde-robe* ou guarda-roupa real. Henrique IV instalou 27 residências e cinco grandes oficinas para os melhores artesãos em lapidação de diamantes e joalheria no andar térreo do Palácio Real do Louvre em 1608. Essa inovação permitiu que profissionais estrangeiros, exilados de Flandres devido à perseguição religiosa, trabalhassem livres da interferência das guildas para a glória da coroa.

Maria deu à luz seis filhos de Henrique (que teria nove filhos ilegítimos no momento de sua morte), mas o rei tinha se recusado peremptoriamente a permitir que ela fosse coroada como sua rainha. Antes de seu casamento, um velho profeta vaticinou que, se ele permitisse que sua esposa tivesse uma cerimônia oficial de coroação, seria assassinado violentamente. Após dez longos anos de arengas e complôs de Maria, ele finalmente cedeu. Duas horas depois da coroação de Maria, Henrique IV foi assassinado e o cardeal Richelieu foi proclamado regente, juntamente com a rainha, do jovem Luís XIII.

No dia seguinte, Nicolas Harlay de Sancy, com uma noção de tempo impecável, publicou seu *Discours sur l'ocurrence de ses affaires* (Discussão sobre a condução de seus negócios), para a rainha e alguns seletos ministros, explicando que a França devia a ele sua segurança — e uma fortuna em dívidas não quitadas. Em suas próprias palavras, "ninguém pode duvidar que eu emprestei durante as guerras, quando os negócios do Estado estavam em grande dificuldade, aquilo pelo que toda a França deve me agradecer de modo a exercer livremente sua vontade".

O cardeal e a rainha ignoraram largamente suas alegações, e no dia 17 de outubro de 1629 ele morreu. Com sua morte, foi encontrado em seu bolso uma ordem real que impedia que ele fosse preso por produzir dinheiro falsificado — um "passe de saída da prisão" que ele tinha utilizado para insultar a polícia local em muitas oportunidades quando exibia o dinheiro falsificado. O folclore diz que os policiais locais arrastavam Harlay para a prisão e, junto aos portões, ele vasculhava o bolso do casaco, sacava a ordem real e era libertado até a próxima vez. A verdade disso — como tanto do que cercava o ministro caído em desgraça — talvez nunca seja revelada.

14

Inalienável em mãos indignas de confiança

1603-1620

NA MADRUGADA DE QUINTA-FEIRA, 24 de março de 1603, a Inglaterra Tudor que Elizabeth I tinha construído com tanta paciência chegou ao fim. Em seu leito de morte, Elizabeth se comunicou por sinais e convocou seu Conselho Privado. Eles falaram os nomes de possíveis sucessores para a rainha, e quando o nome do rei dos escoceses foi pronunciado ela tocou a cabeça com a mão para que todos soubessem que ele era o homem que ela desejava que reinasse após ela. A rainha tinha tomado essa decisão marcante muito tempo antes, quando pediu perdão a Jaime Stuart ao escrever a ele sobre sua traição e inocência na execução de sua mãe Maria em 14 de fevereiro de 1586.

Ao nascer do dia, dois cavaleiros galopavam furiosamente pela estrada do norte na direção do Palácio Holyrood, em Edimburgo, para prestar homenagem ao novo mandatário das Ilhas Britânicas. Às 10 horas da manhã, em Whitehall Gate, em Londres, Jaime VI da Escócia — filho único de Maria, rainha dos escoceses — foi proclamado rei Jaime I da Inglaterra e Gales. A nação temia uma revolução, e homens começaram a reunir armas em preparação. Então Robert Cecil, a personificação das conquistas da falecida rainha tanto na Igreja quanto no Estado, falou, e os lordes e o conselho concordaram que deveriam aceitar o desejo de Elizabeth, e a guerra civil foi evitada.

Marinheiros puritanos que haviam zarpado em seus barcos para prevenir uma invasão "papista" pela costa flamenga retornaram ao porto; e os guardas dos torreões dos castelos ingleses do norte ouviram de seus mestres predominantemente católicos que, na medida em que a Inglaterra e a Escócia tinham então um só rei, o horizonte escocês já não representava território inimigo. O trabalho de reconciliação de Elizabeth tinha passado em seu primeiro teste, e o povo inglês convidou a linhagem real da Escócia a ocupar seu lugar.

Jaime I se tornou rei de um país que era ao mesmo tempo diferente e mais rico que a Escócia. Ele tinha sido rei da Escócia praticamente desde o nascimento, e aprendera sobre a realeza na dura escola da política escocesa. A Escócia, porém, era um grotão quando comparada com a Inglaterra. Embora a população inglesa estivesse apenas entre 2,5 milhões e 5 milhões de pessoas, a maioria delas vivendo no interior, os ingleses desempenhavam um papel importante na política européia desde o tempo de Henrique VIII. A sociedade rural não era uma casta fechada, como na Escócia, e freqüentemente um cavalheiro rural empobrecido podia salvar seu patrimônio encontrando jovens com grandes dotes com as quais casar seus filhos. Enquanto a corte francesa de Henrique IV encorajava a nobreza francesa a assegurar seu lugar vivendo em Paris ou Versalhes, Jaime e seus herdeiros viam o *status* de fidalgo rural como uma profissão em si. O barbarismo militar do castelo cercado de fosso era coisa do passado, e a civilização renascentista introduzida na corte elisabetana penetrou no interior do país.

Limites de propriedade foram traçados, e a prosperidade começou a se espalhar. Aqueles eram os dias serenos de orgulho da nova prosperidade, e o sucesso final do governo de Elizabeth Tudor. Jaime tinha ostensivamente herdado todas as glórias de Elizabeth, mas na realidade elas eram apenas miragem, e um falso legado.

As cidades abrigavam uma pequena parte da população inglesa, e eram freqüentemente vítimas da peste e de condições sórdidas. A higiene básica era

INALIENÁVEL EM MÃOS INDIGNAS DE CONFIANÇA 177

desconhecida, e doenças e mortalidade infantil impediam o crescimento populacional. A medicina era baseada mais em superstição que em ciência, os hábitos pessoais eram imundos tanto entre ricos quanto entre pobres, e o padrão de decência pública não resistiria às exigências ocidentais do século XXI.

Apesar da natural tendência inglesa a permanecer insular e desconfiar de estrangeiros, os ingleses tinham sido enfeitiçados pelos holandeses, e sob Elizabeth tinham sido dadas lições sobre o modo de vida holandês — tanto como amigos quanto como inimigos da Inglaterra. A supremacia holandesa nos mares; sua capacidade de manter o pequeno país livre da guerra e da destruição como um oásis de prosperidade em meio à selvageria da destruição motivada pela rivalidade religiosa que grassava por toda a Europa; sua filosofia humanista original; e seus progressos em ciências, filosofia e artes, na agricultura, jardinagem, finanças e comércio se tornaram uma visão utópica para a Inglaterra nos últimos anos do reinado de Elizabeth. Em grande parte como a maioria dos países de hoje, a Inglaterra de Elizabeth compreendia as vantagens oferecidas pelo desenvolvimento tecnológico. O investimento em tecnologia tinha criado uma máquina de guerra mais eficiente, como pôde ser visto na derrota da Armada espanhola.

Os católicos eram tolerados, desde que praticassem sua religião em segredo, como recusantes. Ainda assim, segundo os padrões de hoje, o humanismo inglês era baixo. O tratamento dispensado por eles a outras raças não era melhor que o de holandeses ou franceses, com a exceção das Inquisições espanhola e portuguesa. A prática escandalosa de "caça às bruxas" permanecia sob controle, diferentemente do que acontecia no restante da Europa, em grande parte graças à peremptória recusa de Elizabeth em admitir leis mais duras que "não admitissem que uma bruxa vivesse". Com a ascensão de Jaime ao trono, tudo isso mudou, e um surto violento de "bruxamania" tomou conta da nação, como havia acontecido sob Jaime na Escócia.

O novo rei era inteligente, embora um pouco irritadiço; um bom cavaleiro; dedicado à caça, à teologia e a rapazes bonitos; dotado de um espírito vigoroso, e no auge de sua vida aos 38 anos de idade. Ele tinha modos flagrantemente grosseiros, arrotando e soltando gases em público. Ele adorava beber, mas nunca ficava embriagado. Ele tinha uma disposição autoritária em política, era facilmente bajulado, não gostava de aparições públicas e acreditava no direito divino dos reis.

Embora Elizabeth tivesse longamente sustentado um *status* semidivino, nunca reivindicou ou proclamou isso. Jaime I, em contraste evidente, afirmava em seus escritos e em seus pronunciamentos públicos que os reis eram lugares-tenentes de Deus na Terra. Ele fazia sermões ao Parlamento e até mesmo a seu povo sobre isso, e dessa forma eliminou a anterior sobriedade de Elizabeth na corte. Ele estava determinado a ter uma corte mais magnífica que a de Elizabeth e a criar uma classe de nobreza inteiramente nova. Em sua jornada de um mês rumo ao sul, de Berwick para Londres, ele "nomeou 237 novos cavaleiros", de acordo com o *Calendar of State Papers*. A corte de Jaime iria se tornar sinônimo de extravagância e corrupção à medida que o rei cobria seus favoritos de cargos, títulos, terras e dinheiro.

Jaime pretendia manter no cargo Robert Cecil, passar a perna no papa, manobrar o novo rei da Espanha, Felipe III, converter os católicos ingleses por proclamação e guiar seus súditos no caminho da unidade. Ele se via como o "Restaurador da paz perpétua na Igreja e na Comunidade Inglesa". Mas ainda havia um grande obstáculo a ser superado: ele não sabia nada sobre as leis e as liberdades da Inglaterra — tanto no espírito quanto na prática — e ordenou que um ladrão que roubava a multidão que o saudava em Newark, Nottinghamshire, fosse enforcado sem julgamento. Ele estaria perto do final de seu reinado antes de começar a lidar com essas "anomalias cansativas" das regras constitucionais e dos procedimentos parlamentares — tarde demais para consertar algo.

Embora pedante, ele era humano. Ele era instintivamente caloroso com seu povo, exceto quando aborrecido, mas tinha uma incomum capacidade de titubear inconscientemente e era raivoso em suas críticas a qualquer um ou qualquer coisa que não gostasse. Ele também era fundamentalmente homossexual, e os favoritos que ele escolhia freqüentemente tinham o desejo inato de exercer o mau poder em vez do bom, muitas vezes com resultados

INALIENÁVEL EM MÃOS INDIGNAS DE CONFIANÇA   179

monstruosos para a nação. A maior falha de Jaime era sua incapacidade de distinguir um bom homem de um patife, ou um homem sábio de um tolo. Ele fugia da excelência e escolhia seus conselheiros com base em seus relacionamentos amorosos pessoais com Robert Carr e George Villiers, o futuro duque de Buckingham.

Jaime desposara Ana da Dinamarca alguns anos antes. Ela deu a ele uma filha e dois filhos — o mais velho sendo o príncipe Henrique, o mais jovem, o príncipe Carlos. Quando Jaime seguiu para o sul para tomar posse da coroa da Inglaterra, escreveu uma carta amorosa a seu filho e herdeiro, o príncipe Henrique:

> Não permita que essa notícia o deixe orgulhoso ou insolente, pois filho de rei e herdeiro era antes, e não mais que isso. O acréscimo que desta forma pode repousar sobre você traz em si um pesado fardo. (...) Receba todos os ingleses que o visitem como seus súditos amorosos, não com aquela cerimônia reservada aos estrangeiros, mas com a cordialidade que neste momento eles merecem. Seja diligente e sério em seus estudos, para que quando venha ao meu encontro eu possa louvá-lo por seus progressos no aprendizado. (...) Adeus, seu Pai amoroso, Jaime R.

Jaime iniciou seu reinado com uma opulência que indicava como ele pretendia que continuasse. Ele envolveu esta carta e o soneto que escreveu no final dela em veludo púrpura, adornado de um lado com as Armas da Escócia em uma placa de ouro, coroada e circundada pelo colar e as jóias de Santo André, e com o lema EM MINHA DEFESA DEUS ME DEFENDE. As margens da capa eram adornadas com cardos, o símbolo da Escócia, em ouro.

Jaime tinha consciência de que a primeira impressão conta, e que seu cortejo rumo a Londres deveria ser ornado do maior refinamento, não apenas para ele, mas também para sua esposa. Elizabeth tinha transformado a moda em uma expressão fundamental de seu poder, e a rainha de Jaime não seria ofuscada por ternas lembranças da velha rainha na mente das pessoas. Alguns dias depois de ter escrito sua carta para Henrique e ainda no norte da

180 O DIAMANTE MALDITO

Inglaterra, ele escreveu para o *lord keeper** e outros ministros em 15 de abril sobre jóias para a rainha Ana, deixando claro que:

> No tocante às jóias a serem enviadas para nossa Esposa, nossa intenção não é ter qualquer das principais jóias do Estado enviadas tão logo nem tão longe (...) consideramos bom torná-los cientes de que seria conveniente que além de jóias fossem enviadas algumas das damas de todos os graus que serviam à rainha assim que passar o funeral, ou algumas outras, que os senhores considerem adequadas e mais desejosas de servir e que sejam capazes de enfrentar trabalho, para encontrá-la assim que puderem em sua entrada no Reino, ou logo após; pois devemos estar atentos à sua honra.

Quando Jaime chegou a Londres, o embaixador francês, Louis de Harlay, barão de Monglat, soube que sua proposta em nome de seu irmão para a venda do diamante Sancy seria bem recebida. Não apenas o Sancy era sedutor por sua importância histórica, mas também o argumento de venda de Monglat incluía a verdade torturante de que, apesar de todos os esforços da rainha Elizabeth, a gema escapara de suas mãos. O Sancy se tornaria o símbolo do ápice do poder de Jaime — a "jóia na coroa" da Inglaterra. Jaime foi fisgado pela idéia de que as jóias da coroa inglesa poderiam se tornar as mais fabulosas da cristandade — e ele instruiu seus ministros a concluir a compra.

A coleção de jóias da coroa inglesa cresceu tremendamente sob Elizabeth, por meios lícitos e ilícitos. Ela aceitou um grande número de jóias de vários governantes da Europa como "garantias" para seus empréstimos de homens e artilharia para combater nas guerras continentais, algumas vezes devolvendo as gemas, outras não. Como os mercadores que haviam emprestado dinheiro a dom António de Crato de Portugal descobriram às suas próprias custas em 1582, nem sempre se podia confiar que a rainha da Inglaterra pagaria por garantias recebidas, e William Cecil, lorde Burghley, escreveu a ela em mais de uma oportunidade recomendando que esses cavalheiros fossem tratados de forma justa:

---

*Antigo funcionário da coroa inglesa, responsável pela guarda dos selos e carimbos do rei, com autoridade para afixá-los a documentos públicos. (*N. do T.*)

INALIENÁVEL EM MÃOS INDIGNAS DE CONFIANÇA 181

Com vossa graça, Majestade

Meu senhor de Leicester, vindo a mim, me levou à casa de Vossa Majestade para saber minha opinião sobre vosso Grande Diamante [o Espelho de Portugal], e como ele chegou à sua custódia pelo dinheiro que certos mercadores de Londres emprestaram a dom António por Vossa Majestade. Esses mesmos mercadores devidamente solicitam pagamento, e, em minha opinião, a consideração por Vossa Majestade, mais que por sua jóia, é grande e real, e que este pagamento cabe apenas a Vossa Majestade, pelo qual tem um compromisso. (...) Penso que Vossa Majestade certamente pode se orgulhar de ter a Jóia em vossas mãos e deveria pagar por ela de vosso próprio dinheiro e através de vossos magníficos bens aliviar vossos mercadores que, por seu dever leal para com Vossa Majestade, cuja fama nenhum outro obscureceu, diante de Vossa Majestade podem ter melhor destino, como costuma ser e embora eu não goste de ocultar vosso dinheiro fazendo os pagamentos lentamente, Vossa Majestade tem como política pagar por si mesma, com seu dinheiro de prata disponível ou barras estocadas. Assim, se eu me atrevo a escrever para Vossa Majestade é por meu senhor Leicester ter dito para fazê-lo. Vosso mais humilde e puro servo, W. Burghley.

A coleção de jóias da coroa inglesa sem dúvida devia muito de sua proeminência às transações duvidosas de seus monarcas. A mais antiga gema da coleção, o diamante em lapidação mesa Espelho de Nápoles, pertenceu ao rei Luís XII da França por volta de 1500. Três meses depois da morte de sua esposa, Ana da Bretanha, em 1514, ele se casou novamente com a irmã de Henrique VIII, Maria, e deu a ela a jóia. Luís morreu no dia de Ano-Novo do ano seguinte e Maria retornou à Inglaterra, já tendo se casado em segredo com o duque de Suffolk. Henrique ficou apoplético e confiscou o tesouro de sua irmã, incluindo o Espelho de Nápoles, que fora avaliado em 60 mil coroas. O diamante de Ana Bolena, uma grande pedra em forma de lágrima semelhante a uma ponta de lança, pesava aproximadamente vinte quilates e tinha sido um presente de Francisco I da França. O diamante foi confiscado do barão de Samblançay, superintendente de finanças de Francisco, quando este foi considerado culpado de peculato em 1527 e sentenciado à morte. Ana recebeu o presente na reunião do Campo do Velo de Ouro em 1532, e essa pedra se tornou o primeiro diamante da Europa a ser considerado amaldiçoado, já que seus dois primeiros proprietários foram enforcado e decapitada, respectivamente.

Com a ascensão de Jaime I ao trono vieram as jóias da coroa da Escócia, incluindo o Grande Harry, também conhecido como a Pedra da Letra H da Escócia. Essa jóia pertencia a Maria Stuart já em seu inventário de jóias de 1561, que foi compilado depois da morte de seu primeiro marido, Francisco II da França. Quando a rainha Elizabeth ofereceu "asilo" a Maria após sua fuga da Escócia quando Jaime tinha um ano de idade, ela também surrupiou todas as jóias de Maria.

Mas era o Sancy que Jaime cobiçava. No dia 10 de março de 1604 foi finalmente concluído o negócio pela pedra de 55,232 quilates. Ela foi vendida por apenas 60 mil *écus*, em vez dos 100 mil *écus* que Harlay de Sancy pedira oito anos antes ao duque de Mântua. Na undécima hora, o rei concordou em pagar 30 mil *écus* na entrega (10 mil mais que o originalmente estipulado), com o restante a ser pago nos dois anos seguintes.

Jaime estava radiante de orgulho com a aquisição do mais importante diamante da Europa e avisou a seu joalheiro que desejava que o Sancy estivesse pronto para seu cortejo de coroação em março de 1605.

O Sancy foi engastado em um famoso ornamento para chapéu conhecido como o Espelho da Grã-Bretanha, suspenso em um grande losango brilhante feito de quatro grandes diamantes colocados lado a lado, dando a impressão de um único diamante gigantesco. Duas das outras pedras usadas na jóia foram avaliadas em 36 quilates cada, com um diamante losangular de verso plano de 12 quilates e o Grande Harry de 20 quilates. Jaime também tinha outros ornamentos para chapéu, incluindo um descrito no inventário real de 1606 como "uma bela jóia, como uma pena de ouro, contendo um belo diamante mesa no centro e 25 diamantes de diversas formas feitas de variadas outras jóias". O outro ornamento para chapéu favorito do rei era o Três Irmãos — que após 126 anos foi finalmente reunido ao Sancy.

INALIENÁVEL EM MÃOS INDIGNAS DE CONFIANÇA 183

Mas nenhuma dessas jóias fazia parte da grande coleção de jóias de Escócia e Inglaterra, nem fizeram parte das insígnias da coroação real, que eram usadas nas cerimônias oficiais de coroação na Inglaterra desde o século VIII. Em função do acidentado histórico de penhorações, pilhagem e dilapidação da coleção de jóias da coroa ao longo dos séculos, no dia 29 de fevereiro de 1605 Jaime autorizou o lorde tesoureiro a fazer um novo inventário das jóias da coroa na Torre de Londres. Diferentemente do que acontece hoje, essas jóias não eram expostas ao público, e havia pouco que impedisse qualquer monarca futuro de continuar a negociar essas gemas de valor inestimável como parte de seu tesouro pessoal. Jaime estava ansioso para salvaguardar a *sua* coleção — a mais fabulosa do mundo — para as gerações futuras, e com a conclusão do inventário declarou todas as jóias da coroa inalienáveis — incluindo o Sancy e outras gemas que ele tinha adquirido ou iria comprar.

A ânsia de Jaime e Ana por jóias alimentou a indústria real de joalheria e lapidação que havia brotado no período Tudor. Os príncipes Henrique e Carlos foram cobertos de diamantes e outras jóias adequadas à sua posição, e foram pintados retratos de Henrique usando jóias que indicavam seu interesse pelo aprendizado e por expedições marítimas e militares. Um dos três grandes broches de diamante no chapéu em seu retrato pintado por Garter em 1604 é coroado com um barco; outro tem uma esfera armilar em sua base.

Cortesãos jacobitas pegaram a "febre das jóias" e patrocinaram joalheiros reais, gastando muito, freqüentemente além de suas possibilidades. Após anos de privação como rei da empobrecida nação escocesa, Jaime estava determinado a desfrutar dos muitos confortos materiais que a sorte tinha concedido a ele. Para Jaime, a Inglaterra era a terra prometida. O único problema era que as aparentes glórias de Elizabeth tinham sido obtidas ao custo de muitos anos de desarmonia com a Europa católica, escalada inflacionária e o custo de modernizar a marinha da Inglaterra. Na verdade, Jaime herdara dívidas, não fundos, e tinha poucos meios à disposição para sustentar o estilo de vida ao qual ele acreditava ter direito.

Seu maior problema era como sustentar o governo. Os custos do reino tinham se tornado cada vez maiores, e esperava-se que o rei vivesse "por conta

184 O DIAMANTE MALDITO

própria" — ou seja, com os rendimentos das terras da coroa e outras obrigações estabelecidas séculos antes, na época feudal. Só era possível pedir dinheiro ao Parlamento, que o rei se recusou a convocar por dez anos, no caso de uma declaração de guerra. Uma forma de conseguir dinheiro era ordenar como cavaleiros homens que pagassem seus tributos de vassalagem. Talvez tenha sido por isso que Jaime elevou mais homens que qualquer outro monarca. Outro método à sua disposição era tentar cobrar impostos da pequena nobreza proprietária de terras em época de paz pelo trabalho cotidiano de governar, mas, naturalmente, isso era muito impopular. A terceira alternativa era prescindir do Parlamento — uma decisão que estaria em sintonia com o que estava acontecendo em todo o continente na época — e assim exercer plenamente o direito divino real de impor todos os tipos de impostos e obrigações. Todos esses métodos de levantar dinheiro tinham sido utilizados no passado, de modo que tanto o Parlamento quanto o rei podiam igualmente alegar que o direito estava do seu lado. Jaime colocou em marcha uma série de acontecimentos que resultariam em uma progressiva erosão da confiança entre a monarquia e o povo, e isto culminaria em desastre para ambos.

Em 1603, Jaime iniciou seu reinado firmando a paz com a Espanha e produzindo um enorme surto de atividade econômica. No mesmo ano, Jaime convocou uma conferência teológica em Hampton Court para os puritanos anunciarem suas exigências para uma nova reforma na Igreja da Inglaterra. Embora a conferência tenha sido um absoluto fracasso, Jaime quis sustentar o conceito de uma Igreja verdadeiramente nacional, como Elizabeth tinha feito. Como calvinista, Jaime compreendia a base do movimento puritano na Inglaterra e o fato de que seus "ministros divinos" praticavam a fé em ação. Mas os católicos, apesar de terem recebido garantias de Jaime, enquanto ele ainda estava na Escócia, de que teriam liberdade de credo, continuavam descontentes. Multas estabelecidas sob Elizabeth, mas nunca cobradas, de "recusantes" eram agora impostas em troca da permissão de missas públicas. Os católicos eram instados a transferir sua lealdade do papa para o rei, e enquanto os puritanos e os anglicanos aplaudiam as medidas, os católicos ficavam alarmados.

INALIENÁVEL EM MÃOS INDIGNAS DE CONFIANÇA 185

Em novembro de 1605 foi frustrado um complô conhecido como Conspiração da Pólvora, para assassinar toda a família real e todos os membros do Parlamento, tramado pelo católico Robert Catesby. Se ele tivesse sido bem-sucedido, teria sido a maior catástrofe a atingir a infra-estrutura política, econômica e social de uma sociedade ocidental. Catesby e seus conspiradores não eram fanáticos — eles eram homens desesperados, lutando por sua própria existência — e, a não ser pelo fato de que acreditavam no assassinato de todo o *establishment* inglês como o único meio de atingir seus objetivos, sua coragem e seu sacrifício pessoal devem ser admirados e sua situação difícil lastimada.

Todos os conspiradores eram "cavalheiros de nome e sangue". Guido "Guy" Fawkes, um soldado profissional que os conspiradores trouxeram de Flandres da legião católica inglesa que lutava pela Espanha, tinha se alistado a serviço da Espanha após vender sua propriedade em Yorkshire. Ele tinha aprendido a arte da guerra com holandeses e espanhóis, e mostrou a seus comparsas como cavar um túnel seguro do porão de um prédio até as fundações das Casas do Parlamento. Trinta e seis barris de pólvora, carregados com grandes barras de ferro para atravessar o teto da galeria subterrânea, foram estocados durante seis meses até o dia de abertura do primeiro Parlamento de Jaime, em 5 de novembro de 1605. Os conspiradores foram descobertos como resultado de uma carta cuidadosamente redigida enviada a lorde Monteagle, cunhado do conspirador chamado Tresham, que dizia:

> Eu o aconselho a cuidar de sua vida, a apresentar alguma desculpa para evitar comparecer a este Parlamento; pois Deus e o homem se uniram para punir a iniqüidade desta época. Não negligencie este aviso e retire-se para o campo, onde poderá esperar pelos acontecimentos em segurança, pois embora não haja qualquer aparência de alguma agitação, eu digo que eles irão receber um terrível golpe deste Parlamento, e eles não verão quem os feriu.

Robert Cecil, que pouco antes fora elevado ao título de lorde Salisbury, recebeu a carta de Monteagle, que temia ser implicado na conspiração. Mas

186   O DIAMANTE MALDITO

Cecil não tinha idéia de quem procurar ou onde procurar. Cecil mandou que homens de sua confiança fizessem buscas discretas nas Casas do Parlamento. Na tarde de 4 de novembro, o conde de Suffolk cruzou com um vigia solitário na galeria subterrânea do Parlamento e perguntou a ele a quem pertenciam as barras de ferro e madeira amontoadas nas sombras. O vigia era Fawkes, que respondeu honestamente que elas pertenciam a lorde Percy, omitindo, entretanto, que Percy era um dos conspiradores católicos. Às 11 horas da noite Fawkes foi arrastado, amarrado e lutando, para a Torre de Londres.

Catesby e muitos dos outros conspiradores foram rastreados e mortos em Holbeche House, Staffordshire. Os poucos conspiradores remanescentes foram levados de volta a Londres, sangrando por ferimentos mortais, para enfrentar julgamento e morte certa. O fato de que a conspiração foi denunciada por um par católico indica que o esquema não tinha amplo apoio da comunidade católica, que estava ela mesma dividida em facções menores.

Fogueiras foram acesas e orações de agradecimento feitas em igrejas de todo o reino. O próprio Jaime acreditava que o Sancy e suas outras pedras preciosas trouxeram a ele sorte — e talvez invencibilidade — e que ele só poderia se tornar cada vez mais forte. Jaime decretou que aquela "Noite de Guy Fawkes" seria comemorada em todo o território a cada 5 de novembro, com um serviço de ação de graças especial em todas as paróquias. Os católicos foram obrigados a fazer ao rei um Juramento de Supremacia sobre o papa. Após um breve período de terror no qual católicos foram aprisionados ou multados, Jaime maquinou um plano para fechar as feridas religiosas. Ele iria casar seu filho e herdeiro, o príncipe Henrique, com uma princesa católica, e seu filho Carlos com uma princesa protestante. Em dezembro de 1605, um embaixador foi enviado à Espanha para iniciar as negociações com Felipe III pela mão de sua filha, a infanta Maria, para o príncipe Henrique.

Enquanto isso, Salisbury se concentrou em taxas de importação como a melhor forma de sustentar a família real. Impostos eram forçados para regular o comércio e faziam parte da política externa — e tudo o que dizia respeito à política externa fazia parte das prerrogativas reais. Jaime tinha encontrado sua válvula de segurança.

Então veio a tragédia. Em 1612, o talentoso e leal Salisbury morreu, seguido pouco depois pelo herdeiro de Jaime, o príncipe Henrique. Henrique era um jovem de excepcionais perspectivas e tinha apenas 18 anos de idade quando contraiu febre tifóide. Jaime tinha investido todas as suas energias na sucessão de Henrique, ignorando inteiramente seu filho mais jovem e fraco, Carlos. O rei ficou simplesmente arrasado. Todos os seus planos e esperanças foram transferidos para o insípido príncipe Carlos, e Jaime entrou em uma espiral descendente.

Sua corte se tornou cada vez mais marcada por escândalos, como o envenenamento de *sir* Thomas Overbury por sua resistência ao divórcio de Frances Howard para se casar com o então favorito de Jaime, Robert Carr, então conde de Rochester. A saga sórdida de seu caso, noivado e o assassinato de Overbury foi apresentada à Câmara dos Lordes, e seus lacaios foram enforcados. Jaime interferiu para salvar Carr e sua nova esposa, e eles foram autorizados a passar sua existência em retiro, mas o escândalo expôs sua corte por sua ativa perversão da justiça. Outros cortesãos sabiam que o único caminho para o coração do rei era instigar nele o amor por outro homem, e encontraram o empobrecido filho mais novo de um cavalheiro de Leicestershire, George Villiers.

Villiers era considerado o homem mais bonito de sua época e foi preparado para atrair o interesse do rei. Jaime caiu de amores, fazendo de Villiers visconde em 1616 e duque de Buckingham em 1623. Mas Buckingham se mostraria mais perigoso que Carr e qualquer outro de seus antecessores. Ele combinava ambição cega, aspirações políticas e total inépcia, e enquanto Jaime envelhecia e se tornava mais enfeitiçado por seu "cão" (o apelido dado a Buckingham por Jaime), o duque levaria a nação à beira da catástrofe.

15

Cortejando a infanta espanhola

1618-1624

BUCKINGHAM, SEM OS LIMITES DA RAZÃO e motivado por auto-exaltação, apoiou em 1618 um esquema que iria marcar um desastroso reinício da guerra contra a Espanha e colocar em marcha acontecimentos que arriscariam a perda do Sancy pela coroa inglesa. Ele e outros ministros próximos ao rei, conhecidos como partido da guerra, acharam que a Inglaterra poderia melhor assegurar suas próprias colônias na América lançando Walter Raleigh sobre a América espanhola com alguma missão ostensivamente inócua em busca de ouro para a Inglaterra. A suposta proposta pacífica para a libertação de Raleigh era nada menos que um anúncio de guerra. Raleigh, após 12 anos de prisão por acusações falsas, estava completamente desesperado para provar seu valor, e só tinha conhecido traição e ódio desde seu retorno à Inglaterra. A América significava sua salvação. Mas os únicos marinheiros que ele conseguiu alistar em sua frota eram "a escória dos homens", já que para marinheiros experimentados a empreitada não parecia ser mais do que uma operação de pirataria. No final, Raleigh não encontrou nenhuma mina de ouro, enfrentou a frota espanhola no Orinoco e perdeu seu filho em batalha. Ele navegou de volta para casa para encontrar seu destino, sabendo que voltar para Jaime de mãos vazias significaria sua execução como traidor com base na antiga

190 O DIAMANTE MALDITO

sentença imposta 12 anos antes. Buckingham, que instigara a desastrosa campanha, já tinha dado meia-volta antes de Raleigh zarpar. Em vez de atacar a Espanha, Buckingham agora aconselhava o rei a casar seu filho remanescente, o príncipe Carlos, com a infanta espanhola.

Jaime não percebeu que tal união iria destruir todas as reformas protestantes dos sessenta anos anteriores, nem que seria um anátema para seu povo. Ele não percebeu que, com a morte de Henrique IV, Maria de Médici arruinara a causa protestante na França, e que a ascendência que ela detinha sobre os filhos como católicos devotos representava um problema para aquela nação. Os protestantes do continente clamavam pela ajuda de Jaime, mas ele estava ocupado demais construindo um império na América para perceber a fonte do descontentamento. O rei negligenciou os bons conselhos de seu jovem filho príncipe Henrique, que, quando Jaime propôs a ele desposar uma princesa católica francesa, respondeu que "as duas religiões não irão se deitar lado a lado em minha cama". Mas o príncipe Henrique estava morto, e Carlos não era como ele.

A união espanhola se tornou o principal objetivo da política externa de Jaime nos anos seguintes. A tolerância doméstica precisaria se estender aos católicos para provar a disposição do rei, e a angústia da lealdade forçada pelo rei sobre o papa seria coisa do passado. Juízes relutantes receberam ordens de libertar católicos de todas as prisões da Inglaterra, e os impostos pagos pelos recusantes definharam até quase nada. A perseguição aos católicos persistiu apenas nas regiões mais remotas do país, onde juízes de paz locais eram hostis à influência do governo central.

A união proposta foi apresentada ao povo inglês como um favor à Espanha. O embaixador espanhol na Inglaterra, Gondomar, foi bajulado de forma extravagante pelo rei e pela corte, e passou a ser, ao lado de Buckingham, a voz mais poderosa nos assuntos ingleses entre 1618 e 1621. Gondomar era um cavaleiro de armadura brilhante para os recusantes ingleses, com os fiéis esperando por ele nas ante-salas da embaixada espanhola. O embaixador francês, que considerava seu papel proteger os fiéis católicos na Inglaterra, queixou-se ciumentamente de que fora negligenciado pelos católicos ingleses.

CORTEJANDO A INFANTA ESPANHOLA   191

Os não-católicos se sentiam ameaçados, e caricaturas, sátiras e sermões dirigidos contra os espanhóis eram punidos com rigor pelo Conselho Privado por instigação de Gondomar. Como Jaime estava governando havia dez anos (1611-1621) sem convocar o Parlamento, eles não tinham outra forma de expressar sua frustração e seu temor.

Nos dois anos seguintes o projeto de casar o príncipe Carlos com a infanta espanhola — pelo qual Jaime sacrificara a fortuna de seu país e o amor de seus súditos — provou ser um absurdo diplomático e um equívoco muito caro. O que se seguiu foi digno de um filme B, e incluiu um príncipe perdido de amor, uma noiva relutante, vilões com bigodes curvados, salteadores e vigaristas, e acabaria em guerra.

A maior de todas as tolices começou quando dois jovens usando barbas falsas e chamando a si mesmos John e Thomas Smith deixaram New Hall, Essex, a cavalo, na manhã gelada de 18 de fevereiro de 1623, rumo ao porto de Dover, na costa sudeste. O "Smith" mais alto e belo carregava no bolso do peito uma fortuna em diamantes que ele esperava vender para Carlos, o príncipe de Gales. Os primeiros olhares inquisitivos recaíram sobre eles na travessia do Tâmisa em Gravesend, a sudeste de Londres, onde eles deram uma gorjeta tão grande ao barqueiro que ele imediatamente presumiu que eles eram tipos suspeitos. Ele rapidamente alertou as autoridades locais, que interceptaram os dois "Smith" cerca de 80 quilômetros depois, em Canterbury. Quando confrontado, o Smith mais alto retirou sua barba e se revelou George Villiers, o recém-consagrado cavaleiro duque de Buckingham — o homem preferido do rei, "companheiro" e principal ministro. O sempre encantador Buckingham alegou que estava viajando incógnito para "averiguar em segredo a prontidão da frota de Sua Majestade". Os magistrados se desculparam humildemente, e os dois cavalheiros foram autorizados a retomar sua jornada. O que Buckingham não revelou foi que seu pequeno companheiro não identificado era Carlos, príncipe de Gales, de 22 anos de idade.

Buckingham também mentiu acerca de seu objetivo. Aquele era um início nada auspicioso para o temerário esforço do príncipe Carlos de cortejar pessoalmente a infanta espanhola. Todo o episódio se tornou infame nos círculos ingleses e daria a Buckingham e Carlos os títulos de "Cavaleiros da Aventura" na imprensa inglesa durante vários meses.

Nesta viagem, Buckingham, que sempre estava de olho em uma boa oportunidade, levara uma fortuna em diamantes em seu bolso do peito, tendo anteriormente acertado com um rico mercador, *sir* Paul Pindar, que levaria os grandes diamantes de Pindar consigo para discutir sua aquisição com Carlos. O jovem príncipe estaria longe da corte e da influência paterna, e Buckingham supunha que Carlos poderia ser facilmente induzido a fazer a compra. Um dos diamantes era uma gema excepcional de 36 quilates chamada Grande Diamante (mais tarde chamada Pindar e avaliada no ano seguinte em 35 mil libras), que o rei freqüentemente pegava emprestada para usar em ocasiões oficiais. O outrora humilde Buckingham não estava acima — ou abaixo — de um bom negócio e de receber uma comissão pessoal enquanto envolvido em assuntos reais oficiais. Ele, como toda a corte jacobita, sofria da febre do diamante, e sabia como lucrar pessoalmente com a ânsia dos Stuart por estas gemas.

O argumento de vendas de Buckingham para o manipulável jovem príncipe reforçava o ponto de que os diamantes poderiam ser utilizados para deslumbrar a infanta espanhola, e com a riqueza da Inglaterra ele conquistaria o seu coração. Afinal, Jaime I já tinha remodelado o Espelho de Portugal, roubado da coroa portuguesa por dom António quando da invasão de Felipe II, para impressionar a princesa. Mas Carlos até então resistia à charmosa ofensiva de Buckingham, dizendo que só iria comprar o Pindar quando se tornasse rei.

Em uma tempestuosa viagem de seis horas através do Canal da Mancha, eles ficaram terrivelmente enjoados, e ao desembarcarem na França não conseguiram encontrar abrigo em uma hospedaria até a segunda noite depois da travessia. Não querendo ser novamente desmascarados, e em circunstâncias bem mais arriscadas, já que estavam em solo estrangeiro, Buckingham tomou a precaução adicional de comprar para eles grandes perucas para "melhor esconder seus rostos" enquanto visitavam a corte francesa.

CORTEJANDO A INFANTA ESPANHOLA   193

Quando a dupla finalmente chegou à corte francesa, vagou entre a multidão que tinha ido tomar parte dos rituais públicos da corte, que incluíam jantar com o rei e a rainha-mãe. Buckingham então reuniu coragem para pedir ao camareiro da rainha que os admitisse com um pequeno grupo de outros espectadores para ver a rainha, a princesa Henriqueta Maria e "outras belas damas dançarinas" ensaiando para o espetáculo que seria apresentado ao rei. Como Buckingham e Carlos pareciam bem-educados e bem-vestidos, embora cavalheiros estrangeiros curiosos com grandes perucas, o camareiro da rainha não viu perigo no pedido de Buckingham e o atendeu de boa vontade.

Acreditava-se que a jovem princesa Henriqueta Maria poderia fascinar Carlos, já que ela era irmã de Isabel da França, mãe da infanta espanhola, Maria. Mas isso não poderia estar mais distante da verdade. Por algum estranho motivo — muito provavelmente estimulado pelo fanfarrão Buckingham —, Carlos se iludiu acreditando que estava perdidamente apaixonado pela infanta, trancando-se por horas a fio, devaneando junto ao seu retrato. Ele freqüentemente também escrevia para ela cartas de amor — que permaneceram sem resposta. Na verdade, Carlos concordou em fazer toda aquela viagem insana através da França até a Espanha, mais uma vez por sugestão de Buckingham, para seduzi-la pessoalmente e levar a infanta consigo para a Inglaterra como sua noiva.

Na manhã seguinte, bem cedo, Buckingham e Carlos partiram para a Espanha sem terem feito novos contatos com a corte francesa. Eles, porém, foram reconhecidos no caminho para a fronteira da Espanha. Desta vez, eles receberam ordens do embaixador inglês, lorde Herbert, para "saírem da França com a maior urgência e tomarem cuidado para no caminho não fazerem nada que pudesse aborrecer as autoridades". Os cavaleiros da aventura, devidamente repreendidos, concordaram e chegaram à Espanha sem outros incidentes.

Quando Carlos foi finalmente admitido na corte espanhola, percebeu que sua tarefa seria mais difícil do que tinha sido levado a crer por Buckingham. A corte espanhola no Escorial era verdadeiramente esplêndida, coberta de todas as riquezas que as colônias espanholas — e portuguesas — tinham a oferecer. Carlos se sentiu envergonhado de suas poucas quinquilharias e, juntamente com Buckingham, enviou um bilhete para Jaime em 22 de abril de 1623:

Sir,
    Eu confesso que o senhor enviou mais jóias do que pensei precisar ao partir; mas, desde minha chegada, vendo as muitas jóias usadas aqui, e que meu esplendor não pode consistir de nada mais, aquele número delas que o senhor me havia indicado para dar à infanta, na opinião de Steenie [apelido de Buckingham] e na minha, não são adequadas para dar a ela; assim, eu tomei a liberdade de suplicar a Vossa Majestade que envie mais para meu próprio uso, e para dar a minha Dama: no que eu penso que Vossa Majestade não deve impropriamente considerar os conselhos de Carlisle. Assim, humildemente ansiando por sua benção, permaneço
    Humilde e obediente filho e servo de Vossa Majestade, Carlos.

Um pós-escrito apressadamente acrescentado pelo onipresente Buckingham afirma: "Eu, seu Cão, digo que o senhor tem muitas jóias não adequadas para serem usadas por si mesmo, seu filho ou sua filha, mas muito adequadas para conceder àqueles aqui que necessariamente precisam receber presentes; e dessa forma será menos oneroso para Vossa Majestade, em minha modesta opinião."

Naturalmente, na opinião de Carlos, não havia a possibilidade de dar à infanta qualquer das jóias da coroa — incluindo o Sancy —, mas, no bilhete que o imensamente insolente duque escreveu ao rei Jaime três dias depois sobre o mesmo assunto, estava claro que o poder do Sancy era necessário para convencer os espanhóis de que a corte jacobita significava negócios:

Caro Pai, Compadre e Administrador,
    Embora vosso menino tenha ele mesmo mandado dizer da necessidade que ele tem de mais jóias (...) eu dou minha humilde e atrevida opinião sobre o que seria mais adequado enviar. (...) *Sir*, ele não tem corrente nem fita de chapéu; e eu rogo que primeiramente considere quão ricos são eles em jóias,

portanto com que pobres objetos pessoais ele veio, como ele não tem outra forma de se mostrar como o filho de um rei, o quão úteis são jóias em uma hora como esta, quando elas podem elevar a vós, a vosso filho e à honra da nação, e finalmente como não irá causar risco algum a vós. (...) Eu espero, já que comprometestes vossa principal jóia a vosso Filho, conseguir persuadi-lo a entregar mais estas a ele: primeiramente, vossa melhor fita de chapéu — o diamante de Portugal; o restante dos pingentes de diamantes, para fazer um colar para dar à vossa Senhora; e o melhor cordão de pérolas, com uma ou duas ricas correntes para ele mesmo usar, ou talvez vosso Cão queira um colar; que é a forma certa de introduzi-lo. Há muitas outras jóias de qualidade tão medíocre que não merecem esse nome, mas que irão poupar muito vossa bolsa e servirão muito bem como presentes.

O mais humilde escravo e Cão de Vossa Majestade, Steenie.

Era um claro pedido pelo ornamento de chapéu do rei Espelho da Grã-Bretanha, que incluía o Sancy e o Espelho de Portugal. As jóias que tinham sido tão utilizadas para a guerra e a diplomacia eram agora necessárias para a arte do amor. Mas Jaime se recusou a liberar seu diamante "da sorte", o Sancy. Em vez disso, ele enviou "um colar de ouro contendo trinta peças das quais 15 são rosas, em cada qual um grande diamante ogival e 15 monogramas da coroa com os nomes do rei e da rainha tendo em cada um deles um diamante mesa" para o príncipe apaixonado, juntamente com "Os Três Irmãos que vocês conhecem bem, mas em um novo conjunto, e o Espelho da França, o par do diamante de Portugal que eu peço a você que use só em seu chapéu com uma pequena pluma negra". O rei também pensou em seu favorito, Buckingham, e mandou para ele um diamante mesa para seu chapéu.

Fortalecido por suas gemas magníficas, Carlos fez de si mesmo um completo idiota ao escalar as paredes do palácio para ter uma visão da infanta, ou mais de uma vez forçando sua presença para uma conversa particular. Então, vendo-a finalmente, ele se acreditava tomado de amor à primeira vista. A etiqueta espanhola, porém, determinava que o príncipe jamais podia se dirigir diretamente à infanta, e certamente não em seus aposentos privados. Quando a rainha tomou conhecimento do que tinha acontecido, exigiu vê-lo em

196 O DIAMANTE MALDITO

audiência privada e deu-lhe uma reprimenda real. Ele não tinha servido para nada mais, disse-lhe ela, do que envergonhar a si mesmo e a seu país. Carlos prometeu que se ela convencesse sua filha a mudar de idéia, ele iria fazer todas as concessões aos católicos ingleses — abolir todas as leis penais — e permitir que seus filhos fossem criados como católicos. Suas promessas serviram apenas para rebaixá-lo ainda mais. A rainha confirmou nos termos mais rudes que seu caso era sem esperanças. A infanta não fez qualquer segredo de sua náusea com a perspectiva de qualquer casamento com um herege protestante.

Buckingham reagiu violentamente, provocando uma querela pessoal e pública com a nação espanhola. Ele exclamou para qualquer um na corte espanhola ouvir que "nós preferiríamos colocar a infanta de cabeça para baixo em um poço que nas mãos do príncipe". Carlos se juntou ao jogo, debochando dos governantes, da terra árida, da população miserável e das hospedarias de péssima qualidade que tinham visto em sua viagem até Madri. As jóias históricas de valor inestimável foram arrancadas da corte espanhola, e os dois aventureiros tomaram o rumo de casa. Quando os londrinos souberam que o príncipe tinha retornado em segurança e que ainda era protestante — e solteiro — a cidade, e depois a nação, explodiu em um júbilo que não teria sido mais sincero se ele houvesse trazido toda a frota espanhola como presa de guerra.

O amor não correspondido e o constrangimento do jovem príncipe tornaram-se ódio, e o aventureiro Buckingham avivava as chamas da vergonha sempre que podia para atender seus próprios interesses. O interlúdio romântico não tinha sido mais do que uma ilusão quixotesca, com Carlos atacando os moinhos de vento sem ter uma donzela para salvar. O lamentável é que essa loucura espanhola foi o primeiro e único gesto romântico da vida de Carlos, e um que levou a Inglaterra à beira da guerra.

O que Jaime I da Inglaterra considerara um casamento por necessidade política, Carlos loucamente acreditou ser um encontro concebido nos céus. Ele, diferentemente do príncipe Henrique, não tinha sido educado para o poder. Seu pai, que tinha negligenciado ou mesmo censurado Carlos por sua

CORTEJANDO A INFANTA ESPANHOLA 197

gagueira e falta de estatura física, não mudou sua opinião sobre o filho sobrevivente nem sobre a preparação de Carlos para se tornar rei. Inacreditavelmente, nem Jaime nem Carlos perceberam que o proposto noivado de Carlos com uma princesa católica era uma batata quente diplomática que teria graves repercussões. A Europa continuava dividida em linhas de batalha protestantes e católicas, como Jaime sabia a um custo pessoal. Vários anos antes, em 1619, a filha de Jaime, Elizabeth, e seu genro protestante, Frederico, eleitor do Palatinado Renano, tomaram a decisão catastrófica de aceitar a coroa do reino da Boêmia depois que a nobreza luterana se revoltou contra seus senhores católicos Habsburgo. Os Habsburgo austríacos retaliaram, expulsando Frederico, sua esposa inglesa e sua prole numerosa da Boêmia e de seus territórios renanos, dessa forma deflagrando a Guerra dos Trinta Anos, que virtualmente envolveu todas as potências européias em dado momento.

Jaime tinha conspirado e agido em segredo durante mais de vinte anos para manter absoluto poder pessoal sobre seus três reinos (Inglaterra e Gales formavam um, então Escócia e Irlanda), e não estava preparado para permitir que seu herdeiro, Carlos, ou sua filha fossem "insultados por arrivistas católicos" — mesmo que seus nomes fossem Habsburgo. Mas Jaime não podia dar conta de sua espada, quanto mais de uma guerra. Embora a coroa aparentemente fosse a mais rica da Europa, Jaime simplesmente não tinha dinheiro em caixa para sustentar seu estilo de vida suntuoso, e as guerras eram reconhecidamente dispendiosas. Tendo tornado as jóias da coroa inalienáveis — "invioláveis e inseparáveis" de acordo com seu decreto de 1605 — elas já não eram uma forma de levantar capital. Ele tinha se recusado a convocar o Parlamento por mais de dez anos, mas precisava do Parlamento para criar impostos. A única aparente solução para o problema católico criado pela dinastia Stuart, portanto, continuava a ser o Parlamento taxar a nação para criar um fundo de guerra.

Mas isso não seria suficiente. Guerras pedem aliados, e guerras continentais demandam amigos poderosos. O dilema de Jaime só poderia ser resolvido engambelando um aliado continental para se colocar firmemente do seu lado. Mas quem? Não havia dúvida de que Jaime invejava que as três grandes famílias do continente naquela época — os Médici, os Bourbon e os Habsburgo — estivessem unidas pelo casamento, e Jaime queria desesperadamente acrescentar o nome Stuart à lista principal de realezas continentais.

A corte fracassada de Carlos à infanta deu a Jaime um violento despertar. Ele finalmente tinha percebido que as prevaricações dos Habsburgo espanhóis nos três anos anteriores significavam que eles nunca tiveram qualquer intenção de permitir que o casamento fosse em frente. Então o obstinado rei voltou seus olhos para a França, e em janeiro de 1624 iniciou negociações com o rei Luís XIII para casar o infeliz Carlos com a princesa Henriqueta Maria.

16

Na coroa de Henriqueta Maria, rainha francesa da Inglaterra

1624-1628

APESAR DA INALIENABILIDADE DO SANCY, ele logo seria dado por Carlos à futura rainha da Inglaterra. Os franceses, por sua vez, eliminaram qualquer hipótese de que eram uma reserva no caso de o acordo de casamento espanhol fracassar, e mandaram a Londres um enviado francês com um presente de 12 falcões, 12 caçadores e 12 cavalos com arreios adornados, como um gesto de boa vontade. Em fevereiro, Jaime enviou o experimentado "embaixador de corte" visconde Kensington para o Louvre, então o palácio real, para fechar o acordo. No dia 24 de fevereiro, Kensington escreveu a Buckingham para transmitir ao rei: "O senhor irá descobrir uma dama tão amorosa e doce para merecer seu afeto quanto qualquer criatura sob o céu, mas sua altura é bastante reduzida para sua idade; e sua sabedoria infinitamente maior que ela." Basicamente, Henriqueta Maria era minúscula — mal chegava a 1,20m de altura — mas vigorosa e esperta.

Em maio, Kensington recebeu reforços na pessoa do conde de Carlisle, o experiente diplomata no caso espanhol, que chegou com a proposta oficial de casamento. As negociações sobre as questões espinhosas do contrato de casamento e da aliança política com a França finalmente começavam. Buckingham, com sua mistura única de arrogância e incompetência política, insistiu em ligar o casamento à aliança política para salvar a filha e o genro desafortunados de Jaime, embora Kensington tenha alertado o rei de que as duas questões deveriam ser separadas. Jaime, claro, deu ouvidos a Buckingham.

O cardeal Richelieu e a rainha Maria estavam preparados para ceder se algo pudesse ser feito acerca da difícil situação dos católicos ingleses. Nesse momento Buckingham interferiu pessoalmente com o cardeal Richelieu. Embora desgostasse intensamente de Buckingham, o cardeal permaneceu pragmático, e soube por intermédio de sua vasta rede de espiões que o duque detinha grande poder. Chegou-se a um compromisso, e no dia 13 de setembro o embaixador veneziano em Paris relatou que as questões religiosas que dificultavam a união tinham sido solucionadas. "O rei e o príncipe de Gales prometeram em um documento por escrito em separado, que o secretário de Estado também irá assinar, que os católicos do reino desfrutarão dos mesmos privilégios e isenções a pedido do Mui Cristão [o rei da França] como foram concedidos ao Católico [o rei da Espanha] em negociações com ele. Eles serão autorizados a viver professando sua fé, sem serem molestados, e não serão perseguidos ou forçados em qualquer questão de consciência." O embaixador veneziano estava utilizando um eufemismo da época quando descreveu a promessa como "um documento por escrito em separado". Era um *escrit particulier* — mais conhecido hoje como tratado secreto.

Era então o outono de 1624. Jaime tinha virtualmente transferido o governo para Buckingham e Carlos. A saúde do rei estava se deteriorando rapidamente, e os Habsburgo — tanto austríacos quanto espanhóis — continuavam a ser os alvos fixos de sua vingança pessoal no pequeno conflito dinástico que ele estava decidido a travar. A guerra no continente tinha contribuído para uma queda brusca na exportação de têxteis ingleses. Safras insuficientes foram sucedidas por fome. De forma impressionante, apesar da incompetência de Buckingham e da inexperiência de Carlos, eles levaram o Parlamento recém-convocado a aprovar uma verba de 300 mil libras (45,9

NA COROA DE HENRIQUETA MARIA, RAINHA FRANCESA DA INGLATERRA 201

milhões de dólares ou 28,7 milhões de libras em valores de hoje) para um ataque conjunto marítimo e terrestre à Espanha com os holandeses, desde que as negociações de casamento espanholas fossem definitivamente suspensas e que a guerra fosse declarada *apenas* contra a Espanha. Jaime, que não informara o Parlamento do fracasso nas negociações de casamento com a Espanha, prometeu que iria aceitar suas condições, mas, seguindo o conselho de Buckingham, preferiu gastar o dinheiro subsidiando exércitos estrangeiros na Renânia, esperando que eles restabelecessem Frederico e Elizabeth no Palatinado. No dia 23 de novembro, dois dias antes do aniversário de 15 anos de Henriqueta Maria, o contrato de casamento foi assinado pelos franceses. Com o compromisso solene do rei Luís de financiar o exército mercenário como prova de boa-fé, o rei Jaime e Carlos assinaram o contrato de casamento em Cambridge no dia 12 de dezembro. O diamante Sancy seria dado a Henriqueta Maria como pedra principal a ser colocada em sua coroa de ouro de rainha.

Um subsídio de 40 mil libras (6,1 milhões de dólares ou 3,8 milhões de libras, em valores de hoje) foi concedido ao sempre ambicioso Buckingham por suas despesas para representar Carlos no casamento por procuração, a ser realizado no Palácio do Louvre. A suntuosidade de seu subsídio pode ser observada em comparação com as 300 mil libras que Jaime levantara cinco meses antes para mover uma guerra.

O que escapou à atenção de Jaime e Carlos foi o fato de que o povo inglês dava pouco apoio a qualquer casamento com a França. Mesmo os católicos ingleses eram contra o casamento francês, já que eles tinham ouvido sobre os protestos espanhóis a seu favor e achavam equivocadamente que os franceses não se importavam com a perseguição a eles. Os puritanos se sentiam ultrajados por terem sido concedidos a Henriqueta Maria plenos direitos a praticar sua religião, com capelas católicas adequadamente ornamentadas em todas as residências reais. Ademais, a criadagem particular da futura rainha da Inglaterra seria formada exclusivamente por católicos franceses escolhidos pelo rei da França. Qualquer filho do casamento seria criado pela mãe até completar 12 anos de idade, e se ela enviuvasse estaria livre para retornar

202 O DIAMANTE MALDITO

à França se assim desejasse, levando consigo todos os seus bens e jóias pessoais, embora não as jóias da coroa inglesa. Deveria parecer provável que a noiva adolescente já contasse com o Sancy entre suas jóias pessoais, embora esse não fosse o caso, já que ele tinha sido declarado inalienável por Jaime.

Jaime tinha 58 anos de idade, era mal-humorado, constantemente choramingava, arrotava e se coçava em público, e sofria de um grande número de indisposições desagradáveis que ele pouco fazia para disfarçar, variando de indigestão e flatulência até diarréia. Ainda assim, quando o fim chegou, pareceu surpreender a todos, e Jaime, de acordo com o *Birch's Historical Review*, morreu em uma semana, da "piora de suas lamentáveis condições", no dia 27 de março de 1625.

O primeiro ato do novo rei Carlos I foi confirmar em seus cargos todos os ministros de seu pai. O segundo foi concordar com uma data de casamento um mês após o funeral do pai. Sempre confiante, Buckingham estava certo de que seria necessário em casa para aconselhar Carlos, então *sir* George Goring foi à França em seu lugar para representar o rei em seu casamento por procuração. O duque já havia despendido 20 mil libras em um pródigo guarda-roupa que pretendia usar como representante do noivo, e que incluía uma veste de cetim púrpura toda bordada com pérolas orientais. Ela nunca viu a luz do dia.

No dia 11 de maio de 1625, Carlos Stuart se casou por procuração com Henriqueta Maria de Bourbon em frente à catedral de Notre Dame em Paris. A diminuta noiva trajava um vestido de ouro e prata incrustados de diamantes e flores-de-lis de ouro e uma cauda tão pesada que as três damas responsáveis por carregá-la capturaram um cavalheiro disponível para caminhar sob ela, levando parte do peso em sua cabeça. Todos os presentes refulgiam e brilhavam em ouro e prata, diamantes e outras pedras preciosas. O rei Luís parecia "o sol glorioso ofuscando as outras estrelas". A cerimônia de casamento foi sucedida por celebrações que duraram vários dias, com espetáculos de fogos de artifício, luzes, diversões suntuosas no Palácio de Luxemburgo e salvas de canhão, tudo oferecido pela triunfante rainha-mãe, Maria de Médici.

NA COROA DE HENRIQUETA MARIA, RAINHA FRANCESA DA INGLATERRA 203

Quando Henriqueta Maria se despediu da mãe em 16 de junho, Maria, como era de se esperar, tentou estimulá-la com um sermão religioso inspirador sobre como Henriqueta Maria era o anjo da guarda e o cruzado dos católicos ingleses. Todos os indícios são de que a nova rainha-menina permaneceu inabalável, já que sua mãe conspiradora pouco havia feito para se aproximar de Henriqueta Maria durante sua infância. Nem sua mãe nem os ingleses sabiam o que Henriqueta Maria tinha reservado para eles.

O relatório do embaixador veneziano em Londres em julho de 1626 definiu sucintamente: "A rainha é totalmente francesa, tanto em seus sentimentos quanto em seus hábitos. O casamento não a mudou nem um pouco (...) e não parece provável que isso aconteça tão cedo." Essa foi a observação mais gentil sobre os tempestuosos três anos que se seguiram.

Enquanto Carlos gaguejava e era desajeitado de modos e insípido em aparência, Henriqueta Maria era ágil e sagaz. Enquanto ele era excessivamente organizado — compartimentando seus dias em horários rígidos dedicados a oração, exercício, negócios, refeições e descanso —, ela adorava frivolidade, diversidade, música e riso. Ele era lento e se movia com dificuldade; ela, mercurial. Ela era uma morena efervescente com grandes olhos negros, mas só chegava aos ombros de seu baixo marido. Seu único traço infeliz eram os dentes, que foram descritos por sua sobrinha, a duquesa de Hanover, como "armas apontando para fora de uma fortaleza", embora eles nunca tenham sido representados acuradamente em retratos reais. O único traço de caráter que o novo casal real partilhava era uma natureza intransigente.

Para celebrar seu casamento, Carlos finalmente comprou o diamante Pindar que Buckingham tentara vender a ele pela primeira vez durante a desventura espanhola. Ele pesava cerca de 36 quilates, e Carlos o comprou pelo preço reduzido de 18 mil libras (2,8 milhões de dólares ou 1,7 milhão de libras, em valores de hoje) em prestações. O rei não deu o Grande Diamante, como ele era chamado na época, de presente a Henriqueta Maria, mas, característica e nada romanticamente, acrescentou-o à coleção estatal de jóias da coroa. Ele, porém, presenteou Henriqueta Maria com sua própria coroa de ouro, com o Sancy engastado no centro. Seu primeiro encontro como

204 O DIAMANTE MALDITO

marido e mulher foi compreensivelmente canhestro, especialmente quando Carlos deixou claro seu desapontamento perguntando a sua diminuta e sensível noiva-menina se ela estava usando saltos altos.

A partir do momento em que Henriqueta Maria colocou os pés em solo inglês, ela buscou se cercar de todos e tudo que fosse francês. Ela obstinadamente sentia que era um direito seu — e era, como estabelecido no contrato de casamento. Com o passar do tempo — temperado por divergências públicas entre Henriqueta Maria e Carlos, suas queixas indiscretas de que "nada era como deveria ser no quarto", e os acessos de fúria adolescentes de Henriqueta Maria —, um clima amargo predominava na corte. Carlos passou a caçar e a dormir em diferentes palácios reais em que sua rainha não estava instalada. As notícias sobre a ruptura real se espalharam, e os londrinos, que não tinham visto muito de Henriqueta Maria, sentiram que foram confirmadas suas piores suspeitas sobre sua rainha católica.

Para piorar as coisas, ela não fez nenhuma tentativa de aprender inglês, e aparentemente achava que não havia nenhuma razão pela qual deveria fazê-lo — algum dia. Os franceses a apoiavam nessa postura, especialmente porque os ingleses não tinham cumprido suas obrigações de acordo com o tratado secreto. Os católicos ingleses ainda eram submetidos às leis de recusantes que tornavam as práticas católicas devotas de Henriqueta ainda mais chocantes para seu povo inglês.

Buckingham tentou salvar a situação em um surto de seu próprio egoísmo como conselheiro matrimonial real. Ele alertou a rainha de que o rei não mais suportaria sua frieza em relação a ele e que se ela não mudasse de atitude iria se tornar "a mulher mais infeliz do mundo", um termo utilizado por Henrique VIII em relação a Ana Bolena. Ele então foi mais longe, e instou Henriqueta Maria a aceitar damas inglesas em seu círculo doméstico, e sugeriu que sua esposa, sua irmã e sua sobrinha seriam muito adequadas. Um grande incidente internacional estava então fermentando, e Henriqueta Maria só estava na Inglaterra havia seis meses.

Apesar da crescente insatisfação do lado de Carlos, é justo dizer que Henriqueta Maria ainda não se considerava infeliz. Ela não tinha sido criada com a expectativa de amor ou mesmo romance, como somos hoje. Carlos era excessivamente insensível e reservado, mas não cruel. Ele não mantinha uma fila de amantes que cobrisse de diamantes e pedras preciosas para desafiar sua posição, como o pai dela, Henrique IV, tinha feito. Nem Carlos era fundamentalmente homossexual, como Jaime I foi. A principal ameaça a ela era Buckingham, que Carlos idolatrava como um irmão jovem e desajeitado faria com seu irmão mais velho bonito e esperto. Enquanto ela continuasse a ter o apoio de sua suntuosa equipe francesa de trezentos servos, poderia passar bem e não pensar muito no futuro. Afinal, ela tinha apenas 16 anos de idade.

Os primeiros seis meses de Henriqueta Maria na Inglaterra também foram marcados por um violento surto de peste. Até o Ano-Novo de 1636, a doença já havia matado cerca de sessenta mil súditos ingleses. Conseqüentemente, a coroação do casal como rei e rainha fora postergada, e estava agora marcada para a Festa da Candelária, 2 de fevereiro de 1626, mas seria realizada sem a magnificência usual característica de uma coroação real. De fato, o decreto real para a coroação determinava: "foi decidido, por motivos de economia, poupar [as] trezentas mil coroas que ela custaria e utilizar o dinheiro em outros propósitos importantes e necessários." Não era apenas um impulso de austeridade do Parlamento. Era uma confissão humilhante de Carlos de que ele estava efetivamente quebrado.

A verdade era dura. Jaime tentara, sem sucesso, criar uma aura Tudor por intermédio da criação oficial da coleção de jóias da coroa, deixando Carlos com novas dívidas jacobitas em função de gastos irresponsáveis e falta de reforma fiscal. Em janeiro de 1626, Carlos, sempre imprevidente e privado de aconselhamento sábio, cometeu a mais inacreditável asneira que qualquer monarca da época poderia cometer: anunciou ao Parlamento que estava sendo obrigado a empenhar todas as jóias da coroa junto a mercadores judeus em Amsterdã, já que o Parlamento não iria conceder a ele fundos para combater os espanhóis. Em sua maioria, os judeus de Amsterdã eram, claro, refugiados descendentes de judeus espanhóis exilados desde a Inquisição espanhola, e tinham se tornado corretores especializados em diamantes, em uma atividade que complementava a lapidação de diamantes, também dominada por judeus, em Antuérpia. A corretagem de diamantes era uma atividade quase bancária, e uma das poucas profissões permitidas aos judeus na época. Era a própria especialização dos judeus que um século antes usurpou de Florença e Veneza o posto de locais para empenhar pedras preciosas, e transformou a história comercial de Antuérpia e Amsterdã.

Empenhar as jóias da coroa era uma atitude oportunista de um monarca jovem e arrogante não educado para o poder. Também era uma contravenção direta do decreto de Jaime de 1605 que determinava que "as mais belas jóias da coroa são parte de uma coleção indivisível e inseparável, a partir de agora para sempre anexada a este reino". O penhor foi um choque absoluto para o Parlamento, onde *sir* John Eliot lamentou: "Oh! Aquelas jóias! O orgulho e a glória deste reino! Que o fizeram tão mais brilhante que todos os outros! Elas deveriam estar aqui, dentro do limite destas paredes, para serem apreciadas e vistas por nós, e para serem examinadas neste lugar. Seu próprio nome e lembrança me arrebatam!"

O penhor é ainda mais extraordinário quando consideramos que, na época, as jóias eram tão fundamentais para o conceito de realeza e a essência do esplendor real que estar sem elas era ser um monarca menor. As próprias jóias ainda eram imbuídas de vários poderes — do poder curativo das pedras vulcânicas à capacidade do diamante de tornar seu dono invencível. Os arranjos continuavam a evocar temas e símbolos devocionais, mágicos, clássicos, naturais ou heráldicos, com o tipo de jóia (liga, colar, anel, ornamento de chapéu etc.) denotando outros valores simbólicos. Carlos se separar de todas aquelas jóias — e especialmente do Sancy e dos seus outros diamantes "invencíveis" — em uma época de guerra era um ato de absoluta arrogância e foi a primeira prova concreta de que ele achava que só tinha de responder a Deus. Assim, a coroa de Henriqueta Maria foi despojada do Sancy, e o diamante, juntamente com o restante das jóias da coroa, foi enviado para a Holanda.

Graças ao inventário das jóias que Jaime tinha feito na preparação para o casamento frustrado de Carlos com a infanta espanhola em julho de 1623, podemos saber quão espetaculares eram elas.

NA COROA DE HENRIQUETA MARIA, RAINHA FRANCESA DA INGLATERRA 207

Todas as jóias engastadas no ornamento de chapéu de Jaime conhecido como a "Pluma", que anteriormente incluía o Sancy e o Espelho da Grã-Bretanha, foram hipotecadas. Literalmente centenas de correntes de ouro, os esplêndidos colares de ouro e jóias de Henrique VIII, 99 anéis de diamantes, pérolas e os Três Irmãos foram enviados para a Holanda. O diamante de Ana Bolena também estava na coleção. A mais significativa aquisição conhecida de Elizabeth I das jóias da coroa portuguesa, o Espelho de Portugal — o grande diamante mesa retangular de 26,07 quilates obtido de dom António — também estava entre as jóias empenhadas. O Grande Harry, do inventário de jóias de 1561 de Maria Stuart, foi igualmente hipotecado. O Pindar, comprado apenas alguns meses antes em troca de um título de cavaleiro para Nicolas Ghysbertij, também partiu. Ghysbertij era sogro de Thomas Cletscher, cujo famoso *Sketchbook* reproduz as jóias empenhadas. Cletscher agiu como um intermediário para o penhor, e também foi o joalheiro da coroa de Frederico Henrique, príncipe de Orange.

O Espelho da França, um "grande diamante mesa engastado em ouro", que fora empenhado anteriormente pelos franceses na Itália antes de 1589 e depois vendido para a coroa inglesa antes de ser resgatado, foi novamente empenhado. Também partiu o inacreditavelmente histórico Espelho de Nápoles, um diamante fabuloso avaliado em 60 mil coroas por Henrique VIII.

A Âncora, um grande diamante em lapidação mesa de vinte quilates sustentando uma âncora feita de uma pedra peculiar com lapidação losangular e largas facetas paralelas, uma grande *baguette*, lapidação retangular ovalada em forma de sela e um *briolette* com um corte transversal, também foi empenhada. O primeiro diamante de lapidação *briolette*, conhecido como City, dado a Jaime I por financistas da City de Londres e pesando 22 quilates, também foi empenhado. Milhares de grandes rubis, pérolas e camafeus foram igualmente empenhados. Todos esperaram resgate em alguma data desconhecida por meios desconhecidos na Holanda.

Com as jóias empenhadas desde janeiro de 1626 e a coroação marcada para o início de fevereiro, Carlos deve ter reconhecido que sua coroação seria menos resplandecente, já que ele iria se mostrar a seu povo sem a aura de invencibilidade das jóias em sua primeira cerimônia oficial como rei. Ademais, há poucas dúvidas de que uma parcela dos recursos seria destinada à cerimônia. A ameaça bastante real da peste surgiu como um abençoado alívio para Carlos e ajudou a preservar sua imagem. Quanto à coroação de Henriqueta Maria, com Carlos brigado com a esposa, ele controvertidamente acertou com o arcebispo Laud que Henriqueta Maria não deveria ser coroada em uma cerimônia católica em sua igreja anglicana. A insistência na cerimônia católica era inteiramente dela, e provou ser o primeiro dos seus muitos grandes erros de avaliação. Como ela obstinadamente se recusava a fazer um acordo, Carlos deu seqüência à sua própria coroação sem ela. Em todo caso, Henriqueta Maria nunca foi oficialmente coroada e sequer participou da cerimônia de coroação de seu marido na abadia de Westminster. O povo e o Parlamento consideraram sua rejeição à cerimônia de coroação um grave insulto, inflamando a opinião pública contra ela. O Parlamento também culpou o temido Buckingham por não exercer seu poder absoluto sobre o rei nesse caso e criticou o duque novamente por seu aconselhamento militar perdulário e péssimo quanto à fútil guerra. Henriqueta Maria estava humilhada, despojada de sua posição e sua "glória" sem uma coroa ou o Sancy que lhe tinham sido prometidos.

Buckingham, como sempre, ignorou as críticas. Ele considerava a recusa de Henriqueta Maria uma boa desculpa para fritar sua *entourage* católica e subjugar a rainha. Deu início a uma campanha de difamação contra a rainha, e chamou a atenção de Carlos para o fato de que se sua própria esposa não lhe obedecia, ele não podia esperar afirmar sua autoridade sobre um Parlamento indisciplinado. O rei concordou imediatamente, e encarregou Buckingham de lidar com ela. Buckingham aproveitou a oportunidade e disse ao principal conselheiro da rainha, De Blainville, que ele era uma influência perniciosa, não era bem-vindo na corte e estava afastado da equipe da rainha. Quando De Blainville tentou ver o rei, teve seu pedido de audiência negado. Naturalmente, Henriqueta Maria teve uma régia explosão temperamental e informou a seu marido que eles não se falariam mais. Carlos a alertou, naturalmente através do onipresente Buckingham, que não iria vê-la enquanto ela não se desculpasse por seu comportamento. Semanas se passaram e, no final, Henriqueta Maria perguntou o que tinha feito para exasperar tanto o seu marido. Ele hesitantemente respondeu que quando tinha "alertado a rainha de que estava chovendo, ela respondeu que não". A alusão não teve efeito sobre ela, mas ainda assim ela se desculpou.

A influência de Buckingham sobre o rei parecia ilimitada depois desta série de confrontos com Henriqueta Maria. Ele fez uma limpeza na equipe católica, mandando de volta para a França todos os que o incomodavam e os substituindo por seus próprios camaradas, até finalmente persuadir o rei a remover totalmente a equipe da rainha. Embora Buckingham usasse como desculpa a influência nefasta que ela tinha sobre a rainha, fazendo-a gostar de tudo o que era francês e desgostar do que era inglês, a verdadeira razão para esse corte violento era que os bem conhecidos problemas financeiros do rei eram grandemente exacerbados pela frívola *entourage* de trezentas pessoas da rainha. Carlos mandou um embaixador à corte francesa com as boas novas, produzindo mais especulações de que a situação do rei era tão ruim que ele precisava agora da outra metade do dote da rainha de 161 mil libras (23,4 milhões de dólares ou 14,6 milhões de libras, em valores de hoje). Assim que o embaixador deixou Dover, Carlos ordenou o fechamento de todos os portos e confrontou Henriqueta Maria com sua decisão de que, para seu próprio bem e para o bem do país, ele estava mandando toda a sua equipe de volta para a França imediatamente. Enquanto o rei revelava seus planos pessoalmente a Henriqueta Maria, o secretário de Estado de Carlos dizia aos desafiadores membros superiores da equipe francesa que eles estavam prestes a ser deportados.

Dessa vez Maria realmente teve um ataque de nervos adolescente. Ela explodiu em uma torrente de lágrimas, alternadamente suplicando e rastejando aos pés de Carlos para que ele mudasse de idéia. Quando isso não funcionou, ela gritou tão alto que seus berros, nas palavras de Carlos, teriam "rachado pedras". Vendo que Carlos continuava irredutível, ela correu na direção das janelas e quebrou os vidros com os punhos, segurando as barras com as mãos e gritando em francês para a criadagem inglesa no jardim abaixo para ajudá-la a fugir daquele inferno. Carlos ficou aterrado com aquela exibição vergonhosa e a arrastou para longe. Seu cabelo estava desgrenhado, seu vestido rasgado e suas mãos cortadas e sangrando.

Embora o objetivo publicamente declarado de Carlos com aquele ato cruel fosse controlar sua esposa adolescente, os aspectos financeiros da decisão não podem ser subestimados. Em apenas um ano no poder, suas despesas tinham saído de controle. Ele tinha empenhado os maiores símbolos de sua riqueza e seu poder reais, e cortes drásticos eram fundamentais. Mas se livrar de toda a equipe francesa, assim como se livrar de qualquer força de trabalho hoje, não era nada barato. Havia contas a pagar — de 1.500 libras devidas ao bispo francês pela "água amaldiçoada", como os ingleses a chamavam, a 4 mil libras para "as necessidades da rainha", passando por cerca de 22 mil libras em dinheiro e jóias (3,2 milhões de dólares ou 2 milhões de libras, em valores de hoje) em salários atrasados e presentes. Quando os franceses deixaram a residência real de Somerset House, o guarda-roupa da rainha tinha sido totalmente saqueado, deixando-a "com apenas um vestido e duas camisolas para vestir". Quando os homens do rei ordenaram que os "flibusteiros franceses" devolvessem as roupas de Sua Majestade e os acusaram de roubo, Mamie St. Georges, a mais antiga acompanhante da rainha, declarou que se eles fossem ladrões aquilo não teria servido a eles, já que os ingleses eram tão pobres que não eram dignos de ser roubados.

Mamie St. Georges estava certa. Naquela época, Carlos também tinha começado a vender suas jóias pessoais. No dia 17 de novembro de 1626, o rei emitiu um recibo real pela venda de um colar de ouro com diamantes para o conde de Holland (antes visconde Kensington) por 5.800 libras. Entre 1626 e 1628, há vários destes recibos de venda de jóias para outros lordes, incluindo Buckingham e lorde Carleton, mas nenhuma outra venda por tanto dinheiro.

Henriqueta Maria se queixou de que era então *tout à fait prisonnière* do rei, que chegava mesmo a acompanhá-la ao retrete (toalete). Não há dúvidas de que Henriqueta estava sendo exageradamente dramática, mas de fato sua situação era bastante desconfortável. De um só golpe, Carlos tinha rompido

NA COROA DE HENRIQUETA MARIA, RAINHA FRANCESA DA INGLATERRA 211

o contrato nupcial. Ele estava profundamente ofendido por ela se recusar a dar a ele seus direitos matrimoniais, e se tornou frio e distante. Ela, com justiça, sentia-se ameaçada pelo favorito do marido, Buckingham, que tinha chegado ao ponto de lembrar a ela que, em um passado recente, rainhas da Inglaterra tinham perdido a cabeça por bem menos. Ela foi até mesmo cercada pela família de Buckingham como suas novas damas de companhia inglesas. Quando o embaixador inglês se apresentou à corte francesa e explicou de forma eloqüente como Henriqueta Maria, recebendo maus conselhos de seus bispos franceses, tinha se comportado mal com o rei e o país, tanto Luís quanto o cardeal Richelieu concordaram que Carlos não tinha sido injusto ao tentar exigir dela uma aparência de controle. Eles também concordaram que a brutalidade de seus atos exigia censura. Demoradas negociações tiveram início para conceder a Henriqueta Maria alguns de seus clérigos franceses, sujeitos à "aprovação do rei".

Ainda assim, a tensão entre os dois países aumentou, e Carlos, incitado por Buckingham, queria entrar em guerra contra a França, ao mesmo tempo que continuava a guerra contra a Espanha. Afinal, Carlos tinha algum dinheiro neste momento, já que o Sancy e as outras jóias da coroa empenhadas tinham, em parte, financiado o esforço de guerra.

Os franceses insistiam em que Carlos cumprisse as suas promessas contidas no *escrit particulier* do contrato matrimonial, garantindo liberdade de credo aos católicos ingleses. Carlos não estava preparado para fazer nada do tipo, já que isso significaria suicídio político junto à poderosa facção puritana do Parlamento e sua visão de uma Inglaterra protestante. O que o rei não tinha percebido era que sua visão incluía mudanças fundamentais nos serviços religiosos da Igreja Protestante Anglicana, que refletiam algumas das mais odiadas cerimônias católicas. Carlos já estava nadando em águas perigosas.

Quando Carlos pediu fundos para declarar guerra à França, o Parlamento negou, e o rei o dissolveu. O sempre arrogante Carlos apelou então para uma forma indireta de taxação conhecida como "empréstimo compulsório", coletada exatamente da forma indicada por seu nome. Ela enfrentou resistência geral, mas como o rei ameaçava aprisionar aqueles que não pagassem, sob acusação de desacato, acabaram sendo levantadas cerca de 300 mil libras para revitalizar a marinha em ruínas e amotinada. O assustador estado da marinha era responsabilidade direta de seu lorde almirante — ninguém menos que o duque de Buckingham.

Enquanto Buckingham estava ausente, na guerra, a atitude de Henriqueta Maria em relação a Carlos mudou inteiramente. Ela tinha então 17 anos, e tinha amadurecido um pouco. Carlos permitiu a volta de uma dúzia de religiosos católicos franceses bem investigados e já não estava sendo envenenado diariamente contra ela por seu ídolo, Buckingham. Henriqueta Maria, embora ainda fosse muito jovem, era inteligente o bastante para saber que, se queria alguma possibilidade de felicidade, teria de utilizar bem o tempo de que dispunha sem Buckingham envenenando os ouvidos do rei contra ela. Então a rainha começou a aprender inglês e demonstrar grande interesse por seu novo país. Sua atitude em relação ao marido tornou-se doce e subserviente. Seu claro esforço para agradar impressionou Carlos, e ela finalmente foi autorizada a se aproximar dele. Carlos parecia incapaz de ter mais de um favorito ao mesmo tempo, e, com Buckingham a uma distância segura, Henriqueta era a pessoa para quem ele se voltava em busca de contato humano íntimo. Em carta datada de 13 de agosto para Buckingham, Carlos acrescentou este pós-escrito: "Não posso deixar de dizer que minha esposa e eu nunca estivemos tão bem; ela, depois dos seus atos, tem se mostrado tão amorosa, discreta em todas as ocasiões, que nos deixa encantados e nos faz estimá-la."

Superficialmente, parece estranho que no momento em que seu marido entra em guerra contra seu próprio país — onde seu irmão era rei — Henriqueta Maria se mostrasse terna em relação ao marido. É menos peculiar se relacionarmos a mudança de disposição de Henriqueta Maria ao fato de ela não ter mais de competir com Buckingham pelo afeto de seu marido, e que ela estava aproveitando a ausência de Buckingham como a grande oportunidade para angariar o afeto de Carlos. Ademais, ela estava casada havia quase dois anos e ainda não tinha cumprido sua função básica de "reprodutora" para a coroa. Mais que tudo, ela queria produzir um herdeiro.

NA COROA DE HENRIQUETA MARIA, RAINHA FRANCESA DA INGLATERRA 213

No início de 1627, os franceses tinham feito reais incursões no comércio mercantil através de suas vitórias navais, e os londrinos estavam desvairados. Carlos achou que naquele momento poderia finalmente pedir dinheiro ao Parlamento impunemente. O que ele tinha esquecido era que o Parlamento estava desconfiado dele após a última dissolução repentina em 1626, quando criticaram o rei por ter empenhado as jóias da coroa, e Buckingham por suas questionáveis políticas militares. No dia 17 de março de 1627 Carlos se dirigiu ao seu nada confiável Parlamento e tipicamente decidiu não adotar uma postura conciliadora. Para começar, ele avisou aos membros que a única razão pela qual eles tinham sido convocados era para provê-lo com os meios de fazer a guerra. A maioria dos membros ignorou os apelos de seu rei para não perder tempo em "consultas tediosas". Em maio, o Parlamento deu o seu primeiro ultimato por escrito ao rei: a *Petition of Right*. Esse documento exigia que o monarca pusesse fim a suas políticas de impostos extraparlamentares, ordens de prisão arbitrárias, alojamento compulsório de militares em residências particulares e emissões de ordens de lei marcial. Buckingham, recém-chegado da batalha, inflamou a situação ao partir para o ataque em defesa do rei, e a paciência do Parlamento acabou. Houve uma discussão causticante com um membro do Parlamento, o advogado Edward Cook, que afirmou publicamente que "o duque de Bucks [Buckingham] é a razão de todas as nossas aflições. Aquele homem é o problema de todos os problemas". Essa era uma visão partilhada por praticamente todos.

Com o Parlamento vociferando pelo afastamento de Buckingham, Carlos recuou no início de junho, provavelmente para preservar a posição de Buckingham, e aceitou a petição limitando suas prerrogativas reais. Mas os ânimos estavam inflamados, e alguns dias depois o médico de Buckingham foi linchado até a morte por uma multidão furiosa em Londres. Circulavam pelas ruas de Londres boatos assustadores dando conta de conspirações de Buckingham para derrubar a monarquia. Cartazes foram pregados nas ruas com as palavras: *"Quem comanda o reino? O rei. Quem comanda o rei? O duque. Quem comanda o duque? O diabo."*

214   O DIAMANTE MALDITO

O que tornava macabros esses protestos eram os supersticiosos presságios do destino. O duque sofreu um grande sangramento nasal. Seu retrato caiu da parede do alto comissariado no burgo londrino de Lambeth. O fantasma do pai de Buckingham foi visto percorrendo os corredores do castelo de Windsor alertando que Buckingham iria morrer. Mas nem o duque nem Henriqueta Maria e Carlos tiveram conhecimento da inquietação popular ou dos maus presságios.

Durante todo esse período, a necessidade de Henriqueta Maria de dinheiro parecia insaciável. Em julho de 1628, o embaixador veneziano relatou uma história interessante de que a rainha pediu ao rei duas libras para dar a uma pessoa pobre. Quando o rei perguntou quem era essa pessoa, ela respondeu: "Eu, senhor, sou a pobre despossuída." Carlos, contudo, não se divertiu, porque havia recentemente instruído o lorde tesoureiro a garantir que a renda da rainha fosse igual à de sua mãe, a falecida rainha Ana, que recebia 28 mil libras por ano.

Em agosto a catástrofe final se abateu sobre Buckingham em Portsmouth. Quando ele estava saindo de uma hospedaria para se encontrar com o rei, um de seus próprios homens, o tenente Felton, matou-o com uma adaga. Felton não fez nenhuma tentativa de escapar, e, quando perguntado, disse que matara Buckingham "apenas em parte" por uma dívida de 80 libras em pagamentos atrasados e por ter sido injustamente preterido em uma promoção. Seu principal motivo era que "ao cometer o Ato de matar o duque, ele faria um grande serviço benéfico ao seu País". O rei, ao receber a notícia, fechou-se em um doloroso luto particular e permaneceu incomunicável durante dois dias. Quando saiu, dedicou-se a uma atividade frenética, realizando mais em duas semanas do que fizera nos três meses anteriores com a assistência de seu amado Buckingham.

Henriqueta Maria, que estivera em Wellingborough fazendo tratamento de águas na esperança de engravidar, correu para o marido quando soube da notícia. Embora para ela a perda de Buckingham certamente fosse uma bênção, ela não fez nenhuma tentativa de demonstrar isso a Carlos. Pelo contrário, de acordo com todos os relatos da corte, seu comportamento foi o de

Felipe II, rei da Espanha, preparando-se para tomar o trono de Portugal.
Quadro de artista desconhecido, c. 1580.

Rainha Elizabeth I, usando o Espelho de Portugal como pingente de seu colar.
Quadro de Marcus Gheeraerts, o Jovem, c. 1592.

A rainha Elizabeth está usando o Sancy ou seria uma parca réplica do Espelho de Portugal?
Quadro de Jan Massys, 1583.

Carlos I, rei da Inglaterra.
Quadro de Daniel Mytens, 1631, durante o período em que as jóias da Coroa estavam empenhadas.

Jaime I da Inglaterra e VI da Escócia usando o Sancy como parte do ornamento do chapéu conhecido como Espelho da Grã-Bretanha (detalhe abaixo).
Quadro de Daniel Mytens, 1621.

Detalhe do Sancy como parte do ornamento de chapéu conhecido como Espelho da Grã-Bretanha.

Rainha Henriqueta Maria.
Quadro de artista desconhecido, plano de fundo de Hendrik van Steenwyck, c. 1635.

O Sancy na coroa da rainha Henriqueta Maria.
Desenho sem data de Thomas Cletscher,
joalheiro da corte holandesa.

Sancy com o Beau Sancy e os diamantes florentinos.
Desenho sem data de Thomas Cletscher,
joalheiro da corte holandesa.

Luís XIV em suas vestes de coroação.
Quadro de Justus van Egmont, data desconhecida.

Maria Antonieta — arquimanipuladora ou manipulada?
Quadro de Jean-Baptiste Gautier-d'Agoty, 1775.

Napoleão na sua coroação.
Quadro de François Gerard, 1805.

Rainha Maria Luísa e a família real espanhola. Da esquerda para a direita: Francisco de Paula, duque de Cádiz; Maria Luísa, rainha consorte da Espanha; Carlos, duque de Molina; Maria Isabella, rainha das duas Sicílias; Carlos IV, rei da Espanha; Maria Luísa, rainha da Etrúria; Fernando VII, rei da Espanha.
Gravura em pontilhismo, artista desconhecido, início do século XIX.

Charge política representando Napoleão como um toureiro e o rei José esmagado pelo touro.
Charge do artista James Gillray.

José Bonaparte como rei da Espanha.
J. B. Joseph Wicar, 1808.

Lady Nancy Astor, defensora dos direitos do cidadão comum, usando o Sancy em sua coroa.
Retrato de Dorothy Wilding, 1937.

O diamante Sancy no centro da coroa de Lady Astor.

O diamante Sancy em seu engaste "Astor", 1976.

uma esposa dedicada e triste. Carlos, para sempre privado de seu estimado "Steenie", voltou-se definitivamente para sua esposa em busca não apenas de consolo, mas de aconselhamento. Através dos esforços continuados de Henriqueta Maria para ganhar o afeto do marido, sua posição finalmente estava assegurada. A partir desse momento decisivo, ela seria para Carlos a mais confiável conselheira, amiga e co-autora de desastres ainda por vir.

17

Resgatado e amaldiçoado como símbolo máximo de poder

Setembro de 1628-1645

APESAR DO ESTADO LAMENTÁVEL das finanças do rei, Carlos destinou 60 mil libras (8,7 milhões de dólares ou 5,5 milhões de libras, em valores de hoje) para um funeral de Estado para Buckingham em setembro. Considerando-se que o povo tinha sido impedido pelos homens do rei de acender fogueiras para festejar o assassinato de Buckingham, aquilo era uma insensatez. O assassino de Buckingham tornou-se um herói popular. O ânimo do público era sombrio, e no final o corpo de Buckingham precisou ser levado às escondidas para a Abadia de Westminster para um funeral rápido, por medo de um levante popular.

Mas isso era apenas o início do amaldiçoado declínio de Carlos. Os mercadores de Amsterdã estavam lutando para vender as jóias inglesas, e alegavam que a coleção empenhada tinha pelo menos duas jóias amaldiçoadas — o histórico diamante Sancy e o grande colar de Henrique VIII. Um mês mais tarde, os ingleses foram desbaratados em La Rochelle e milhares de huguenotes foram assassinados à vista da frota inglesa. O rei sem vintém foi obrigado a pedir a paz, primeiramente aos franceses, depois aos espanhóis, e os tratados com ambos foram assinados em 1629 e 1630, respectivamente. Carlos estava privado de dinheiro e de poderio militar.

Alguns mercadores supersticiosos já estavam dizendo que a maldição do Sancy existia e que o uso da gema pelo rei como diamante de sangue iria acabar levando à sua derrocada final — exatamente como fizera com os duques borgonheses, António de Crato e Nicolas Harlay de Sancy. Mas Carlos e Henriqueta Maria continuavam ignorando os perigos que o futuro reservava.

Com a nação em paz, Carlos foi obrigado a colocar as finanças em ordem. Quando empenhou as jóias da coroa em 1626, também foi forçado a vender grandes extensões de terra da coroa. Ele continuava de posse dos ducados da Cornualha e de Lancaster, mas grande parte das terras remanescentes ao norte e ao leste eram brejos (charcos). Fundamentalmente, se ele antes tirava seu dinheiro da terra, estava sendo agora obrigado a buscar formas mais criativas e inovadoras de gerar renda. O rei se concentrou no comércio como uma forma de reduzir seu déficit de 2 milhões de libras (290,9 milhões de dólares ou 181,8 milhões de libras, em valores de hoje).

Carlos embarcou em uma política grandiosa em sua busca pessoal por poder que, no final, teria bons resultados, assim como inesquecíveis efeitos devastadores. Cinco anos de guerra contra a Espanha, e em seguida contra a França, tinham criado uma situação terrível. Se Carlos não tivesse criado impostos sobre tonelagem naval, assim como o terrível *Ship Money*, um tipo de feudalismo fiscal imposto para defender os portos e ampliar a frota mercante, o governo teria deixado de funcionar.

Em 1629, o palácio real estava em um estado tão dilapidado que Henriqueta Maria alegadamente recebeu a duquesa francesa de Tremouille no escuro. Considerando-se a tendência de Henriqueta para o melodrama, este episódio não pode ser levado muito a sério, já que ela mais tarde chamou a atenção da duquesa para o fato de que "eles faziam as economias mais mesquinhas, mesmo em coisas que tinham o maior efeito".

RESGATADO E AMALDIÇOADO COMO SÍMBOLO MÁXIMO DE PODER 219

Em 1629, Carlos nomeou como seu lorde tesoureiro o hábil lorde Weston, que começou a reduzir os gastos reais, ao mesmo tempo buscando novas formas de gerar renda. Weston, porém, estava sempre em desavença com a turbulenta Henriqueta Maria, cuja intransigente postura de monarca absoluta não permitia acordos. Se Carlos recusasse os conselhos de Weston, as jóias da coroa correriam o risco de ser vendidas no mercado aberto pelos prestamistas holandeses.

Weston concebeu todos os tipos de "projetos reais" em uma tentativa de atender às necessidades da coroa, incluindo a drenagem das charnecas; a produção de um "novo" sabão real; a extração de sal a partir da água do mar, a revitalização da mineração de cobre no ducado real da Cornualha; a produção de turfa a partir de campos de urze desocupados; ferro doce; cachimbos de barro e até mesmo papel branco para escrita. A maioria dos projetos terminou em escândalo, enchendo os bolsos dos mercadores aos quais foram concedidas as licenças, com o Conselho Privado revogando todas as comissões e licenças em 1639. Este evento angariou para Carlos alguns importantes inimigos, entre os quais o mais cruel era o evangelista puritano Oliver Cromwell, apelidado "o defensor dos pântanos".

Os impostos impopulares reverteram os fracassos comerciais e os crescentes gastos do palácio real, apesar do nascimento de diversos filhos reais. Em 1635, a situação fiscal restabelecida do rei, como demonstrada no "balanço" real, era algo assim:

Item	Créditos (£)	Débitos (£)
Direitos alfandegários e impostos de consumo (novos impostos) de SM, dos quais £ 29.000 em tabaco e pedra-ume	358.000	....
Terras da coroa	90.696	....
Ducados da Cornualha e Lancaster	25.735	....
Aprovisionamento	30.330	....
Tutela (laudêmio sobre regiões de floresta)	54.000	....
Multas a recusantes católicos	13.000	....
Outros projetos, comissões e juros com patentes	46.618	....

Despesas do palácio *
Manutenção do rei e da rainha, príncipe e outros

membros da realeza	....	135.000
Pensões	....	139.099
Guarda-roupa	....	26.000
Tesoureiro da marinha	....	40.000
Bailes reais	....	1.310
Honorários de embaixadores, juízes, secretários		
e funcionários	....	179.499
Pagamento de dívidas	....	54.000
Juros	....	20.000**
Honorários	<u>....</u>	<u>41.628</u>
	618.379	636.536

Este pequeno déficit no final de 1635 foi transformado em superávit na primavera seguinte. Em 1636, Carlos resgatou do penhor todas as jóias da coroa, que foram levadas de volta para Londres e guardadas na casa de jóias secreta da Torre de Londres por segurança — reacendendo a sua paixão, e a da nação, por elas. O Sancy foi recolocado na coroa da rainha Henriqueta Maria e seu suposto poder restaurado. A decisão de Carlos de resgatar as jóias da coroa claramente coloca sua importância acima da solvência monetária da coroa.

Em 1640, todas as dívidas jacobitas tinham sido quitadas e o erário apresentou um pequeno excedente pela primeira vez em mais de quarenta anos. Apesar desse milagre fiscal, as despesas reais continuaram a aumentar, em função das "exigências" particulares das crianças da realeza por palácios reais e servos, e da visão extravagante de Carlos de seu próprio poder absoluto.

---

*Inclui os palácios do rei e da rainha; pagamentos aos filhos reais; pagamentos à irmã de Carlos, Elizabeth, rainha da Boêmia, e despesas de guarda-roupa, aposentos particulares, casa das jóias, guarda, material bélico, castelos e guarnições, os responsáveis pelos cavalos reais (serviços de segurança) e amenidades.
**Os juros de 20 mil libras foram reembolso de quantias adiantadas pelo banqueiro mercantil internacional Filippo Burlomachi contra a segunda metade do dote de Henriqueta Maria (161 mil libras), que não aparece nesta conta.

RESGATADO E AMALDIÇOADO COMO SÍMBOLO MÁXIMO DE PODER 221

Carlos tinha imprudentemente empenhado as jóias da coroa, e agora precisava reverter a opinião de que era um rei falido. As gemas eram a essência da monarquia para os reis e as rainhas Tudor, bem como para Jaime, e permaneciam no coração da capacidade de governo de Carlos. Embora este não seja lembrado por ter comprado muitas jóias, e de fato tenha perdido muitas e vendido outras no início de seu reinado, a devolução das jóias da coroa à monarquia e sua recriação de uma forma mais moderna eram fundamentais para o que ele considerava seu poder pessoal.

Outra chave para o poder de Carlos era seu talento para colecionar arte. Apesar de seus primeiros sete anos empobrecidos como rei, Carlos iria se tornar um dos maiores patronos das artes a ocupar o trono inglês. A Renascença italiana havia muito se espalhara por toda a Europa, mas foi barrada no Canal da Mancha em função da Reforma de Henrique VIII. O apaixonado renascimento do interesse pelas antiguidades no reinado de Carlos deixaria sua pegada indelével na paisagem da Inglaterra. O renascentista inglês Inigo Jones criou grande parte da arquitetura clássica que ainda hoje sobrevive em Londres, como a Whitehall's Banqueting House, a Queen's House, Greenwich, o pórtico da Catedral de São Paulo e a *piazza* em Covent Garden, para citar apenas algumas.

Com o apoio da coroa, a escultura, a pintura e o teatro também floresceram na paisagem cultural inglesa. Pintores de renome internacional eram levados à Inglaterra para trabalhar. Peter Paul Rubens foi contratado para decorar o teto do palácio real da Whitehall's Banqueting House com telas glorificando Jaime I. Anthony van Dyck, pupilo de Rubens, imortalizou a família real em uma série de retratos idealizados.

Mas o patronato do rei não era inteiramente filantrópico. Ele refletia em tela, no palco, através de jóias e em pedra, a visão egocêntrica que Carlos tinha de seu poder. O patronato artístico de Carlos, somado à ampliada grandeza que ele iria devolver à corte durante aqueles anos, tornaram-se os símbolos de seu poder. Ele simplesmente queria ter a corte mais grandiosa da Europa.

222 O DIAMANTE MALDITO

Carlos abriu o caminho para o que iria se tornar capital de poder de todos os reis. Todas as suas preferências e seu conhecimento seriam refletidos
em todos os aposentos de cada palácio, com pinturas, antiguidades, esculturas, miniaturas e todos os tipos de obras-primas. Jóias adornavam o rei e a
rainha, e todas as vestes da rainha tinham jóias preciosas bordadas como decoração. Todos os que ansiavam pelo poder precisavam imitá-lo.

Foi exatamente isso o que a aristocracia fez. Eles revitalizaram as cidades,
propriedades, casas, teatros, a pintura e a escultura inglesas, e literalmente
mudaram para sempre a aparência do país. Também encomendaram obras
de arte e jóias fabulosas e apoiaram financeiramente artistas, poetas,
memorialistas e dramaturgos. Os teatros populares Globe e Rose, que
superlotavam com o interesse popular pelas peças de Shakespeare e Marlowe
sob Elizabeth I, eram agora reproduzidos nas principais metrópoles e cidades fora da capital. A grande casa de campo inglesa, o mais magnífico acréscimo à paisagem, floresceu. Seus traços neoclássicos eliminaram os pesados
(mas hoje vistos como "de conto de fadas") telhados medievais elisabetanos
salpicados de chaminés e parapeitos, em benefício da precisão matemática e
da ordem deliberadamente contida, tanto no interior quanto no exterior. Não
era por acaso que a arquitetura adotada pela época refletia a obsessão do rei
por ordem.

Mas esse paraíso no qual Carlos vivia com sua família estava prestes a
desmoronar. Como tinha acontecido com seus antecessores, a Igreja estava
no cerne de seus problemas. Carlos decidiu dar o que para ele parecia apenas
outro passo na consolidação de sua base de poder decretando que o livro de
orações da Igreja anglicana (ou como Henriqueta Maria o chamava, "aquele
livro fatal") era o único livro de orações da *kirk* (igreja) escocesa.

Na *kirk*, ponto central de toda atividade não apenas religiosa, mas também social, as notícias eram lidas em voz alta para uma congregação em grande
parte analfabeta, e eram trocados comentários. Era a cafeteria da Escócia do
século XVII. Por ter atingido o cerne fundamental da vida calvinista ali, Carlos
provocou uma revolta aberta dos escoceses em julho de 1637. Seu decreto
foi condenado por uma fúria calvinista de fogo e enxofre, com centenas de

milhares de escoceses acabando por assinar a festejada Convenção Nacional, alguns deles com seu próprio sangue.

Confrontado com o primeiro desafio sério à sua autoridade, Carlos se preparou para a guerra no verão de 1638. Henriqueta Maria atiçou o caldeirão fervente religioso pedindo a seus senhores católicos que contribuíssem com dinheiro para sustentar o exército do rei, incitando uma campanha de relações públicas contra Carlos com sua conspiração "papista" contra os escoceses. O catolicismo de Henriqueta Maria, que sempre fora mal tolerado, transformou-se em uma ferida aberta. Foi acertada uma trégua quando os exércitos finalmente se viram cara a cara na fronteira escocesa.

Contudo, em um mês os escoceses fizeram novas exigências, e Carlos sabia que precisaria convocar o Parlamento para levantar dinheiro e acabar com a rebelião dos Convencionais. O rei ainda não havia compreendido que a aposta feita por Henrique VIII de criar uma aura de poder invencível em torno da coroa tinha fracassado, e que naquele momento, de acordo com lorde Weston, "aquele que tivesse mais dinheiro para comprar o melhor exército" sairia vitorioso.

Carlos fez um conciso pedido de dinheiro de trinta segundos no Parlamento. O Parlamento, liderado por John Pym, um homem de fabulosa inteligência e tenacidade, possuidor de um conhecimento sem paralelo dos inescrutáveis procedimentos parlamentares, fez do rei o que quis. Não importaram as tentativas de Carlos, o Parlamento de Pym continuou intratável. Então Carlos o dissolveu.

A animosidade pública contra o rei tumultuou a Irlanda, em um complô fantasma supostamente liderado pelo amigo íntimo do rei, o conde de Strafford. Embora naquele estágio uma "ameaça" irlandesa fosse uma ilusão, os escoceses estavam novamente acampados na fronteira inglesa, e Carlos não tinha dinheiro para combatê-los. Relutantemente, ele convocou seu último Parlamento em novembro de 1640.

Então a caça às bruxas finalmente começou. O Parlamento percebeu seu poder e imediatamente emitiu uma ordem de prisão contra o amigo de Carlos, Strafford, pelo complô com os irlandeses, e ele foi mandado para a Torre de

224 O DIAMANTE MALDITO

Londres. O arcebispo Laud, que estava por trás do fracasso do livro de orações, também foi detido na Torre. Em dezembro de 1640, a rainha foi informada de que deveria dispensar os católicos ingleses a seu serviço. Em meio a todo esse furor, morreu a filha de três anos de idade do casal real, a princesa Ana.

Henriqueta Maria se voltou para a Europa católica em busca de ajuda, mas seria a Holanda protestante que ofereceria uma solução. Frederico Henrique, príncipe de Orange, desejava casar seu filho príncipe Guilherme com a filha mais velha de Carlos e Henriqueta Maria, a princesa Maria, de nove anos de idade. Isso daria uma desesperada injeção de recursos nos cofres reais. O casamento aconteceu no dia 2 de maio de 1641, em uma cerimônia familiar muito discreta na capela do palácio de Whitehall.

Uma semana mais tarde, a histeria tomou conta de Londres com boatos assustadores sobre uma aliança francesa, um exército espanhol invasor e até mesmo sobre os irlandeses estarem se movimentando. Foi emitido um decreto de proscrição e confisco — uma lei obscura pela qual o Parlamento podia condenar uma pessoa acusada de traição — para a execução de Strafford, mas ela necessitava da assinatura de Carlos. Multidões se reuniram do lado de fora da corte, exigindo sangue. Após hesitar durante 48 horas, Carlos traiu seu maior aliado e assinou a sentença de morte do amigo.

Em junho, o Parlamento voltou suas armas poderosas contra a rainha Henriqueta Maria. Seu papel em incitar seus amigos católicos a salvar Strafford da execução e seu plano de reservar o porto de Portsmouth para uma fuga real para a França tinham sido relatados ao Parlamento. Henriqueta Maria, temendo ser apanhada por uma malta, quis acompanhar sua filha até a Holanda. O Parlamento descobriu a intenção de Henriqueta Maria de levar consigo todas as suas jóias e pratarias, e Pym pediu com urgência ao rei que a fizesse mudar de idéia, afirmando que "faria todos os esforços para garantir sua segurança". O rei já tinha usado as jóias da coroa anteriormente para levantar dinheiro e mover uma guerra, e Pym não iria correr o risco.

Dois meses depois, Henriqueta Maria escreveu para sua irmã Cristina, rainha de Nápoles: "Do auge da felicidade eu mergulhei em desespero; (...) imagine o que sinto ao ver o poder do rei ser tomado dele, os católicos perseguidos, os sacerdotes enforcados, as pessoas fiéis a nós expulsas e perseguidas até a morte, por terem servido ao rei. Quanto a mim, sou mantida como prisioneira (...) sem ninguém no mundo a quem possa confiar meus problemas."

Mas a descida real ao inferno ainda não estava concluída. Henriqueta Maria escreveu para todos os seus partidários católicos pedindo ajuda, mas quando a Irlanda entrou em rebelião aberta em novembro de 1641, assassinando e afogando protestantes brutalmente, o Parlamento deduziu que as súplicas da rainha eram a causa da "carnificina irlandesa". A rebelião irlandesa deu a Pym e seus partidários a desculpa de que necessitavam para iniciar sua campanha seguinte contra o rei, que havia recentemente proclamado a paz com os escoceses.

Pym forçou Carlos a assinar o documento sem precedentes chamado *Grand Remonstrance*, que era uma litania completa de todas as queixas do Parlamento contra a coroa. Ele decretava que no futuro o rei só poderia empregar os serviços de conselheiros aprovados pelo Parlamento. Esse era um ataque direto a Henriqueta Maria, que, sendo a conselheira de maior confiança de Carlos, não compreendia que o Parlamento, os escoceses ou os puritanos pudessem ter um ponto de vista válido. Para Henriqueta Maria, a situação não podia ser mais simples: quem se colocasse contra a autoridade do rei era um patife e um traidor. Carlos, com medo de que o Parlamento tentasse seqüestrar a família real, tentou prender Pym, mas, nas palavras de Carlos, "os pássaros tinham fugido do ninho". Temendo pela vida de sua família, ele rapidamente a transferiu para a segurança de Hampton Court, dessa forma entregando o controle da capital, e da coroa, para o Parlamento. Naquela noite, Carlos e Henriqueta dormiram com sua família todos na mesma cama, onde concordaram que Henriqueta Maria precisava urgentemente buscar ajuda no continente.

Henriqueta Maria rapidamente seduziu o enviado especial do príncipe de Orange a fazer um pedido especial para que a princesa Maria se juntasse a ele na Holanda, acompanhada pela rainha. Carlos, claro, concordou. Dessa vez Pym não fez nenhuma objeção, acreditando que Carlos seria mais maleável sem a esposa resoluta ao seu lado. Mas o Parlamento ignorava que Henriqueta Maria iria desempenhar um papel crucial no financiamento da guerra que fermentava. Enquanto a família real se encaminhava de Londres para Greenwich para embarcar, a rainha e sua *entourage* pararam por alguns dias no palácio de Greenwich. No caminho para lá, a rainha se dirigiu à casa de jóias secreta da Torre, onde ela coletou todas as suas jóias pessoais, bem como as do rei. Mais tarde foi dito ao Parlamento pelos guardas da Torre que ela também "escapou" com o Sancy, o Espelho de Portugal e vários colares de ouro incrustados de gemas, incluindo um conjunto com pérolas e rubis que pertencera a Henrique VIII. Ela disse ao embaixador veneziano, que tinha ido prestar-lhe uma visita de despedida, que "para ajeitar as coisas primeiramente é necessário desajeitá-las" — uma referência clara a seu objetivo e à planejada resistência militar ao Parlamento através do penhor ou da venda das jóias da coroa.

Quando a rainha embarcou em Greenwich, Carlos e ela se abraçaram, choraram e se mantiveram agarrados até Carlos finalmente se afastar. Sua intrépida rainha levava com ela as esperanças do seu rei e da causa monarquista — esperanças baseadas em formar um exército estrangeiro para invadir a Inglaterra.

A rainha e o rei concordaram em escrever um ao outro em código enquanto estivessem separados, e ela alertou-o para "tomar cuidado, eu peço a você para não colocar nada que **não** seja em meu código. Eu mais uma vez o alerto para tomar cuidado com **seu** bolso e não deixar que seu código seja roubado". Durante sua separação, as cartas dela constantemente estimularam Carlos à ação, dando a ele dinheiro e soluções militares, tentando inspirá-lo com mais determinação para a luta à frente.

Foi nesse quadro que Henriqueta Maria iniciou sua cruzada para levantar dinheiro empenhando as suas próprias jóias, as de seu marido e as da coroa. Enquanto o primeiro penhor das jóias da coroa fora conveniente, dessa vez era uma questão de absoluta sobrevivência para a coroa. Em maio de 1642, o príncipe de Orange levou Henriqueta até os judeus de Amsterdã para tomar dinheiro emprestado contra a garantia das jóias. Nesta época chegou à

Holanda o boato — provavelmente espalhado pelo Parlamento inglês — de que a rainha tinha levado todas as suas jóias e as da coroa contra a vontade do rei, e poucos mercadores estavam prontos a emprestar dinheiro a ela antes de receberem uma procuração assinada por Carlos.

A maioria dos mercadores não acreditava que ela tinha autoridade para dispor dos objetos mais pessoais do casal real, como os botões de pérola do rei. Mas quando a procuração chegou, eles ficaram muito felizes de comprá-los imediatamente. Ela escreveu para Carlos: "Você não pode imaginar como eram belos os botões quando foram tirados do ouro e presos a uma corrente. (...) Eu garanto a você que abri mão deles com dor. Ninguém queria empenhá-los, apenas comprá-los. Você pode imaginar que agora que eles sabem que precisamos de dinheiro, irão pular em nosso pescoço! Eu só consegui metade do que eles valem."

Em junho, Henriqueta Maria conseguiu enviar ao rei suas primeiras armas européias financiadas com as gemas de sangue: seis canhões, cem barris de pólvora e duzentas pistolas e rifles, no momento preciso em que tinha fracassado a tentativa do rei de manter o paiol na cidade de Hull, no norte da Inglaterra. Um mês mais tarde ela levantou 30 mil florins do príncipe de Orange, mil selas, quinhentos rifles, duzentos mosquetes e dez carregamentos de pólvora. Mas os bloqueios parlamentares erguiam-se, e muitos dos carregamentos de armas enviados para a Inglaterra foram capturados ou afundados.

Henriqueta Maria continuou a lutar, escrevendo para Carlos que "não há nada no mundo, nenhum problema, que me impeça de servir a você e amá-lo mais do que tudo no mundo. (...) A justiça sofre conosco. Sempre cuide para que ela esteja do nosso lado; ela é um bom exército".

Mas, não importa o quanto ela insistisse, ninguém tocava no grande colar de Henrique VIII, nos espelhos de Portugal e Nápoles, e especialmente no Sancy. A própria Henriqueta Maria se convenceu de que havia uma maldição neles. Em fevereiro de 1643, ela levantou todo o dinheiro que pôde na Holanda com a venda das jóias — exceto as "amaldiçoadas" — e decidiu partir para se reencontrar com o marido em sua nova capital real e fortaleza em Oxford.

228 O DIAMANTE MALDITO

O Parlamento tentou impedir Henriqueta Maria de chegar à Inglaterra, e a rainha foi atacada por forças parlamentaristas no Canal. Ela escapou à frente de seu próprio exército mercenário pequeno, mas determinado, e marchou para se juntar a Carlos em Oxford. Quando o Parlamento tomou conhecimento de que o rei e a rainha estavam juntos, Pym desistiu de qualquer paz negociada, já que "ela pode, com sua influência, produzir danos consideráveis no adequado encaminhamento das questões".

A provação de Henriqueta Maria em apoio a seu marido já durava 15 meses. Sua corte na nova capital, Oxford, prejudicou inteiramente a vida universitária. Acadêmicos foram forçados a abandonar seus estudos, e muitos foram alistados no exército. Comida foi estocada nas faculdades de Direito e Lógica, o Magdalen College se tornou depósito de armas e o New College um paiol. Uniformes militares eram costurados por alfaiates nas Faculdades de Música e Astronomia, e a nova casa da moeda estava produzindo numerário real no New Inn Hall. Todas as outras faculdades foram confiscadas como acomodações para os lordes e damas da corte e funcionários, comandantes militares, servos reais e acólitos.

O retorno da rainha foi o início de um ano de uma retomada simulada da vida da corte, incluindo bailes, jogos de tênis e jantares dançantes, com Carlos liderando eventuais incursões contra as tropas do Parlamento sob o comando leviano de seu sobrinho, o príncipe Rupert. Enquanto isso, nos bastidores, Henriqueta Maria mandou para casa uma mensagem por carta para a nova força encarregada da França — o cardeal Jules Mazarin, primeiro-ministro e padrinho do rei Luís XIV, de cinco anos de idade, que também era sobrinho de Henriqueta Maria. Tanto o cardeal Richelieu quanto sua inimiga mortal de toda a vida, Maria de Médici, tinham morrido em 1642, e o cardeal regente, italiano de nascimento e sedento de poder, tinha todas as intenções de construir para seu rei-menino uma França ainda maior e mais poderosa do que Richelieu havia feito para Luís XIII. Mazarin se considerava, e de fato tornou-se, a pessoa mais poderosa da época. Sua cobiça era lendária, e com seu poder e sua ambição vinha a necessidade imperativa de adquirir diamantes.

RESGATADO E AMALDIÇOADO COMO SÍMBOLO MÁXIMO DE PODER 229

Fica claro, desde as primeiras solicitações de Henriqueta Maria a Mazarin, a partir de Oxford, que o plano de possuir o Sancy (bem como as outras gemas vendidas na Holanda) desenvolvia-se na cabeça de Mazarin. Esses planos, contudo, foram deixados em banho-maria enquanto ele consolidava sua posição política. Mazarin raciocinava que, enquanto os parlamentaristas controlassem a marinha e Londres, que eram os centros nervosos de poder e comércio no país, a França iria se alinhar com o Parlamento.

Em dezembro de 1644, Henriqueta Maria soube que estava novamente grávida e já não poderia desempenhar um papel tão ativo como conselheira até que seu filho nascesse. Sua disposição se tornou fóbica, temendo um ataque das "ralés", e ela queria fugir de Oxford quando Carlos partia para batalhas no norte. A rainha ainda estava de posse das jóias "amaldiçoadas", incluindo, claro, o Sancy, e se obsedava com suas várias maldições, preocupando-se excessivamente com sua própria saúde e com a de seu filho no ventre.

No dia 17 de abril de 1645 ela finalmente deixou Oxford e partiu rumo sul "para a segurança na França". Mas a rainha foi forçada a parar em Exeter quando caiu doente. O Parlamento concordou em permitir que ela fosse examinada por seu médico de Londres. Ele não podia correr o risco de permitir um aumento na simpatia pública pela rainha caso ela morresse ou perdesse o bebê em função de sua insensibilidade. Ainda assim, o Parlamento e Mazarin esperavam que ela morresse: a rainha inglesa representava o maior perigo político para os dois países. Ela tinha fortalecido o desejo de Carlos de poder absoluto. Se ela escapasse para a França, onde Mazarin seria forçado a conceder-lhe asilo, iria causar estragos na aristocracia em defesa de seu marido.

A filha de Henriqueta Maria nasceu em 16 de junho, mas a saúde da rainha piorou, com Henriqueta Maria se queixando de "uma paralisia nas pernas e uma constrição ao redor do coração". Em retorno aos pedidos de ajuda de seu médico, o Parlamento deu a resposta ameaçadora de que "os ares de Londres farão bem a Sua Majestade" (implicitamente sugerindo uma temporada na infame Torre da cidade), fazendo Henriqueta voltar à sua fobia de ser "aprisionada em um cerco". Dois dias mais tarde — com ou sem paralisia

—, ela partiu para o porto de Falmouth, na Cornualha, com o que restava de suas jóias e prataria. Lá, no dia 9 de julho, ela escreveu seu adeus final a Carlos: "Estou dando a você a maior prova de amor que consigo: estou prejudicando minha vida para não prejudicar seus negócios. *Adieu*, meu amor. Se eu morrer, acredite que você está perdendo uma pessoa que nunca foi nada além de inteiramente sua."

Henriqueta Maria zarpou com a frota flamenga, e apesar de ter sido alvejada por "cem tiros de canhão", apenas um disparo acertou. Foi dito ao Parlamento que ela não "recebeu outra cortesia da Inglaterra a não ser balas de canhão para encaminhá-la à França". Henriqueta Maria, rainha da Inglaterra, chegou à costa da Bretanha escalando pedras em um rochedo escarpado, lembrando mais uma heroína romântica varrida pelo vento que um membro da realeza da época.

O pior pesadelo do cardeal Mazarin estava prestes a começar, mas, como um rematado conspirador, ele estava preparado para esse momento.

18

A rainha exilada e o cardeal ladrão

1645-1649

A ENLAMEADA RAINHA DA INGLATERRA encontrou abrigo na corte de seu sobrinho em Paris duas semanas depois. A família real francesa, liderada por Ana da Áustria, viúva de Luís XIII e rainha-regente, demonstrou grande afeto pela lamentável e frágil Henriqueta Maria, e deu a ela aposentos reais no Louvre. Seriam seu lar pelos oito anos seguintes.

Assim que recuperou a saúde, Henriqueta Maria decidiu continuar a trocar jóias por armas a serviço de seu marido, e sua atenção se voltou imediatamente para o onipresente Mazarin. Ela fugiu para a França com o Sancy e o Espelho de Portugal, assim como o grande colar de Henrique VIII, mas relutava em empenhá-los por armas. Certamente Mazarin iria perceber sua difícil situação e ajudaria a família real inglesa, que era ligada por sangue à da França. Mas Mazarin polidamente evitou qualquer envolvimento. Henriqueta Maria não conseguiu perceber que a guerra civil da Inglaterra tinha dado sinal verde à França — e, portanto, a Mazarin — para agir livremente de acordo com suas próprias ambições européias. Mazarin disse à rainha inglesa que "a França em si não tem um único soldado disponível", mas insinuou que o duque de Lorena poderia ter todo um exército para alugar. Ele estava montando uma armadilha maquiavélica para Henriqueta Maria, já que Lorena

232 O DIAMANTE MALDITO

tinha prometido seu exército à Espanha. Se ela fosse bem-sucedida, Mazarin teria neutralizado Lorena e a Espanha de um só golpe. Se ela fracassasse, a Inglaterra seria colocada de lado, envolvida em sua própria guerra civil, e a França ainda teria as rédeas no continente.

Henriqueta Maria também não tinha feito um acordo com o antigo inimigo de Carlos, o defensor dos pântanos e primeiro adversário da política do rei de drená-los, Oliver Cromwell. Em 1645, o evangélico Cromwell criou a força militar de elite (treinada, adequadamente remunerada e uniformizada) chamada Novo Modelo de Exército. Ela era fruto do mesmo fervor religioso que inspirou soldados desde a época das Cruzadas até o Talibã. Carlos fizera de Cromwell um inimigo mortal, que acreditava que o rei era a encarnação de tudo de maligno na Inglaterra. O rei acreditava absolutamente que seu poder pessoal *era* a Inglaterra, quando, na verdade, a idéia de Estado-nação havia surgido nos corações e mentes de seu povo, que estava exigindo voz nos assuntos do país.

Então *realmente* a tragédia se abateu. Não apenas Carlos e Rupert foram tragicamente derrotados em Naseby em junho de 1645, com mil soldados realistas mortos e de 4 mil a 5 mil feitos prisioneiros, mas também as cartas e códigos de Carlos e Henriqueta foram apreendidos com a bagagem do rei, perdida no campo de batalha. Isso revelou todos os seus complôs e planos desde 1643. Um mês mais tarde, o Parlamento publicou-os sob o título *The King's Cabinet Opened* [O Gabinete do Rei Revelado], fornecendo contra a coroa provas conclusivas de complôs estrangeiros com Irlanda e França, papistas.

No dia 27 de abril, após passar a tarde em frente a uma lareira bem abastecida queimando documentos incriminadores, Carlos fugiu de Oxford no meio da noite. Dois dias mais tarde ele se rendeu aos escoceses, na esperança de fazer um acordo com eles. Em junho o príncipe de Gales fugiu para a França e conseguiu asilo de um relutante Mazarin. Quatro outros filhos do casal real — o duque de Gloucester, o duque de York, a princesa Elizabeth e a princesa-bebê Henriette — estavam em prisão domiciliar na Inglaterra. Em janeiro de 1647, quando os escoceses não conseguiram chegar a um acordo com o intransigente Carlos, ele foi entregue ao Parlamento em troca de um resgate de 400 mil libras (55,4 milhões de dólares ou 34,6 milhões de libras, em valores de hoje). Carlos disse que tinha sido "barato". Quando o rei se recusou a assinar as propostas do exército para sua recolocação — pois então o exército puritano de Cromwell efetivamente comandava o Parlamento — Carlos se tornou oficialmente seu prisioneiro.

Henriqueta Maria tentou fazer com que Carlos fosse resgatado pelo papa, pelos irlandeses, pelo príncipe de Orange e por Ana da Áustria, que naturalmente enviou sua cunhada a Mazarin. Todas as tentativas fracassaram. Sua única esperança era que o Parlamento e as várias facções armadas se lançassem umas sobre as outras, levando à recolocação de Carlos.

Por volta de junho de 1648, a rainha era tratada por todos como uma levantadora de fundos evangélica cujas cartas ou visitas eram recebidas com temor. Ela estava constantemente se queixando de sua extrema pobreza, alegando: "Eu não tenho outra peça de ouro ou moeda" além de uma xícara de ouro. Isso não era exatamente verdadeiro. Henriqueta Maria ainda estava de posse do grande colar de Henrique VIII, do Sancy e do Espelho de Portugal, que teimosamente se recusou a vender a Mazarin por um valor drasticamente reduzido. Assim que essas peças fossem a leilão, ela não teria mais nada com o que barganhar.

Cromwell multiplicava suas vitórias enquanto Henriqueta Maria se enredava na armadilha de Mazarin, acreditando que o duque de Lorena enviaria dez mil soldados mercenários para lutar na Inglaterra. O príncipe de Orange agora ignorava seus apelos de barcos para transportá-los, bem como de três mil outros soldados. O herdeiro do trono, Carlos, príncipe de Gales, e dois de seus parentes, juntamente com Henriqueta Maria, tentaram negociar um casamento entre eles e qualquer nação que pudesse socorrer Carlos.

Desesperada, ela se voltou para Mazarin, que avisou que caso ela conseguisse tropas, elas não poderiam zarpar de nenhum porto francês. Carlos, enquanto isso, negociava secretamente com os irlandeses. Tanto o rei quanto a rainha ignoravam o fato de que os ingleses veriam suas atividades como atos de traição facilitando uma invasão estrangeira. A única preocupação do casal real era conseguir dinheiro para mercenários e armas, e eles conseguiriam isso por meios lícitos ou ilícitos.

Mazarin aumentou a pressão sobre a pequena garganta de Henriqueta Maria emprestando dinheiro para subsistência na corte para ela e seus filhos, ao mesmo tempo recusando-se peremptoriamente a ajudar com armamentos. Suas constantes negativas à rainha são extraordinárias, já que ele acumulava uma enorme fortuna com tráfico de armas desde 1642, e regularmente negociava pólvora, canhões, cobre e chumbo. Na verdade, Mazarin lucrava pessoalmente com qualquer ação militar — incluindo as vendas de armas da França — como intermediário entre mercadores e governos, acrescentando suas polpudas comissões à venda de todos os componentes da máquina de guerra da Europa do século XVII. Um pequeno testamento de seus negócios com armamentos foi encontrado quando de sua morte em 1661, quando cerca de seis mil espadas e armamentos enferrujados foram descobertos na casa de um de seus lacaios banqueiros, Cenami, em Lyon.

Mas como Mazarin tinha conseguido controle tão absoluto? Quando chegou à França em 1639 como o desconhecido diplomata Giulio Mazzarini do papa Urbano VIII, ele atraiu a atenção do ministro de Luís XIII, o cardeal Richelieu. Mazarin era um diplomata ávido de 37 anos de idade com uma ardente ambição, e ainda desconhecido no auge da vida. Richelieu reconhecia seu talento como negociador e admirava sua sede de poder. Ele recrutou Mazarin como seu *protégé*, fazendo dele cardeal em 1641. A rápida ascensão de Mazarin a príncipe da Igreja é ainda mais inacreditável, considerando-se que ele nunca tinha sido padre.

Quando da morte de Richelieu em 1642, o arquiteto da França de Luís XIII teria dito em seu suspiro de morte: "Eu acredito que eu fiz o meu melhor trabalho para Sua Majestade deixando-lhe Mazarin." Richelieu atuou como a invisível mão de Deus e obstáculo repulsivo entre o rei e o país. O governo de Mazarin iria se mostrar ainda mais impopular durante o reinado do infante Luís XIV.

Mas o que deu a Mazarin seu máximo poder foi a bem azeitada máquina que alimentava sua cobiça. Seus agentes, em ação desde 1641, eram princi-

A RAINHA EXILADA E O CARDEAL LADRÃO 235

palmente italianos de Lucca, e entre eles estavam o banqueiro do rei, Thomas Cantarini; o cunhado de Cantarini, Pierre Serantoni, e Vincent Cenami. Barthélemy Hervart, originalmente de Augsburg, juntar-se-ia ao grupo alguns anos mais tarde e assumiria um cargo na administração das finanças da coroa. Esses homens literalmente tinham em suas mãos as fortunas da França. Cantarini, por exemplo, "investiu" 31 milhões de *livres* (242,7 milhões de dólares ou 151,7 milhões de libras, em valores de hoje) de dinheiro da coroa entre 1643 e 1648. Durante esse mesmo período Mazarin manteve duas contas com a família Cantarini: uma em seu nome, outra no nome do abade Mondin, o homem encarregado das transações ilícitas de Mazarin.

Enquanto Ana da Áustria continuasse a apoiar Mazarin, não haveria outra autoridade real capaz de desafiar seu poder. O cardeal alcovitava com a rainha-regente, e dissipava quaisquer medos que seu grupo pudesse ter, enquanto eles coletivamente privavam de suas riquezas não apenas a França, mas também grande parte do continente. O cardeal estava inteiramente livre para começar sua luta pessoal para se transformar no homem mais rico da Europa. Sua luta política — encerrar a rivalidade entre as nações católicas da Europa — também estava em andamento. E a rainha da Inglaterra tornara-se, então, fundamental para esse plano.

Henriqueta Maria tinha posses de tremendo valor — beleza e poder sem igual que o cardeal ambicionava — e involuntariamente tornou-se uma mosca infeliz na teia de aranha dos objetivos de Mazarin. O cardeal estava sustentando e desmontando esperanças, com um objetivo — o Espelho de Portugal e o Sancy. Mas quanto mais ele insinuava que seria capaz de ajudar Henriqueta Maria com a compra dos diamantes, mais a intrépida rainha se aferrava à sua posição.

Ele *precisava* daquelas importantíssimas gemas. Era fundamental para sua auto-imagem de voraz apaixonado por diamantes e colecionador de todas as coisas de grande beleza. Ele queria ser o homem que tinha devolvido a paz à cristandade ao mesmo tempo que usava o maior diamante branco da Europa. Os paralelos entre seus objetivos cristãos e seus objetivos políticos pessoais são fáceis de identificar. Os diamantes ainda representavam invencibilidade

236   O DIAMANTE MALDITO

e poder, e ele simplesmente não se contentaria com o segundo melhor. Eles também representavam a forma de riqueza mais facilmente transportável — e para o cardeal conspirador, uma que poderia ser bem útil.

A sede de Mazarin por diamantes e outras riquezas pessoais era encoberta em transações bizantinas, sendo a propriedade, nos melhores momentos, um imenso banquete. Algumas vezes as jóias eram meios para atingir um objetivo, como o colar de pérolas que ele comprou para a filha de Henriqueta Maria, Maria, princesa de Orange, para manipular sua mãe.

Os diamantes que ele comprou em nome de Ana da Áustria são outro exemplo. Entre 1641 e 1648, quando *La Fronde* (uma sangrenta guerra civil provocada pelos excessos de Mazarin e da família real) eclodiu, o cardeal já havia adquirido 714.868 *livres* (1,8 bilhão de dólares ou 1,1 bilhão de libras, em valores de hoje) em gemas. Ele alegou que metade do valor tinha sido gasta em jóias para Ana da Áustria e outras casas reais da Europa. A outra metade, claro, era para o próprio Mazarin. Isso, contudo, não explica como duas cruzes de diamante — a pequena pertencente a Ana da Áustria — estavam na coleção particular do cardeal no momento em que seu palácio de Paris foi atacado. Sua própria cruz, a maior, foi avaliada em 120 mil *livres* (294,2 milhões de dólares ou 183,9 milhões de libras, em valores de hoje) e era apenas uma das milhares de peças de joalheria de posse do cardeal. Quando os representantes do Parlamento empenharam as duas jóias para alimentar a nação, Mazarin foi abertamente acusado de traficar diamantes e outras pedras preciosas.

Enquanto Henriqueta Maria vasculhava França e Holanda em busca de salvação para seu amado Carlos, Mazarin comprava enormes quantidades de diamantes em Portugal entre 1647 e 1648 através do abade Mondin. O abade tinha sido encarregado de comprar pedras preciosas para a corte de Sabóia e era um amador talentoso na arte de escolher boas pedras. Ele também sabia como lavar dinheiro, e era uma peça fundamental na rede criminosa do cardeal. Ademais, o abade emprestava seu nome a diversas contas bancárias falsas de Mazarin, e tinha uma conta secreta para o cardeal no banco de Cantarini que o Parlamento investigou durante *La Fronde*.

A RAINHA EXILADA E O CARDEAL LADRÃO 237

Mas antes que a guerra civil eclodisse, Mazarin teria aproximadamente dois anos durante os quais acumular uma riqueza ainda maior que em seus sonhos mais extravagantes. Mazarin escreveu a Mondin sobre suas compras de diamantes:

> Há uma grande quantidade de diamantes em Lisboa que você definitivamente precisa comprar. (...) Cuide para manter a compra em segredo. (...) Mas, especialmente, você não deve perder tempo algum em pedir mais dinheiro caso seja necessário, só você e o sr. Cantarini sabem disso e só vocês dois podem impedir que outros tenham o menor conhecimento dessa compra. (...) Seria bom que vocês se dedicassem a comprar as maiores pedras, em vez de coisas de pouco valor.

Assim que Mondin comprou as pedras brutas, elas foram levadas para a França (sem pagamento de taxas ou a concessão de licenças de importação), onde foram lapidadas e polidas por artesãos italianos. As pedras foram então vendidas ou reexportadas via Antuérpia ou Amsterdã. Os lucros com as operações eram astronômicos.

Não sabemos se Henriqueta Maria tinha conhecimento do tráfico de pedras preciosas comandado por Mazarin, mas sabemos que em março de 1648 a rainha não tinha alternativa a não ser empenhar tanto o Espelho de Portugal quanto o Sancy com o cúmplice de Mazarin, Bernard de Nogaret, o segundo duque d'Epérnon (1592-1661), que logo seria exilado para a Inglaterra. Com os fundos adiantados por Epérnon, Henriqueta Maria enviou 36 mil coroas para Carlos. A rainha não tinha mais nada a dar, mas Carlos ainda achou meios de criticá-la dizendo ser o dinheiro "uma ajuda pouco suficiente". Mas qualquer coisa menos que um tesouro nacional e um completo milagre militar teria sido de pouca valia.

La Fronde estava no auge ao final de 1648. O Estado estava efetivamente falido — devendo mais de 100 milhões de *livres* aos banqueiros amigos de Mazarin, em grande parte pela Guerra dos Trinta Anos —, com funcionários públicos sem salários, proprietários de terras arruinados e comida escassa. No Parlamento, o procurador-geral, Omer Talon, declarou à rainha-regente:

238 O DIAMANTE MALDITO

Já se passaram dez anos com a zona rural arruinada, os camponeses reduzi-
dos a dormir sobre palha, tendo vendido seus móveis para enfrentar uma carga
de impostos da qual eles nunca podem dar conta, e essas pobres pessoas ouvem sobre o luxo de Paris, esses milhões de almas inocentes obrigados a viver com um punhado de aveia e que não têm outra proteção que sua própria
impotência. Esses infelizes têm apenas a bondade de suas almas, já que é a
única coisa que eles não podem vender.

A dilapidação das finanças da nação era impressionante. Jean-Baptiste
Colbert, assistente pessoal do cardeal e administrador competente, foi convocado pelo Parlamento para que fosse investigado de que modo Mazarin
teve meios para comprar para si um palácio em Roma e construir um outro
em Paris, onde ele abrigava uma fabulosa coleção de tapeçarias, pinturas, livros, manuscritos e objetos preciosos de todos os tipos. Mas o cardeal italiano
resistiu a pedidos xenófobos por sua cabeça e pensou que poderia escapar da
raiva popular.

A coleção de Mazarin incluía um enorme número de pinturas e tapeçarias reunidas pela rainha Henriqueta Maria e o rei Carlos. Durante a primeira viagem de Henriqueta Maria ao continente para conseguir armas, homens
e dinheiro para a Inglaterra realista, Oliver Cromwell ordenou que a coleção
do rei fosse confiscada de todos os palácios reais e vendida pelo bem da nação. Das 1.910 pinturas e esculturas vendidas — em sua maioria de mestres
como Ticiano, Rubens, Da Vinci, Michelangelo, Van Dyck, Correggio,
Breughel, Holbein, Tintoretto e Rafael —, Mazarin arrematara um número
impressionante. A cada vez que Henriqueta Maria ia à casa de Mazarin pedir
dinheiro ou armas, estremecia de vergonha com a visão de sua antiga riqueza
agora pendurada nas paredes do cardeal.

Henriqueta Maria sabia então que sua causa era inteiramente perdida.
No dia de Ano-Novo de 1649, Cromwell conseguiu expulsar seus adversários do Parlamento a pontapés, deixando apenas 56 sobreviventes, que ficaram
conhecidos como "os remanescentes". Esses sobreviventes transformaram
em lei uma prática ilegal para o "Julgamento de Carlos Stuart, o Presente

A RAINHA EXILADA E O CARDEAL LADRÃO   239

Rei da Inglaterra e homem de sangue". Pela primeira e única vez, Carlos respondeu a uma reunião pública sem gaguejar em resposta a essas acusações ao dizer: "Lembrem-se de que eu sou seu rei, seu rei legítimo. (...) Eu não irei trair isso respondendo a uma nova autoridade ilegal. Assim, eu esclareço que vocês não ouvirão mais nada de mim."

Sua eloqüência foi chocante e denunciou os procedimentos como a fraude que eram, e os membros dos remanescentes começaram a hesitar. Carlos foi retirado do primeiro julgamento em meio a gritos de "Deus salve o rei". Em seu segundo julgamento, Carlos mais uma vez respondeu que o Parlamento estava fazendo leis ilicitamente e que ele não iria responder às acusações. Cromwell precisou de mais duas tentativas para intimidar e submeter seus parlamentares antes de finalmente conseguir o veredicto de culpado que ele acreditava predeterminado por Deus. Esses quatro julgamentos demoraram apenas uma semana, e Carlos foi deposto como um "tirano traidor assassino e inimigo implacável da comunidade da Inglaterra".

No dia 29 de janeiro de 1649, Carlos deu um adeus de cortar o coração a seus filhos aprisionados princesa Elizabeth e Henrique, duque de Gloucester. Nas palavras de Elizabeth, escritas imediatamente depois, é dito:

> Ele desejou que eu não sofresse e me atormentasse por ele, pois seria uma morte gloriosa e ele deveria morrer. (...) Ele me disse que perdoava todos os seus inimigos e que esperava que Deus também os perdoasse, e ordenou a nós, e ao restante de meus irmãos e irmãs, que os perdoássemos. Ele me pediu para dizer a minha mãe que seus pensamentos nunca se afastaram dela, e que seu amor por ela era o mesmo até o fim.

Enquanto ela chorava, Carlos acrescentou: "Amor, você esquecerá isto." Ele então disse a Henrique para nunca concordar em se tornar rei, pois isso implicaria a morte de seus dois irmãos mais velhos, Carlos e Jaime, e para sempre permanecer um bom protestante. Carlos então deu a seus dois filhos o restante de suas jóias pessoais.

No dia seguinte, Carlos I subiu ao cadafalso em frente à Banqueting House vestindo duas camisas, para que não tremesse de frio e a multidão pensasse que ele era covarde. Seu ato final foi dar ao bispo Jackson a última das suas jóias da coroa, o anel de sinete real de diamante, a Insígnia da Ordem da Jarreteira, eloqüente e simplesmente dizendo: "Lembre-se." Ele bravamente colocou sua cabeça sobre o bloco e deu ao carrasco o sinal de que estava pronto. A cabeça do rei foi cortada de um só golpe, e a Inglaterra mergulhou em 11 anos de um tenso parlamentarismo sob o ditatorial Cromwell — o único interregno em sua história.

Cromwell, querendo erradicar o rei da memória nacional e as jóias da coroa e seu suposto poder de sua psique, ordenou que todas as jóias da coroa remanescentes fossem vendidas, sendo as pedras preciosas arrancadas de seus engastes e o ouro derretido. Se Henriqueta Maria não tivesse roubado o diamante Sancy, sua história provavelmente teria terminado ali.

19

Mazarin: corrompido pelo poder absoluto

1650-1661

MAZARIN REAGIU À EXECUÇÃO do rei Carlos com horror contido. Henriqueta Maria, agora uma mulher destruída, não fez nenhum de seus antigos dramas, e inicialmente mal reagiu, como se não acreditasse na notícia monstruosa. Quando se deu conta do crime hediondo, soluçou por semanas a fio, e temeu por seus quatro filhos, que ainda eram "prisioneiros" do Parlamento. Mazarin, como era de se esperar, jogou bem: ele rompeu relações diplomáticas com os bárbaros ingleses e concordou mais facilmente em dar auxílio à rainha inglesa, que, em um estado quase catatônico, já não sentia necessidade disso.

As investigações iniciadas pela oligarquia judicial contra o cardeal tinham finalmente começado, e ganhado peso, com grande parte da nobreza participando. O poder absoluto do cardeal sobre Ana da Áustria e o jovem rei era temido por todos, assim como sua capacidade maquiavélica de antecipar e manipular acontecimentos era admirada por muitos de seus inimigos. Estavam sendo preparadas acusações a Mazarin, mas ele ainda se considerava acima da lei e "invencível". Como Saddam Hussein face às forças da coalizão,

Mazarin acreditava que algo aconteceria — alguém iria salvá-lo. No final, na madrugada nublada de 6 fevereiro de 1651, Mazarin fugiu para o exílio, deixando para trás uma profusão de documentos, incluindo "combinações" com seus banqueiros e uma trilha de papel que Colbert podia seguir.

De seu exílio em Saint-Germain-en-Laye, o cardeal caído em desgraça continuou com seu tráfico de armas e gemas. Enquanto ele se ocupava de novas aquisições, os *frondeurs* invadiram o Palais Mazarin com uma ordem parlamentar e confiscaram cerca de 800 mil *livres* em mobiliário de luxo. Foi elaborado um inventário intitulado "Inventário das maravilhas do mundo vistas no palácio do cardeal Mazarin". Ele descrevia um cenário onde:

> Há estátuas vergonhosamente nuas (...) raros escrínios de ébano decorado (...) mesas de mármore com flores entalhadas (...) um grande aposento dedicado a antiguidades (...) escrínios de casca de tartaruga (...) mesas de mármore esculpidas na forma de pássaros (...) uma cama de marfim (...) uma cadeira que sobe e desce puxando-se uma corda quando se senta nela (...) Vamos fugir desta casa, temer seu conteúdo. Sua paixão sufoca nossos corações e nossa curiosidade. Não queremos considerar suas riquezas nada além de um tesouro de miséria, já que suas raridades foram compradas com ouro maculado e o medo do povo.

Os gentios de Paris mal conseguiam entender tais tesouros, e se ergueram em rebelião. As barricadas pelas quais Paris é tão famosa foram erguidas, e começou a caçada ao cardeal. Paris estava em furiosa exaltação, coberta de panfletos chamados *mazarinades*, acusando o cardeal de enorme avareza, abuso desenfreado de poder e mesmo de um casamento secreto com sua devotada serva Ana da Áustria.

Mazarin simulou indiferença, mas, de acordo com sua velha amiga Madame de Motteville, "isso o feriu bastante, já que ele amava tudo o que tinha e particularmente o que chegara à sua casa vindo do exterior. (...) Esta perda simplesmente significa que seus inimigos serão aplacados com seus ganhos".

MAZARIN: CORROMPIDO PELO PODER ABSOLUTO 243

Madame de Motteville estava certa. O saque da residência de Mazarin levou a uma redução do clamor pelo sangue do cardeal, e em um ano ele já era capaz de retornar a Paris. O que não foi sabido na época é que o cardeal e sua rede de banqueiros tinham conseguido esconder a maioria de seus diamantes e jóias e todos os seus preciosos objetos de ouro e prata, avaliados em cerca de 900 mil *livres* (1,9 bilhão de dólares ou 1,2 bilhão de libras, em valores de hoje). Apenas Cantarini e o abade Mondin tinham "comprado" objetos preciosos por 212.950 *livres*, entre os quais o relógio adornado de gemas de Maria de Médici. Essa "compra" voltou para as mãos do cardeal exatamente no instante em que a sorte de Mazarin virava miraculosamente.

Assim, enquanto os *frondeurs* faziam o pior em Paris, aqueles leais ao cardeal não apenas o ajudaram a esconder seus tesouros, mas também trabalharam ativamente para dar a ele novas aquisições. Jobart, outro dos agentes comerciais de Mazarin, enviou, entre maio e dezembro de 1651, cerca de quatro pacotes de diamantes por intermédio de quatro diferentes mensageiros. Aquelas eram pedras pequenas "não identificáveis", não aquelas grandes e marcantes que Mazarin pedira a Mondin três anos antes, em Lisboa. Todos os recibos foram colocados na conta de Cantarini em nome de Mondin. O cardeal tinha se tornado mais um banqueiro mercantil que um príncipe da Igreja Católica — e um banqueiro mercantil astuto.

Pouco a pouco, formou-se um quadro. Entre 1643 e 1647 Cantarini tinha feito nove empréstimos ao jovem rei Luís XIV. O sócio de Cantarini, Mazarin, ficou com 50% dos lucros das transações, que, quando da morte de Mazarin em 1661, mostravam que o rei havia pago a mais juros de 6.222 *livres* (13,3 milhões de dólares ou 8,3 milhões de libras, em valores de hoje). Cerca de 129.305 *livres* da dívida principal também tinham sido pagos a mais, e o Parlamento exigiu a devolução. O outro banqueiro mercantil de Mazarin, Barthélemy Hervart, também cobrou a mais do tesouro real, entre 1647 e 1659, cerca de 271.662 *livres* (582,7 milhões de dólares ou 364,2 milhões de libras, em valores de hoje).

244 O DIAMANTE MALDITO

Em 1651, Colbert compilou uma relação dos recebimentos do cardeal, exibindo uma renda astronômica — maior que a do rei (valores em *livres*):

Pensão do cardeal (1641)	18.000
Provisões como conselheiro (1642)	6.000
Provisões como ministro (1643)	20.000
Pensão extraordinária (1643)	100.000
Gratificações excepcionais (1639)	50.000
Supervisão da equipe da rainha	50.000
Supervisão de edifícios (1643)	50.000
Concierge de Fontainebleau (1643)	55.000
Companhia do Norte (1645)	30.666
Governo de Auvergne (1647)	50.000
Lucros de domínios anexados	
Em Franche Comte (1645)	100.000
Do mar (1645)	200.000
Estipêndio dos regimentos (1642)	46.000
Pensão de Auch	34.000
"Direitos do rei" (1650)	20.000
"Assuntos" extraordinários	
Aluguéis de casas e lojas em Paris	12.000
Benefícios eclesiásticos (1648)	<u>200.000</u>
Total	1.037.666

A relação acima não inclui nada da renda ilícita do cardeal com tráfico de armas, comércio de mercadorias, tráfico de pedras preciosas, comércio de arte e bens de luxo, juros recebidos em empréstimos, fundos recebidos fora da França, de vendas de cargos e de seu governo em La Rochelle, Brouage, Ré, Oléron, Dunquerque, Bergues, Mardick, Toulon, ou como superintendente da educação da casa do duque de Anjou. A melhor estimativa é a de que a renda ilícita fosse mais que o dobro de sua renda legal.

Desde o momento em que o cardeal retornou a Paris depois de seu primeiro exílio, começou a readquirir seus bens originais tomados pelos *frondeurs*. Muitos daqueles preciosos objetos errantes foram trazidos de Espanha,

Holanda, Alemanha e Suécia. Aqueles que haviam tirado vantagem de sua situação difícil foram perseguidos e tratados sem piedade. Mazarin exigiu do Parlamento plena indenização pela pilhagem de seu palácio e seus tesouros pessoais — e conseguiu. Em 1655, Colbert escreveu para o cardeal dizendo que estavam faltando 12 mil *livres* na sua indenização. Foi decidido que em nome do rei essa soma deveria ser tirada do filho e herdeiro de um dos comissários responsáveis pela venda dos tesouros saqueados, o que deixou o menino sem um centavo.

Mesmo antes de Paris ter voltado a ser segura para Sua Eminência, ele estava orientando seus agentes a arrancar o que pudessem da coleção do rei executado da Inglaterra, que estava então sendo leiloada pelo Parlamento republicano da Inglaterra. Era uma oportunidade única para Mazarin. Afinal, a coleção de Carlos era considerada a melhor e maior da Europa.

As relações diplomáticas foram restabelecidas em 1653, e um embaixador, Antoine de Bordeaux, foi enviado a Londres para conseguir o que pudesse da coleção que tinha sido reunida na casa de Henriqueta Maria, Somerset House. Cartas eram trocadas diariamente, e o cardeal terminou com um número fabuloso de obras de Van Dyck, Correggio, Ticiano e Tintoretto. A maioria das tapeçarias flamengas adquiridas datava do reinado de Henrique VIII, e eram as melhores já feitas. No conjunto, na época do inventário final de Mazarin, em 1661, ele possuía 1.600 tapeçarias. Mazarin tinha aconselhado parcimônia nas aquisições, mas na carta de De Bordeaux de 3 de abril de 1653 ele deixa claro que "não parece haver como encontrar algo barato aqui, se eles irão vender a mobília da rainha, como dizem, a qualquer momento".

Com literalmente milhares de obras de arte e móveis para financiar, ainda era necessário produzir um bom dinheiro para saciar a fome de luxo do cardeal. O cardeal suplementou sua substancial renda emprestando dinheiro para a família real francesa — freqüentemente confundindo os fundos dela com os seus ou os da nação, bem como atendendo a outros nobres privados de amigos ou dinheiro. Empréstimos feitos à coroa francesa tinham a vantagem adicional de servir como amortecedores para o consórcio contra a infla-

246 O DIAMANTE MALDITO

ção e as variações no câmbio internacional, dando a Mazarin e seus parceiros uma proteção contra a desvalorização monetária, com uma garantia sobera-na de ninguém menos que Luís XIV.

Criar proteções contra as taxas internacionais de câmbio também era uma preocupação para o cardeal e seus homens, e De Bordeaux escreveu excitado de Londres para Mazarin em outubro de 1653 dizendo que:

> Eu fui orientado por alguns banqueiros sobre como é possível administrar a taxa de câmbio, que hoje é de 54%, sem que ninguém queira fazer negócios com a França [em função da *Fronde*], por medo de uma ruptura. Eles me acon-selham a trazer para cá luíses de prata ou reais do México, onde a conversão para esterlinas nos custará apenas 10%, e ainda melhor, se pudermos enviar lingotes de prata de Saint-Malo cunhados a partir de 1580, o lucro será de pelo menos 15%.

O cardeal e os banqueiros do rei transformaram em arte lucrar com a miséria da nação nas mãos de um rei adolescente, exatamente como tinham feito contra a rainha exilada da Inglaterra e seus filhos. Na época de seu exí-lio, Mazarin emprestou, ou acertou para que fossem emprestados, a Henriqueta Maria, cerca de 427.566 *livres* à taxa de juros de 5%, pagos anual-mente. O penhor do Sancy e de outras jóias por Henriqueta Maria significa-va que Mazarin ainda não podia colocar as mãos neles como se fossem seus. Ele a pressionou a vender as jóias em troca do perdão de suas dívidas, mas ela se recusou. Mazarin tornou-se para Henriqueta Maria o mesmo tipo de inimigo que Richelieu tinha sido para sua mãe.

Em vez disso, no dia 16 de setembro de 1656 a envelhecida Henriqueta Maria enviou uma carta a seu filho Carlos, então rei da Escócia, falando so-bre a enorme dívida que tinha com o cardeal, Cantarini e Serantoni, e pe-dindo a ele para pagá-la por ela de alguma forma:

> Eu, Henriqueta Maria, pela graça de Deus rainha da Grã-Bretanha, declaro e atesto ao rei, Nossa honra a você como nosso filho e Soberano, que nosso caro primo, o cardeal Mazarini, conseguiu pagamento e colocou em nossas

MAZARIN: CORROMPIDO PELO PODER ABSOLUTO 247

mãos em diferentes oportunidades em benefício do falecido rei de nossa gloriosa lembrança pelos banqueiros burgueses de Paris Cantarini e Serantoni, a soma de 597.416 *livres* e 13 soldos e quatro *deniers* entre 1643 e 1645, e novamente em 1648 e 1649. Todo este dinheiro foi utilizado para nos ajudar em nossos negócios mais urgentes. Suplicamos ao senhor, Nosso Soberano e filho, que dê a nosso primo o cardeal Mazarini o reconhecimento dessa soma e a promessa de seu compromisso e intenção de pagar nosso primo.

Mas Carlos tinha seus próprios problemas. A Escócia continuava a ser uma nação pobre, entrincheirada em seus princípios presbiterianos calvinistas e, tendo convidado Carlos Stuart a voltar ao país como seu rei, não sabia como tratá-lo. A Inglaterra continuava a ser uma república sem monarca sob Cromwell, o Lorde Protetor, e Carlos era consumido pela esperança de reclamar sua coroa inglesa. As dívidas de sua mãe simplesmente teriam de esperar.

Quando Carlos se negou a ajudar sua mãe "lamentavelmente nesse momento", Mazarin viu a oportunidade. Ou Henriqueta Maria abria mão do Sancy e do Espelho de Portugal em troca de suas dívidas, ou seria obrigada a deixar a França. Henriqueta Maria finalmente cedeu, mas não sem tentar manter as aparências. Ela se recusou categoricamente a vender o Sancy e o Espelho de Portugal diretamente a Mazarin. Em vez disso, no dia 19 de maio de 1657 aconteceu uma complexa transação entre o duque d'Epernon e Barthélemy Hervart na qual o valor das jóias empenhadas foi pago a d'Epernon por Hervart, que por sua vez vendeu-as para Mazarin. Em uma transação paralela, Hervart:

> Não tendo qualquer direito aos ditos diamantes, nem qualquer direito aos 360 mil *livres* pelos quais os diamantes resgatados foram comprados, concorda em vender os ditos diamantes pela soma especificada para Monsenhor Sua Eminência Jules cardeal Mazarini, que colocou os ditos diamantes nas mãos do *Monsieur* Jean-Baptiste Colbert, que adiantou o pagamento à dama rainha.

248 O DIAMANTE MALDITO

Mas esse não era o final da história. Embora Mazarin tivesse "comprado" os diamantes de seu parceiro Epernon, o Parlamento republicano inglês naturalmente se recusou a honrar as dívidas da rainha destronada. Então, no dia 21 de fevereiro de 1660, os membros do Parlamento que haviam sido expulsos por Cromwell e seu exército em 1648 finalmente foram autorizados a ocupar seus cargos eletivos. Mazarin, ao receber a notícia, soube que seria questão de dias até que Carlos fosse convidado a ocupar seu lugar no trono inglês. No dia 5 de março de 1660, Mazarin escreveu ao confiável conselheiro de Carlos, lorde Jermyn:

A carta patente que *Milord* Jermyn trouxe para ser assinada pelo rei da Inglaterra refere-se à dívida de 597.416 *livres* 13 soldos 4 *deniers*, dos quais 396 mil de principal e 201.416 *livres* 13 soldos e 4 *deniers* de juros (a 5%) seriam pagos no final de dezembro de 1656. De acordo com as cláusulas do acordo original, os pagamentos deveriam ser feitos para reduzir os pagamentos do total de 396 mil livres do principal.

Mas Sua Majestade está encontrando dificuldade em aplicar essa cláusula do acordo. Posto que pelo menos precisamos reajustar a soma total de sua dívida de 396 mil livres a partir de 1º de janeiro de 1657 até a assinatura da declaração, que segue abaixo em nome de Marie [Henriqueta Maria], que o investimento pelos três meses e três anos desde sua expiração significa que há juros adicionais de 85.150 *livres*, o que agora eleva o total devido a 597.416 *livres* 13 soldos 4 *deniers*. O total devido por ela agora está em 661.566 [sic] *livres* 13 soldos 4 *deniers* nesta nova declaração para ser resgatada inteiramente no último dia de março de 1660. (...) Basta ler as contas e observar.

A carta é assinada "M", com a clara caligrafia de Mazarin. As contas incluídas por Mazarin demonstram sua tendência a confundir as "contas do rei" com as suas próprias, já que todos os valores pagos para a manutenção de Henriqueta eram custos da coroa francesa. Os valores pagos por Cantarini eram, naturalmente, do cardeal.

MAZARIN: CORROMPIDO PELO PODER ABSOLUTO 249

Juros de 5% desde 1º de julho
De 1643 até 31 de dezembro de
1656, 13 anos e meio
33.750 l

Mémoire do que foi pago à
rainha da Inglaterra nesses últimos
anos por sua ordem do ano de 1643.
Em 1643, no mês de junho, foi pago
a M. de Montaigne pela rainha da
Inglaterra através do empregado Cantarini
50.000 l

E foi pago pelo mesmo Cantarini por
ordem de Sua Majestade de acordo
com seu recibo datado de 25 de
agosto de 1645
100.000 l

Juros desde 1º de set. 1645 até
o último dia de dezembro de
1656, por 11 anos e 4 meses
56.666 l 13s 4d

E foi pago pelo dito Cantarini, pela
mesma ordem de Sua Majestade,
segundo seu recibo datado de 14 de
outubro de 1645
100.000 l

Juros de 1º de julho de 1648 até
o último dia de dezembro de 1656,
por 8 anos e meio
42.500 l

E foi fornecido em letras de câmbio
pagas em Amsterdã por Cantarini
a S. Webster pela rainha da Inglaterra,
pelo mesmo Cantarini para Sua
Majestade. Empregada em seus livros
de julho e agosto de 1648
111.000 l

Juros por 7 anos
12.250 l

Pagos a *Milord* Jermyn pela viagem
da marquesa d'Ormont em fevereiro
de 1649
35.000 l

Total   396.000 l

Total de juros	201.416 l 13s 4d
Principal	396.000 l
Total devido	596.416 l [sic] 13s 4d [1,3 bilhão de dólares ou 799,7 milhões de libras, em valores de hoje]

250   O DIAMANTE MALDITO

Carlos ainda estava em Bruxelas quando recebeu as contas de Mazarin, e prontamente escreveu de volta no dia 20 de março dizendo que iria pagar 64.150 l como a soma, mais juros, devida ao cardeal, já que ele tinha emprestado "para os assuntos do falecido rei nosso honrado Pai de feliz memória, e reconhecemos nosso dever e permitimos que a soma acima mencionada seja paga a nosso caro primo".

Como a resposta de Carlos não era clara, Mazarin disparou outra carta pedindo o pagamento integral, à qual o rei respondeu apressadamente de Colônia que aquiescia. Dois meses depois, em 29 de maio de 1660, o rei Carlos II entrou na City de Londres em uma espetacular procissão com uma dúzia de enfeitadas carruagens escoltadas por cavaleiros usando dobletes de prata; mil soldados; xerifes da City com galões dourados e corneteiros em vestes douradas enfeitadas de veludo negro. A Inglaterra republicana chegava ao fim.

Um dos primeiros atos de Carlos foi tentar recuperar a coleção dispersa — incluindo as jóias da coroa real — no continente. Ele naturalmente se correspondeu com Mazarin em busca da devolução de pinturas, móveis, cavalos e jóias, e teria recebido particularmente bem a devolução do Sancy e do Espelho de Portugal. Mazarin negou o pedido.

De forma estranha, devemos ser gratos ao cardeal por sua obstinação — das 1.100 pinturas que Carlos conseguiu recomprar, todas aquelas que estavam no Palácio de Whitehall foram destruídas no Grande Incêndio de Londres de 1661: três pinturas de Leonardo, três de Rafael, 12 de Romain, seis de Correggio, 18 de Ticiano, 27 de Holbein, 13 de Van Dyck e 14 de William van de Velde foram consumidas pelas chamas juntamente com o próprio palácio.

Não há dúvida de que o cardeal estava esfuziante com sua aquisição do Sancy. Finalmente, após quase vinte anos de intriga, ele possuía este diamante excepcional e histórico, bem como o Espelho de Portugal. Para ele, aquelas eram as representações máximas do seu poder, obras de arte e um seguro muito melhor que as terras do rei, caso precisasse ir para o exílio uma terceira vez.

Ele dominava a sofisticada arte de tirar vantagem do endividamento da aristocracia e dos reis, e sobreviveu à primeira pilhagem de sua fenomenal

MAZARIN: CORROMPIDO PELO PODER ABSOLUTO 251

coleção. Quando aqueles infelizes empenhavam seus bens com o cardeal, ele permitia que inflacionassem: "5% de 400 mil vale muito mais do que 5% de 100 mil", aconselhava Colbert.

Em 1661, um ano após ter feito sua cobrança ao rei Carlos II, tanto Mazarin quanto a rainha Henriqueta Maria morreram. Após a morte do cardeal, o rei Luís XIV concedeu-lhe um funeral de Estado completo, com um serviço religioso magnífico na catedral de Notre Dame de Paris. O próprio rei vestiu luto em honra de seu padrinho e mentor, e teria sentido a perda de forma terrível.

Foi feito um inventário dos tesouros de Mazarin na quinta-feira, 31 de março: havia 877 pinturas, 37 pinturas adicionais excluídas do inventário, milhares de pedras preciosas, especialmente diamantes, mobiliário fino, esculturas, centenas de tapeçarias e mais de 100 mil livros e manuscritos. Para ajudar a compreender a vastidão dessa coleção, hoje um museu médio possui apenas 2.500 pinturas, e a maioria das bibliotecas municiais encontraria dificuldade em ter tantos livros. Mazarin ajudou a transformar o diamante no "príncipe das gemas". Ele tinha 50 anéis de ouro esmaltados cravejados de diamantes, rubis ou safiras, e vários pares de brincos de diamante que ele usava. Gostava particularmente do diamante de lapidação mesa, mas também tinha várias lapidações mais "modernas", como o diamante de duas faces e 32 facetas, batizado "Mazarin" em homenagem ao cardeal.

Os herdeiros de Mazarin — em sua maioria suas sobrinhas — venderam sua herança para Luís XIV, que, não querendo ser acusado de tirar vantagem de viúvas e órfãos, pagou um valor acima da avaliação do inventário.

O testamento do cardeal deixou uma herança para a coroa da França: "A intenção de Sua Eminência era reunir 18 dos mais belos e maiores diamantes que existem na Europa. Tendo atingido este objetivo, o supracitado *Seigneur* os dá e os transfere à coroa, tendo a aprovação de Sua Majestade; eles deverão ser chamados os 18 Mazarins."

Esses 18 diamantes valiam mais do que todas as outras jóias da coroa da França juntas. O primeiro dos 18 Mazarins era, claro, o Sancy. O segundo Mazarin era o anterior Pindar. O Espelho de Portugal era o terceiro Mazarin.

252 O DIAMANTE MALDITO

O quarto Mazarin, assim como o quinto e o sexto diamantes, não tinham nomes anteriores; o quarto era um diamante lapidação pêra em forma de coração pesando 24,92 quilates. O quinto Mazarin tinha aproximadamente o mesmo tamanho e era lapidado como uma gota em lapidação pêra dupla, pesando 23 quilates. O sexto Mazarin também era uma gota em lapidação dupla pesando 20, 26 quilates. O sétimo Mazarin, também chamado Grande Mazarin, e atualmente propriedade dos joalheiros Boucheron, era uma pedra de lapidação mesa, quadrada, de 21,6 quilates. O oitavo Mazarin também era uma pedra mesa, quadrada, pesando 18,75 quilates, e foi vendido a Boucheron da coleção de jóias da coroa em 1887. O nono Mazarin era uma pedra facetada em forma de gota pesando 15,67 quilates. O décimo, o décimo primeiro, o décimo segundo e o décimo terceiro Mazarins eram, todos, pedras de lapidação mesa quadrada, pesando, respectivamente, 17,46 quilates, 18,23 quilates, 17,46 quilates e 13,36 quilates. O décimo quarto Mazarin foi novamente lapidado em 1791, em uma grande pedra oval brilhante, e pesava apenas 8,67 quilates. O décimo quinto Mazarin teve o mesmo destino, pesando meros 8,7 quilates em sua nova forma como uma pedra retangular brilhante. O décimo sexto Mazarin, originalmente um diamante mesa quadrado de 9 quilates, foi lapidado novamente em 1791 e pesava 6,16 quilates. O décimo sétimo Mazarin, assim como o décimo oitavo, fazem parte do acervo do Louvre desde 1887, sendo o primeiro uma pedra de verso plano em forma de coração de 21,96 quilates, enquanto o segundo, também uma pedra plana em forma de coração, pesa 22,09 quilates.

O cardeal também deixou como herança um buquê de cinqüenta diamantes para a esposa de Luís XIV, a rainha Maria Teresa, e a Rosa da Inglaterra, um diamante de 25 quilates igualmente conseguido de Henriqueta Maria, para Ana da Áustria.

Em 1661 Luís XIV estava no caminho de se tornar o "Rei Sol" — o mais brilhante monarca da França. Seu amor pelo poder absoluto e pela extravagância fora instilado nele por seu padrinho e mentor, o cardeal Mazarin, e em breve Luís superaria o cardeal em ambos.

20

Uma mera bagatela na coroa do Rei Sol

1661-1710

LUÍS XIV, COMO A RAINHA ELIZABETH, é bem lembrado por suas vestimentas reais, e o Sancy era o mais importante e histórico diamante da coroa francesa no início de seu reinado. No final de seu reinado de 72 anos de duração, o Sancy tinha sido reduzido em *status* a uma mera bagatela na coroa do Rei Sol. Como a rainha Elizabeth, Luís era um consumado adepto do "figurino do poder", mas, diferentemente da rainha inglesa, seu gosto pela ostentação e a extravagância tornou-se um objetivo em si. Seu desejo de poder e sua cobiça iriam acabar superando os conselhos fiscais e o desejo de uma França moderna do confiável e sensível ministro das finanças Colbert. Com o benefício de séculos de compreensão, podemos ver que o rei, involuntariamente, estava lançando as sementes da mais sangrenta guerra civil da Europa: a Revolução Francesa.

Com base no esplendor do que tinha sido escrito sobre a Florença dos Médici — um esplendor que sua avó Maria de Médici conhecera pessoalmente —, Luís aperfeiçoou os desfiles de tirar o fôlego, as diversões fartas e os banquetes suntuosos. Voltaire, ao descrever a viagem do Rei Sol a

Dunquerque e Lille em 1670, escreveu: "A pompa e grandeza do antigo rei da Ásia [o Grão Mogol da Índia] foi superada pela magnificência desta jornada." Relatos de testemunhas descrevem os inevitáveis empurrões em meio às pessoas que tinham ido ver o rei — não apenas para ter um vislumbre do mais poderoso governante da Europa, mas também para que um pouco de seu resplendor se refletisse sobre elas.

Voltaire também escreveu que o rei "dava ouro e pedras preciosas em profusão a cortesãos e damas, que aproveitavam os menores pretextos para falar com ele". O grande filósofo chegou mesmo a dedicar meia página a uma descrição do Sancy em *La Henriade*.

A corte de Luís era um acontecimento monumental. A esplêndida suíte com sete salas de recepção, chamada *Grand Appartement*, era decorada com móveis, cortinas e tapeçarias de veludo bordado no inverno, e seda branca estampada de flores no verão, com castiçais e lustres de prata nos quais cintilavam cem mil velas, lançando um brilho dourado. Quando Luís subiu ao trono, possuía cerca de duzentas pinturas; quando morreu, duas mil.

Os cortesãos de Luís eram jogadores desavergonhados, e o palácio era freqüentemente citado como um antro de jogatina. Os nobres se divertiam fazendo apostas altas e eram trapaceiros consumados — gritando e blasfemando, arrancando os cabelos e chorando quando perdiam, e muitos perderam fortunas inteiras. O embaixador veneziano, Giustiniani, e vários outros perderam no jogo tudo o que tinham em uma única partida sem um resmungo.

Havia peças, concertos e danças, já que o rei se dedicava a seus *divertissements*, ou diversões. As tardes de verão freqüentemente eram passadas em gôndolas no canal, seguidas logo atrás por seus músicos, balançando para a frente e para trás com o rei enquanto tocavam em uma barcaça flutuante. Naturalmente, as gôndolas, juntamente com os gondoleiros, eram presentes da República de Veneza.

Esta foi a época em que os diamantes e todas as outras jóias ganharam o seu significado moderno — usadas como um sinal de beleza e riqueza, para reluzir e impressionar. O Quai des Orfèvres em Paris vinha florescendo como guilda de joalheiros e centro de excelência (não diferentemente da Rua 47 de

Nova York ou Hatton Garden, em Londres) desde a época de Henrique IV, mas com Luís XIV ela definitivamente deslumbrava. O modelo "folha adornada" ou "vagem" tinha se tornado uma marca original da joalheria parisiense na época de seu pai, e Luís estava determinado a se tornar o maior ícone da moda do mundo, criando as mais exóticas jóias, roupas e palácios. Ele atingiu seu objetivo.

Sob Luís, ourives e joalheiros de Paris inventaram novos e mais leves engastes para destacar o brilho das pedras mais bem lapidadas. Laços, pingentes e porta-jóias ao "estilo francês" eram a grande febre. Grandes pedras eram freqüentemente engastadas em número espantoso como ramalhetes, dominadas por rosetas de diamantes. Estes eram tão grandes que eram normalmente chamados "pedras", e essa foi a primeira vez em que a palavra foi utilizada para descrever gemas. Os seus joalheiros e ourives — Jean Pittau, Louis Alvarez, Laurent e Pierre Le Tessier de Montarsy, Sylvestre Bosc, Philippe Pijart e Pierre Bain — atendiam os maiores excessos do rei e eram regiamente remunerados por seus serviços.

Uma pessoa de fora, Robert de Berquen, mercador de jóias da neta da rainha Henriqueta Maria da Inglaterra, Anne Marie Louise d'Orléans, tinha uma enorme inveja não apenas daqueles homens, mas também dos mercadores aventureiros do rei, dos quais o mais notável era um personagem de proporções épicas, Jean-Baptiste Tavernier.

Tavernier (1605-1689) viajou seis vezes para a Índia, Turquia e Pérsia (hoje Irã) e a cada viagem sua lenda crescia. As fascinantes viagens de Tavernier foram contadas em seus livros e descreviam os povos daquelas terras distantes com detalhes e clareza, bem como com uma modéstia encantadora. Ele simplesmente enfeitiçava a sociedade francesa, e trouxe para casa várias fortunas em diamantes e outras pedras preciosas. Seus livros eram *best sellers* da época, e ajudaram a popularizar o diamante como a pedra preciosa preferida.

De Berquen, em uma tentativa bem-sucedida de conseguir seu lugar na sociedade e na história, embora tenha fracassado em usurpar o lugar de Tavernier, escreveu seu próprio livro com o capcioso título *As maravilhas das Índias ocidental e oriental, ou Novo tratado sobre pedras preciosas e pérolas contendo sua verdadeira natureza, dureza, cores e virtudes: Cada qual classificada de acordo com sua ordem e grau, de acordo com o conhecimento dos mercadores joalheiros, o título de ouro e prata, com um acréscimo em muitos capítulos, as razões contra os pesquisadores da pedra filosofal e os crentes na alquimia, e dois outros capítulos sobre o preço de diamantes e pérolas, dedicado a Anne Marie Louise d'Orléans.*

O livro, publicado em dezembro de 1668, foi bem recebido, embora não fosse bem pesquisado no que dizia respeito à história. De Berquen afirma que "a rainha da Inglaterra presentemente possui o diamante do falecido sr. Sancy, que ele trouxe de sua embaixada no Levante e que possui a forma de uma amêndoa, lapidado em facetas dos dois lados, perfeitamente branco e claro, e pesa 54 quilates, e avaliado em três valores brutos em marcos". De acordo com a escala de valores em seu capítulo sobre diamantes, isso estabeleceria o valor do Sancy em meros 30.600 *livres* (59,4 milhões de dólares ou 37,2 milhões de libras, em valores de hoje), bem abaixo do valor indicado no inventário do rei.

As afirmações equivocadas de De Berquen iriam se transformar em uma das causas fundamentais por trás do passado "misterioso" do Sancy, já que elas eram amplamente consideradas verdadeiras. Lapidários vitorianos basearam suas suposições nessas alegações, e autores do século XX se basearam nos vitorianos. Não apenas De Berquen baseia a origem do Sancy em uma das muitas mentiras perpetradas pelo próprio Nicolas Harlay de Sancy — de que ele o tinha adquirido durante sua inexistente embaixada no Levante —, mas ele também alega que sete anos após as mortes de Henriqueta Maria e do cardeal Mazarin o diamante ainda pertencia à rainha da Inglaterra. Mas não acabam aí os danos provocados por De Berquen.

Os livros de Tavernier exalavam uma autenticidade difícil de igualar, então De Berquen criou um antepassado — Louis de Berquen — que, segundo afirmava, era o pai da lapidação de diamantes. De acordo com o conto de fadas, Louis de Berquen retornou de seus estudos em Paris em 1476 para Bruges, onde ele lapidou diamantes para Carlos, o Temerário:

Ele [Louis de Berquen] colocou dois diamantes em massa e, após esfregá-los um contra o outro, descobriu que, fazendo um pó de diamante e com a ajuda de uma mó com discos de ferro, tinha encontrado um método de polir diamantes perfeitamente, e mesmo de cortá-los na forma que desejasse. Ele fez isso de forma tão fortuita que teve desde então o crédito por essa invenção. Ao mesmo tempo, Carlos, o último duque da Borgonha, que tinha ouvido falar de sua habilidade, colocou em suas mãos três grandes diamantes para que ele os cortasse de acordo com seus métodos. Ele os cortou imediatamente, um espesso, um fino e o terceiro em um triângulo [supostamente o Sancy] e o fez tão bem que o duque, encantado com tal invenção surpreendente, deu a ele três mil ducados de recompensa. Então, como o duque os considerou tão belos e raros, deu de presente o mais fino ao papa Sisto IV, aquele que era da forma de um triângulo e coração ele o colocou em um anel, e a porção menor ele entregou com ambas as mãos, como um símbolo de si mesmo, ao rei Luís XI, de quem ele esperava receber informações. Quanto à terceira pedra, que era um diamante espesso, ele a manteve consigo e sempre a usou em seu dedo, e quando foi morto na batalha de Nancy ela ainda estava lá, um ano depois de ter sido cortada.

Embora houvesse lapidadores de diamantes em Bruges em 1476, não há nenhum Louis de Berquen registrado na guilda de diamantes — ou mesmo no intercâmbio comercial como um todo — de Bruges na época. A lapidação de diamantes tinha sido documentada na Europa, em Nuremberg, desde os anos 1300, e em Veneza um século mais tarde. A probabilidade de Carlos ter dado um valioso diamante a seu inimigo mortal Luís XI no último ano de sua vida, quando sua desavença estava no auge, e em uma época em que Carlos tinha seduzido Eduardo IV da Inglaterra a invadir a França, é absurda. O diamante do papa Sisto IV tinha sido um presente do *Burgunderbeute* de Jacob Fugger, banqueiro mercantil do papa. E, finalmente, o Sancy nunca foi engastado em um anel, mas usado como ornamento de chapéu pelo último duque da Borgonha.

Essa obra de ficção, vagamente baseada em fatos, é o terceiro desastre na raiz do passado misterioso do Sancy, já que todos os textos lapidários posteriores a de Berquen se referem a ele como "fonte de conhecimento". Como o ministro da informação de Saddam Hussein, De Berquen inventou uma

258 O DIAMANTE MALDITO

história que se adequava a seu objetivo pessoal, mas De Berquen teve a suprema vantagem de nunca se tornar motivo de riso.

Tavernier, por outro lado, era matéria-prima de lendas. Uma figura altaneira que falava e escrevia com a autoridade de testemunha perspicaz, ele atribuía suas habilidades à educação que recebera quando criança, de seu pai flamengo. Tavernier escreveu:

> Se o efeito da educação pode ser comparado a um segundo nascimento, eu posso sinceramente dizer que eu vim ao mundo com um desejo de viajar. As conversas diárias que vários homens educados tinham com meu pai sobre temas geográficos (...) e às quais, embora muito jovem, eu atentava com grande prazer (...) cedo me inspiraram com um desejo de ver parte daqueles países que eram representados em meus mapas, dos quais eu nunca consegui afastar os olhos.

No Livro I de seu pesado volume, *Les Six Voyages*, Tavernier apresenta uma detalhada tabela das taxas de câmbio entre as diversas moedas, de modo que o leitor seja capaz de "traduzir" os valores citados ao longo do texto para a moeda com a qual ele está mais acostumado. Ele descreve a forma pela qual os diamantes são reunidos, como os nativos se vestem, são pagos e alimentados, seu sexo e suas idades, e mesmo como os governos controlam as várias minas de diamantes. Ele está preocupado principalmente com os diamantes, já que eles são as "mais preciosas das pedras", e a mercadoria com a qual ele mais negociava.

Tavernier visitou cada uma das minas e dos rios onde os diamantes eram encontrados e retratou em seus mais pitorescos detalhes as atividades que viu ali. Em sete dias de viagem de Golconda para o leste, Tavernier visitou uma mina de diamantes no "país chamado Gani, significando 'cor' em persa". Era ali que as maiores pedras coloridas eram encontradas, e muito provavelmente foi o local de nascimento do grande diamante Azul Francês, mais tarde roubado e que se acredita que tenha sido lapidado novamente para dar origem ao diamante Hope. Tavernier escreveu o seguinte sobre aquela viagem:

UMA MERA BAGATELA NA COROA DO REI SOL 259

Uma légua e meia fora da cidade existe uma alta montanha com a forma de uma meia-lua; o espaço entre a cidade e a montanha é uma planície onde eles cavam e encontram diamantes. Quanto mais perto da montanha eles cavam, maiores pedras encontram; mas no topo eles não encontram nada. (...) Eles encontraram um grande número de pedras entre dez e quarenta quilates, e algumas vezes maiores; entre essas aquela grande pedra que pesava novecentos quilates [o diamante Grão Mogol], que Mirgimola presenteou a Aureg-zeb.

Tavernier negociava com os locais, rapidamente aprendendo seu idioma, observando seus hábitos e então os adotando. Ele era bem-visto, embora fosse um estrangeiro, e fez uma fortuna a cada viagem sucessiva vendendo suas gemas para Luís XIV e joalheiros e mercadores reais de toda a Europa. Após sua sexta viagem ele destacou as diferenças na avaliação na clareza, ou transparência, dos diamantes:

Quanto à transparência das pedras, é marcante que, enquanto na Europa nós usamos a luz do dia para examinar as pedras brutas e para avaliar sua transparência, e as pintas [impurezas] nelas encontradas, os indianos o fazem à noite, colocando uma lanterna com um grande pavio em um buraco que fazem na parede, com cerca de 90 centímetros quadrados; com a luz eles avaliam a transparência e a clareza da pedra, que eles seguram entre os dedos. A transparência que eles chamam celestial é a pior de todas, e é impossível discerni-la com a pedra em bruto. A forma mais infalível de descobrir a transparência é colocar a pedra sob uma árvore cheia de ramos, pois em função do verdor de sua sombra você pode facilmente discernir se a transparência é azulada ou não.

Tavernier deixa claro que o puro diamante branco imaculado ainda era o mais altamente considerado e o mais valioso e, como de Berquen, concebeu uma forma simples de avaliar as pedras. Se o diamante era espesso, bem proporcionado, com uma transparência clara e vívida e impecável, fosse ele cortado como um mesa ou pêra, como o Sancy, seria avaliado em 150 *livres* para o primeiro quilate. Como essas pedras tinham muitas facetas, ou muitos lados, Tavernier acreditava que o valor real podia ser determinado "estabelecendo o quadrado" do peso do diamante, em seguida multiplicando o resultado por 150 *livres*. No caso do Sancy, em que seu peso em quilates antigos era de 54 quilates, a equação matemática era: 54 quilates $\times$ 54 = 2.916 $\times$ 150 *livres* = 437.400 *livres*.

No inventário de 1691, o diamante Sancy foi descrito como sendo "inigualável" e "inestimável", embora de acordo com aquele inventário tenha sido estimado em 600 mil *écus*, ou 200 mil *livres* (24,2 milhões de dólares ou 15,2 milhões de libras, em valores de hoje). Ao que parece, nem a forma de avaliação de De Berquen nem a de Tavernier foram adotadas pela coroa.

Independentemente disso, Luís XIV provou ser o melhor cliente de Tavernier, e na época em que o mercador aventureiro publicou seu livro, em 1669, a coleção de diamantes do rei compreendia 1.302 diamantes brutos e 609 diamantes lapidados, com cores variando de violeta a botão de pêssego, e formas de elmos a corações.

Em sua infinita sabedoria, Colbert concebeu naquele mesmo ano os "Livros-razão das gemas do rei", antecipando a necessidade de manter registro da paixão de seu monarca por diamantes e outras pedras preciosas. Ele também supervisionava a atualização diária do inventário escrevendo pessoalmente "correto" ao lado das entradas de compras de mercadores, bem como "saídas" na forma de presentes dados por Luís. A supervisão metódica de Colbert era necessária em função dessas várias modificações no inventário, já que a coleção pessoal do rei (diferentemente daquela das jóias da coroa) tinha objetivos políticos.

O primeiro desses objetivos políticos era a óbvia impressão de opulência que elas criavam para dignitários em visita e para a própria aristocracia de Luís. Quando Luís estava se preparando para a visita oficial do rei do Sião (hoje Tailândia) em setembro de 1686, foi dada a ordem de garantir que Sua Mais Cristã Majestade estivesse "adornada de diamantes de tamanho extraordinário que valham mais do que todo o reino do Sião". Luís freqüentemente ficava desconcertado com uma jóia excepcionalmente bela — ou sentia repulsa por uma feia.

Como no caso de todos os seus antecessores, as gemas do rei eram mais do que uma impressionante fonte de riqueza transportável. Elas também

UMA MERA BAGATELA NA COROA DO REI SOL 261

constituíam uma "oferenda" ritual àqueles que mereciam sua benevolência e amizade, e eram importantes ferramentas de governo. Mesmo o duque de Marlborough, que tinha derrotado de forma tão decisiva os exércitos de Luís na Guerra da Sucessão Espanhola (1701-1713), recebeu uma caixa de "oferenda" com um retrato em miniatura cravejado de jóias do Rei Sol. A caixa era a marca registrada de Luís: era composta de um retrato esmaltado em miniatura do rei, montado em uma placa de ouro cravejada com no mínimo vinte e até sessenta diamantes e incluía outra placa de ouro com as iniciais do rei no verso. Receber uma caixa de oferenda de Luís era equivalente a ser sagrado cavaleiro, ou receber uma medalha de honra do Congresso. Sabe-se que apenas três dessas caixas sobreviveram das 338 originais feitas entre 1669 e 1684.

Luís XIV compreendia o valor dos diamantes e seu lugar em sua corte. Eles eram fundamentais para sua *persona*, e desde o início ele colocou em ação um abrangente programa para fazer da coleção de jóias da coroa da França a maior da Europa. Ele encomendou os primeiros botões de diamante, que hoje são representados na história da moda como botões de cristal. Em 1665 ele comprou o diamante de Guise, de forma retangular e 34 quilates, que deu a Marie de Lorena de Guise. Quatro anos depois ele comprou, em uma transação com Tavernier, 46 grandes diamantes e 1.102 diamantes pequenos.

As gravuras de Tavernier dos vinte maiores diamantes da época sobrevivem até hoje. Três eram em estado bruto, com as 17 pedras remanescentes tendo sido lapidadas na Índia no característico estilo mogol. O rei tinha mandado seu lapidador de diamantes, Pittau, retrabalhar todas as pedras no estilo europeu para destacar a transparência das pedras. A maior e mais bela delas era o absolutamente puro Azul Francês, pesando 115,28 quilates — mais de duas vezes o tamanho do Sancy antes da lapidação. Mais tarde, em 1673, Pittau cortou novamente essa pedra em uma esplêndida lapidação de brilhante de sete lados em forma de coração com um padrão de estrela no pavilhão pesando 69 quilates.

Pouco depois do reinado de Luís, o diamante Pitt, de propriedade de Thomas Pitt (1653-1726), bisavô do primeiro-ministro William Pitt duran-

262 O DIAMANTE MALDITO

te o reinado de Jorge III, também se tornaria parte das jóias da coroa francesa, suplantando o Sancy como o maior diamante branco da Europa. Pitt tinha adquirido o diamante alguns anos antes na Índia em circunstâncias misteriosas. Thomas, que ficou conhecido como "Pitt diamante", tinha desenvolvido um comércio oriental que freqüentemente o colocava em conflito com a poderosíssima Companhia das Índias Orientais. Apesar disso, quando na Índia, Pitt continuou a negociar em nome da Companhia das Índias Orientais, bem como por conta própria, e tinha um interesse particular por diamantes. O diamante, pesando 410 quilates antigos em estado bruto, teria sido roubado das minas de Golconda por um escravo, que por sua vez foi morto pelo capitão do barco com o qual tinha negociado sua fuga para a liberdade em troca de metade do valor de venda da pedra. De acordo com a lenda, o capitão do barco teria vendido o diamante a Pitt por mil libras (100 mil dólares ou 63 mil libras, em valores de hoje), mas teria ficado tão esmagado pelo remorso e pela dor que teria dissipado o dinheiro e se enforcado.

Pitt acertou para que essa pedra fabulosa fosse lapidada em Londres pelo mais admirado lapidador da época, Joseph Cope, que demorou dois anos e cobrou 5 mil libras para concluir o serviço. O resultado foi um brilhante em forma de almofada pesando 140,64 quilates métricos, medindo 25,4 milímetros de largura, 25,4 milímetros de comprimento e 19 milímetros de espessura. Este é considerado hoje o mais perfeitamente lapidado de todos os festejados diamantes históricos. O Sancy já não era mais o maior diamante branco da cristandade, posição então ocupada pelo Pitt.

Mas, como no caso da maioria dos donos do Sancy, o Pitt trazia mais problemas que benefícios junto com sua posse. Pitt, então considerado um homem de desabrida ambição, contando seus inimigos ao mesmo tempo que seu dinheiro, tinha um medo constante de ser roubado e possivelmente perder sua vida. Ele nunca dormia duas noites no mesmo local, e nunca permitia que ninguém soubesse de seus planos ou de seu possível paradeiro. A paz de espírito tem um preço, então, previsivelmente, ele primeiramente tentou oferecer o diamante em 1712 a diversas cabeças coroadas da Europa, sem sucesso. Foi apenas quando John Law, um charlatão persuasivo de lábia rápida, entrou em cena que os bens inestimáveis foram confiados a ele para serem vendidos para a coroa francesa. O diamante Pitt logo se tornou conhecido como o diamante Regente.

Embora Tavernier fosse, sem dúvida, o mais conhecido de todos os mercadores aventureiros do rei, Luís também comprava diamantes e gemas de outros. Em 1669 um mercador holandês vendeu ao rei um enorme número de pérolas e pedras preciosas, incluindo 14 grandes diamantes e 131 menores. O maior, um diamante mesa azulado chamado Bazu, pesava 43,67 quilates após a nova lapidação, tornando-se o quarto maior diamante na coleção de jóias da coroa.

Outro mercador de origem judaica portuguesa, Mestre Alvarez, foi contratado para lapidar 12 diamantes grandes e 653 diamantes menores para o rei francês. Como Tavernier, ele viajou para a Índia e comprou pedras na corte dos Grão Mogóis, e acredita-se que ele teria lapidado o diamante Rosa de Cinco Lados, pesando 21,32 quilates, que mais tarde Napoleão batizou de Hortênsia em homenagem à filha de Josefina. Esse é o mais antigo exemplar sobrevivente desse tipo de lapidação parisiense, e é valorizado não apenas por sua beleza, mas também por seu valor histórico. Alvarez era tão considerado que se tornou um dos autores do inventário do rei de 1691.

A prodigalidade de Luís e sua crença em si mesmo como monarca absoluto impediram a França de se tornar um Estado moderno. O país tinha sido obscurecido por anos de conflitos militares e extravagância patrocinados pelo rei em sua tentativa de ofuscar e conquistar os Habsburgo. Através do casamento de Luís com a filha de Felipe IV, Maria Teresa, infanta da Espanha, ele acreditava que tinha direito ao trono Habsburgo espanhol, e lançou a França em uma série de longas, sangrentas e amargas batalhas não apenas contra a família Habsburgo espanhola, mas também contra os Habsburgo austríacos.

Foi essa primeira guerra contra os Habsburgo o fator motivador por trás do inventário de 1691, já que anteriormente naquele ano Luís fora obrigado a derreter 27 toneladas da prataria do palácio de Versalhes para pagar as tropas. O inventário revelou que havia 5.885 diamantes com mais de meio quilate. Felizmente, ele nunca precisaria utilizar as jóias da coroa, apesar de perder a maioria de suas batalhas internacionais, que duraram mais de trinta anos.

Na época a Europa temia o domínio absoluto dos franceses, e no final coube ao comandante inglês, John Churchill, duque de Marlborough, liderar um grande exército europeu para acabar definitivamente com os planos expansionistas de Luís. A bravura militar do duque e sua capacidade de organização levaram a vitórias decisivas sobre os franceses em um período de apenas quatro anos — em Donauwörth e Blenheim (1704), depois Oudenaarde e Lille (1708) —, pelas quais ele recebeu a magnífica propriedade de 720 hectares do palácio de Blenheim — hoje patrimônio histórico mundial — no interior de Oxfordshire.

Luís e seus exércitos foram inteiramente derrotados, e seus complôs contra os Habsburgo fracassaram. A vitória francesa em 1712 na Batalha de Denain deu um último fôlego à causa moribunda de Luís, antes que a Paz de Utrecht fosse assinada entre a França, de um lado, e a Grã-Bretanha e a Espanha do outro em uma série de tratados datados de abril a julho de 1714. A derrota foi a pior sofrida pelos franceses desde Agincourt, na Guerra dos Cem Anos, em 1415. A França foi obrigada a entregar à Grã-Bretanha suas colônias na América do Norte (Baía de Hudson, Newfoundland e Arcádia, ou Nova Escócia). Os lucrativos contratos de comércio *asiento* da França para fornecer escravos para as colônias espanholas foram transferidos para a Companhia dos Mares do Sul, que tinha recebido uma carta régia na Inglaterra três anos antes. A Grã-Bretanha também recebeu St. Kitts, no Caribe, e Minorca e Gibraltar da Espanha. Esse também foi o primeiro tratado internacional em língua francesa em vez de latim, e mitificou o conceito de equilíbrio de poder na Europa pela primeira vez.

Mas Luís continuou determinado a manter seu poder e sua autoridade absolutos na França e se esforçou para preservar a unidade entre o Estado e a Igreja francesa, da qual ele, como Henrique VIII na Inglaterra, era o líder espiritual. Isso freqüentemente colocou Luís em conflito com os huguenotes e o papa, com repercussões perniciosas. Luís freqüentemente tinha uma opinião diferente do papa em relação a sés e abadias vagas e perseguiu aber-

UMA MERA BAGATELA NA COROA DO REI SOL   265

tamente huguenotes e jansenistas. Luís acabou revogando o Édito de Nantes, assinado por Henrique IV em 1598, levando a um êxodo em massa para o Novo Mundo de fiéis das "religiões reformadas".

No nível pessoal, o rei provavelmente é mais lembrado por seu voraz apetite sexual e suas concubinas — das quais as mais notáveis foram Louise de la Valliere e Madame de Montespan. Uma de suas primeiras amantes foi a filha mais nova da rainha Henriqueta Maria, princesa Henriette, que tinha desposado o irmão mais jovem e homossexual de Luís, e supostamente morreu de envenenamento. Após a morte da rainha Maria Teresa em 1683, Luís se casou em segredo com outra de suas cortesãs, Madame de Maintenon. Alguns bispos franceses suplicaram ao rei por moderação, dizendo diretamente que ele estava se transformando em outro Henrique VIII — devido a suas mulheres e por tomar a liderança da Igreja francesa. Luís respondeu de forma enigmática: "O que eu já ouvi é *considérable."*

Na época de sua morte, em 1715, aos 77 anos de idade, a França tinha perdido suas colônias internacionais, sua guerra européia e boa parte de seus tesouros perseguindo os sonhos impossíveis do Rei Sol. Luís viveu mais que seus filhos, todos os seus netos e três de seus bisnetos durante seu reinado de 72 anos. Embora ele tenha sido o maior dos monarcas da França, seu governo na velhice foi marcado por intrigas da corte e intolerância — exatamente o que ele esperara eliminar ao transferir a corte para o palácio de Versalhes em 1682. Mas a corte estava sempre repleta de boatos sobre envenenamentos, disputas por posições junto ao rei e, claro, mais de um indício de infidelidade e de utilização do sexo como arma.

O médico do rei, o dr. Fagon — apelidado "o assassino de príncipes" —, supervisionou as mortes de muitos dos filhos do rei, e prescreveu ao rei moribundo leite de mula como remédio para "ciática". Luís não tinha ciática, mas gangrena, e Fagon logo foi promovido a assassino de reis.

Luís mandou buscar seu bisneto e herdeiro do trono, Luís, de cinco anos de idade. Os dois se olharam gravemente pela última vez. Então o rei disse: "*Mignon*, você será um grande rei. Não me imite em meu amor pela edificação ou pela guerra; pelo contrário, tente viver em paz com seus vizinhos. Lembre-se de seus deveres e suas obrigações para com Deus; cuide que seus súditos O honrem. Receba bons conselhos e siga-os, tente melhorar as condições de seu povo como eu, infelizmente, nunca fui capaz de fazer." Então ele pediu que o garotinho se aproximasse, de modo que ele pudesse dar um beijo de adeus.

O quarto de Luís brilhava com velas acesas em vigília, pulsava com música religiosa e o murmúrio das orações, e, após três semanas de intenso sofrimento, ele expirou em paz. O duque de Bouillon saiu para a varanda do quarto do rei usando uma pluma negra no chapéu para anunciar à multidão desconsolada *"Le roi est mort"* e retornou para o interior usando uma pluma branca e proclamando *"Vive le roi"*.

21

Apenas outro símbolo no coração do poder

1715-1773

SOB LUÍS XV, O SANCY se tornou muito menos importante como símbolo de poder. Não sendo mais o maior diamante branco da Europa — nem das jóias da coroa francesa —, era a história do Sancy mais do que seu tamanho que o tornava especial. Ademais, como o próprio rei era apenas uma criança, seriam necessários cerca de 15 anos antes que qualquer das jóias da coroa fosse novamente usada por um monarca adulto. Isso, de muitas formas, depositou o ônus da pompa e circunstância da realeza exatamente sobre os ombros do regente de Luís, Felipe II, duque de Orléans.

Felipe era sobrinho de Luís XIV e se tornou regente do rei-menino Luís XV em 1715. A situação na França era precária, para dizer o mínimo. O país fora espoliado pelas desastrosas guerras internacionais do Rei Sol, não havia dinheiro das colônias desde que elas tinham sido transferidas para a Inglaterra, e o tesouro estatal estava perigosamente vazio. A distância entre a aristocracia e a classe média tinha diminuído, mas o golfo entre fazendeiros e camponeses e classes média e alta tinha se transformado em um oceano. A agricultura era temerariamente negligenciada, já que os nobres senhores de terras ou estavam muito ocupados desfrutando da vida social e dos vícios da capital, ou eram mantidos como virtuais prisioneiros na corte em Versalhes.

Versalhes ficou vazia nos primeiros sete anos do reinado do jovem Luís, com seus salões dourados, suas pinturas de valor inestimável e seus móveis e jardins impecáveis conservados e desfrutados apenas pelos empregados. A *noblesse de court* (nobreza da corte), que brotara como prisioneira virtual de uma perpétua reunião social provinciana em Versalhes, tinha escapado para Paris, liberada de suas obrigações e do exílio político. A vida em Versalhes só recomeçaria depois da coroação do rei em 1772.

Luís não tinha irmãos ou irmãs, já que todos eles tinham sido mortos pela inépcia do dr. Fagon. Sua reputação de devastador de vidas era tal que os historiadores franceses durante muito tempo especularam se, caso o dr. Fagon nunca tivesse existido, a Revolução Francesa não teria sido evitada. O próprio Luís XV escapou do mesmo destino graças à sabedoria de sua ama-seca, a duquesa de Ventadour, que o afastou do restante da família, que morreu de sarampo ou das receitas do "caro" doutor. Mesmo Luís XIV reconheceu sua importância quando disse ao garotinho em seu leito de morte: "Lembre-se de tudo o que deve a Madame de Ventadour." Felizmente, o duque de Orléans também sobreviveu, e instalou Luís no palácio das Tulherias, em frente a seu próprio Palais-Royal. O duque serviu fielmente ao rei-menino enquanto viveu.

Felipe de Orléans nunca tinha sido autorizado a participar da vida pública sob Luís XIV, não porque o próprio rei tivesse qualquer desconfiança pessoal em relação ao duque, mas porque Luís desconfiava de toda a sua nobreza. Privado de qualquer função real, Felipe era o perfeito libertino. Quando, aos 41 anos de idade, ele efetivamente se tornou o governante da França, os anos de dissipação apresentavam sua conta, mas ele estava determinado a governar bem. Ele em grande parte governou como Luís XIV tinha feito, e rapidamente conquistou o mesmo profundo respeito, mas governou mais com bom humor que com ódio e medo.

Apesar de ordenar que um inconformado Luís fosse afastado de Madame de Ventadour aos sete anos de idade e entregue a um governador pelo bem da França, Felipe amava Luís mais do que seu próprio filho insípido. Felipe

APENAS OUTRO SÍMBOLO NO CORAÇÃO DO PODER 269

disse a Luís: "Você é o senhor, eu estou aqui apenas para contar o que está acontecendo, fazer sugestões e executar suas ordens." Luís, como tantos outros, ficou encantado com seu primo distante e logo começou a participar de reuniões de conselho, abraçando seu gato de estimação, tímido demais para dizer uma só palavra.

O duque sabia que as engrenagens do poder que mantinham a França unida política e socialmente — as relações complexas entre rei, nobres e Igreja — tornavam o progresso impossível. Era preciso um investimento no futuro da França. Mas como? Havia especulação financeira nas colônias americanas da França, estimuladas pelo salafrário escocês John Philip Law, que tinha criado a Companhia do Mississippi como uma grande experiência financeira na França. Essa empresa deveria levantar fundos para empreendimentos, mas assim como a Companhia dos Mares do Sul, da qual Law igualmente era um dos principais motores, naufragou em uma vaga de cobiça. Os investidores da Companhia do Mississippi freqüentemente eram investidores da Companhia dos Mares do Sul, e vice-versa. Law subornou políticos e amantes do rei Jorge I com ações para que eles convencessem o rei a investir. Métodos deploráveis foram empregados para inflar o valor das ações de modo a obter rápidos ganhos de capital, em grande parte da mesma forma como foram empregados para criar a bolha da Internet quase trezentos anos depois.

Todo o capital de investimento na França e na Inglaterra que tinha sido aplicado em mercados financeiros desde o estabelecimento da paz em 1714 foi investido, em maior ou menor grau, em uma das empresas de Law. A febre da especulação tomou Londres e Paris, e novas empresas financiadas pela Companhia dos Mares do Sul ou pela Companhia do Mississippi — legítimas e fictícias — brotavam como mato. Em setembro de 1720 a bolha dos Mares do Sul explodiu, e Law se exilou em segurança na França. Como no caso da bolha da Internet, o colapso abalou as próprias estruturas do governo. Ministros morriam de medo por suas vidas. Investidores foram levados a investir em empresas que não tinham patrimônio, e as vítimas enfurecidas — algumas das quais estavam falidas, outras despossuídas — exigiam justiça e vingança.

270 O DIAMANTE MALDITO

A França estava em uma situação mais frágil que a Grã-Bretanha quando a bolha estourou, mas, diferentemente da Inglaterra, a base de sua economia não era sólida. Na opinião do duque, era necessária uma ação enérgica para inspirar confiança na coroa e nas finanças da França, para sustentar a confiança empresarial. Os diamantes tinham sido muito utilizados para inspirar tal confiança, e por acaso o mais fascinante diamante já visto na Europa foi colocado à venda.

Como Law estava "exilado" na França — e alegando ajudar a França a se desembaraçar de suas próprias dificuldades financeiras —, ele procurou o regente, o duque de Orléans, e mostrou a ele um modelo de vidro do Pitt. Inicialmente o regente se mostrou reticente — era um volume de dinheiro assustador a ser gasto quando a situação da coroa era tão tênue. Law e seu colega francês, o duque de St. Simon, afagaram o ego do duque — sugerindo que tal pedra poderia, afinal, ser chamada de "o Regente". A lisonja de Law por fim funcionou.

Em 6 de junho de 1717, depois de uma reunião do conselho, o duque concordou em comprar o diamante de 140,64 quilates métricos de Pitt por 2 milhões de *livres*, o equivalente a 745 quilos de ouro puro (2,8 bilhões de dólares ou 1,8 bilhão de libras, em valores de hoje). Law recebeu 5 mil libras de comissão pela transação. O regente rebatizou o diamante de "o Regente", e ele foi acrescentado à coleção estatal de jóias da coroa em 1719. A descrição oficial dizia:

> Hoje, no décimo quarto dia de junho, 1719, um diamante foi acrescentado a este inventário; comprado na Inglaterra, de primeira transparência, pesando 546 grãos, corte de brilhante de forma quadrada ligeiramente alongada, com cantos abaulados e em degraus. Há um pequeno cristal em seu plano de clivagem e um chanfro em sua parte inferior. Seu valor é inestimável, mas, para o inventário, Messrs. Rondé, pai e filho, avaliaram-no em seis milhões. O diamante supracitado recebeu o nome de Regente.

O objetivo do diamante era dar ao povo confiança de que seu monarca era invencível e todo-poderoso — com o mais moderno acréscimo de que ele não era insolvente.

O Regente foi engastado na flor-de-lis frontal da coroa de coroação de Luís XV em 1722 e na de Luís XVI em 1775, com o Sancy colocado no alto. Após as cerimônias de coroação, os dois diamantes foram substituídos por réplicas e usados separadamente. O Regente freqüentemente foi mantido como um diamante isolado em seu próprio engaste, ou como parte de um conjunto em um laço de pérolas com diamantes como ornamento de ombro, e permaneceria assim até a Revolução Francesa. O Sancy foi usado como um grande broche no chapéu de Luís, ou como um pingente em uma gargantilha usada por sua rainha.

Mas a escolha de uma rainha para o jovem monarca se revelaria uma outra questão delicada. Luís rejeitou sua primeira noiva pretendente, a infanta da Espanha, por ser jovem demais (ela tinha apenas cinco anos de idade e ele 15 quando do contrato de casamento). Se eles se casassem, ele teria de esperar outros dez anos antes de poder consumar seu relacionamento. Então a infanta foi enviada de volta para a Espanha e começou a busca por uma substituta adequada.

A preferência do rei recaiu sobre a mais improvável de todas as candidatas: a filha do despossuído e exilado rei Estanislau da Polônia, Marie Leczinska. Era uma péssima escolha para um monarca interessado em instilar confiança em seu poder e sua autoridade, de acordo com Nancy Mitford em sua biografia de Madame de Pompadour, já que sua noiva não tinha "bens materiais, nem poderosas relações familiares, nem beleza, nem sequer juventude, já que era sete anos mais velha que o rei". O que os detratores de Luís se esquecem de observar era que ele poderia rapidamente resolver o problema de produzir herdeiros com uma mulher mais velha, particularmente com uma mulher mais velha de ótima saúde e com quadris largos de parideira. Quando Luís chegou aos 27 anos de idade, ele e Marie tinham tido dez filhos. Infelizmente para seu casamento, Marie só tinha interesse nas crianças, e tinha a reputação de ser aborrecida. Ela não fazia nada para parecer atraente ou interessante para seu jovem marido, e parece ter se encaminhado bastante feliz para a meia-idade. Ele, naturalmente, foi buscar amor em outros lugares.

272 O DIAMANTE MALDITO

Com o casamento Luís se instalou novamente em Versalhes. O palácio pulsava de atividade, abrigando mais de mil nobres e suas famílias. Era o coração do poder, e um salão de exposição pública para o rei. Todo o palácio e os jardins eram abertos ao público, com a restauração para a corte do *lever* formal (cerimônia de despertar) e *coucher* (cerimônia de recolhimento) de seu bisavô.

Mas Luís continuou tímido e distante, extraindo prazer de pequenas coisas e pequenos detalhes. Ele inicialmente criou os *petits appartements* (aposentos privados) para si na ala norte — cerca de cinqüenta cômodos com sete banheiros para seu desfrute exclusivo — onde só podiam ir aqueles convidados para as *grandes entrées* (apresentações oficiais). O rei acabaria estabelecendo uma série de outros apartamentos verdadeiramente "privados" aos quais se tinha acesso por uma série de escadas escondidas e passagens secretas voltadas para jardins internos. Esses aposentos — na época chamados de "ninhos de ratos" por Robert de Cotte, filho de um dos arquitetos de Versalhes — estão entre os mais fantásticos de Versalhes, e revelam o gosto do rei por belos detalhes. Apesar de sua preferência pela solidão e pelas pequenas e delicadas coisas da vida, Luís nunca fugiu de suas obrigações como rei, e fez todas as aparições públicas que eram seu dever.

O rei tinha amadurecido e se tornado um governante gentil, amoroso e preocupado, apesar de sua timidez, mas os fundamentos da estrutura social, política e econômica da França estavam ruindo — e nem o rei nem seus ministros tinham nenhuma pista de como modificar aquele quadro. Isolado da sociedade parisiense em Versalhes e distanciado de qualquer forma de opinião pública, Luís vivia em uma casa de vidro olhando para dentro. Ele era incapaz de ver que ao retornar à etiqueta e aos maneirismos lamentáveis da corte de seu bisavô ele tinha selado o futuro da nação.

Sua rainha o aborrecia, e Luís, acima de tudo, precisava de amor. Ele fez saber que desejava uma amante, e como o rei era considerado um deus, havia muitas mulheres jovens e inteligentes dispostas a ocupar a posição. Não havia nenhuma vergonha relacionada a essa posição venerável e materialmente benéfica. Em fevereiro de 1745, quando o filho mais velho de Luís e Marie,

APENAS OUTRO SÍMBOLO NO CORAÇÃO DO PODER 273

o delfim, casou-se com a irmã mais nova da infanta da Espanha, a rainha Marie chegou para o baile em um vestido reluzente coberto de cachos de pérolas, com o Sancy e o Regente faiscando em seu cabelo. Luís, disfarçado no baile de máscaras e inicialmente visto se escondendo em meio a teixos podados, estava adornado com seu "Traje Branco" da Ordem do Velo de Ouro, que tinha, entre outros diamantes, o segundo (o Pindar) e o décimo segundo Mazarins, bem como o grande Azul Francês. Mais tarde naquela mesma noite, Jeanne-Antoinette d'Étoiles, mais conhecida como Madame de Pompadour, encantou Luís pela primeira vez e se tornou sua adorada concubina.

Embora Madame de Pompadour não seja lembrada com carinho pelos historiadores — talvez imerecidamente —, ela dificilmente pode ser culpada pelo esfacelamento da infra-estrutura política e social francesa pela qual alguns de seus mais cruéis críticos a acusam indiretamente. De fato, a rixa entre Luís e a Igreja se inflamou com a sua entrada em cena, mas ela não era a causa fundamental dos problemas entre ambos. Em 1749 as finanças do Estado estavam assustadoramente desequilibradas em função da estrutura política e econômica da sociedade francesa. Em vez de atacar as causas básicas do mal-estar, Luís instituiu *la vingtième*, um imposto de 5% sobre a renda bruta, a ser cobrado de todas as classes para manter o *status quo* e evitar cortes drásticos nos gastos da corte. Para o rei, *la vingtième* tinha o benefício extra de atingir especificamente o clero, que até então tinha sido isento. Luís, conhecendo o grau de resistência ao seu novo imposto, também exigiu uma declaração completa das propriedades da Igreja. Até então, a Igreja pagava seus impostos dando ao Estado quantias por ela mesma determinadas e em intervalos que atendiam a suas necessidades religiosas. Pagar impostos já era suficientemente ruim — mas declarar renda e bens era considerado impossível. A Igreja instigou o máximo de tumulto que pôde para o soberano denunciando ministros, Parlamento, protestantes e jansenistas — os evangélicos conhecidos por sua autoflagelação e abominados por todos os não-jesuítas.

Era um complô inteligente, já que os jesuítas e os neojansenistas (os verdadeiros jansenistas tinham sido destruídos por Luís XIV) eram os mais fiéis defensores do Parlamento. O conflito que tinha começado entre o rei e a

Igreja agora envolvia a legislatura francesa. O presidente sênior do Parlamento escreveu ao rei: "Seu Parlamento nunca foi levado aos degraus de seu trono por um assunto de tal gravidade." O rei começou a pensar que seu Parlamento era cromwelliano demais para seu próprio bem, e temia uma virada para o republicanismo, assim, obrigatoriamente se aliou à Igreja. A casa superior do Parlamento, ou *Grande Chambre*, foi exilada em Pantoise em maio de 1753, e Luís proclamou que apenas ele podia arbitrar sobre questões relativas aos sacramentos e às questões de Estado.

Esse foi um tremendo erro. Em Pantoise os presidentes viviam prodigamente e ignoravam a corte, alardeando que apenas *eles* eram os defensores da justiça e da liberdade. Quando o inverno rigoroso produziu fome e desemprego, os primeiros cartazes com os dizeres "Queime Versalhes" escritos em vermelho começaram a surgir nas ruas. O banho de sangue foi evitado por ora, quando Luís finalmente reinstalou o Parlamento em setembro de 1754 em meio a cenas de júbilo. Naturalmente, o clero nunca pagou os detestados impostos. Ironicamente, na mesma semana em que a crise se dissipava, nascia o futuro Luís XVI.

A política externa também apresentava sérios problemas para Luís. Os britânicos e os franceses tinham tido escaramuças em alto-mar na Índia e no Canadá enquanto a França tentava corajosamente restabelecer sua presença colonial depois do fracasso na Europa e da Paz de Utrecht em 1714. Jorge II, o segundo rei Hanover da Grã-Bretanha, estava no trono, e Luís temia que outra desastrosa guerra continental estivesse prestes a eclodir. No final, as batalhas marítimas nas colônias aumentaram de intensidade, e, apesar de todos os esforços do rei, a guerra não pôde ser evitada. Em maio de 1756, uma simples declaração de guerra de Londres dizia: "Nós declaramos guerra à França, que tão injustificadamente a iniciou."

Os franceses inicialmente tiveram uma importante vitória militar, recuperando Minorca dos ingleses, mas quando o primo do rei inglês, Frederico, o Grande, da Prússia, invadiu a Saxônia, dando início à Guerra dos Sete Anos, a situação passou de perigosa para absolutamente catastrófica. Os britânicos, sempre capazes de lançar uma potência continental contra outra, tinham a

APENAS OUTRO SÍMBOLO NO CORAÇÃO DO PODER 275

clara vantagem de possuir laços familiares entre Frederico, o Grande, e seu próprio rei Hanover. Eles forneceram recursos para subsidiar os exércitos de Frederico, e se aliaram a seus primos alemães. Os exércitos de Luís foram expulsos do Reno e derrotados na Batalha de Krefeld, em 1758. Quando a Grã-Bretanha entrou na guerra em 1756, tinha algumas possessões coloniais. Quando a guerra acabou, em 1763, tinha o maior império que o mundo tinha visto desde a antiga Roma. Luís foi esmagado, Montreal foi tomada em 1760, e o Canadá francês finalmente estava em mãos britânicas.

Mas talvez o desdobramento mais importante de todos não tenha sido no campo de batalha, e sim no campo do pensamento. Os princípios filosóficos da era do Iluminismo tinham se consolidado. Na França, Voltaire, Montesquieu e Diderot contribuíam para o grande conjunto do conhecimento científico e filosófico europeu. Os *Principia* (1687) e a *Optics* (1704) de Newton lançaram as bases da pesquisa científica, impulsionando o pensamento para além da feitiçaria e da mágica em direção a uma compreensão mais profunda do mundo natural. Contudo, Luís, então um homem velho, não divisou o fato de que o absolutismo herdado de seu bisavô já não tinha papel em um mundo moderno em rápida mutação.

Ele ainda estava envolvido na rixa com a Igreja, que tinha se transformado em uma *vendetta*, com avanços e recuos constantes atingindo um ou outro com preocupante regularidade. Mas, embora a Igreja fosse odiada pelo rei e pelo país, a opinião pública contra a aristocracia era ainda mais intensa. Inicialmente, Luís tinha quase que imperceptivelmente perdido o controle das facções em guerra, divertindo-se com sua última amante, a ex-prostituta Madame du Barry. Finalmente, em 1771, um Luís exausto apoiou a reforma judicial que levaria ao aumento dos poderes do Parlamento. Era o começo do fim.

Mas Luís não iria abrir mão de seu governo "absoluto" e continuou a vetar qualquer idéia de transferir o poder para as mãos de sua detestada aristocracia ou para uma Igreja não confiável. O rei tinha vivido mais que seus filhos, e estava criando seu neto para assumir as rédeas do poder após sua morte. Luís, agora com 60 anos de idade, ordenou que os arranjos fossem feitos sem demora. Foi escolhida uma noiva adequada — a mais nova das filhas da rainha Habsburgo Maria Teresa da Áustria, Maria Antonieta. No dia 17 de abril, Maria, de 15 anos de idade, jurou renunciar a seu direito às terras hereditárias da Áustria, bem como à Lorena. Dois dias mais tarde, aconteceu em Viena seu casamento por procuração com Luís Augusto, delfim da França.

Duas semanas e meia mais tarde, a jovem delfina chegou à fronteira da França em sua carruagem de veludo e ouro. Ela foi despojada de seus trajes austríacos de casamento (até as roupas de baixo), obrigada a vestir roupas francesas e levada para se encontrar com seu marido e o rei francês em uma floresta perto de Compiègne. Enquanto o monarca ainda era considerado o homem mais bonito da corte, seu neto tinha olhos pesados, espessas sobrancelhas negras, era gordo e tinha modos abertamente inconvenientes. Ele também tinha apenas 15 anos de idade. Previsivelmente, quando a comitiva retornou a Versalhes, foi amplamente comentado que nada tinha acontecido na lua-de-mel dos adolescentes que garantisse a sucessão da França. A suposta incapacidade da jovem delfina de inspirar seu marido com paixão sexual logo se tornou motivo de grande preocupação e insistentes boatos na corte.

A sexualidade do delfim, ou melhor, a falta dela, era um agudo contraste com as escapadas noturnas do rei com sua última amante, Madame du Barry. Anos de decadência pessoal do rei tinham levado a um enfraquecimento moral em Versalhes. Nobres se casavam jovens, tinham filhos e então alegremente escapavam para buscar os prazeres da carne em outros lugares. A delfina demonstrou um grande desgosto pela moral de Versalhes, e em particular por Madame du Barry, quando escreveu em uma carta a sua mãe, em Viena, datada de 9 de julho de 1770, que du Barry era "a criatura mais estúpida e impertinente que se pode imaginar". Maria chegou mesmo a dizer que sentia pena do rei por sua "fraqueza" pela "rameira". Dois meses depois de sua chegada à corte, a delfina decidiu não reconhecer formalmente a amante do rei. Não era uma reação atípica para uma adolescente puritana que demorou cinco anos para consumar seu casamento, mas uma decisão muito pouco sábia para uma princesa estrangeira.

APENAS OUTRO SÍMBOLO NO CORAÇÃO DO PODER 277

O relacionamento entre o calmo e estudioso Luís, que poderia ter sido um perfeito bibliotecário ou um pesquisador científico, e a arrogante embora frívola Maria foi difícil desde o início. Logo ela iria passar a gostar e chegaria mesmo a superar os franceses em seu próprio jogo, tornando-se o símbolo maior de frivolidade e proeminente desperdício. Thomas Jefferson escreveu em sua autobiografia que "sempre acreditara que se não houvesse rainha, não teria havido revolução". Palavras duras para um país que se mantinha unido apenas por um monarca absoluto envelhecido.

22

O diamante odiado

1774-1789

NA TARDE DE 27 DE ABRIL DE 1774, enquanto Luís XV se curvava diante de uma vela no Petit Trianon, o palácio de prazer construído para Madame de Pompadour nos terrenos de Versalhes, era possível ver pústulas em seu rosto. Doze dias depois ele morreu de varíola. O delfim, Luís Augusto, e sua esposa lembraram-se de ter ouvido um "barulho terrível, exatamente como um trovão" enquanto esperavam notícias do falecimento do rei. O barulho era o som de cortesãos saindo em tropel do quarto do rei morto na direção dos aposentos do delfim, todos querendo ser os primeiros a gritar para o novo rei: "*Vive le roi!*" Luís Augusto e Maria Antonieta caíram de joelhos e rezaram: "Deus nos proteja. Somos jovens demais para reinar."

Era verdade. Mas a verdade maior era que para evitar um banho de sangue a França precisava de um monarca forte e reformista, sensível às necessidades do povo e capaz de controlar as diferentes facções. Luís não era esse homem, e a vida em Versalhes era tão distante da realidade que teria sido difícil para ele compreender por onde dar início às mudanças — a não ser exilar Madame du Barry em um convento. O sistema real era fundamentalmente corrupto, e bem estruturado. Havia uma miríade de grupos de interesse perambulando pela corte, mais de mil nobres, embaixadores e servos.

280 O DIAMANTE MALDITO

Não era incomum um jantar para oito pessoas ter mais de 25 empregados atendendo-os. Thomas Jefferson estava tão desgostoso dos franceses e de seu estilo de vida que escreveu: "As imperfeições da mente humana estão tão plenamente distantes deles que seria possível passar toda uma vida entre eles sem um esbarrão."

Isso não significava que eles fossem limpos. O palácio era conhecido por sua sujeira e por sua estranha coleção de animais. Animais de estimação eram tratados de forma majestosa — enfeitados com coleiras de diamantes, e comendo à mesa. Exóticos macacos brancos e incontáveis gatos persas e angorás cinzentos eram freqüentemente vistos circulando pelo palácio.

Na nova corte, comandada pela rainha Maria Antonieta, os excessos eram levados muito a sério. Um dos primeiros sinais disso foi a criação de caixas de rapé em joalheria, com um retrato em camafeu da jovem e bela rainha cercado de preto, com a inscrição "Consolo da Dor". Considerando-se que a rainha desaprovava Luís XV e suas escapadas sexuais, a hipocrisia do brinde não passou despercebida da corte ou do povo.

Os excessos também tomaram a forma de um aumento da criadagem para a rainha. Maria Antonieta tinha um número fenomenal de empregados pessoais. Havia o grande esmoler, um primeiro esmoler e um esmoler comum, com quatro outros esmoleres que se revezavam trimestralmente; quatro capelães igualmente em revezamento, quatro coroinhas e dois oficiais. Havia um caudatário oficial, que naturalmente tinha de ser de berço nobre, um primeiro cavalheiro acompanhante, pajens, carregador de manto, um grande número de acompanhantes comuns e camaristas — e esses servos eram utilizados apenas quando a rainha saía.

A rainha adolescente não entendia que as intrigas da corte precisavam ser controladas e evitadas. Sua própria equipe foi desde o início contaminada por sua própria incompetência ao nomear a ineficaz e facilmente manipulável princesa de Lamballe como superintendente da equipe — acima de todas as outras princesas de sangue. Era uma posição vitalícia. Quando a princesa de Lamballe, com quem se dizia que Maria tivera um caso lésbico, caiu em desgraça e foi substituída em seu afeto pela amável e dócil Yolanda de Polignac, Maria Antonieta não pôde cassar a honra suprema que tinha concedido à princesa.

No ano seguinte, a incapacidade da rainha em produzir um herdeiro para o trono francês se tornou um problema real, e os planos para que ela fosse coroada na mesma cerimônia de seu marido foram suspensos. O rei submisso seguiu o conselho de seu primeiro-ministro e concordou que a despesa de uma dupla cerimônia não seria sábia. A rainha não teve opção a não ser declarar-se indiferente a toda essa questão. Em vez disso ela iria se concentrar no importante assunto de seu vestido para a coroação e suas jóias. Ela encomendou a uma nova costureira da moda, Rose Bertin, um vestido cravejado de jóias que era tão pesado que a estilista propôs que a encarregada dos vestidos o levasse a Reims em um tirante especialmente construído. Apesar do custo do vestido da rainha, ele era quase insignificante se comparado ao traje encomendado por seu marido. A coroa de Luís XV era pequena demais para a cabeça do neto, então o joalheiro real, Auguste, precisou aumentá-la. O preço desse trabalho foi de 6 mil *livres*, com a maior parte da quantia gasta em rubis, esmeraldas e safiras adicionais e na recolocação dos diamantes Sancy e Regente em seus lugares originais.

Perder-se em tanta extravagância para a coroação era loucura. Turgot, o novo administrador geral de finanças do rei desde agosto de 1774, lutava para remediar as finanças do Estado, que nunca tinha se recuperado da devastação da Guerra dos Sete Anos. O déficit público era de 22 milhões de *livres*, com outros 78 milhões de *livres* projetados para o final de 1775. Turgot tinha um projeto de reforma do sistema fiscal que incluía a redução de privilégios financeiros concedidos à nobreza, bem como a criação de um livre mercado de grãos. Em vez de implementar com sucesso o plano, as safras em 1774 tinham sido desastrosas, as pessoas estavam morrendo de fome e os preços tinham disparado. A nobreza ignorou as limitações financeiras impostas a ela e, naturalmente, o populacho protestou violentamente. Em maio as revoltas dos grãos, conhecidas como Guerra da Farinha, alcançaram Versalhes, e foram reprimidas com igual violência pelos homens do rei.

Embora Turgot aconselhasse o rei a realizar sua cerimônia de coroação em Paris, onde seria menos custosa, Luís temia que as revoltas dos grãos maculassem a ocasião. Então o rei e a rainha viajaram para Reims para a coroação em 11 de junho de 1775, atravessando o país, com grande parte da nobreza que os acompanhava esmagando os campos recém-cultivados ao longo do caminho. Era um ato de insensibilidade que o povo não iria esquecer. Os camponeses, que permaneciam impotentes à beira da estrada, foram classificados como algo não melhor que espantalhos pelos aristocratas que passavam por eles em suas carruagens douradas ou a cavalo.

Foi mais provavelmente na era das Guerras da Farinha que teria sido supostamente enunciada pela rainha a famosa frase *"qu'ils mangent du brioche"*, que comam brioches. Contudo, a história nos mostrou que a noiva de Luís XIV Maria Teresa disse em 1737: "Se não há pão, deixe o povo comer a casca (*la croute*) do patê." A rainha Maria Antonieta era insensível a seus próprios hábitos extravagantes, mas era genuinamente gentil em seus sentimentos — pelo menos naquele ponto — em relação a seu povo. De fato, quando um menino de quatro ou cinco anos de idade caiu sob seu cavalo sem, felizmente, ferir-se, a rainha se ofereceu à mãe para criá-lo em Versalhes e supervisionar sua educação. A mãe, com a oportunidade de ter uma boca a menos para alimentar, aceitou, agradecida.

Mas no outono os panfletários de Paris estavam tendo trabalho, satirizando o rei e a rainha e especulando principalmente sobre a sexualidade de ambos. Maria Antonieta escreveu a sua mãe, a rainha Maria Teresa da Áustria, pouco antes do Natal, dizendo que ela "necessitava da qualidade de mãe para ser vista como francesa por esta nação petulante e frívola", que também se ressentia da influência que ela poderia ter sobre o rei ou o país.

De fato, a postura da rainha em relação a seu marido não era o que deveria ser. Ela freqüentemente se referia a ele como o "pobre homem", e fazia o que seu coração mandava sem qualquer preocupação quanto à sua posição de rainha ou como seus atos poderiam ser interpretados. Quando foi admoestada por sua mãe, Maria Antonieta escreveu de volta para um de seus correspondentes austríacos "aprovados": "Você conhece Paris e Versalhes, você esteve aqui, você pode avaliar (...) meus gostos não são os mesmos do rei, que só está interessado em caçadas e em seu trabalho em metal. Você deve concordar que eu faria uma péssima figura em uma forja. (...) Se eu interpretasse o papel de Vênus isso iria desagradá-lo muito mais do que minhas verdadeiras preferências, que ele não desaprova."

Sua referência a Vênus significava que ela não tinha casos amorosos — embora seus flertes fossem suficientemente escandalosos. Luís, por sua vez, estava agora perdidamente apaixonado por sua voluntariosa rainha. Ele realmente desaprovava muitas das coisas que ela fazia, mas sendo um gentil, generoso e fraco homem apaixonado, não conseguia ser duro com ela. Ela, em compensação, parecia bastante submissa a seu marido em público. Mas sua tendência para a dissipação crescia diariamente. Seu aniversário de 21 anos, em 1776, foi uma orgia de jogo que durou quase três dias, e quando o rei a chamou às falas no terceiro dia, ela respondeu: "Você disse que poderíamos jogar, mas nunca especificou durante quanto tempo."

Os flertes obrigatórios entre a rainha e os cortesãos normalmente eram vistos pelo rei como sem conseqüências — mas foi o seu óbvio prazer com a companhia de seu cunhado, o conde d'Artois (o futuro Carlos X), que deu aos panfletários o seu melhor tema. Artois era másculo; Luís, supostamente impotente. As publicações dos panfletários enfureciam o rei, mas ele era incapaz de impedi-los — suas obras sediciosas eram licenciadas e publicadas na Holanda ou na Inglaterra e então contrabandeadas para a França.

Na verdade, a rainha não respondia a ninguém, a não ser ao rei, e ele concordava com todos os seus caprichos. Quando ela queria ver o nascer do sol, todo o palácio a acompanhava, com a exceção do rei, que valorizava mais o seu sono. Quando ela começou a usar o cabelo e as perucas presos no topo da cabeça com mais de meio metro de altura e decorados com gemas, plumas e fitas, o rei não apenas concordou, como deu a ela uma jóia de pluma, ou *aigrette*, ornamentada com alguns diamantes reais. Esses penteados, chamados de *pouffs*, tornaram-se moda em toda a Europa, e a França garantiu seu lugar no coração da moda para bens de luxo e semiluxo.

284 O DIAMANTE MALDITO

Mesmo o embaixador americano em Paris, Thomas Jefferson, enviou para damas conhecidas suas na América modelos da revista *Cabinet des modes*, a *Vogue* da época.

A extravagância da rainha foi a sua ruína, embora ela não possa ser culpada sozinha pela Revolução Francesa, como Jefferson escreveu tão grosseiramente. O guarda-roupa da rainha, criado pela criativa e talentosa Rose Bertin, estava repleto de valiosas obras de arte — com diamantes, safiras e rubis verdadeiros freqüentemente bordados na seda — e, portanto, a verba de vestuário da rainha nunca era suficiente. Bertin, que também era uma astuta mulher de negócios, dizia a todas as suas clientes que a procuravam em sua loja na rua de Saint-Honoré: "Mostre à Madame a minha última criação para Sua Majestade", e foi logo apelidada de "ministra da moda" pelos panfletários. No final de 1776, a rainha, a quem foi entregue uma generosa verba de vestuário de 150 mil *livres* (153,3 milhões de dólares ou 95,8 milhões de libras, em valores de hoje), tinha com sua costureira dívidas de quase 500 mil *livres*. No verão de 1776, Maria Antonieta tinha comprado um par de brincos pingentes de diamantes — em parte com seus próprios diamantes e gemas, em parte a crédito — de um festejado joalheiro da época, Charles-Auguste Boehmer. Pouco depois comprou um par de braceletes de diamante por 400 mil *livres*, e quando chegou o dia do pagamento ela simplesmente pegou o dinheiro emprestado com o rei.

Quatro novos pares de sapatos por semana, três jardas de novíssimas fitas para amarrar o penhoar real, e duas formidáveis jardas de tafetá verde por dia para forrar a cesta em que eram levados o leque e as luvas reais eram extravagâncias menores. Velas, freqüentemente substituídas mesmo sem terem sido utilizadas, custavam 50 mil *livres* por ano. O guarda-roupa da rainha era usado apenas uma vez, então distribuído entre os membros da equipe. Seu catálogo de guarda-roupa era apresentado a ela diariamente, com amostras de seus vestidos de corte junto a cada item, e Maria Antonieta caprichosamente selecionava o que queria vestir naquele dia espetando o catálogo com um alfinete para indicar suas escolhas. Seus porteiros então se encaminhavam para os três grandes aposentos repletos de armários, gavetas e penteadeiras para selecionar as roupas da rainha.

E havia os diamantes. Embora a moda mudasse, e o vestido de musselina — para desgosto da indústria da seda francesa — fosse então "a" coisa a ter, a rainha continuava a amar seus diamantes. Ela tinha modificado virtualmente todas as jóias da coroa em diversas oportunidades desde que se tornara rainha da França, e Luís tinha pagado a conta. Quando Luís herdou a coroa e, portanto, as jóias da coroa em 1774, havia 7.482 diamantes. Em 1784, outros 3.536 diamantes já haviam sido comprados pelo casal real. Além disso, a rainha tinha suas próprias jóias pessoais, algumas das quais vieram com ela para a França da corte Habsburgo de Viena.

Curiosamente, Maria Antonieta apoiava fortemente a causa americana, e embora Luís "detestasse" republicanos, admitia que sua aversão por eles em geral, e por Benjamin Franklin em especial, poderia ser superada por motivos políticos. Em 1776, Luís vendeu diamantes no valor de 75.050 *livres* (76,7 milhões de dólares ou 49,9 milhões de libras, em valores de hoje) para ajudar a financiar a Guerra Revolucionária americana. Felizmente, nem o Sancy nem o Regente estavam no lote. Na época, o apoio francês aos americanos não era movido por idealismo ou iluminismo político, filosófico ou social. Era fruto da vingança contra os britânicos, que tinham "roubado" as colônias francesas na Baía de Hudson e no Canadá com a Paz de Utrecht.

Foram os diamantes que acabaram selando o destino da rainha como uma personagem odiada no Caso da Gargantilha de Diamantes. O cardeal De Rohan, que estivera na corte austríaca e era odiado pela mãe de Maria Antonieta, vinha tentando ser admitido na corte desde o seu retorno à França. A rainha, influenciada pelas cartas peçonhentas da mãe contra o cardeal, recusou-se a ter qualquer relação com ele e o deixou de fora. Seus atos foram tão bem-sucedidos que o cardeal ficou obcecado em derrotar a rainha da França.

No dia 12 de julho de 1785, Maria Antonieta recebeu uma carta do joalheiro da coroa, Charles-Auguste Boehmer, dizendo:

286 O DIAMANTE MALDITO

Madame,

Estamos no auge da felicidade por ousar pensar que os últimos acordos que nos foram propostos e aos quais nos submetemos com zelo e respeito são uma nova prova de nossa submissão e devoção às ordens de Vossa Majestade. Nós temos verdadeira satisfação com a idéia de que o mais belo conjunto de diamantes do mundo estará a serviço da maior e melhor das rainhas.

A rainha ficou sinceramente confusa. Boehmer, claro, refez todas as jóias da coroa para ela e Luís, inclusive o Sancy, que ela usava como gargantilha e diadema, ou tiara. Boehmer igualmente a abordara sobre a compra de uma gargantilha de diamantes mais de um ano antes; ela recusou com base em que "suas caixas de jóias já eram ricas o bastante". Quando ele insistiu, Maria Antonieta respondeu rispidamente: "Temos mais necessidade de barcos que de diamantes."

Quando questionado, Boehmer respondeu sinceramente que não estava tentando *vender* à rainha sua gargantilha, pois a rainha já a tinha comprado com 30 mil *livres* adiantados pelo cardeal De Rohan. O cardeal adiantou a quantia magnífica na esperança de que isso finalmente comprasse para si os favores da rainha. Ademais, Boehmer alegou ter autorizações da rainha para a compra da gargantilha de diamantes por 1,5 milhão de *livres* que incluíam uma instrução para que Boehmer dissesse que tinha vendido a infame gargantilha em Constantinopla, caso fosse perguntado. A rainha ficou desconcertada, não podendo conceber que De Rohan tivesse se envolvido em um caso como aquele. Ela disse que aquilo era "um labirinto para mim e minha cabeça se perdeu nele".

De Rohan ficou escandalizado que a rainha alegasse não ter conhecimento da transação. Quando a verdade apareceu, a rainha e seus conselheiros consideraram aquela uma oportunidade de destruir o ambicioso cardeal, mais do que uma necessária ação direta para proteger a reputação de Maria Antonieta, que estava sendo insistentemente atacada pelos panfletários em seus *libelles*. Aquela era uma catastrófica incompreensão do sentimento na-

O DIAMANTE ODIADO **287**

cional contra a rainha, especialmente quando ela estava prestes a atacar uma das famílias mais respeitadas da França — os De Rohan.

Quando Luís interrogou o cardeal em frente à rainha no mês de agosto seguinte, percebeu na entrevista que o cardeal tinha recebido uma carta instruindo-o a comprar a gargantilha de uma dama chamada condessa De Lamotte. Jeanne de Lamotte fora criada como uma verdadeira mendiga por sua mãe camponesa, mas foi informada que era descendente direta do rei Valois, Henrique II. Ela, como tantos outros acólitos, demarcou um lugar na corte e acabou tendo um caso com o cardeal após seu retorno de Viena. Na época ela já estava casada e vivendo um *ménage a trois* com seu marido e seu amante Rétaux de Villette, rematado e conhecido mentiroso. O cardeal lentamente se deu conta de que tinha sido enganado pelo trio e que todo o tempo o objetivo de Madame De Lamotte tinha sido arrancar dele e de Boehmer uma fortuna em dinheiro — para não falar dos próprios diamantes.

A rainha perguntou ao cardeal como ele podia ter imaginado que ela, para começar, pudesse ter confiado uma aquisição tão importante a uma mulher daquela natureza. Como pôde pensar que ela pretendesse utilizar um homem ao qual ela não tinha se dirigido desde o momento de sua chegada na França? De Rohan respondeu sinceramente que ficara cego pela ambição e a necessidade de estar a serviço de Sua Majestade.

Em vez de deixar que tudo terminasse assim e perseguir os verdadeiros culpados, já que o conde De Lamotte tinha fugido para Londres com os diamantes, que tinham sido violentamente arrancados de seus engastes e danificados, o rei e a rainha ordenaram que o cardeal De Rohan fosse preso juntamente com Jeanne de Lamotte, que tinha permanecido em Paris. Rétaux de Villette também foi caçado em seu esconderijo em Genebra. O conde De Lamotte permaneceu em liberdade na Inglaterra. Jeanne de Lamotte não estava pronta a se render sem luta, e em dezembro de 1785 foi publicado seu depoimento de julgamento, relatando detalhes de uma suposta intriga sexual entre a rainha e o cardeal. O público, naturalmente, acreditou em cada palavra, e mais de vinte mil exemplares foram vendidos. Como Maria Antonieta estava novamente grávida, a suposição geral era de que o cardeal bem podia ser o pai — um anátema além da compreensão para a rainha.

Quando o cardeal foi a julgamento no Parlamento em maio de 1786, foi sensacional. Uma das acusadas, uma jovem prostituta chamada Nicole d'Oliva, descreveu como tinha sido contratada pelo conde De Lamotte para personificar a rainha em um encontro marcado em uma noite escura com o cardeal no Bosque de Vênus dos jardins de Versalhes, onde ela deu ao cardeal novas instruções verbais para a compra do colar. Nicole foi inocentada de todos os crimes, exceto o de representar a rainha, e recebeu por isso apenas uma repreensão verbal. De Villette, por seu papel de principal maquinador, foi banido da França apenas com as roupas do corpo. Os De Lamotte — o marido ausente — receberam sentenças ferozes que incluíam açoitamento público, marcas a ferro e prisão perpétua. Mas o cardeal foi inocentado, desde que ele se desculpasse publicamente pela "temeridade criminosa" de acreditar que tinha se encontrado com a rainha no Bosque de Vênus. Ele foi forçado a abrir mão de seus cargos e a fazer uma doação aos pobres. A última condição era a de que ele seria banido da corte para sempre. O veredicto reforçou a imagem de devassidão da rainha — afinal, como um homem educado como o cardeal poderia acreditar que tinha se encontrado com a rainha daquela forma se não fosse um hábito dela agir assim?

Embora todos os ministros tivessem implorado à rainha para gastar menos em diamantes e jóias e tivessem fracassado, o cardeal De Rohan foi bemsucedido. Diamantes, e mais especificamente aquele "amaldiçoado diamante Sancy", passaram a ser desprezados por Maria Antonieta. Afinal, Carlos, o Temerário, morreu quando o possuía, António de Crato teve uma vida trágica e nômade, Henriqueta Maria morreu na miséria e sem uma coroa. Certamente, raciocinou Maria Antonieta, deveria haver algo de verdade na teoria de uma maldição na pedra. Mesmo o diamante Regente foi rejeitado pela rainha, já que Pitt tinha sido tornado miserável por ser seu dono. Estes diamantes amaldiçoados tinham se tornado sua fonte de infelicidade.

A filha da rainha nasceu prematura, e Maria Antonieta demoraria vários meses para se recuperar de complicações de sua última gravidez. Apesar de todos os boatos sobre a sexualidade real e seus "casos", Luís nunca questionou a paternidade de qualquer de seus quatro filhos com Maria Antonieta, apesar de todo o escândalo produzido sobre esse tema pelos panfletários franceses. Mas a vida da família real estava sendo ameaçada por mais do que panfletos obscenos. O novo bebê não estava se desenvolvendo. Seu filho mais velho, o delfim, estava febril, e estava claro para todos que uma nuvem negra pairava sobre Versalhes. Mas o mais grave de todos os seus problemas em 1786 era o fato incontestável de que a monarquia estava fundamentalmente falida, e Luís não podia mais evitar o inevitável; era crucial uma reforma fiscal.

O sistema de impostos era baseado em desigualdade e direitos feudais. Havia três distintas facções entre a aristocracia: *noblesse de court, noblesse d'épée* e *noblesse de robe* (nobreza de corte, de espada e de manto, respectivamente); cada uma delas tinha seu próprio sistema para obter poder e favores. Embora muitos deles devessem pagar impostos, com maior freqüência o fardo cabia aos proprietários e camponeses. Aqueles quatrocentos mil privilegiados da aristocracia possuíam um quinto de toda a terra na França. A Igreja conseguiu evitar o *vingtième* que Luís XV tentara instituir contra ela, e embora possuísse um décimo de todas as terras da França, como instituição era fabulosamente rica e poderosa, mesmo que o padre médio mal conseguisse poupar o suficiente para uma refeição decente. A miríade de impostos instituídos — *la gabelle* (imposto do sal), *la taille* (imposto sobre a renda total no Norte, sobre a propriedade no Sul, e devidamente cobrado apenas dos plebeus), *les aides* (impostos sobre vinho, cartas de baralho e sabão), *la capitation* (imposto cobrado de plebeus e determinado pela profissão), e o temido *vingtième* (imposto de renda de 5%) — não eram coletados ou estavam sujeitos a milhares de isenções. As limitações impostas à burguesia pelo sistema eram um sério pomo da discórdia e profissionais de talento se tornaram porta-vozes dos oprimidos. Todas essas classes da sociedade odiavam umas às outras, e não confiavam o futuro da França a nenhum dos outros grupos.

Em novembro de 1788, formou-se o Comitê dos Trinta, do qual pouco se conhece além do fato de que três de seus membros — o marquês de Lafayette, que se destacou na Guerra Revolucionária na América, o abade Sieyes e o abade de Talleyrand-Périgord, mais conhecido como príncipe Talleyrand — tornaram-se a consciência autonomeada e líderes da revolta contra a coroa. Como na Guerra Revolucionária na América, a desigualdade do sistema social e econômico estava no coração do banho de sangue que se seguiu.

Apesar de ter reconvocado o Parlamento em 1774, o presente rei descobriu que nada poderia conter a inquietação. Após anos de abuso fiscal e safras fracassadas, a maioria dos 21 milhões de franceses estava esfarrapada e faminta. A maioria deles tinha de suportar ultrajantes indignidades sociais e não tinha realmente nenhuma educação. Com o clero e a nobreza se recusando a pagar mais impostos, e as massas incapazes de fazer mais do que já tinham feito, Luís se viu na desagradável posição de precisar reconvocar os Estados Gerais pela primeira vez desde o reinado de Luís XIV. Com o primeiro e o segundo Estados representando, respectivamente, o clero e a nobreza, o terceiro Estado se tornou a voz do povo em 1789, engrossado pela poderosa e persuasiva burguesia. Quando as eleições foram realizadas, 291 nobres, 300 clérigos e 610 membros do Terceiro Estado assumiram seus cargos e apresentaram seus *cahiers de soléances* (livros de agravos). Não importa qual facção escreveu esses agravos, eles foram universais em sua condenação da monarquia absoluta, embora ninguém chegasse ao ponto de sugerir um governo sem rei. Parecia que, finalmente, as três facções concordaram em algo.

No dia 29 de junho de 1789, 16 dias antes da queda da Bastilha, Thomas Jefferson escreveu de Paris para John Jay com uma atípica falta de visão: "Uma plena cooperação com o *Tiers* [Terceiro Estado] será sua jogada mais sábia: Com esta grande crise agora superada, eu não devo ter assunto interessante o suficiente com o qual o perturbar, como tenho feito recentemente."

Nas palavras do filósofo-escritor Alexis de Tocqueville, "nunca um acontecimento foi tão inevitável, e ainda assim tão inteiramente imprevisto".

23

Escorregando das mãos hábeis de ladrões

1789-1799

NA ÉPOCA EM QUE A CARTA de Thomas Jefferson chegou às mãos de John Jay na América no final de junho de 1789, o jovem delfim estava morto, o Terceiro Estado tinha mudado seu nome para Assembléia Nacional, com o rei ordenando ao clero e à nobreza que se juntassem a ela, e estava sendo esboçada uma constituição para refletir a mudança revolucionária na sociedade francesa. Duas semanas após a carta de Jefferson, quando a maioria do clero, mas apenas 47 nobres, tinham obedecido às ordens do rei, o rei tentou dissolver a Assembléia Nacional, e o povo ocupou as ruas. Propriedades públicas e privadas foram atacadas pelas multidões saqueadoras — com muitos procurando armas nas lojas de armeiros e cutelarias de Paris —, que se organizaram em milícias vigilantes. A odiada Bastilha, embora condenada à demolição e com apenas alguns poucos condenados, tinha se tornado um símbolo intolerável da monarquia absoluta e do *ancien régime*. Ela foi atacada e tomada pela multidão, e a Revolução Francesa começou.

Em um mês a Assembléia Nacional proscreveu todos os direitos feudais e fez sua Declaração dos Direitos do Homem e do Cidadão, largamente moldada na Declaração de Direitos americana. Em outubro, Luís foi legitimado como rei dos franceses pela Assembléia Nacional. No mês seguinte, todas as propriedades da Igreja foram estatizadas. Em junho de 1790 todos os títulos hereditários foram abolidos, e oito meses mais tarde foram eleitos os primeiros bispos da nova Igreja constitucional. Em março de 1791 o papa finalmente se pronunciou contra os saques perpetrados contra a Igreja, e a família real já pressentia o futuro escrito com seu próprio sangue. No dia 28 de maio de 1791 a Assembléia Nacional ordenou que fosse feito um novo inventário das jóias da coroa e confiscou as jóias pessoais do rei e da rainha. Na primavera de 1792 a nobreza tinha fugido da França aos milhares, principalmente para a Inglaterra e a América — mas não antes de ser privada de suas riquezas, e especialmente de suas gemas, mobiliário e pinturas. Todo o butim foi estocado no *garde-meuble* do Louvre, e seria a base da coleção nacional a ser abrigada no antigo palácio real. Era a hora de Luís e sua família escaparem. A data escolhida foi 20 de junho de 1792.

O afável diplomata sueco conde Fersen, que também era amante de Maria Antonieta, ofereceu ao rei e à rainha todo o dinheiro de que dispunha — cerca de 60 mil *livres*. O conde Fersen também conseguiu uma carruagem para a família real e planejou a rota de fuga, incluindo soldados para protegê-la. A carruagem era um coche suntuoso com decoração verde-escura e amarela, rodas amarelo-claro e forração de veludo branco. Ela tinha sido encomendada no nome de uma amiga do conde, a baronesa Von Korff, e fizeram-na conhecida na cidade, de modo que não iria levantar suspeitas quando a família real fugisse. O rei se disfarçou de conde De Choiseul, com quem se parecia, e a rainha se vestiu como se fosse a governanta das crianças.

Com um subterfúgio inteligente criado pelo conde Fersen, Luís, Maria Antonieta, seus filhos e sua governanta conseguiram sair das Tulherias, em Paris, para a carruagem que estava à sua espera, dirigida pelo conde. Uma vez passando em segurança pelo posto externo de controle parisiense na Porte de Saint-Martin, o rei assumiu as rédeas e Fersen fugiu, atravessando a fronteira para a Bélgica. A família seguia na direção da Alemanha e de lá, esperava ela, para a corte real dos Habsburgo em Viena.

ESCORREGANDO DAS MÃOS HÁBEIS DE LADRÕES   293

Quando eles passaram por Châlons-sur-Marne, o rei olhou para seu relógio e disse, com grande alívio: "Lafayette deve estar muito embaraçado agora."

Mas Lafayette não estava nada embaraçado. Ele estava apoplético. Ultrapassando toda a autoridade conferida a ele, imediatamente ditou uma ordem a seu ajudante-de-campo:

> Tendo sido o rei removido pelos inimigos da Revolução, o portador é instruído a comunicar o fato a todos os bons cidadãos, que são convocados em nome de seu país ameaçado a tomá-lo de suas mãos e devolvê-lo à proteção da Assembléia Nacional. Esta está prestes a se reunir, mas nesse meio-tempo eu tomo para mim toda a responsabilidade desta ordem. Paris, 21 de junho de 1791. Lafayette.

Ele dificilmente precisaria ter se preocupado. A carruagem real atrasou-se em seu encontro marcado com os soldados leais ao rei por mais de três horas. Os soldados, que perambulavam pela aldeia próxima ao ponto de encontro, imediatamente despertaram suspeitas entre os moradores, que desconfiaram que eles estavam ali para coletar impostos atrasados, e não em função da desculpa dada, de que eram a escolta de uma carruagem que levava pagamento para os exércitos do Leste. Com forcados sendo brandidos e mosquetes apontados para seus rostos, eles optaram por uma retirada estratégica.

Quando o rei finalmente chegou à aldeia de Sainte-Ménéhould, os moradores sabiam que alguma coisa estranhíssima estava acontecendo. Ele percebeu imediatamente que tinha causado rebuliço, e seguiu mais 16 quilômetros até a cidadezinha de Clermont en Argonne, onde trocou de cavalos. O cocheiro ouviu um grito da carruagem: "Tome a estrada para Varennes." Os moradores que os seguiam entenderam o que ele tinha ouvido, pegaram um atalho conhecido dos habitantes locais e chegaram a Varennes ao mesmo tempo que a carruagem.

Um funcionário local — um merceeiro chamado Jean Baptiste Sauce — colocou-se no meio da estrada com Guardas Nacionais atrás dele, baionetas

294 O DIAMANTE MALDITO

caladas em seus mosquetes e gritou: "Alto! Mais um passo e atiramos!" Os cavalos foram freados e se detiveram. Sauce se aproximou e pediu os passaportes dos ocupantes, e ficou satisfeito que eles fossem quem diziam ser — a baronesa Von Korff e seu cortejo. Drouet, um jovem agente dos correios que estava perseguindo a carruagem havia quilômetros, não se convenceu, e exigiu que eles fossem detidos, ou Sauce seria acusado de traição.

A comitiva real foi levada para o quarto de Sauce, acima de sua loja, e esperou a chegada de um juiz local, que tinha passado muito tempo em Versalhes e encontrara o rei em diversas oportunidades. Quando pôs os olhos sobre a grande figura em uma capa verde, o juiz imediatamente se ajoelhou diante dela e gritou: "Oh, alteza!"

Luís respondeu sem titubear: "Sim, de fato sou seu rei." O rei explicou que eles tinham deixado Paris e que não tinham intenção de fazer mal a ninguém, e ouviu a promessa de que pela manhã eles receberiam uma escolta para concluir a viagem.

Mas antes do amanhecer um dos ajudantes-de-ordens de Lafayette, Jean Louis Romeuf, chegou a Varennes com a ordem de Lafayette de levar a família real de volta às Tulherias. O rei pediu para ler a ordem, e depois de fazê-lo colocou-a na cama onde as crianças reais estavam deitadas. A rainha arrebatou-a da cama e jogou-a no chão de madeira, gritando: "Meus filhos não serão contaminados." Esse único comentário jogou contra ela o até então simpático povo de Varennes.

No momento em que o rei e sua família foram levados de volta às Tulherias em Paris, o povo tinha sido lançado em um frenesi. Um mês mais tarde, em agosto de 1792, eram distribuídos por toda a cidade panfletos intitulados *A grande traição de Luís Capeto [o Rei]*, revelando a "descoberta de um complô para assassinar todos os bons cidadãos durante as noites do 2º e do 3º dias deste mês". No início de setembro Paris foi assaltada pela violência das massas. Padres que eram mantidos prisioneiros foram brutalmente assassinados e, depois de mortos, desmembrados. Outros prisioneiros receberam "justiça" em tribunais improvisados que não eram mais do que salas dos fundos iluminadas por velas e enfrentando juízes que não sabiam nada de leis. Eles então foram torturados

ESCORREGANDO DAS MÃOS HÁBEIS DE LADRÕES 295

até a morte sob a mais assustadora e animalesca ferocidade. Na *Conciergerie*, onde os prisioneiros esperavam julgamento no *Palais de Justice*, bandos de assassinos massacraram 378 dos 488 prisioneiros em suas celas, e seus restos eviscerados eram atirados em pilhas no pátio.

As autoridades pouco fizeram para impedir os massacres. Na verdade, eles tinham recebido a aprovação tácita do sanguinário Jean Paul Marat — um médico vituperativo transformado em autor de panfletos —, que argumentou que eles estavam apenas matando os inimigos da Revolução. Mas, como costuma ser freqüente com a violência das multidões, o inesperado aconteceu.

De 8 a 15 de setembro de 1792, ladrões invadiram o *garde-meuble* do primeiro piso do Louvre e serviram-se das jóias da coroa. O Sancy, o Regente, todos os outros Mazarins, as coroas e os ornamentos de coroação, e todas as outras gemas, ornatos e valores foram roubados. Esse tesouro, embora já não fosse de utilidade para o rei, era o meio pelo qual se pretendia livrar o tesouro francês do fundo do poço, e seria vendido no momento certo.

A polícia e as milícias revolucionárias de Paris varreram a cidade e detiveram alguns dos ladrões, e o Comissário Alizard jogou-os na *Conciergerie*. Histórias fantásticas — acreditadas por muitos — de que a rainha tinha contratado aqueles homens para recuperar suas preciosas jóias, de modo que ela pudesse vendê-las por sua própria conta, circularam à boca pequena e depois nos temidos panfletos.

Um dos ladrões, um homem chamado Badarel, disse ter enterrado sua parte com um cúmplice chamado Gallois na noite de 15 de setembro, pouco antes de retornar à cena do crime para descobrir o motivo do tumulto. Ao ser encarcerado na *Conciergerie*, ele tinha três correntes de diamante nos bolsos. No dia 20 de setembro, outras jóias, que nunca tinham sido documentadas — nem mesmo no inventário de 1791 —, foram recuperadas com a ajuda de um judeu chamado Anselme Lion, que relatou uma tentativa de venda feita a ele por um personagem de reputação duvidosa. Ele acertou para que a venda fosse feita mais tarde naquele mesmo dia, quando a polícia estivesse presente, e o ladrão foi preso.

296 O DIAMANTE MALDITO

Do ponto de vista da Assembléia Nacional, era excepcionalmente importante fazer justiça, e fazê-lo rapidamente. A acusação contra os ladrões, além da óbvia acusação de roubo, era a de "uma conspiração armada com a intenção de derrubar o recém-constituído governo da França". Os homens acusados chamavam-se Douligny e Chambon. Badarel e outro homem, Picard, que também estavam sob custódia, foram levados para testemunhar no tribunal no dia 24 de setembro. Douligny não resistiu. Ele delatou todos os seus outros cúmplices, incluindo um colega de cela de uma temporada anterior na prisão, chamado Roudany. Quando os dois homens foram condenados à morte pelo tribunal, eles gritaram outros nomes — outros cúmplices — para salvar sua pele. Douligny disse que um homem chamado Francisque e outro chamado Depeyron, assim como Badarel, eram os autores intelectuais.

Badarel foi arrastado de volta ao tribunal e confessou que tinha escondido jóias em um beco, hoje a avenida Montaigne. Um funcionário do tribunal foi enviado para confirmar a alegação de Badarel e, de acordo com os registros do tribunal, retornou com:

> Um pacote contendo uma peça de esmalte com nove grandes pérolas, quatro pérolas pequenas, nove esmeraldas e rubis de diferentes tamanhos, duas pérolas não engastadas, uma peça religiosa em ônix representando um santo montada em ouro, uma medalha de uma pessoa em ouro com o alto em esmalte branco, 15 grandes diamantes lapidados como brilhantes em suas caixas forradas de seda, noventa outros diamantes também em suas caixas com forração de seda e nove rosas e quatro diamantes lapidados como brilhantes.

A descoberta foi comparada com o inventário de 28 de maio de 1791 que tinha sido compilado por Boehmer, o azarado joalheiro do Caso da Gargantilha de Diamantes. A peça de ônix tinha sido oferecida pelo Sacro Imperador Romano Carlos V ao tesouro da Sainte-Chapelle. A medalha de ouro pertencera à capela de Richelieu, e tinha sido usada como parte do traje de corte de Luís XVI.

ESCORREGANDO DAS MÃOS HÁBEIS DE LADRÕES 297

Naturalmente, essa recuperação deu às autoridades a esperança de que os dois homens condenados fizessem outras confissões, e no dia 24 de setembro decidiram suspender as execuções. Badarel e Depeyron também foram condenados à morte, mas Badarel recebeu uma suspensão de sentença, "em consideração aos importantes serviços prestados à República por suas múltiplas confissões e informações específicas que o acusado deu sobre seus movimentos".

Depeyron, contudo, foi levado ao cadafalso no dia e na hora marcados. Quando subia ao cadafalso, como nos filmes, ele gritou "Esperem!" e pediu para ver o presidente do tribunal, com a promessa de revelar tudo. Seu esconderijo de diamantes, jurou ele, era de enorme valor para a República. O presidente, imediatamente convocado, prometeu a ele clemência apenas caso o que ele estava prestes a revelar fosse verdadeiramente importante como ele alegara. Depeyron, ainda manietado, levou o presidente até sua casa, em uma rua sem saída pitorescamente chamada de Sainte-Opportune, entrou em sua retrete, ou toalete, e tirou do espaço entre duas telhas do teto dois pacotes de diamantes no valor total de 1,2 milhão de *livres*. As gemas eram a *Fleur-de-pêcher*, o diamante Rosa de Cinco Pontas (que logo seria rebatizado Hortênsia), o Grande Mazarin e vários outros diamantes entre dez e 15 quilates. A parcela de Depeyron era excepcionalmente valiosa, especialmente dado que até aquele momento apenas 300 mil *livres* em gemas tinham sido recuperados.

Ao longo de todo o mês de outubro outros ladrões foram julgados, com o mesmo padrão de condenações e execuções sendo comutadas no último instante, quando as jóias escondidas eram devolvidas em troca de suas vidas. Apenas em 20 de novembro o chamado líder do assalto, Paul Miette, foi levado a julgamento. Ele tinha sido delatado por Douligny e de Chambon durante o julgamento deles e ele, por sua vez, delatou outros. Como os outros, ele foi poupado, embora fosse o líder. Apenas um ladrão, François Mauger, foi executado; infelizmente, ele não tinha consigo mais nenhuma jóia com a qual pudesse barganhar por sua vida.

Apesar de diversas recuperações e de uma noção mais clara do roubo, o Sancy, o Regente e o Azul Francês — os três diamantes mais valiosos da co-

298 O DIAMANTE MALDITO

leção de jóias da coroa — ainda estavam desaparecidos seis meses depois do roubo. A trilha parecia ter desaparecido.

Então, como freqüentemente nesses casos, a sorte ajudou. Uma certa madame Lelievre e sua irmã, Madame Morée, foram libertadas da cadeia. Madame Lelievre era amante de um homem chamado Bernard Salles, que tinha participado do roubo no *garde-meuble* na primeira noite. Salles tinha sido executado — não pelo roubo, mas por forjar documentos pouco depois do roubo. O Regente foi recuperado quando, depois de sua libertação, ela tentou receptar a jóia, que tinha sido roubada por Salles ou escondida em seu sótão. No dia 10 de dezembro de 1793, os *journaux judiciaires* anunciaram que:

> Seu Comitê de Segurança Nacional nunca cessa de fazer avanços na busca dos cúmplices do roubo no *garde-meuble*. Ontem, outro cúmplice foi detido, e outra pedra preciosa recuperada. É o diamante conhecido como Pitt ou o Regente, que no inventário de 1791 foi avaliado em 12 milhões. Para escondê-lo, o ladrão o colocou sob tábuas de seu porão, em um buraco de quatro centímetros de diâmetro. O ladrão e o receptador foram presos; o diamante foi levado como prova para sua condenação. Eu proponho, em nome do comitê, decretar que o diamante seja transferido para o tesouro nacional e que os comissários desse estabelecimento guardem a gema para o bem da nação.

Três meses mais tarde, em março de 1794, o Sancy foi recuperado na casa de um certo *Monsieur* Tavenel e de sua irmã, a viúva Leblanc, juntamente com um enorme número de outras pedras no valor de vários milhões de *livres*. Com o Sancy estava o diamante Guise e a maioria dos Mazarins. O ladrão não tinha conseguido transportar ou vender o Sancy e o restante de seu butim na França, já que tinha se tornado crime de traição possuí-lo. Nem tinha ele meios de tirá-lo do país. Ela tinha "possuído" o maior tesouro da coroa da França durante quase 18 meses, mas tinha sido incapaz de transformar essa propriedade em lucro. Tavenel e sua irmã foram condenados a 18 anos de trabalhos forçados em grilhões, mas de algum modo até hoje ignorado, Tavenel conseguiu escapar, deixando sua irmã sob a custódia de seus carcereiros.

ESCORREGANDO DAS MÃOS HÁBEIS DE LADRÕES 299

Enquanto estava no processo de supervisionar a recuperação das jóias da coroa roubadas, a Assembléia Nacional transformou em "lei", a partir de 1792, o confisco de todas as posses de sua nobreza emigrante. Artefatos religiosos de valor também tinham sido confiscados de abadias e igrejas e levados para o Louvre, juntamente com todos os outros tesouros. Em meados de 1794, 17 milhões de *livres* em jóias recuperadas dessa forma foram abrigados no antigo palácio real.

Com a família real sendo mantida como virtual prisioneira nas Tulherias desde seu retorno a Paris, provavelmente não foi surpresa quando o palácio foi atacado por uma multidão no dia 17 de agosto de 1792. O único motivo pelo qual isso não tinha acontecido antes era certamente porque em agosto de 1791 a Declaração de Pillnitz entre o imperador Leopoldo, irmão de Maria Antonieta, e o rei da Prússia considerou a situação da família real francesa "um objeto de interesse de todos os soberanos da Europa", e pretendeu restaurar o sistema monárquico na França. O erro cometido por Prússia e Áustria era que nenhum dos países podia agir sem a cooperação das outras potências européias.

Com a Declaração de Pillnitz, aumentaram os gritos de guerra contra potências estrangeiras disparados pelos revolucionários sanguinários encarregados da França. Os sentimentos da rainha de que aquelas "potências estrangeiras" poderiam se apresentar como a única salvação para o rei eram bem conhecidos. Luís tinha sido reduzido a um mero testa-de-ferro do governo revolucionário e obrigado a suportar a humilhação final quando, com a morte do imperador Leopoldo, foi forçado a declarar guerra em um golpe antecipado contra Prússia e Áustria. O fato de que o exército francês — uma força amadora de menos de 140 mil voluntários insubordinados e mal treinados — não era páreo para os belos exércitos de Prússia e Áustria não era sabido por aqueles na França que detinham o verdadeiro poder.

Quando a guerra se iniciou, com a invasão pela França através da Bélgica na direção da Prússia em abril de 1792, a realidade da política desastrosa da França ficou clara. Generais foram mortos por suas próprias tropas, foi perdida batalha após batalha, e o marquês de Lafayette retornou da Bélgica para

300 O DIAMANTE MALDITO

Paris em junho na esperança de restaurar a ordem na capital montando um *coup d'état*.

Lafayette ordenou ao rei que dispensasse os seis mil homens que eram os guardas do palácio — provavelmente os soldados franceses mais bem treinados —, o que Luís fez sem objeção. Mas Luís rejeitou inteiramente o tratamento dispensado a padres obstinados como sendo contra-revolucionários — uma política que podia fazer com que eles fossem deportados para a Guiana Francesa simplesmente com a denúncia de um único cidadão — bem como o aquartelamento de 20 mil Guardas Nacionais na periferia de Paris. Isso, combinado com um começo de guerra nada auspicioso, significava que as disputas entre a miríade de facções revolucionárias — *feuillants, fédérés, girondins, jacobins* e *sans-culottes* — explodiram em uma guerra civil aberta. As Tulherias foram atacadas inicialmente pelos girondinos, mas quando Luís os convenceu de que apoiava sua causa, foi deixado em paz.

Um mês mais tarde os *sans-culottes* atacaram o palácio — desta vez sob o fogo dos guardas suíços do rei. Onda após onda de *sans-culottes* subiram os degraus das Tulherias, gritando "Traição! Morte aos traidores!" Quando os guardas suíços, tendo esgotado sua munição, renderam-se, foram linchados até a morte juntamente com todos os escudeiros, pajens, porteiros, cozinheiros, criadas e o subgovernador do delfim. Seus corpos foram arremessados pelas janelas do palácio, suas cabeças cravadas em lanças. Todos os aposentos foram saqueados, a mobília que não foi levada acabou destruída, jóias e ornamentos embolsados e documentos oficiais espalhados pelo chão. Uma testemunha da carnificina viu dois garotos bem jovens jogando bola com cabeças humanas, enquanto outro dizia, com as mãos vermelho-escuras de sangue: "A Providência foi boa pra mim. Eu matei três dos suíços com minhas próprias mãos." Quinhentos guardas suíços foram chacinados no palácio ou nos jardins, e sessenta outros escoltados até o Hôtel de Ville, onde foram imediatamente massacrados. Trezentos "cidadãos" e noventa guardas nacionais também foram mortos.

Ao cair da noite, a família real foi escoltada até um convento, onde recebeu camas improvisadas. Pela manhã eles foram levados perante a Assembléia Na-

ESCORREGANDO DAS MÃOS HÁBEIS DE LADRÕES 301

cional, onde o rei foi afastado de suas funções e a Convenção Nacional — como a Assembléia Nacional tinha decidido se rebatizar — seria eleita com base no sufrágio universal. O rei e sua família foram confinados em um prédio seguro chamado o Templo, que antes tinha sido ocupado pelo irmão do rei, o conde d'Artois, que estava então no exílio. A Convenção Nacional tinha prendido o rei sem decidir pelo quê substituir a monarquia. O Terror tinha começado.

Quatro meses se passaram com a família real encarcerada no Templo. Durante o dia o rei ajudava a instruir o delfim e lia obras de Montesquieu e Racine para o rapaz. Ele também dava ao delfim mapas para colorir, como uma forma de ensinar geografia a ele. À noite, depois que as crianças tinham brincado e dito suas preces antes de irem para cama, o rei estudava em seu quarto até meia-noite — freqüentemente relendo a vida de Carlos I da Inglaterra, talvez em uma tentativa de compreender o que tinha feito de errado, e se poderia haver uma saída. A rainha passava os dias fazendo tapeçarias, bordando ou tricotando, então brincava com a filha ou seu *scottish terrier*. Se Luís tinha emagrecido com as preocupações e uma dieta pobre, Maria Antonieta era pele e ossos. Seu cabelo estava grisalho com mechas brancas, e ela tinha apenas 37 anos de idade. Seus carcereiros eram cruéis — sacudindo chaves em seus rostos, rabiscando obscenidades nas paredes ou cantando canções revolucionárias para eles no jardim quando eram autorizados a caminhar de tarde. Seus carcereiros vasculhavam a comida com os dedos imundos para garantir que nada tinha sido escondido nela, então jogavam o pão esmagado e a comida vasculhada sob seus narizes. Todos sabiam que o fim chegaria, mesmo se não soubessem quando ou como.

Quando o rei foi convocado perante a Convenção Nacional, a rainha carinhosamente deu nele um beijo de despedida. Luís sabia que não havia dúvidas quanto ao veredicto, apenas quanto à punição que os aguardava. Um antigo advogado do rei, Chrétien de Lamoignon de Malesherbes, retornou da suíça como advogado do rei, afirmando: "Eu tenho para com ele um dever que muitas pessoas agora consideram perigoso."

O rei foi considerado culpado por unanimidade, como ele sempre suspeitou. A divergência ocorreu na sentença. Alguns girondinos achavam que

302 O DIAMANTE MALDITO

sua vida deveria ser poupada por uma questão de "conveniência". Um de seus líderes, Jacques Pierre Brissot de Warville, declarou que "nenhum republicano poderia ser levado a crer que para libertar 75 milhões de pessoas um homem precise morrer". Um dos secretários da convenção, Rabaut Saint-Étienne, acrescentou: "Morto, Luís será mais perigoso para a liberdade do povo do que Luís vivo na prisão." Esses pedidos de misericórdia foram ridicularizados nas ruas pelos *sans-culottes* e por girondinos mais rapinantes. O rei foi sentenciado à morte por uma maioria de 50 votos, e os girondinos passaram a ser suspeitos de serem monarquistas pelos *sans-culottes*. A votação demorou 72 horas. Um deputado registrou: "As galerias superiores, abertas ao homem do povo, estavam repletas de estrangeiros e de pessoas de todas as extrações. Elas bebiam vinho e conhaque como se estivessem em uma taberna vulgar e esfumaçada. Em todos os cafés da vizinhança estavam sendo feitas apostas no resultado."

O rei aceitou o veredicto de morte serenamente, e retornou ao Templo. Lá ele foi acordado de seu sono pouco antes do amanhecer de 20 de janeiro de 1793 para ouvir que seria executado na manhã seguinte. De acordo com o historiador Christopher Hibbert, o rei disse boa-noite à sua família naquela noite em meio a "lamentos que podiam ser ouvidos do lado de fora da torre". Quando Jacques Roux e outros comissários da Convenção Nacional foram buscá-lo no amanhecer do dia seguinte, Luís os deixou esperando alguns instantes enquanto fazia suas últimas orações. Ao se levantar, ele estendeu na direção de Roux um pequeno pacote contendo o que restara de seus poucos bens pessoais e seu testamento, e murmurou com voz entrecortada: "Para a rainha (...) para minha esposa." Roux respondeu rispidamente: "Não estou aqui para mandar suas mensagens, estou aqui para levá-lo ao cadafalso." Luis respondeu afavelmente: "Que seja assim", então ofereceu o pacote a outro homem, que silenciosamente o pegou das mãos do rei.

A carruagem de morte do rei chegou à Place de la Révolution por volta de nove e meia, e Luís XVI subiu ao cadafalso em meio ao rufar de tambores e aos gritos da multidão sedenta de sangue. Apesar de seus protestos, suas mãos foram amarradas às costas, e seu cabelo cortado curto. Ele pediu a per-

ESCORREGANDO DAS MÃOS HÁBEIS DE LADRÕES **303**

missão de se dirigir à multidão, e quando os músicos pararam ele disse com voz alta e autoridade: "Eu perdôo aqueles que são culpados de minha morte, e rezo a Deus para que o sangue que vocês estão prestes a derramar nunca seja cobrado da França. Eu fui forçado compulsoriamente a sancionar a Constituição Civil do Clero." O restante de suas palavras foi abafado pelos músicos recomeçando o rufar. Ao cair, a lâmina da guilhotina falhou em cortar a cabeça do rei, então foi erguida uma segunda vez, e mais uma vez baixada. A cabeça do rei caiu dentro da cesta que a esperava, e um guarda de 18 anos de idade a ergueu para o público que gritava: *"Vive la République! Vive la nation!"*

As monarquias da Europa, que estavam estupefatas com os acontecimentos na França, ficaram inteiramente chocadas. Georges Jacques Danton, o novo líder da Convenção Nacional, tinha exigido o direito da França às suas fronteiras naturais — portanto, o país pretendia estender suas fronteiras até o mar, os Alpes, o Reno e os Pireneus. Era o equivalente a uma declaração de guerra à Suíça, os Estados alemães, Espanha e Grã-Bretanha.

A rainha foi separada de seus filhos em julho de 1793 e encarcerada na *Conciergerie*. Quando chegou o momento de seu julgamento, ela foi acusada de crimes variando de conspirar com seu irmão a cometer incesto com seu filho. Quando ela não respondeu às obscenas acusações do tribunal simulado e foi pressionada, reagiu com grande dignidade: "Se eu não respondo é porque a própria natureza se recusa a aceitar tal acusação feita a uma mãe. Eu apelo a todas as mães aqui presentes." Por um momento houve esperança — sua personalidade tinha angariado simpatia no tribunal. Quando o presidente percebeu o rumo inesperado dos acontecimentos, ele raivosamente ameaçou evacuar o tribunal, e acelerou os procedimentos, mal dando aos outros a oportunidade de pronunciar o veredicto de culpada e a sentença de morte.

A rainha foi levada ao cadafalso na manhã seguinte, com as mãos amarradas às costas e o cabelo grosseiramente tosquiado, trajando um vestido branco de piquê, touca branca, meias pretas e sapatos vermelhos de salto alto. Ela tremeu à visão de sua carruagem da morte, e precisou ter as mãos desamarradas para que pudesse se aliviar no muro do pátio. As ruas estavam repletas de furiosos cidadãos de Paris enquanto fez sua lenta viagem rumo à guilhotina, e quando ela assomou da carruagem, seus olhos vazios e fundos, rosto pálido e seco, tropeçou e pisou no dedão de seu carrasco. Enquanto ele gritava de dor, ela se desculpou: *"Monsieur*, eu peço perdão. Não fiz de propósito."* Foram suas últimas palavras.

Ao longo dos anos seguintes, a lâmina da guilhotina subiu e desceu mais vezes por dia do que há dias no ano. Até mesmo Danton caiu sob a lâmina do carrasco. Sua substituição por Maximilien Robespierre não fez qualquer diferença para os vizinhos da França — o país sentiu o gosto de sangue, e sob Robespierre a ameaça francesa se ampliou. Qualquer vestígio da França anterior à Revolução foi sistematicamente eliminado — a moeda foi substituída, e até mesmo os meses e os anos receberam novos nomes.

Mesmo com a execução de Robespierre e seus seguidores em julho de 1794 o banho de sangue continuou, e apenas graças ao brilhantismo de alguns poucos bons generais da França, como Louis Lazare Hoche, o país conseguiu avanços em suas guerras externas. No início de 1795 a França tinha ocupado Amsterdã, e em abril assinou a paz com Holanda e Prússia. A Convenção Nacional foi dissolvida e substituída por outro comitê constitucional fanático, chamado Diretório, em outubro daquele ano. O governo da França — não importa como ele se chamava — estava, como estivera no tempo do rei, fundamentalmente falido, e tinha despachado para Constantinopla dois agentes chamados Perrin e Cablat com um enorme número de valiosos diamantes. O Espelho de Portugal e a maioria dos Mazarins foram vendidos para o sultão na Sublime Porta por uma quantia não revelada e desapareceram para sempre dos olhos do público.

As maiores jóias remanescentes da coroa, incluindo o Sancy, foram colocadas em exposição no Museu de História Natural, onde eram considerados "necessários para a instrução do público, e estavam separados dos objetos de luxo". Mas essa exposição teve uma vida muito curta. Com 14 exércitos em campo em 1796, dinheiro, armas, alimentos e homens eram as principais preocupações do Diretório. Mesmo aquelas "históricas" e "educativas" jóias da coroa precisariam ser perdidas pela "glória" da França.

ESCORREGANDO DAS MÃOS HÁBEIS DE LADRÕES   305

Os financistas que tinham sustentado a França com armas e cavalos estavam então cobrando seu pagamento, ou interromperiam as entregas. O barão Von Treskow, que tinha fornecido tanto armas quanto cavalos, tinha milhões de francos a receber. Após algumas negociações, o Regente foi enviado a ele como penhor em troca de 3 milhões de francos, reembolsáveis em momento a ser determinado. Outro banqueiro, Vanlenberghem, associado a outros na Bélgica e na Holanda, quitou a dívida com Von Treskow e tomou posse da gema, que a esposa de Vanlenberghem usava sob as roupas todo o tempo.

O suposto fornecedor de excepcionais cavalos espanhóis, o marquês de Iranda, foi seduzido a fornecer mais cavalos contra um adiantamento de 1 milhão de francos garantidos pelo Sancy e outras pedras. Iranda estimou que as jóias que ele tinha empenhadas valiam apenas 300 mil francos, em vez da avaliação de 1 milhão de francos dada apenas para o Sancy no inventário de 1791.

Os cavalos de Iranda, cujo pagamento era garantido pelo Sancy, foram colocados em batalha por um general pouco conhecido e recém-nomeado, Napoleão Bonaparte, em sua primeira grande vitória no comando do Exército da Itália na Batalha de Marengo. Três anos depois, no dia 18 Brumário do Ano VIII — 9 de novembro de 1799 —, Bonaparte pôs fim à Revolução Francesa com um golpe de Estado.

24

O legado Bonaparte

1799-1828

A METEÓRICA ASCENSÃO ao poder de Napoleão foi assegurada em Marengo — pelos esplêndidos cavalos espanhóis adquiridos em um plano de pagamento a prazo utilizando o Sancy como garantia. A ascensão de Napoleão não poderia ser prevista na época, mas ela estava intrinsecamente ligada à perda, pela França, do Sancy.

Em 1799 o estado de espírito no exército francês era bem diferente do que tinha sido no início da Revolução. O antagonismo à Igreja, ao rei e à aristocracia era forte como sempre. Ódio e derramamento de sangue tinham se transformado em um estilo de vida, enraizado pelos acontecimentos dos dez anos anteriores. A Revolução já não representava um toque de reunir para os "combatentes da liberdade" da França nem era mais um brado emocional ou psicologicamente enaltecedor. De fato, em 1799 o exército se sentia isolado do governo e se orgulhava apenas de seus regimentos e suas vitórias. Seus comandantes eram deuses, e Napoleão tinha prometido e dado "ricas províncias, grandes cidades (...) honra, glória e riqueza".

O que o exército — e o povo — queria era liderança após dez longos anos de sangue, comitês e governo das massas. Paul-François Barras, que tinha chegado ao poder durante o Diretório à frente da polícia após a queda de

308 O DIAMANTE MALDITO

Robespierre e do Terror, tinha identificado o talento de Napoleão durante as *journées de Vendémiaire*, quando monarquistas ameaçaram subjugar Paris, e em março de 1796 apresentou o nome de Napoleão para liderar o Exército da Itália. Sua indicação foi endossada por unanimidade por todo o Diretório, já que eles sabiam que Napoleão não teria escrúpulos em encher os cofres vazios do país com tesouros saqueados de países derrotados.

A situação econômica da França era catastrófica. O valor dos títulos a juros, chamados *assignats*, tinha caído tanto que 100 *livres* valiam apenas 15 soldos. O papel-moeda detinha apenas 1% do valor que tivera entre 1795 e 1796. Tanto mendigos quanto camponeses só aceitavam moedas de ouro ou prata, alegando que o papel-moeda só servia de comida para seus cavalos. Mais uma vez a colheita foi fraca, e os preços dos combustíveis dispararam. Os pobres não podiam cozinhar, quanto mais aquecer suas casas. A situação foi agravada pela exuberância e os excessos dos ricos, sua sede por prazeres de todos os tipos — como o jogo, em que, de acordo com Vincent Cronin, biógrafo de Napoleão, não era incomum perder 1 milhão de *livres* em uma única cartada — ou a ultrajante moda de se vestir *à la sauvage*, com peito nu e coxas cor de carne cobertas apenas por "círculos de diamantes colocados ao redor de tornozelos, pulsos e coxas".

A França sem dúvida precisava de um líder para tirá-la do atoleiro de decadência política, social e econômica, e Napoleão se via inequivocamente como o homem destinado a isso. Na época ele tinha apenas 26 anos de idade, filho de um advogado corso de origem florentina nobre, e de língua nativa italiana — de fato, o nome era grafado Buonaparte, significando "bom partido", até ele se tornar primeiro cônsul. Embora seus pais fossem nobres de nascimento, eles não tinham nada da endogamia, riqueza ou privilégios comuns entre a nobreza. Napoleão falava francês com um forte sotaque italiano, grafando e pronunciando erradamente as palavras, até sua morte.

Uma semana após a indicação de Napoleão como comandante-em-chefe do Exército da Itália, ele se casou com a sedutora Rose de Beauharnais, que apelidou de Josefina. Ela era da ilha da Martinica, viúva do guilhotinado visconde de Beauharnais e ex-amante de Paul-François Barras. Josefina era seis anos mais velha que Napoleão, e certamente não o amava quando se casaram, tendo na época se queixado a seus amigos de que era sua "frieza em relação a ele — e a crença dele de que ela deveria ser só dele — que a incomodavam". Ainda assim, ela pareceu feliz de fazê-lo, já que Barras tinha querido, e prometera sua constante proteção se ela aceitasse a proposta de Napoleão. Aos 32 anos de idade, sem dinheiro ou perspectivas e dois filhos pequenos, ela precisava pensar em seu próprio futuro, que seria tanto mais desolador quanto mais velha ela ficasse. Barras tinha prometido a ela, como presente de casamento, garantir para Napoleão o Exército da Itália, de modo que ela pudesse viver bem. Obediente, ela concordou.

O contrato nupcial era favorável a Napoleão. Ele concordou em pagar à sua esposa 1.500 *livres* por toda a vida, o que, face aos casamentos civis na França revolucionária e à probabilidade de divórcio, era extremamente sovina. O casamento em si foi um triste evento. Em uma sala suja da prefeitura, a noiva e o noivo foram acompanhados de suas três testemunhas, como exigido pela lei — os dois antigos amantes de Josefina, Barras e Tallien, com quem ela esteve presa na época da morte de seu marido, e seu advogado. Para a cerimônia, Josefina tinha pegado emprestada a certidão de nascimento de sua irmã mais nova Catarina, já que a sua estava na Martinica ocupada pelos ingleses. Os votos matrimoniais foram igualmente despidos de emoção ou sentimento: "General Buonaparte, cidadão, você concorda em tomar como sua esposa legal Madame Beauharnais, aqui presente, cumprir o prometido a ela e observar a fidelidade conjugal?" Quando ambos disseram "Sim, cidadão", Napoleão a levou para sua casa não-quitada na rua Chantereine e deu a ela um colar de ouro cabelo-de-anjo com uma placa de esmalte pendurada com a inscrição *"Au destin"*. Três dias mais tarde ele deu início à campanha italiana, deixando Josefina livre para buscar o prazer em Paris.

As ordens de Paris claramente determinavam a Bonaparte que obtivesse obras de arte para a satisfação do povo francês. Ele executou essa ordem com um ardor que só seria superado durante a violação nazista dos tesouros europeus na Segunda Guerra Mundial. Em menos de seis semanas de campanha Napoleão tinha intimidado toda a Itália central e tomado 40 milhões de

310 O DIAMANTE MALDITO

francos em despojos e indenizações (85,9 milhões de dólares ou 53,7 milhões de libras, em valores de hoje) dos príncipes italianos esmagados. O princípio fundamental do governo revolucionário da França era o de que todas as obras de arte, jóias e outros tesouros pertencentes a reis, nobres e Igreja deviam ser confiscados para o povo francês. Em Bonaparte eles tinham encontrado seu mais competente e minucioso administrador.

Embora ele dificilmente precisasse de encorajamento, o Diretório escreveu a Napoleão enquanto ele estava na Itália para que continuasse com o bom trabalho e "mandasse a Paris obras de arte para fortalecer e embelezar o reino da liberdade". Ele o fez atento à qualidade — e era capaz de distinguir o lixo do excepcional sem a ajuda de especialistas.

Quando Napoleão derrotou o duque de Parma, em troca de permitir que o duque mantivesse seu título e que suas terras não fossem perturbadas, ele extorquiu uma enorme indenização. Entre a miríade de itens relacionados no tratado, ele estipulou, sem aconselhamento, que a *Aurora* de Correggio deveria estar entre as peças. Embora esta pintura retratasse a Madona e a criança e pudesse ser desaprovada pelo laico Diretório, Napoleão raciocinou que "os milhões que ele [o duque] nos oferece logo serão gastos (...) mas a posse de tal obra-prima irá adornar a capital por várias eras, e dar à luz manifestações semelhantes de genialidade". Entre outros itens inestimáveis estavam os manuscritos de Galileu sobre fortificações e os tratados científicos escritos de trás para a frente por Da Vinci.

Virtualmente todos os tratados que Napoleão assinou tinham termos relativos a obras de arte, jóias e outros tesouros inestimáveis. O papa teve de oferecer objetos de valor do Vaticano. Quando Veneza caiu, Napoleão assegurou que os quatro cavalos que decoravam a praça de São Marcos e que tinham sido tomados pelos venezianos durante o saque de Constantinopla na Quarta Cruzada fossem enviados a Paris. Como era comum desde a Idade Média, os soldados tiveram a permissão de tirar proveito dos espólios de guerra, e ficaram ricos além de sua própria imaginação ao se beneficiar pessoalmente do saque juntamente com a nação.

Tendo conquistado grande parte da Itália, e no processo enriquecido a si mesmo e à nação, Napoleão retornou a uma Paris que ele desaprovava. Ele descobriu que Josefina estava tendo um caso com um jovem coronel, Hippolyte Charles, e apenas depois de ela ter implorado durante dias para que não se divorciasse, ele perdoou a esposa. Mas antes que pudesse consolidar seu casamento ele foi embarcado novamente, para o Egito, "de modo a destruir completamente a Inglaterra". Embora a campanha egípcia contra turcos e britânicos tenha sido um sucesso científico e educacional, militarmente foi um fiasco, com muitos dos soldados franceses mortos por doença e, em menor grau, combatendo os turcos.

Ao retornar a Paris ele mais uma vez ameaçou se divorciar de Josefina, de quem novamente suspeitava de infidelidade. Mas, ao observar seu próprio círculo de amizades, percebeu que toda a França tinha se tornado dissoluta. Paul Barras, por exemplo, foi descrito por seu primo, o marquês de Sade, como "vendendo qualquer cargo para pagar por seus prazeres". O povo, contudo, estava mais pobre que nunca, e as estradas eram tão inseguras que mesmo o comboio de bagagem de Napoleão foi atacado e saqueado quando de seu retorno.

Napoleão decidiu resgatar a França de si mesma e se dirigiu ao Conselho dos Quinhentos no palácio de Saint-Cloud, com seu exército acampado do lado de fora, insistindo em um papel de dirigente e em um nova constituição para salvar o país. Diante deles, Napoleão pronunciou palavras proféticas:

> Representantes do povo, esta não é uma situação normal. Vocês estão na beira de um vulcão. Permitam-me falar com a franqueza de um soldado. (...) Eu garanto que o país não tem defensor mais zeloso que eu. (...) Eu estou inteiramente às suas ordens. (...) Vamos salvar a qualquer custo as duas coisas pelas quais eu sacrifiquei tanto, liberdade e igualdade. (...) Na verdade, há conspirações sendo tramadas em nome da constituição. (...) Eu conheço todos os perigos que os ameaçam.

Com um exército de prontidão do lado de fora do palácio, não foi difícil para o Conselho do Diretório perceber quem estava ameaçando seus corpos

312 O DIAMANTE MALDITO

e membros. Napoleão foi expulso da câmara em meio a gritos de "Proscrevam o ditador!" Seu irmão Lucien Bonaparte, como presidente, silenciou o Conselho, e escreveu um bilhete para ser entregue a Napoleão, dizendo: "Você tem dez minutos para agir." Nestes dez minutos, as mesas foram viradas, e Napoleão dispensou a "assembléia de fora-da-lei", que ficaram tão assustados com a carga das baionetas dos soldados de Napoleão, que pularam pelas janelas da Câmara. Foi o golpe de Estado do 18 Brumário. A Revolução Francesa acabava, e o Consulado, com Napoleão como primeiro cônsul, começava.

A séria tarefa de reconstruir a França começou imediatamente. O tesouro tinha apenas 167 mil francos em caixa, e dívidas que chegavam a 474 milhões de francos. O funcionalismo público não recebia havia dez meses, e as paredes do país estavam cobertas com papel-moeda sem valor. Napoleão levantou 3 milhões de francos com banqueiros franceses, 2 milhões de francos em Gênova e 9 milhões de francos com uma loteria, dessa forma impedindo a falência iminente. Coletores de impostos em tempo integral foram empregados para fazer a arrecadação em todo o país, e ele exigiu o recebimento imediato de 5% de todos os impostos coletados. Isso deu a ele dez dias de caixa antecipado, e em um ano a antecipação era de um mês. Apenas com um sistema de arrecadação de impostos organizado ele foi capaz de levantar cerca de 660 milhões de francos — 185 milhões de francos a mais do que Luís XVI tinha em 1788.

Napoleão foi o primeiro a introduzir impostos indiretos sobre vinho e cartas de baralho, duas indústrias do vício da elite. Em 1806 ele estendeu esses impostos ao sal, e em 1811 ao tabaco, que se tornara um monopólio estatal.

Os empréstimos que ele fora forçado a aceitar dos banqueiros para reconstruir a nação francesa tinham uma taxa de juros incapacitante de 16% ao ano, apesar do fato de que ele deixara claro que qualquer taxa anual acima de 6% era usura. Insatisfeito com os termos estabelecidos pelos banqueiros, Napoleão fundou o Banque de France em fevereiro de 1800, com um capital inicial de 30 milhões de francos e a capacidade de emprestar dinheiro até esse valor. Para a conveniência da região de Paris, o banco também podia emitir notas bancárias até o limite de suas reservas de ouro.

O LEGADO BONAPARTE **313**

Tudo o que tinha restado das jóias da coroa ainda estava empenhado quando Napoleão tomou o poder, e ele decidiu resgatá-las com a melhoria do panorama financeiro da nação. Como as jóias da coroa tinham comprado para ele os cavalos sobre os quais ele se encaminhou para a vitória, Napoleão acreditava que elas continuariam a dar-lhe boa sorte. Naturalmente, como o Regente era a maior e mais famosa de todas as pedras empenhadas, Napoleão decidiu resgatá-la primeiro. O mercador de Amsterdã Vanlenberghem pegou a gema da roupa de baixo de sua esposa e a devolveu a Paris pessoalmente assim que seus empréstimos foram quitados em meados de fevereiro de 1800.

O maior credor individual da França era o barão Treskow, com quem inicialmente fora empenhado o Regente. Quando ele foi reembolsado por seus empréstimos e todas as gemas que ainda tinha em sua posse foram devolvidas ao tesouro, Napoleão saiu em busca do Sancy. A quantia a ser paga, diretamente ao marquês de Iranda, correspondia a um terço de seu valor no inventário de 1791: 300 mil francos em ouro (498 mil dólares ou 311 mil libras, em valores de hoje). Se Napoleão *sabia* que o marquês de Iranda tinha sido apenas um intermediário agindo em nome da rainha Maria Luísa da Espanha, nunca foi registrado, mas resta o fato de que desde o momento em que Iranda negociou o acordo com Napoleão para que o Sancy fosse usado como garantia, a rainha da Espanha tinha o diamante Sancy em sua posse. Apesar da onisciência de Napoleão em quase todos os assuntos, parece improvável que ele soubesse que Maria Luísa da Espanha o tinha enganado no caso do Sancy. Na época em que Napoleão estava em posição de recomprar o Sancy, o marquês tinha morrido e seus herdeiros alegavam que o diamante fora vendido. Eles não revelaram a quem, e como Napoleão estava ansioso para normalizar suas relações com os muitos credores da França, incluindo a Espanha, ele temporariamente desistiu de sua busca pelo Sancy. Assim, relutantemente, no dia 15 de Termidor do Ano IX — mais conhecido como 2 de agosto de 1800 —, Bonaparte, como novo primeiro cônsul da França, decretou:

314 O DIAMANTE MALDITO

Os cônsules da República, com base no relatório do ministro das finanças, asseguram que o ministro das finanças está autorizado a receber para o tesouro a soma de trezentos mil francos em compensação pelo valor de um diamante pesando 53 quilates e três quartos [quilates antigos] e avaliado no mínimo no mesmo valor, de acordo com a fatura e o testemunho de 30 Pluvioso do Ano IX [18 de fevereiro de 1800] e que os herdeiros do Marquês de Iranda não puderam apresentar o dito diamante do qual tinham sido depositários no momento da quitação no último dia 6 Messidor [25 de junho de 1800]. Bonaparte.

Em outras palavras, os herdeiros do marquês oficialmente receberam o Sancy em troca de um empréstimo anterior à França de 300 mil francos.

Em menos de um ano no poder, Napoleão reverteu a sorte econômica do país, restaurou a ordem e resgatou 8,6 milhões de francos em jóias da coroa. Suas próximas tarefas seriam reconstruir a França e transformar o restante da Europa em um Estado vassalo da França.

Napoleão não tinha perdido a esperança de encontrar novamente o Sancy — afinal, ele tinha reaparecido depois de seu desaparecimento anterior de 120 anos, e, mais recentemente, resgatado de ladrões. O que ele não sabia era que a rainha Maria Luísa de Parma, esposa do rei Bourbon louco Carlos IV, tinha sido bem-sucedida, por intermédio de um estratagema, em se apossar de algo que dois séculos e meio antes Felipe II não tinha conseguido por intermédio de conflito armado, e o Sancy finalmente pertencia à coroa espanhola.

25

A Espanha e Sua Mais Católica Majestade José

1808-1828

A GRANDE RIVALIDADE que havia muito existia entre a França e a Inglaterra tinha sido reavivada durante a Revolução Francesa. Em janeiro de 1793, após a França ter invadido a possessão Habsburgo da Bélgica e assustado políticos, mercadores e homens de negócios da Áustria e da Grã-Bretanha, o primeiro-ministro britânico, William Pitt, que tinha recebido imigrantes franceses aristocratas recentemente empobrecidos nas costas da Grã-Bretanha, anunciou que o país estava em guerra contra a França e que aquela seria uma "guerra de extermínio".

Com a ascensão de Napoleão ao poder em 1797, a guerra assumiu uma faceta muito pessoal. Caricaturistas políticos britânicos retratavam o general em panfletos e jornais "sentado nas costas do diabo vomitando canhões e exércitos", de acordo com o historiador Christopher Hibbert. Eles continuaram a insultar Napoleão em 1799, quando ele foi retratado fugindo do Egito com todo o ouro. No momento em que Napoleão se proclamou primeiro cônsul, a França tinha assegurado suas fronteiras naturais pela força das armas e criado os Estados-satélites da Suíça e da Holanda, onde seu irmão Luís tinha sido feito rei.

O primeiro cônsul decidiu que era hora de fazer a paz com o pior inimigo da França, a Grã-Bretanha. Ele enviou uma mensagem de Natal para Jorge III perguntando: "Por que as duas nações mais iluminadas da Europa (...) deveriam continuar sacrificando seu comércio, sua prosperidade e sua felicidade interna por falsas idéias de grandeza?" O primeiro ato de Jorge III no Ano-Novo foi escrever uma resposta a seu novo primeiro-ministro Grenville, de que era "impossível lidar com essa nova, ímpia e autogerada aristocracia". A resposta dada à carta do "tirano corso" era um sermão pouco diplomático exigindo a restauração dos Bourbon franceses e um retorno às fronteiras de 1789. A guerra contra a França já tinha custado à Grã-Bretanha 400 milhões de libras (20,4 bilhões de dólares ou 12,8 bilhões de libras, em valores de hoje) e tinha destruído o padrão-ouro da nação. E esse valor não incluía a perda do comércio com Antuérpia.

O economista político Edmund Burke escreveu a Grenville, em defesa da posição do rei, que "não é a inimizade, mas a amizade da França o verdadeiramente terrível. Suas relações, seu exemplo, a disseminação de suas doutrinas são as suas armas mais pavorosas". Uma das grandes especulações da história é se a proposta de Napoleão era genuína ou uma manobra ardilosa como a de Hitler em relação aos Sudetos. Ainda assim, uma a uma outras nações européias pediram a paz, até que finalmente, com uma mudança no governo, também a Grã-Bretanha foi forçada a concordar com um tratado de paz em 1802, em Amiens. Os signatários foram o general Cornwallis e o irmão mais velho de Napoleão, José Bonaparte. Napoleão estava tão encantado que mantinha em sua penteadeira bustos do almirante Nelson e de Charles James Fox, líder do partido da paz Whig.

Mas a paz não iria durar, principalmente devido a três questões aparentemente não relacionadas. A primeira delas dizia respeito ao Tratado de Amiens, também conhecido como a Concordata, pelo qual os britânicos deveriam evacuar o Egito, e os franceses, Malta. Contudo, em 1803, nenhum dos dois tinha feito isso. O segundo tema que extenuou a paz foi quando Napoleão retomou sua agressão no continente ao alegar que tinha sido "forçado" a substituir o rei Carlos Emanuel no trono do Piemonte. A terceira de

A ESPANHA E SUA MAIS CATÓLICA MAJESTADE JOSÉ 317

suas transgressões, e provavelmente a mais séria do ponto de vista britânico, ocorreu quando Napoleão declarou que a Suíça era um perigo para a "nova França". Sua invasão da Suíça e a subseqüente formação da República Helvética atingiu o coração da rica classe governante da Grã-Bretanha, que mantinha grande parte de seu dinheiro depositada em bancos suíços. Napoleão entendia corretamente que a Inglaterra tinha durante muito tempo utilizado a Suíça como "uma segunda Jersey a partir da qual estimular agitação". As classes abastadas inglesas, chocadas, exigiram reparações.

O quadro político se agravou novamente quando jornais britânicos como o *Times* e o *Morning Chronicle* (de propriedade do príncipe de Gales) personalizaram a crescente tensão política — freqüentemente retratando Napoleão como um pigmeu ou "um ser inclassificável, meio-africano, meio-europeu, um mulato mediterrâneo". O primeiro cônsul explodiu de fúria contra os ingleses, dizendo que o rei "não era um cavalheiro" e que os ingleses não cumpriam os tratados. De acordo com Napoleão, a Grã-Bretanha tinha rompido a paz. Todas as outras guerras travadas, insistiu ele, eram fruto da guerra com a Grã-Bretanha.

Em resposta, Napoleão instituiu o Bloqueio Continental, as primeiras sanções internacionais, transformando em crime o comércio com a Grã-Bretanha, e tentou — sem sucesso — bloquear totalmente o país e obrigar seu povo a fazer a paz pela fome durante os 12 anos seguintes. A busca dos britânicos por aliados continentais significava que toda a Europa seria contaminada pelo cáustico cheiro da pólvora e todo o mundo seria arrastado para a guerra.

Em 1804, após uma séria tentativa de assassinato por monarquistas, Napoleão aproveitou a oportunidade e se declarou imperador dos franceses com a aprovação do seu Senado. Ele argumentou que isso consolidaria as várias facções revolucionárias e monarquistas sob um novo soberano íntegro e incorruptível. Apenas Josefina se opôs a ele, com base em que isso iria parecer "o pecado da vaidade e da ambição". Na verdade, ela temia, por ser incapaz de ter outros filhos, que ele acabasse se divorciando dela, já que era então o líder de um novo império dinástico e inevitavelmente desejaria um filho e herdeiro.

318 O DIAMANTE MALDITO

A coroação de Napoleão e Josefina em 2 de dezembro de 1804 marcou a volta oficial de toda a pompa e circunstância que a Revolução Francesa tinha tentado eliminar. Napoleão gastaria mais em diamantes e jóias para esse único acontecimento do que Luís XIV fizera em todo o seu reinado. Estavam à disposição de Napoleão para sua coroação as jóias da coroa que ele mandou engastar, no valor de mais de 8 milhões de francos-ouro (19,5 milhões de dólares ou 12,2 milhões de libras, em valores de hoje). Apenas o Regente, que ele mandou engastar em sua espada de coroação, estava avaliado em 6 milhões de francos-ouro. Sua coroa de louros de ouro maciço, composta de 44 grandes folhas, 12 folhas pequenas e 42 botões, foi encomendada por 8 mil francos; seu cetro de ouro e esmalte custou 2.800 francos, e o globo de ouro e esmalte, 1.350 francos.

Quando fez sua entrada na catedral de Notre Dame com seu manto de veludo púrpura forrado de arminho e bordado com abelhas douradas — os símbolos de diligência usados por Carlos Magno —, Napoleão já usava sua coroa de louros dourada. Ele brilhava tão ostensivamente com todas as suas jóias e seus ornamentos que um observador o chamou de um "espelho ambulante". Outro convidado disse que seu traje poderia ter parecido belo enquanto desenho, mas que estava "horrível no pequeno e gordo Napoleão, que parecia o rei dos diamantes".

Josefina, como seus cunhados Luís e José, estava vestida de cetim branco com alguns toques abundantes de diamantes. Assim que o papa, que oficiou a cerimônia, tinha celebrado a missa solene e colocado a coroa na cabeça de Napoleão, o próprio imperador colocou a pequena coroa sobre a tiara de diamantes de Josefina após primeiramente colocá-la em sua própria cabeça, "tendo grande dificuldade para ajustar a pequena coroa", de acordo com o historiador de pedras preciosas francês Bernard Morel.

Mas as sementes da rixa familiar já tinham sido lançadas. José Napoleão Bonaparte era o irmão mais velho de Napoleão, e Luís, Lucien e Jerome, os irmãos mais novos, todos disputavam uma fatia do império. Governar a Europa não passava de uma questão familiar, e as irmãs de Napoleão, Pauline, Caroline e Eliza, assim como seus irmãos, desempenharam papéis impor-

A ESPANHA E SUA MAIS CATÓLICA MAJESTADE JOSÉ 319

tantes em seu grande projeto para o futuro. Todos os parentes tinham algo em comum: não gostavam de Josefina.

Nunca popular entre os irmãos de Napoleão, a coroação de Josefina foi particularmente desagradável para as irmãs Bonaparte, que tinham sido forçadas por Napoleão a carregar o manto da imperatriz. Uma franziu o cenho, enquanto a segunda colocou sais de cheiro sob o nariz e a terceira deixou cair o pesado manto cravejado da imperatriz. Luís e José mal falavam com o imperador desde que ele tinha se recusado a nomear qualquer dos dois como seu herdeiro.

Mas esse era apenas o início da rixa familiar. Com um grande disparo seco, Napoleão partiu para a conquista do restante da Europa. Luís já estava no trono da Holanda. Em 1806 os tratados de Tilsit e Pressburg tinham enfraquecido a Prússia e a Áustria, respectivamente — um importante preâmbulo para o que se seguiria. A irmã de Maria Antonieta, Maria Carolina, era a neurótica rainha de Nápoles, e nas palavras do próprio Napoleão, "a mulher criminosa" que tinha quebrado sua promessa de neutralidade e que pagaria por isso sendo "arrancada do seu trono". José Bonaparte foi colocado no trono do Reino de Nápoles em alguns meses.

Enquanto vasculhava documentos oficiais em Berlim, após suas vitórias sobre os prussianos, ele descobriu documentos secretos da rainha Maria Luísa e de Manuel de Godoy, seu primeiro-ministro e amante, prometendo atacar a França em aliança com a Prússia. A partir daquele momento, suas cartas estavam marcadas. Napoleão estivera negociando com Godoy, apelidado de "príncipe da paz", durante anos para tentar garantir o pagamento de dívidas da Espanha com a França. O imperador sabia que o controle que a família Bourbon tinha sobre a Espanha era na melhor das hipóteses tênue — o rei Carlos IV estava louco, e Maria Luísa sovina e amarga. Quando ocorreu uma revolta popular contra o rei e rainha da Espanha em 1808, Napoleão ofereceu a eles exílio na França, apesar do fato de que ele odiava Godoy quase tanto quanto os rebelados espanhóis. Mas por quê?

O imperador descrevia o "príncipe da paz" como um homem "que cata migalhas da mesa do seu mestre e um bajulador insolente cujas tentativas de

320 O DIAMANTE MALDITO

negociar com mentiras" o enfureciam. Manipulando Godoy ele esperava que a família real fosse razoável e deixasse a Espanha sem mais luta. No dia 22 de junho de 1808, o representante real espanhol escreveu da França para o chefe do palácio real que o "imperador estava impaciente com o inventário dos diamantes", que ele exigia que fossem dados à França, e que essa lista precisava ser entregue a ele em Bayonne *immédiatement*.

O plano era simples: exílio em troca de toda a riqueza da coroa. Cartas foram escritas, decretos feitos e Napoleão chegou mesmo a oferecer 16 milhões de francos (39 milhões de dólares ou 24,4 milhões de libras, em valores de hoje) pelos diamantes da coroa espanhola. O mordomo do palácio real, Pedro de Cifuentes, respondeu que compreendia a urgência, mas não o mérito de criar um inventário para o imperador da França.

Cifuentes, como Godoy e a rainha, sabia que se Napoleão e seus exércitos invadissem, os tesouros da nação seriam pilhados. Mas, tendo uma vez enganado o Diretório para ficar com o Sancy utilizando o marquês de Iranda como intermediário, Maria Luísa não seria derrotada tão facilmente. Enquanto o temível inventário estava sendo preparado, ela entregou seu principal bem — o Sancy — a seu amante Manuel de Godoy, para que ele não fosse contabilizado entre suas jóias.

A história deve muito do mistério que cerca o Sancy durante os vinte anos seguintes primeiramente aos Bonaparte e em seguida à rainha da Espanha por tentar preservar seus tesouros. Apesar dos boatos, das insinuações e das palavras escritas, Manuel de Godoy nunca possuiu o diamante Sancy. Ele simplesmente agiu como protetor guardião durante o breve período de completo caos na história da Espanha quando os Bonaparte tomaram o país. Quando José Napoleão Bonaparte foi proclamado rei da Espanha à frente de um exército francês, os espanhóis chamaram seu odiado governo de *el gobierno intruso*, ou o governo invasor de José Napoleão I.

Embora Godoy certamente não fosse um anjo, ele pelo menos era espanhol, raciocinaram seus derrotados compatriotas. Ele emergia de uma pobreza tão extrema que um historiógrafo da corte escreveu que "ele freqüentemente era obrigado a ficar deitado na cama enquanto sua única

A ESPANHA E SUA MAIS CATÓLICA MAJESTADE JOSÉ   321

camisa estava sendo lavada". Godoy tinha se tornado o conselheiro favorito e mais confiável do rei e da rainha dois anos depois de sua chegada à guarda do rei — que na época era popularmente conhecida como *chocolateros*. E, sendo o favorito, Godoy fez inimigos poderosos.

O mais importante deles era o filho do rei e da rainha, Fernando, príncipe de Astúrias, que em 1807 tinha conspirado com o enteado de Napoleão, Eugène de Beauharnais, para derrubar Godoy. O herdeiro espanhol era um indivíduo gago, materialista, repulsivo e desonesto que conspirou contra os próprios pais pelo trono. O complô de Fernando deu a Napoleão a justificativa de que precisava para cruzar os Pireneus e "libertar" os espanhóis das malfeitorias de seus pais e de Godoy. Mas a Espanha já se erguia em revolta contra as injustiças e as restrições às liberdades praticadas por Godoy, e Carlos IV abdicou em favor de seu filho, fugindo em seguida, com a esposa e Godoy, para Bayonne, na França. A "salvação" da Espanha por Napoleão não passou de uma falácia. Ele ordenou que a insurreição fosse esmagada, independentemente do sangue a ser derramado, e depois de colocar em combate duzentos mil homens armados, a Espanha se tornou sua. José foi rapidamente retirado do trono do Reino de Nápoles por seu irmão, e em julho de 1808 se tornou Sua Mais Católica Majestade, rei da Espanha e da Índia. No dia 28 de outubro de 1808, ele partiu para Madri "à frente de meu exército para coroar o rei da Espanha e plantar minhas águias [os símbolos da França imperial] pessoalmente nas fortalezas de Portugal". O poder de Napoleão estava no auge.

O acordo a que ele tinha chegado com a família real espanhola exilada está registrado em uma carta de Napoleão a seu ministro das finanças, Mollien, em Paris:

> Eu concluí um tratado secreto com o rei Carlos, datado de 5 de maio.
> Escrevo agora para instruí-lo sobre as disposições no que dizem respeito a você:
>
> 1. Você deve pagar a este príncipe, em prestações mensais iguais, a partir de 1º de maio, uma soma anual de 30 milhões de reais, ou 7,5 milhões de francos, e colocar este príncipe em minha relação civil.

2. Você também deve pagar a seus filhos 400 mil francos por ano. Há cinco, acredito eu; o que corresponderia a 2 milhões anuais. Isso perfaz um total de 9,5 milhões de francos que definitivamente devem ser pagos, mas essa soma não deve aparecer no orçamento. Ela precisa ser classificada como um empréstimo que será reembolsado pela Espanha. É provável que eu dê mais 500 mil francos ao príncipe de Astúrias (Fernando), o que completará 10 milhões. Todos esses valores serão reembolsados pela Espanha.

Napoleão também adquiriu as jóias da coroa espanhola por 8 milhões de francos, não os 16 milhões de francos que tinham sido originalmente oferecidos. O dinheiro, de acordo com os Arquivos Reais de Madri, nunca foi pago. Mesmo que fosse, os dois números são ridículos, já que o valor das jóias da coroa era várias vezes superior a esse total.

Na manhã seguinte após essa carta ter sido escrita, o ex-rei e a ex-rainha da Espanha partiram para o palácio de Fontainebleau, que Napoleão tinha designado como seu local de exílio. Godoy logo seguiria a família real rumo ao exílio francês, mas as jóias da coroa, como a coroa da Espanha, permaneceram em Madri. Quando ou como Godoy transferiu o Sancy para José é algo tão misterioso quanto qualquer uma das mais inescrutáveis transações envolvendo o diamante, e talvez nunca saibamos os detalhes com segurança. José nunca escreveu a Napoleão sobre isso, e não teria sido característico dele fazê-lo.

José assumiu o trono da Espanha como um manto envenenado, tendo adorado Nápoles. Apesar disso, José achava difícil recusar qualquer pedido de seu irmão mais novo, e partiu de Nápoles para Madri sem grandes discussões. Estava claro que Napoleão não confiava em sua capacidade militar, tendo ido a campo pessoalmente para proteger o país, e uma longa mágoa se instalou entre eles durante mais de três anos. Em 1811 José encontrou-se com seu irmão em Rambouillet, a *ferme ornée* (pródiga fazenda) de Maria Antonieta, para abdicar como monarca espanhol. José insistiu em que não tinha autoridade ou respeito, e que as Cortes Espanholas clandestinas (a Assembléia) permaneciam leais a Fernando a despeito de ele ter estendido ao

A ESPANHA E SUA MAIS CATÓLICA MAJESTADE JOSÉ 323

país a tradicional liberdade de expressão e religião de Napoleão. Os funcionários do imperador também ignoravam José, e promoveram a guerra contra os britânicos, que tinham saído em defesa de Portugal quando Napoleão invadiu o país. O comandante britânico, *Sir* Arthur Wellesley (mais tarde duque de Wellington), em despachos interceptados, insultou ainda mais a habilidade militar de José não se referindo a ele como um rei. José tinha um título real sem poder — e uma coroa sem pompa ou dinheiro. Isso logo se tornou seu motivo para abdicar.

O sistema de arrecadação de impostos de Napoleão estava empobrecendo a Espanha — para não falar em sua corte —, com toda a renda sendo enviada para a França para pagar as dívidas de guerra da Espanha, ou para os generais no campo de batalha. José ficou furioso e se encaminhou à França para oferecer sua renúncia ao imperador.

Os dois irmãos conversaram durante dois dias, perambulando pelos corredores decorados de Rambouillet, até José se dar conta de que aquilo que seu irmão mais jovem estava dizendo era verdade; ele não era um general, mas ele era carne e sangue — e, portanto, a única pessoa em quem Napoleão podia confiar. José concordou em permanecer como rei desde que sua corte recebesse 500 mil francos por mês — dos quais 20 mil francos (49 mil dólares ou 31 mil libras, em valores de hoje) foram gastos em ouro e diamantes.

José deixou Rambouillet como um homem feliz com promessas vazias, e foi visitar sua esposa, Julie, em sua propriedade em Mortefontaine, onde ela preferia viver. Ela achava que José tinha deixado de ser a alma gentil com a qual tinha se casado para se transformar em um homem cuja "frivolidade era inconcebível e a autoconfiança era igualmente inexplicável. (...) Ele ficou surpreso de que eu não o visse com grande admiração, tão convencido estava de que tinha realizado grandes feitos".

José retornou à sua vida na corte em Madri sentindo-se revigorado e menos magoado. Ele inaugurou mais liceus como centros de aprendizado para superar a influência supersticiosa da Igreja em questões de Estado e concedeu liberdade religiosa a todos, colocando um fim a séculos de Inquisição. Ele plantou pequenos parques para embelezar Madri, conquistando para si o título de

324 O DIAMANTE MALDITO

rey de las plazuelas (rei dos jardins). A comida espanhola — que ele não apreciava — estava sempre no cardápio da corte, e filósofos franceses tinham lugar nas noites juntamente com Cervantes e Calderón. Mas José, como líder de uma força ocupante, continuava a ser odiado.

Em agosto de 1812 Wellington fez tremendos avanços na Península Ibérica, e os casacos-vermelhos britânicos eram saudados em toda parte com gritos quase histéricos de *Viva!* Mesmo o grande pintor Francisco Goya entrou no clima do momento pegando um retrato parcialmente concluído de José a cavalo e substituindo seu rosto pelo de Wellington.

A situação era inteiramente desesperadora. José e o general Soult tinham tido sérias desavenças quanto à segurança militar do país, e o rei tinha escrito a Napoleão, que estava preocupado com a desastrosa invasão da Rússia, dizendo que Soult simplesmente precisava ser substituído. Os franceses eram sistematicamente derrotados batalha após batalha, e o controle da Espanha pela França escapava. Napoleão resistiu, dizendo que Soult era o "único cérebro militar competente na Península", e ordenou a José que transferisse a corte e o governo para Valladolid, e não Burgos, como José tinha sugerido anteriormente. Com a corte foram todas as riquezas da capital, incluindo o Sancy e outras jóias da coroa.

Mas foi apenas com a Batalha de Vittoria, em julho de 1813, que José Bonaparte, Sua Mais Católica Majestade, foi finalmente "arrancado do trono", como noticiado pela fanática imprensa britânica. Foi uma batalha arquitetada pelo próprio José, e a culpa pelo resultado catastrófico pertence inteiramente a ele. Os franceses estavam sendo empurrados para o leste, levando com eles um grande carregamento do butim espanhol — incluindo as jóias da coroa. A estrada para Bayonne, e a fuga, era arriscada, e a única saída era através de uma série de pequenas estradas na montanha em direção a Pampeluna. Mark Urban reproduz um relato de uma testemunha da batalha em seu livro *The Man Who Broke Napoleon's Codes*:

> Brigadas de infantaria inteiras fugiram para o leste, deixando para trás sua artilharia. Enormes buracos se formaram na linha francesa, e os britânicos afluíam por eles como uma avalanche. Houve grande violência — gritos, disparos, o

A ESPANHA E SUA MAIS CATÓLICA MAJESTADE JOSÉ 325

estrépito dos cascos dos cavalos, soldados urrando, mulheres chorando — com
José Bonaparte e sua escolta apanhados em meio a tudo isso. Para piorar a situação, o terreno estava enlameado e, com o colapso da ordem, carroças tomba-
ram nas valas laterais da estrada, eventualmente bloqueando o caminho.

Quando os ingleses perceberam que as carruagens pertenciam ao rei francês da Espanha e seus ministros, o 18º Regimento de Hussardos se entregou
à mais memorável das orgias de saque de suas carreiras, e um deles registrou
que "todos os que tiveram oportunidade se dedicaram a obter alguma vantagem pessoal de nossa vitória". Em apenas uma valise havia dobrões de prata
no valor de mil libras. O urinol de prata do rei foi roubado, juntamente com
carroças abarrotadas de prataria, retábulos e objetos religiosos, bem como o
comboio do tesouro que levava os cinco milhões de francos que José tinha
acabado de receber de Paris. Apenas uma pequena parcela do dinheiro foi
recuperada, o restante desaparecendo nos bolsos dos soldados, nas bocas de
seus filhos ou em caixas registradoras de bares e prostitutas. Dois mil homens foram feitos prisioneiros nesse cenário de pilhagem bíblica bastante
semelhante ao saque do acampamento de Carlos, o Temerário, em Grandson.
Mas, misteriosamente, não há registro de as jóias da coroa ou o Sancy e outras jóias terem sido roubados.

Ainda mais misteriosamente, o irmão de Napoleão, novamente apenas
"José Bonaparte", desapareceu durante duas semanas, para reaparecer subitamente em sua propriedade perto de Paris. Correram boatos de que José
tinha fugido da Espanha e enterrado as jóias da coroa, incluindo o Sancy, em
algum local na França, de modo que pudesse recuperá-las mais tarde.

Após a abdicação de seu irmão em 1814, José trocou a França pela Inglaterra, e acabou se instalando nos Estados Unidos, onde ele supostamente teria
comprado uma mansão em Breezy Point, Nova Jersey, com o dinheiro dos
tesouros roubados da Espanha. Ele retornou regularmente à Europa, acabando
por se estabelecer em Gênova, depois Florença, na Itália, onde seus vizinhos
mais próximos eram Nikolai e Paul Demidoff, futuros parentes de sua sobrinha, a princesa Matilda.

26

Nas mãos dos Demidoff

1828-1865

ENQUANTO OS BARÕES CAPITALISTAS da América engrandeciam o país, a Rússia também tinha sua própria versão dos Carnegie, Vanderbilt e Mellon que, tendo tido uma origem humilde, demonstraram uma iniciativa impressionante combinada com uma impiedosa noção empresarial. A mais atípica e talvez a mais excepcional dessas famílias foi a próxima proprietária do Sancy, os Demidoff.

A vasta região russa da Sibéria e dos Urais ainda é rica em ferro, minerais — e diamantes. Mas a produção industrial na região permaneceu com limitado valor para o país como um todo até a época de Pedro, o Grande, no final do século XVIII. A guerra, mais que o crescimento econômico, foi o catalisador que levou a Rússia a desenvolver sua própria indústria siderúrgica, já que Pedro tinha declarado guerra à sua principal fonte de ferro para armamentos, a Suécia.

Nikita Demidoffich, depois Demidoff, forneceu a resposta às preces do czar, e em troca o czar deu a Nikita incalculável riqueza e poder. Os Demidoff emergiram de uma obscura família de ferreiros durante a revolução econômica de Pedro, o Grande. Nikita, considerado avarento e brutal, e seu filho Akinfii Nikitich Demidoff criaram um império industrial familiar de magnitude simplesmente espantosa sem se preocuparem com a lei. Em meados do século XVIII os Demidoff forneciam à Rússia mais de 40% de toda sua necessidade de ferro, e impulsionaram a Rússia para a cena mundial como uma potência econômica. A Rússia, que tinha sido vista como uma nação industrialmente instável, tornou-se uma força dominante na produção de ferro européia desde o momento em que os Demidoff irromperam no cenário mundial.

Atolada em um sistema de leis arbitrárias, obrigações para com o czar e uma lamentavelmente inata falta de compreensão dos imperativos comerciais, a Rússia tinha a merecida reputação de sufocar a criatividade empresarial. Quando Nikita, então com 35 anos de idade, encontrou-se com Pedro, o Grande, pela primeira vez em 1691, ele já tinha conquistado a admiração do czar como um talentoso fabricante de armas de fogo. Como a lei tinha pouco significado para Nikita, ele tinha fugido de um emprego pessimamente remunerado no Escritório de Artilharia de Moscou para a terra dos hostis calmucos, para explorar os ricos depósitos de minério de ferro e cobre em troca de produzir apetrechos militares. Mas, apesar de tal comportamento traiçoeiro, o talento de Nikita e sua mística autopromovida garantiram a ele não apenas o perdão do próprio czar mas também um lugar à frente da incipiente indústria de produção de armas da Rússia. Reza a lenda que a verdadeira razão para Demidoff ter conseguido uma honra tão cobiçada é que Pedro, o Grande, teria visitado a casa de Nikita, embriagou-se de modo verdadeiramente imperial e então honrou Nikita desonrando sua esposa.

Qualquer que seja a verdade, Nikita fornecia armamentos melhores a um preço bem inferior ao da concorrência, obtendo matéria-prima diretamente de suas próprias fundições e unidades de processamento nos Urais. Pedro, o Grande, apreciou tanto sua habilidade que concordou em pagar três vezes a taxa em vigor e o cobriu com presentes de inestimável valor, incluindo diamantes.

O filho de Nikita, Akinfii, construiu 11 indústrias de ferro e sete de cobre, e possuía mais 27 fábricas, enquanto seu irmão mais novo tinha outras nove. A reputação da família crescera tanto em 1713 que eles eram conhecidos como os "senhores dos Urais". Em 1718 eles tinham diversificado os negócios para incluir couro. De forma inacreditável, Akinfii conseguiu um *status* quase estatal quando se queixou de que suas minas e fábricas estavam sendo atacadas por bandidos e obteve uma licença do Estado para cuidar do assunto por conta própria. Ele executou sua tarefa com uma brutalidade que em nossa imaginação está reservada à máfia. Nos Urais havia apenas uma lei, e seu nome era Demidoff.

Akinfii estava tão seguro de sua posição na Rússia que intencionalmente correu o risco de despertar a ira da corte imperial e perder uma influência fundamental na corte ao obter lucros não taxados, e portanto ilegais, com as operações da família com prata. Mas, apesar de todas as alegações — a maioria delas verdadeira — de assassinato, grilagem de terras, trabalhos forçados (escravidão), roubo em escala industrial e ilegalidade, os Demidoff continuaram a ser cidadãos respeitados e conquistaram *status* aristocrático em 1721, tornando-se os primeiros industriais — e os primeiros camponeses — a conseguirem progresso tão significativo.

Isso significava que eles já não precisavam pedir permissão especial para receber servos, pois isso era então um direito como aristocratas. Eles se especializaram em inibição ilegal da concorrência, ocupação de minas, seqüestro de capatazes, roubo de minério e em impedir outros produtores de derrubar árvores para serem utilizadas como combustível. Prospectores foram agredidos, minas estatais fechadas, e mesmo a famosa família aristocrática Stroganoff foi atacada em seu próprio território quando os Demidoff a expulsaram alegando que as terras eram desocupadas e, portanto, deles.

Os *fiskaly* (fiscais da receita) finalmente interferiram, e após uma investigação de três anos os Demidoff foram instados a abrir mão de mais "opressão, sonegação e suborno". Mas o czar precisava tanto deles que em 1720 foi proclamado um novo édito determinando que "nem o governo, nem os *voevoda* [líderes militares] nem qualquer funcionário tem a permissão de investigar as fábricas e empresas de Demidoff. Não é autorizada nenhuma medida que possa levar à paralisação das fábricas. Nenhum insulto a ele é permitido, sob o risco da ira e da fúria de Sua Majestade Imperial". A partir

330 O DIAMANTE MALDITO

de então os Demidoff desfrutaram de um poder absoluto. E, como sempre é o caso, o poder absoluto corrompe absolutamente.

O abuso de poder continuou durante o reinado da imperatriz Catarina, a Grande, que assumiu o trono em 1725. Acusações de fraude, sonegação de impostos e ilegalidade generalizada se acumulavam, mas, além de serem obrigados a pagar os impostos devidos, eles não receberam nenhuma outra punição. Ainda assim, à época em que a terceira geração ascendeu à proeminência, os filhos de Akinfii eram bem educados no exterior, aprendiam línguas européias e percorriam o grande circuito, comportando-se como os outros aristocratas da época — visitando castelos, palácios e outros monumentos e sendo recebidos pela aristocracia européia, banqueiros mercantis e industriais enobrecidos. O segundo dos três filhos de Akinfii, Pavel, concedeu à Universidade de Moscou uma fabulosa coleção de minerais, livros, medalhas e antiguidades avaliada na época em 300 mil rublos (2 milhões de dólares ou 1,3 milhão de libras em valores de hoje), com mais 100 mil rublos em 1803 para a manutenção dos alunos. Ele também deu mais 50 mil rublos para a construção das universidades de Kiev e Tobolski. A brutalidade de Nikita Demidoffich e Akinfii estava agora relegada à história antiga e substituída pelo éthos do altruísmo e do consumo desregrado de um estilo de vida aristocrático. Esse altruísmo e esse estilo de vida aristocrático deram à terceira geração seu lugar na história. E também os empobreceram.

O novo líder da família no final do século XVIII, Nikolai Demidoff, se casou com a baronesa Elizaveta Aleksandrovna Stroganova — dos famosos Stroganoff — em 1797 e teve a sabedoria de entregar à família dela o controle do que restava do império industrial Demidoff. Seu primeiro filho, Pavel, nasceu em 1798, sendo seguido 15 anos depois por um irmão, Anatoli.

Nikolai era um cavalheiro da corte de Catarina, a Grande, e protegido de seu favorito, Potemkin. Como muitos dos aristocratas russos, ele percorreu a Europa, morando um ano em Dresden, Paris e Londres antes de comprar uma casa em Paris. Mas quando Napoleão declarou guerra à Rússia Nikolai foi obrigado a fugir de Paris e retornou a Moscou para defender a nação contra o tirano francês. Como coronel à frente do exército russo cujas táticas arrasaram o Grande Exército da França, Nikolai foi aclamado como herói nacional. Com a restauração da monarquia francesa em 1815, Nikolai retornou a Paris, sem dúvida alguma como olhos e ouvidos da corte russa.

Após a morte de Elizaveta em 1818, a corte imperial o mandou a Florença como seu enviado especial. Essa posição era muito semelhante ao papel que a família de sua esposa desempenhava como enviados à Espanha — espionar os elementos da sociedade européia que podiam beneficiar, ou prejudicar, a Mãe Rússia.

Os russos tinham sido brutalmente atacados por Napoleão, e o novo czar, Alexandre, defendeu sua nação de uma forma que lembrava Elizabeth I da Inglaterra, utilizando uma rede de espiões bem azeitada. Por vários séculos, embaixadores e enviados foram freqüentemente utilizados como canais, não apenas para transmitir informações importantes, mas também para arrancar segredos de qualquer natureza. Os dois filhos de Nikolai, Paul e Anatoli, também viveram em Florença com seu pai durante sua longa estadia ali.

O interlúdio napoleônico afetou toda a Europa — incluindo a Rússia — durante muito mais tempo do que os dez curtos anos do império. Os recursos que foram despendidos para contê-lo foram enormes. As riquezas das prósperas províncias que Napoleão prometera a seus exércitos foram transportadas das regiões derrotadas para a França (tanto em seus bolsos quanto para a glória da França). E em nenhum outro lugar essa mudança de poder e riqueza era mais evidente que em Florença e nos Estados Papais quando Nikolai se instalou ali. Florença, como capital da Toscana e antigo lar dos príncipes Médici, tinha muitas das riquezas que atraíram a atenção de Napoleão.

Valiosos bens religiosos, como receptáculos de altar de ouro e prata e pinturas renascentistas de valor incalculável, tinham sido expropriados de igrejas, juntamente com propriedades privadas, incluindo a Vênus Médici, e despachados para o Louvre. Apesar de seu entusiasmo inicial pelos franceses, os florentinos logo tinham se enfurecido com o completo saque de seus

332 O DIAMANTE MALDITO

tesouros nacionais, e lutaram o mais que puderam agredindo os ocupantes nas ruas e depredando os símbolos de sua autoridade. Eles estavam tão fartos com a avalanche de decretos começando com *nous voulons* (nós queremos) que os florentinos deram aos franceses o adequado apelido de *nuvoloni* (nuvem de gafanhotos). Centenas de tesouros preciosos foram levados do Vaticano e dos Estados Papais centrais por Napoleão e seu exército. Os cidadãos da península italiana — ainda não unificada em uma única nação — sentiam que tinham sido espoliados de sua herança.

O filho mais velho de Demidoff, Paul, tinha apenas 16 anos de idade quando Napoleão foi derrotado na Rússia. Não há dúvidas de que a Rússia pretendia transformar sua vitória sobre o Grande Exército de Napoleão em poder político na Europa. Por este motivo, nobres confiáveis e leais como Nikolai Demidoff foram enviados para locais específicos como observadores privilegiados. Sua principal tarefa era fazer relatórios, mas se eles também pudessem transformar nobres locais em defensores da Rússia, melhor ainda. O czar tinha dito pessoalmente a Nikolai para se transferir para Florença e se tornar seu observador privilegiado das atividades da Casa de Habsburgo na Itália e em todo o Mediterrâneo. Assim, quando Nikolai chegou a Florença, foi noticiado em *Il Corregio* que ele tinha se recolhido lá por questões de saúde, e ele imediatamente começou a trabalhar para a Rússia.

O maior sucesso de Nikolai nesse mundo sombrio pode ter sido o alistamento nas tropas russas de um nobre florentino chamado Serristori. Quando Serristori partiu para Moscou, Nikolai arrendou seu Palazzo di Serristori em Florença e lá permaneceu até sua morte. Mas sem dúvida o maior trunfo foi sua amizade com o ex-rei da Vestfália, Jerome Bonaparte — vizinho próximo do Palazzo di Serristori e pai de sua futura nora, Matilda. Um visitante freqüente do palácio de Jerome era seu irmão mais velho, José, que muitos anos antes tinha se instalado em Breezy Point, Nova Jersey, e que tinha gastado grande parte de seu tempo na América justificando a "verdade" do legado de Bonaparte e seu próprio papel como rei de Nápoles e rei da Espanha.

Mas, apesar dessas amizades e da diversão que os russos obviamente produziam, bem como da riqueza que geravam com sua filantropia e consumo desregrado, eles não eram unanimemente apreciados ou mesmo admirados em Florença. Um relatório policial "confidencial" de 7 de março de 1828 — escrito em uma época em que os poderes locais estavam se aferrando à vã esperança de que Florença não seria engolida por um Estado italiano unificado maior sob o *Risorgimento* — descreve uma relação de 28 estrangeiros como sendo indivíduos "licenciosos, depravados, jogadores, efeminados e bêbados" que estavam corrompendo a "flor da pura juventude da Itália". Os números seis e sete da lista eram Paul e Anatoli Demidoff. Embora Anatoli seja lembrado pela história por sua filantropia, há muitos relatos sobre sua vida dissoluta. Quanto a Paul, essa é a única mancha oficial em seu registro. Qualquer crédito a esse relatório altamente xenófobo deve ser dado à luz da época em que foi escrito, uma época em que todos os aristocratas jogavam e bebiam em excesso.

Há poucas dúvidas de que Nikolai tinha conhecimento do relatório da polícia, e, como líder não-oficial de um considerável contingente de aristocratas russos vivendo em Florença na época, buscou mitigar qualquer dano que ele pudesse infligir à sua família ou à comunidade russa como um todo. Os Demidoff, então imensamente ricos em função de sua licença exclusiva de mineração de ouro nos Urais, viviam em grande estilo — recebendo todos os que eram alguém e comprando o que quer que desejassem. Nikolai e seu filho Paul se tornaram filantropos e colecionadores de arte, mas é Anatoli o mais lembrado por seu amor à arte e a descoberta da arte russa pelo grande público italiano através de seu apoio ao artista Brjullov. Paul se ocupava com sua paixão por arqueologia e se tornou patrono da Sociedade Arqueológica de Siena e membro honorário da Academia de Ciências e Artes de Arezzo e Siena, mas permaneceu devotado à arte russa.

Outros russos e "estrangeiros" tentavam se encaixar na aristocracia florentina bastante exclusivista e esnobe da época, freqüentemente comprando para si títulos italianos de nobres empobrecidos, como Anatoli fez muitos anos mais tarde, quando passou a ser conhecido como o príncipe di San

Donato. Enquanto os florentinos viviam em grande luxo e usavam roupas e jóias elegantes e caras, os russos se destacavam por sua riqueza astronômica e seu pendor por jóias chamativas. A princesa Woronzoff, por exemplo, tinha uma coleção de jóias tão impressionante que tanto florentinos quanto visitantes paravam nas ruas para vê-la passear usando 12 cordões de idênticas pérolas impecáveis que chegavam aos seus joelhos. Nikolai sem dúvida invejava a excitação que ela produzia.

Sendo um grande colecionador e amigo dos Bonaparte, bem como um observador privilegiado do czar, Nikolai deve ter sabido como descobrir com os irmãos Bonaparte a existência de um butim da era napoleônica. Ele deve ter considerado aquela uma oportunidade única de adquirir aquele butim e devolvê-lo à Rússia como compensação por suas perdas avassaladoras. Essa postura continuou a prevalecer no pensamento russo durante e depois da Segunda Guerra Mundial e de fato mereceu alguma simpatia internacional. Não se sabe exatamente quando ele tomou conhecimento da existência do Sancy entre os tesouros roubados das jóias da coroa espanhola, mas o Sancy tinha sido visto em Paris pelo joalheiro do rei Carlos X mais cedo em 1828, quando ele supostamente teria sido posto à venda por "um agente de Godoy". Carlos X recusou a pedra, pois acreditava que ela já pertencia à coroa francesa e se recusava a "comprá-la duas vezes".

Não há provas de que o agente fosse de Godoy, mas isso sempre foi presumido, já que Godoy tinha sido a última pessoa a supostamente ter estado de posse do Sancy. O que sabemos é que o agente era um advogado agindo em benefício de um "cliente não-identificado". É inteiramente provável que o advogado trabalhasse para José Bonaparte, que desenterrou o diamante de seu esconderijo secreto, já que mais uma vez estava precisando muito de dinheiro. Pouco tempo antes, Breezy Point tinha pegado fogo em circunstâncias misteriosas, e para construir outra casa seria necessária a fortuna que o Sancy podia produzir.

Seja como for, Nikolai comprou o Sancy em janeiro de 1828 e fez com que os círculos de poder florentinos soubessem que ele era agora o orgulhoso proprietário deste grande e histórico diamante. Mesmo a princesa Woronzoff não podia se jactar de ter uma pedra tão fabulosamente importante.

Três meses depois de comprar o Sancy, Nikolai estava morto. A maldição que cercava o diamante ressurgiu, e houve muitas conversas na fechada comunidade aristocrática de que o diamante era o responsável, apesar do fato de que a maldição não deveria se aplicar a uma aquisição legal. Chegou mesmo a ser dito que Paul iria se recusar a aceitar a pedra. Alguns pensaram que Anatoli — o suposto amante e futuro marido da princesa Matilda — tinha naturalmente herdado o Sancy do tio dela, José. Os documentos oficiais de transporte, porém, informam que a "totalidade do patrimônio de Nikolai Demidoff, incluindo pinturas e mobiliário do Palazzo di Serristori, foi enviado de volta a Moscou".

Com a morte de Nikolai, Paul (que tinha 30 anos de idade) e Anatoli (então com 15 anos) herdaram o ramo Nizhnetagil das propriedades Demidoff, que incluía minas de ouro e platina. Foi durante seu retorno a Moscou que Paul conheceu a inacreditavelmente bela finlandesa Aurora Stjernwall-Walleen, dama de companhia da czarina. Além de ser extremamente bonita, Aurora também era uma intelectual, amiga de toda a vida de Pushkin.

O fabulosamente rico Paul sentiu que precisava ter uma parceira como aquela, e decidiu conquistar seu coração. Paul, que tinha recebido o apelido de "Rothschild da Rússia", era considerado um dos melhores partidos do país. Finalmente, em 1836, eles se casaram, e como é costume nos países nórdicos, Paul deu a Aurora um presente matinal quando ela acordou no dia depois da cerimônia de casamento. Era o diamante Sancy.

Aurora, embora tivesse recebido o diamante mais histórico da Europa, aparentemente não ficou excessivamente admirada. Ela, afinal, era uma intelectual e compreendia o poder dos ricos e sua capacidade de corromper.

Há uma pintura de Aurora no museu de Nizhnetagil, fundado por Paul Demidoff. Foi pintada por seu mais importante protegido, Brjullov. Como as únicas jóias na pintura são um bracelete e uma aliança no seu anular, não temos registro visual de como o Sancy foi engastado. O que a pintura exibe,

336 O DIAMANTE MALDITO

porém, é a sua obsedante beleza — olhos escuros e inteligentes, pele aveludada, busto largo, cintura fina e um vestido fascinante.

Paul e Aurora se dividiam entre São Petersburgo e Moscou, passando os invernos na Itália. Em 1839 ela deu à luz um filho, igualmente chamado Paul. Em um ano seu marido estava morto. Mais uma vez emergiram boatos de que o diamante que ele tinha dado a ela era azarado, ou mesmo amaldiçoado. Ela ignorou a superstição e tentou viver uma vida de vitoriana circunspeção — abominando a moda de jogo e bebida e evitando todos os costumes dissolutos. Anatoli assumiu a administração de seus substanciais bens, que incluíam o distrito de Tiraspol, o governo de Cherson, com 385 camponeses, uma grande casa de pedra a quatro léguas (cerca de 22 quilômetros) de São Petersburgo, uma casa em Nizhni-Novgorod e metade de todas as minas de ferro, platina, prata e ouro, enquanto ela se devotava a criar seu filho pequeno.

Então, em 1846, ela se casou com Andreij Karmasin, um belo capitão da guarda que era seu igual intelectual. Ele se dedicou à educação do jovem Paul até 1854, quando foi servir no exército russo durante a Guerra da Criméia. No mesmo ano Aurora tinha enviuvado, para nunca se casar novamente.

Após a morte de Karmasin e o fim da Guerra da Criméia, Aurora finalmente se instalou em Helsinque e viveu tranqüilamente em relativa obscuridade. Anatoli ainda administrava seus bens — mais ou menos como ele considerava adequado — e ela manteve durante toda a vida uma amizade e proximidade com seu antigo cunhado e freqüentemente visitava Florença.

Curiosamente, escreveu-se que Paul Demidoff tentou vender o Sancy para um certo sr. Levrat, chefe dos serviços estatais de mineração em Grisons, Suíça, que teria tentado enganá-lo para ficar com a pedra. A história parece ter sido inventada, já que há todos os tipos de acusações registradas contra o inescrupuloso Levrat, mas nenhuma referente a um diamante.

Quando Aurora finalmente decidiu vender o diamante, escolheu como seu agente um joalheiro altamente respeitado, Garrard & Co. Em 1865, Garrard vendeu o Sancy para *sir* Jamsetjee Jejeebhoy, de Bombaim, pela prin-

NAS MÃOS DOS DEMIDOFF 337

cipesca soma de 20 mil libras (1,5 milhão de dólares ou 957 mil libras, em valores de hoje).

Assim, o Sancy, após séculos viajando pelas mãos de reis, príncipes e salafrários, retornou a seu país de origem. Qualquer que seja a natureza da maldição do Sancy, Aurora viveu até os 90 anos de idade.

27

Uma jóia de curiosidade histórica

1865-1906

O PRÓXIMO DONO DO SANCY, o segundo baronete *Sir* Jamsetjee Jejeebhoy, voltou para casa na Índia com o diamante em 1865. A Índia de Jejeebhoy tinha sido dominada por mais de duzentos anos pelo Raj, ou governo, britânico, e o país tinha se tornado a espinha dorsal da enorme riqueza do império britânico. O subcontinente por tanto tempo procurado tinha tornado as potências e os empresários europeus ricos além de qualquer expectativa por séculos, mas os britânicos, embora não fossem mais que os últimos em uma longa linhagem de invasores, acreditavam que iriam possuir a Índia para sempre, e construíram uma infra-estrutura que refletia essa convicção.

O Raj tomou corpo a partir do comércio, e esse comércio tinha sido dominado, por mais de dois séculos, pela inglesa Companhia das Índias Orientais. Quando, na véspera do Ano-Novo de 1600, Elizabeth I concedeu uma carta régia à Companhia das Índias Orientais, de propriedade de um seleto grupo de mercadores da City de Londres, nem ela nem aqueles investidores originais poderiam ter previsto como ela iria dominar o comércio para toda a Europa a partir do subcontinente e do Extremo Oriente. Em meados do século XIX o poder da Companhia das Índias Orientais se estendia pela maior parte da Índia, Burma, Cingapura e Hong Kong, com a qüinquagési-

340   O DIAMANTE MALDITO

ma parte da população do mundo sob sua autoridade "governamental". A companhia, em diferentes estágios de sua história, derrotou a China, ocupou as Filipinas, conquistou Java e até mesmo aprisionou Napoleão em sua desolada ilha de Santa Helena, na costa da África, tudo em nome do império.

Mas sempre havia espíritos empresariais independentes aos quais não era concedido acesso imediato à Companhia das Índias Orientais e todas as suas riquezas, já que o estilo de vida tranqüilo, com seus clubes, igrejas, funções sociais, servos e cartões de visita era exclusividade dos "cavalheiros ingleses". Jamsetjee Jejeebhoy era um dos mais bem-sucedidos rivais da Companhia das Índias Orientais e, como Nikita Demidoff, emergiu da extrema pobreza para uma invejável posição de riqueza e poder. Diferentemente de Demidoff, ele usava ambos para o bem público.

Nascido em 1783 em Navsari e órfão aos 16 anos de idade, Jamsetjee iria se tornar lenda aos vinte anos. Com a morte de sua mãe ele foi para Bombaim para ganhar a vida com seu primo na comunidade parse que prosperava ali.

Os parse eram remanescentes do império persa zoroastrista que tinha sido derrotado e fugira da espada do islã. Após anos sofrendo e vagando, os parse finalmente receberam refúgio em Gujarat, onde os exilados daquele que é hoje o Irã ganharam a vida principalmente como fazendeiros e tecelões por mais de mil anos.

Foi com o advento do Raj que começou a ascensão da comunidade parse; e com as conquistas de Jamsetjee e outros, o nome parse passou a ser sinônimo de pioneirismo, amor à aventura, integridade nos negócios, espírito público, caridade e inflexível lealdade a seus governantes. Os parse ainda são conhecidos como uma grande comunidade comercial, e contribuíram substancialmente para o crescimento de Bombaim como centro comercial da Índia.

Quando Jamsetjee chegou a Bombaim, tinha no bolso apenas 120 rúpias, ou 12 libras (672 dólares ou 420 libras, em valores de hoje). Seu primo Merwanjee Maneckjee Tuback o acolheu e acertou para que Jamsetjee viajasse com ele para a China em 1799 na função de escrevente. Ao voltar, com apenas 16 anos de idade, Jamsetjee desposou a bela Avabye Framjee Bottlewalla e se juntou à empresa comercial do pai dela. Em pouco tempo Jamsetjee se tor-

UMA JÓIA DE CURIOSIDADE HISTÓRICA 341

nou seu sócio. Seus principais produtos eram algodão e ópio. Jamsetjee pensou que, se pudesse estabelecer relações comerciais para esses produtos com a China — que a Companhia das Índias Orientais estava cortejando intensamente —, eles fariam fortuna. Foi feita uma segunda ousada viagem à China para negociar todos os seus bens terrenos, graças a um empréstimo inacreditavelmente arriscado de 35 mil rúpias em uma época em que as guerras napoleônicas grassavam e a pirataria patrocinada pelo Estado era a regra. Apesar de enfrentar uma série de bloqueios franceses, a viagem foi um sucesso, e ao retornar a Bombaim Jamsetjee pagou o empréstimo com juros.

A ilegalidade associada ao comércio de ópio não existia naquela época, embora suas qualidades narcóticas fossem bem conhecidas. O ópio era amplamente utilizado tanto como droga recreativa quanto como analgésico, por pessoas de todas as classes e todas as posições, da rainha Vitória, na forma de láudano, ao camponês chinês em seu charuto. O comércio de ópio representava aproximadamente 5% do comércio internacional da Índia, com a maioria das exportações sendo vendida para a China via Companhia das Índias Orientais, cuja eterna necessidade de barras de ouro para comprar chá para a Grã-Bretanha levou tanto a companhia quanto outros, como Jamsetjee, a exportar para a China o ópio produzido na Índia.

No entanto, o imperador chinês se opunha às importações de ópio, já que a nação submergiu em um estupor narcótico e estava dependendo das importações para alimentar o hábito. A empresa, não querendo contrariar o imperador, disse abertamente que nada deveria ser feito para colocar em perigo o seu vital comércio de chá com a China e que "por mais útil que a renda do ópio seja para a Índia, era menos desejada que o monopólio do comércio com a China".

Mas os chineses continuaram a consumir ópio indiano em enormes quantidades, a maioria do qual era importada abertamente por Jejeebhoy ou em segredo pela Companhia das Índias Orientais. Em 1830, a empresa se tornou dependente do comércio de ópio para a China, apesar de esforços anteriores para exercitar a responsabilidade comercial e o bom governo. Ela passou a ser pressionada no comércio com a China por mercadores aventureiros

342 O DIAMANTE MALDITO

indianos como Jejeebhoy, e utilizou isso como uma desculpa inconsistente para aumentar suas próprias operações.

Para manter uma maior fatia dos lucros com as vendas para a China e eliminar os intermediários, em 1814, quando as guerras napoleônicas estavam chegando ao fim na Europa, Jejeebhoy e seu sogro compraram uma frota de barcos, o primeiro dos quais foi batizado de *Bom Sucesso*. Jejeebhoy acreditava que haveria um agudo aumento no preço do algodão em toda a Europa continental como resultado das guerras e acertou embarcar milhares de fardos para lá. De acordo com o biógrafo de Jejeebhoy, escrevendo em 1859:

As guerras [napoleônicas] espalharam sangue e desolação de Cádiz a Moscou e de Nápoles a Copenhague; elas arrasaram as formas de prazer humano e destruíram os instrumentos de melhoria social. Nem o conflito foi limitado apenas à Europa, tendo se apresentado também na Índia, onde, como leões famintos, eles estavam deitados nos arbustos esperando para pular sobre a primeira vítima.

Os lucros da expedição da nova frota foram colossais, e permitiram a Jejeebhoy e sua família desfrutarem de um estilo verdadeiramente principesco pelo resto de suas vidas. Com a morte de seu sogro, ele rompeu a barreira da religião e levou dois outros sócios para a Jamsetjee Jejeebhoy & Co. — um hindu e um muçulmano. Em 1821 a empresa monopolizava todo o comércio de importação da China, com a empresa Jardine Mathieson & Co. como seu principal agente na China para o comércio do ópio. A empresa continuou a florescer, e em 1836 o filho mais velho de Jamsetjee, Setts Cursetjee, se juntou à empresa como sócio, e a palavra "Sons" ("filhos") foi acrescentada ao nome da empresa.

Em 1840 a empresa sofreu graves prejuízos durante a Guerra da China, conhecida por nós hoje pelo título ardiloso publicado pelo *Times* de Londres: Guerra do Ópio. Em parte aquelas guerras eram, claro, por causa do ópio, todavia se tratava mais de abrir a China ao comércio em geral. A completa derrota do enfraquecido império chinês para a Companhia das Índias

UMA JÓIA DE CURIOSIDADE HISTÓRICA 343

Orientais em nome da coroa britânica em 1842 levou ao humilhante Tratado de Nanquim e à abertura de portos, incluindo Xangai, ao comércio exterior. Hong Kong foi cedida aos britânicos, e o monopólio de Jejeebhoy na China estava perdido.

Jejeebhoy reagiu estendendo seus negócios a Bengala, Madras, à costa ocidental de Sumatra, Singapura, Sião (hoje Tailândia), arquipélago malaio (hoje Indonésia), Alexandria no Egito, e Inglaterra. Quando tinha 24 anos de idade, de acordo com o *Memorandum of the Life and Public Works of Sir Jamsetjee Jejeebhoy*, ele era tão rico que era capaz de "distribuir seu dinheiro entre o povo de Bombaim em uma caridade não ostensiva e melhorar as condições de seus pobres compatriotas".

Jejeebhoy não apenas sabia como viver com estilo, mas também como retribuir à sua comunidade. Ele construiu um palácio para sua família, dizia-se que comia em colheres de ouro verdadeiro, e quando um visitante surpreso em sua casa falou sobre isso, ele deu a todos os seus convidados suas colheres de ouro como lembrança. Ao mesmo tempo, ele construiu um novo dispensário em Bombaim, o primeiro hospital civil (1843), a primeira maternidade (*sir* Jamsetjee Jejeebhoy Obstetric Institution), concedeu uma considerável bolsa para livros, prêmios, e fundos gerais para o Grant Medical College, construiu a primeira estrada elevada de Mahim a Bandra, para as pessoas que entravam e saíam de Salsett, reformou um vasto número de estradas e escolas, foi pioneiro na educação feminina (19 escolas para meninas) e criou a primeira rede hidráulica para os cidadãos de Poona.

Ele levou uma vida sem culpa e doou milhares de presentes para causas meritórias. Ele se tornou membro do conselho da Universidade de Bombaim e recebeu a liberdade da City de Londres em 1855. Sua filantropia não foi igualada em nenhuma outra parte do mundo, já que ela tocou todos com quem ele entrou em contato.

Sua integridade em resistir ao disseminado sistema de influências na prática moralmente corrupta chamada de *khuput*, pela qual nativos ricos enviavam grandes somas de dinheiro para seus agentes em Bombaim, foi um

344 O DIAMANTE MALDITO

exemplo para todos. De acordo com Bartle Frere, representante do governo britânico em Scinde, a nobreza de *sir* Jamsetjee era descrita como:

> Quando o requerente é de posição, um artifício favorito é levá-lo a visitar algum cavalheiro, com o qual seu condutor conversa em inglês, e facilmente convence seu amigo do interior que seus negócios foram objeto da conversa. (...) Alguns cavalheiros, estou certo, sem qualquer idéia do logro a que se permitiram, ou dos danos que praticam, são uma espécie de eternos cúmplices inconscientes de fraudes desse tipo (...) uma exceção admirável é *sir* Jamsetjee Jejeebhoy, que com toda a persuasão de sua grande influência e a extrema benevolência de seu caráter, nunca, segundo consta de minha experiência, permitiu-se a perigosa prática de defender partes envolvidas em obter compensação por seus prejuízos, reais ou supostos, por influência indireta.

Quando de sua morte, em 1859, *sir* Jamsetjee deixou o seguinte balanço de suas obras públicas:

Finalidades britânica e geral:

O JJ Hospital, Ponte Mahim e acessos, estrada Mahim, ponte em Earla Parla, aprofundamento de reservatório em Bandora, Dhurmsalla, ou Casa de Caridade em Bellasis Road, incluindo uma doação de 5 mil libras, rede hidráulica em Poona, Dhurmsalla em Khundalla, contribuições para vítimas de fogo em Surat e Syed Poora, pagamentos para solução de diversas disputas particulares e familiares levadas a ele para arbitragem, ponte em Bartha, subscrições e doações [cadeira Elphinstone], escolas em Byculla, District Benevolent Society, Lar dos Marinheiros, Escola de Indústria, Free School de Calcutá, assistência a escoceses e irlandeses, Escola Naval em Devonport, poços na Esplanada em Bombaim, poços com aqueduto em Musjid Bunder, o mesmo em Calaba, reservatório em Poona, alívio para um amigo em dificuldades e sua família [não parse], valores pagos para libertar pobres endividados em 1822, 1826 e 1842, fundos para livro e prêmio Grant Medical College, contribuição para uma estrada em Bandora, reservatório público no hospital, a instituição de obstetrícia, contribuição para o fundo de Bombaim para o benefício de pensionistas europeus e suas viúvas, homenagens a Wellington, doação de uma escola de desenho em Bombaim.

£110.432

Finalidade parse:

Doação para instituição benevolente parse, espaço de adoração parse em Poona, dotação para a apresentação em Bombaim e Guzerat de vários ritos e cerimônias parses, um novo prédio e espaço para celebração de certos festivais públicos entre os parse, quantias enviadas para ajuda a parses pobres em Surat de 1840 a 1847, pagamento dos impostos cobrados por Gackwar dos parses de Nowsaree, cemitérios parses em diversos locais, quantias oferecidas em auxílio a membros de respeitáveis famílias parses em dificuldades, construção e reforma de diversos espaços de oração parses, fundo fiduciário em benefício de cegos pobres em Nowsaree, subscrição do Parsee Punchayet para obras de caridade, fundos para despesas gerais de parses pobres em Gundavee, perto de Nowsaree, Dhurmsalla em Nowsareee, dotação para parses pobres em Surat e Nowsaree, Escola Zend Avesta para parses, prédios em Nowsaree e cemitério de cerimônias religiosas parses.

£113.380

Finalidade hindu:

Subscrições para o Pinjra-pol em Bombaim, em deferência ao falecido Motichund Amichund, para o Pinjra-pol em Patton pelo mesmo motivo, dotação para ajuda a hindus pobres em Guzerat em memória de Motichund Amichund.

£10.460

Em valores de hoje, isso equivale a 17,9 milhões de dólares ou 11,2 milhões de libras.

Jamsetjee foi excepcionalmente condecorado a cavaleiro pela rainha Vitória por seu fenomenal bom trabalho e contribuições para a Índia. Ele foi o primeiro britânico colonial a receber tal honra. *Sir* George Arthur presenteou Jamsetjee, em um *durbar*, ou recepção, especial, com uma medalha de ouro cravejada de diamantes. Na frente ela trazia o rosto da rainha cercado de diamantes, e no reverso estava escrito: "*Sir* Jamsetjee Jejeebhoy, cavaleiro, do governo britânico em homenagem a sua generosidade e seu patriotismo."

Sir Jamsetjee aceitou a honra alegremente e adotou um brasão que dizia "Indústria e Liberalidade", com um pavão levando uma flor no elmo de um cavaleiro. Dentro do brasão há uma mão cercada de duas abelhas e o sol se erguendo sobre as montanhas, com um oásis e água abaixo.

Mas o *Bombay Times* de 13 de junho de 1856 se mostrou ultrajado de que ele tivesse recebido "um mero título de cavaleiro" ao escrever: "Confiamos que o governo de Sua Majestade não irá permitir que passe em branco a oportunidade de conceder uma distinção mais valiosa que um mero título de cavaleiro, indicando seu reconhecimento a uma generosidade que não tem paralelo na história."

Seu filho mais velho, Setts Cursetjee, mais tarde o segundo baronete Jamsetjee, nasceu em 9 de outubro de 1811, e na época chamou-se a atenção, supersticiosamente, para o fato de que desde seu nascimento *sir* Jamsetjee foi muito bem-sucedido e próspero em todas as suas iniciativas. Mas, apesar de toda sua generosidade e sucesso, Jamsetjee não morreu como um homem popular. Durante a Revolta dos Cães e a Revolta Parse-muçulmana de 1851 ele assumiu uma posição declarada que era decididamente pró-britânica. Seu biógrafo, escrevendo oito anos mais tarde, disse:

O calor do verão e a falta de água levaram a muitos casos de hidrofobia [raiva]. O governo ordenou um massacre geral de cães. Isso feriu os sentimentos de alguns parses e hindus. Isso levou à Revolta dos Cães. Os revoltosos de ambas as comunidades agrediram violentamente dois policiais em serviço. Jamsetjee argumentou corretamente que cães abandonados eram perigosos e que o governo estava cumprindo o seu dever. Ademais, era um ato ilegal agredir policiais. Ele disse firmemente que os cidadãos não tinham o direito de fazer justiça pelas próprias mãos. Se todos começassem a agir assim, a anarquia se instalaria no país. Como ele se recusou a ficar do lado dos revoltosos parses, se tornou impopular.

UMA JÓIA DE CURIOSIDADE HISTÓRICA 347

Durante dias, bandos de muçulmanos furiosos aterrorizaram a população de Bombaim. Casas parses foram saqueadas, lojas pilhadas e se tornou comum ajustar antigas rixas pela morte. A polícia se disse impotente, mas os parses a culparam pelo caos em função de uma política de não-intervenção. Jamsetjee, então com quase setenta anos de idade, já não podia influenciar a comunidade da qual tinha se tornado líder.

Quando ele morreu, no dia 15 de abril de 1859, o *Bombay Times* resumiu o sentimento das massas:

Ele não ajudou a alimentar os famintos? Ele não vestiu os despidos? Ele não ajudou aqueles em dificuldades e socorreu os aflitos? Para os órfãos, não foi ele um pai? Para as viúvas e órfãos, não foi ele um provedor? Não construiu ele hospitais para os doentes? Para os ignorantes, não financiou escolas? Para os que tinham sede, ele não cavou poços e reservatórios e construiu sistemas de distribuição? Para os sem-teto, ele não ergueu *dharamsalas* [asilos]?

O segundo baronete Jamsetjee Jejeebhoy era considerado um perfeito cavalheiro inglês — uma agradável companhia em sociedade, e estava sempre entre os primeiros a apoiar uma boa causa. Como todos os cavalheiros ingleses, ele se interessava especialmente pelas funções sociais e por seu clube, e o vice-rei inglês considerava uma honra jogar cartas com ele em seu palácio. Ele era considerado um ótimo orador e, presidindo diversos eventos públicos, demonstrava um conhecimento e uma perspicácia impressionantes.

Embora fosse um filantropo, o segundo baronete desfrutava dos prazeres e sempre era o primeiro a apoiar qualquer projeto para divertir o público de Bombaim, tendo sido um dos primeiros patrocinadores da Royal Italian Opera e do grupo teatral dos parses, que se apresentava em inglês com o nome de P. Elphinstone Club.

Ele adorava a Inglaterra e tudo que era inglês, e durante sua viagem à Inglaterra em 1865 ele adquiriu "o verniz do refinamento europeu em seus hábitos e modos", bem como o diamante Sancy. O Sancy se tornou seu símbolo de riqueza, freqüentemente usado na frente de seu turbante em ocasiões oficiais, como uma clara ligação com a história européia. Como o Sancy também era originalmente indiano, ele tinha a importância que qualquer tesouro tem para um colecionador e conhecedor com noção profunda de história.

Isso ficou muito claro quando, dois anos depois de ter adquirido o Sancy, ele permitiu que o diamante voltasse à França para a Exposição Internacional de Paris de 1867. Lá ele foi reunido ao Regente e avaliado em 1 milhão de francos para a viagem. Na época o tremendamente rico marajá de Patiala provocou uma grande agitação insinuando que Jejeebhoy não possuía o "verdadeiro" Sancy, mas que ele sim era o verdadeiro proprietário da pedra de "sessenta quilates". O marajá obviamente estava confuso — ou tinha sido confundido por quem quer que lhe tenha vendido seu diamante — e considerado o peso do Sancy como sendo aquele apresentado por Harlay de Sancy nos anos 1600 quando tentou vendê-lo, incluindo seu engaste. Isso naturalmente se somou aos mitos e mistérios que cercam essa pedra histórica, e aborreceu profundamente o segundo baronete. Afinal, o marajá era a realeza indiana, e Jejeebhoy era um novo-rico.

Felizmente para o baronete, na Exposição Internacional de Paris o grande joalheiro parisiense Lucien Falize conheceu Jejeebhoy e produziu suas magníficas aquarelas da pedra engastada em seu impecável colar. O interesse de Falize no diamante de Jejeebhoy era tão bom quanto um selo de aprovação, e acabou com os boatos espúrios. Curiosamente, já nos anos 1890 foi dito que Falize teria comprado o Sancy de Jejeebhoy, mas, de acordo com a biógrafa de Falize, Katerine Purcell, ele nunca teve os recursos necessários para comprar o Sancy.

Vinte anos depois da exposição, Germain Bapst, líder de uma família de joalheiros da coroa francesa e historiador lapidário, se valeu da excursão européia do Sancy para produzir a história definitiva da pedra, afirmando de uma vez por todas que ela *não* pertencera a Carlos, o Temerário, com base em provas apresentadas tanto por Nicolas Harlay de Sancy quanto por Robert de Berquen. Bapst não pode ser culpado por seu raciocínio, já que na época as informações disponíveis não eram da mesma qualidade do vasto material encontrado no século XXI.

UMA JÓIA DE CURIOSIDADE HISTÓRICA   349

Um ano depois de ter escrito sua história definitiva do Sancy e das outras jóias da coroa francesa, Bapst foi convidado a chefiar um comitê para
selecionar quais das jóias da coroa deveriam ser preservadas e quais deveriam
ser vendidas, na maior catástrofe e dispersão que já se abateu sobre a coleção.
No caminho para a dissolução da coleção — e durante anos depois —, o
mercado internacional de diamantes viveu uma severa depressão, e qualquer
um que quisesse dispor de uma grande pedra simplesmente era impossibili-
tado de fazê-lo.

Se *sir* Jamsetjee Jejeebhoy tivesse querido vender o Sancy entre 1886 e
1896, ele teria sido um tolo. Mas em 1906, por motivos ignorados, ele vendeu a pedra para William Waldorf Astor, bisneto de John Jacob Astor, o primeiro milionário dos Estados Unidos.

28

Os últimos donos particulares:
a nova "realeza"

1906-1976

WILLIAM WALDORF ASTOR DEIXOU Nova York para sempre em 1889 após ter sido congressista e embaixador americano em Roma porque acreditava firmemente que os Estados Unidos não eram "lugar para um cavalheiro viver". Ele alegava que sua mudança não tinha nada a ver com o fato de que sua família fora ameaçada de seqüestro, e tudo a ver com o seu desejo de construir para si na Inglaterra um panorama diferente do panorama Astor que tinha engrandecido Nova York. Dez anos mais tarde, quando seu filho Waldorf tinha 20 anos de idade, William Astor e seu clã se tornaram cidadãos britânicos. A imprensa popular dos Estados Unidos investiu contra ele como "o homem mais rico que a América já teve e que a renegou".

O nome Astor havia muito era sinônimo do estado de Nova York e do patrimônio imobiliário da cidade de Nova York, e em 1890 foi dito que William Waldorf teria herdado 175 milhões de dólares (36 milhões de libras), o equivalente hoje a 3,5 bilhões de dólares ou 2,2 bilhões de libras. Sua renda anual de aluguéis em Nova York era de estonteantes 6 milhões de dólares por ano. O magnata também criou o significado moderno de "hotel cinco

352 O DIAMANTE MALDITO

estrelas" no terreno do Empire State Building; o hotel foi mais tarde transferido para a atual localização do Waldorf-Astoria, na Park Avenue. Ele levou seu talento, seu instinto e sua criatividade na arte e na arquitetura de volta para a Europa — inicialmente para a Inglaterra, com a impecável restauração de Cliveden, casa do segundo duque de Buckingham; para Hever Castle, o castelo dado a Ana Bolena por Henrique VIII; e então para a Itália, onde ele esmeradamente reinventou Villa Labonia e Villa Sirena.

Cada uma das casas de William Waldorf era um museu vivo de extraordinário valor, embora hoje, infelizmente, apenas em Hever Castle podemos ter uma noção da total quantidade e da qualidade de suas coleções. A biblioteca de Hever exibe 2.500 volumes encadernados em couro de livros raros ou únicos. Retratos pintados por Scrots, Clouet, Holbein e outros antigos mestres dos séculos XVI e XVII salpicam as paredes. As grandes tapeçarias flamengas e francesas penduradas em todas as áreas públicas estão entre os melhores exemplares hoje existentes. E, acima de tudo, para dar a Hever Castle seu contexto histórico, Astor varreu a Europa em busca de qualquer objeto relacionado com a corte de Henrique VIII, como o livro de orações de Ana Bolena, que ela supostamente teria levado consigo para o cadafalso, seus bordados e até mesmo seu autógrafo. Hever também exibe vestes eclesiásticas, móveis, tapetes persas e porcelana do século XVIII, e é difícil imaginar, tão impressionante é Hever, que tudo isso representa apenas um quarto de suas aquisições.

Na casa de Astor em Londres, Temple Place, havia mais de quatrocentos autógrafos, incluindo cartas do duque de Marlborough, do cronista de Londres Samuel Pepys, de George Washington, de Shelley, de Dickens e de Maria, rainha dos escoceses. A biblioteca abrigava Chaucer, cinco fólios de Shakespeare e 13 livros de horas ilustrados do século XV. Havia livros com os brasões ou monogramas do cardeal Richelieu, de Henrique III, de Talleyrand, de Catarina de Médici, de Madame du Barry, de Maria Antonieta e de Jaime II, entre outros. Havia até mesmo um tratado latino com anotações nas margens feitas pela rainha Elizabeth I. A biblioteca também continha um tesouro em esquisitices como alaúdes antigos, uma roca e o chapéu de Napoleão.

OS ÚLTIMOS DONOS PARTICULARES: A NOVA "REALEZA" 353

As coleções que Astor reuniu em suas casas permitiam a ele divagar — normalmente sozinho — e se deliciar no antigo mundo de ilusões que ele havia criado para si. Era um mundo de bom gosto e esplendor, um mundo de romance, isolado da sórdida labuta diária de ganhar dinheiro. Era um mundo de permanência e de ilustre ancestralidade.

Foi nesse mundo que William Waldorf criou sua família, vivendo basicamente em Cliveden, Berkshire. Anos mais tarde, uma amiga da família, *lady* Ottoline Morrell, escreveu sobre suas experiências na casa dos Astor:

> Pense, também, o que deve significar para uma criança pequena ser criada em meio a associações históricas e tesouros de todas as terras e desde pequena percorrer belos aposentos cheios de todas aquelas coisas que as outras crianças só vêem em museus. Como eu adorava tocar e acariciar o brinco de pérola da orelha do rei Carlos, e trancar e esconder minhas preciosas cartas em um escrínio dado pelo rei Guilherme III, com chaves que são um padrão de beleza e delicadeza, e brincar e interpretar com a adaga cravejada de rubis do rei Henrique VIII.

William Waldorf era um extraordinário colecionador de diferentes coisas, adquirindo jornais, como o fazia com obras de arte e casas. Em 1892, um ano depois da morte de sua esposa, ele comprou o *Pall Mall Gazette*, seguindo-se o *Observer* em 1911. Não surpreende que este homem simplesmente precisasse ter o mais histórico diamante — não mais o maior diamante, tendo sido muito superado —, o mais duradouro dos diamantes, o Sancy. Não há dúvida de que Astor sabia *tudo* o que havia para saber sobre o Sancy e teria apreciado a controvérsia sobre o seu passado e as mãos que seguraram o diamante, bem como aquelas que ansiaram por ele. Para um agudo estudioso de Napoleão, o mistério, a suposta maldição e a história incerta aumentavam o seu fascínio.

Algumas fontes afirmam que William Waldorf comprou o Sancy em 1894 para sua esposa, e outras que foi em 1906. A primeira data dificilmente pode ser verdadeira, porque sua esposa tinha morrido em 1891. Como William

Waldorf queimou a maioria de seus documentos particulares pouco antes de sua morte e não foi revelada nenhuma nota de compra, é impossível dizer com certeza quando a pedra foi adquirida de *sir* Jamsetjee Jejeebhoy ou de seu agente, e por que o segundo baronete vendeu a pedra. Qualquer que seja a verdade, William Waldorf certamente deu o Sancy a sua nova nora, Nancy Langhorne Shaw, como presente de casamento, e ele foi colocado no centro de sua magnífica tiara de diamantes. Em 1906 a tiara foi avaliada em 75 mil dólares. O "outro" presente de casamento para o jovem casal foi a magnificamente restaurada Cliveden.

Embora a generosidade pudesse indicar o contrário, Nancy Langhorne Shaw não era a escolha preferida de William Waldorf como nora para seu filho e herdeiro, Waldorf. Embora considerada uma grande beleza — a irmã mais nova de Nancy foi a "Gibson Girl" original —, ela era autocrática, fenomenalmente sincera, objetiva, ultrajantemente engraçada e uma daquelas pessoas que instantaneamente se tornam o centro das atenções quando entram em uma sala. Como se isso já não fosse o bastante para condená-la de acordo com os conceitos de William Waldorf, ela era uma rígida episcopalista abstêmia (na época) e uma *belle divorcée* sulista com um filho pequeno, Bobbie. O fato de que ele tinha esperado durante tanto tempo que Waldorf desposasse a filha de alguma casa nobre inglesa também tinha um grande peso para o magnata.

De fato, para a sóbria nata da sociedade inglesa do início do século XX Nancy Shaw era simplesmente chocante. Uma das primeiras histórias sobre sua chegada à Inglaterra vem de uma conversa com *lady* Edith Cunard, esposa do proprietário da Cunard Lines, que olhou Nancy de cima a baixo e perguntou: "Eu suponho que você tenha vindo até aqui para agarrar um de nossos maridos?" Nancy respondeu sem piscar: "Se você soubesse todo o trabalho que eu tive para me livrar do meu marido, saberia que eu não quero o seu."

Foi no navio que Nancy Shaw conheceu o ascético, quieto — quase a ponto de ser dolorosamente tímido — Waldorf Astor, que disse ter sido amor à primeira vista. Embora eles parecessem água e óleo — ela era uma extrovertida animada, altamente emocional e falante e ele um homem controlado

OS ÚLTIMOS DONOS PARTICULARES: A NOVA "REALEZA"   355

e reflexivo que gostava de ouvir outros pontos de vista —, ambos eram jovens muito sérios. Waldorf achava que era sua obrigação paternalista fazer algo de "útil" com sua vida e dar ao povo da Grã-Bretanha algo importante, algo que realmente ajudasse a melhorar suas vidas. Nancy era movida por um fervor moral imerso em convicções religiosas que eram fruto da vida difícil que tivera quando criança. Seu filho Michael descreveu os pais melhor quando disse: "Ele abordava a vida de forma racional, e atribuía pouca importância à intuição; conseqüentemente, seus métodos, embora admiravelmente tenazes, eram rígidos, e não aliviados por aqueles vôos da imaginação e surtos espontâneos que tanto alegravam a vida de minha mãe."

Outro presente de casamento que Nancy recebeu no dia 2 de abril de 1906 foi um arco de diamante baseado em uma peça das jóias da coroa de Luís XV. Foi um presente de seu malsucedido pretendente lorde Revelstoke. Quando se casaram em 3 de maio de 1906, William Waldorf alegou doença e não compareceu à cerimônia, preferindo em vez disso se recolher ao seu mundo particular em Hever Castle, onde os olhos do público não espreitariam seus pensamentos mais recônditos. Na superfície ele parecia mais do que generoso para com sua nova nora e seu filho dando a eles Cliveden como lar, e para Nancy o assombroso presente da famosa tiara de diamantes Astor com o diamante Sancy no centro, que ela aceitou, agradecida.

Mas era um relacionamento difícil. William Waldorf tinha brincado de escrever contos ao longo dos anos, e sendo então o orgulhoso proprietário do *Times* de Londres, não teve dificuldade em ser publicado. Sua faceta cruel, que poucos ousavam mencionar, estendeu-se a Nancy. Pouco depois do casamento, ele prometeu mandar a ela uma primeira cópia de seu último conto "A vingança de Poseidon", que continha a seguinte descrição:

> O pai tinha começado a vida como um interiorano, encontrou emprego na ferrovia mais próxima e em vinte anos abriu caminho até o rol dos milionários. Ele estava sempre contando histórias — muito idealizadas — de suas próprias dificuldades passadas (...) falando no vernáculo nasal do Oeste e sorrindo tão amargamente de suas próprias piadas que em um ímpeto jovial seus

356 O DIAMANTE MALDITO

lábios me lembraram um quebra-nozes. Quanto à filha, eu me lembro de ter parado para observar o mecanismo desalmado que ela herdou do pai e se refletia nela. (...) Sua voz era estridente e ela falava de forma arrastada.

Nancy não podia deixar de notar que ela e seu pai, Chillie Langhorne, tinham sido caricaturados pelo sogro, e da mesma forma ouviu dizer que ele considerava sua recém-descoberta Ciência Cristã "ofensiva e blasfema". Mas Nancy Astor nunca recuou em face de críticas e retrucou no mesmo nível, embora de uma forma mais feminina. Ela e Waldorf estavam determinados a levar um tipo de vida diferente daquele de William Waldorf, e se ele queria fazer parte daquela vida teria de aceitá-los como eram. Não foi surpresa para seu sogro que ela tenha tido dificuldades com a decoração interior de Cliveden, dizendo que "os Astor não têm gosto", e dispersado a inestimável coleção. Esse comentário veio da mesma mulher que tinha escrito para sua irmã pouco depois de conhecer Waldorf em 1905: "O do que eu mais gosto nas pessoas ricas é o seu dinheiro."

A reação do Astor mais velho ao ver a estatuária clássica, os pisos de mosaico, os tetos pintados e as forrações de couro serem substituídos por pisos de parquê, cortinados e chita foi simplesmente: "A casa foi um tanto modificada em sua decoração e mobiliário, e embora eu não me oponha a essas mudanças, não me agrada vê-las."

Em vista de seu histórico de resmungos, é interessante ponderar por que William Waldorf, além de Cliveden como esplêndido presente de casamento que um dia chegaria às mãos de seu filho como parte de sua herança, deu a Nancy o diamante Sancy em sua tiara. Seria uma oferta de paz? Uma herança antecipada, como Cliveden era para Waldorf? Ou uma outra mensagem cruel? Durante o século XX correu o boato de que o Sancy era verdadeiramente amaldiçoado, já que a maioria de seus proprietários tinha encontrado um fim terrível. Como William Waldorf era um grande apreciador de história e de curiosidades históricas, não podemos descartar inteiramente essa possibilidade.

Quaisquer que tenham sido as motivações do velho Astor, o Sancy certamente não parece ter dado azar ao jovem casal — pelo menos não imediatamente. Waldorf e Nancy passavam o tempo como parte do núcleo rico e famoso no topo da sociedade, cercados de pessoas interessantes como Hilaire Belloc, George Bernard Shaw, H.G. Wells, deões de Oxford, jornalistas, editores, estadistas nacionais e diplomatas internacionais. Waldorf estava determinado a se tornar político e, diferentemente de seus colegas eleitos membros do Parlamento, ele comprou uma casa em seu distrito eleitoral de Plymouth e buscou servir mais ao povo que à sua ambição política. Foi Waldorf Astor quem criou as bases para o Serviço Nacional de Saúde na Grã-Bretanha com a criação do Ministério da Saúde.

Mas sua carreira na Câmara dos Comuns foi interrompida abruptamente por um simples ato de generosidade: em 1916 William Waldorf Astor foi elevado a lorde Astor e recebeu um baronato na lista de agraciados do Ano-Novo. Isso não apenas foi um choque, mas a honraria também simbolizava a vida de privilégios egoístas que Waldorf e Nancy repudiavam. A nobreza acabou destruindo inteiramente qualquer vestígio de relacionamento entre os dois homens, já que isso significava que, com a morte de William Waldorf, Waldorf teria de deixar a Câmara dos Comuns e ir para a Câmara dos Lordes.

Waldorf suplicou a seu pai que recusasse a honraria, mas o velho homem permaneceu inflexível: o rei Eduardo VII havia impedido que ele recebesse um título de nobreza em função de suas diferenças políticas e, como escreveu a Nancy, "o amor pelo sucesso está em meu sangue e, falando pessoalmente, eu estou encantado de ter vivido estes últimos anos de minha vida com distinção". Em um último esforço para se salvar, Waldorf apresentou um projeto de lei na Câmara dos Comuns permitindo que herdeiros de títulos pudessem recusá-los, mas a proposta foi derrotada de forma esmagadora. Ele estava aprisionado e nunca iria perdoar totalmente seu pai, já que ele considerava a condecoração a vitória final do pai, derrotando o homem em que ele de coração queria se transformar. Embora Nancy tenha tentado ao máximo curar as feridas, o mal era irreparável.

Mas, sério como era, Waldorf Astor rapidamente voltou suas atenções novamente para o trabalho à frente, e o que ele poderia fazer para servir no futuro próximo. O império jornalístico dos Astor na Grã-Bretanha, o dinheiro dos Astor,

358 O DIAMANTE MALDITO

a influência de William Waldorf e a coragem política de Waldorf transformaram a família em poderosos aliados que qualquer governo deveria cultivar. No período da Primeira Guerra Mundial, Waldorf trabalhou incansavelmente como membro do gabinete de guerra do primeiro-ministro Lloyd George, analisando os desdobramentos da Rússia bolchevique, monitorando a "questão irlandesa" e oferecendo conselhos com honesta paixão. Sua paixão nunca obliterava seu raciocínio, como algumas vezes acontecia com Nancy. Waldorf foi o primeiro ministro do governo a identificar o extremismo do Ulster como o principal obstáculo a uma solução justa para a questão irlandesa. Sua cruzada para criar um Ministério da Saúde foi um sucesso retumbante, mas sua luta para introduzir a lei seca foi um completo fracasso.

Então veio 1919. Ao estabelecer os termos de seu testamento, William Waldorf deu seu último golpe. Ele queria que seu filho mais velho e herdeiro tivesse uma prova palpável de seu desapontamento com ele, então dividiu sua riqueza igualmente entre Waldorf e seu irmão John. Foram criados dois espólios, nos quais nenhum dos dois podia tocar na maior parte do capital, um para seus netos (mais de 20 milhões de dólares em 1916, o equivalente a 335,7 milhões de dólares ou 209,8 milhões de libras, em valores de hoje), o outro de 50 milhões de dólares em 1919 (equivalente a 840,3 milhões de dólares ou 525,2 milhões de libras, em valores de hoje), a serem divididos entre Waldorf e John. Um mês após o segundo espólio ter sido estabelecido, William Waldorf Astor, naquela época elevado a visconde, estava morto.

Waldorf imediatamente herdou o temido título de "lorde" Astor, e foi obrigado a se transferir para a Câmara dos Lordes, enquanto sua vaga parlamentar de Plymouth ficava vaga. Assim como *Huckleberry Finn* injetara novo fôlego no romance americano 35 anos antes, Nancy Astor estava prestes a virar pelo avesso o *establishment* britânico. Como esposa do ex-parlamentar e uma atraente e franca proponente do homem comum, Nancy era uma penetra. Embora ela não fosse a primeira mulher na Grã-Bretanha a ser eleita para o Parlamento, ela era a primeira mulher a verdadeiramente ocupar seu assento.

Seria injusto dizer que ela se tornou porta-voz de Waldorf, embora ele certamente tenha escrito seus primeiros grandes discursos. Suas preocupações eram

OS ÚLTIMOS DONOS PARTICULARES: A NOVA "REALEZA" 359

os pobres e os marginalizados, os direitos das mulheres e das crianças, e livrar a sociedade da "bebida do demônio". O Parlamento seria um palco para sua personalidade teatral. Ela queria mulheres na força policial, forte proteção para as crianças, pensões para viúvas, tribunais de menores, educação de qualidade para todos e moradias adequadas, e tentou acabar com o trabalho abusivo e os maus-tratos a crianças. Seus modos incrivelmente francos e sua perspicácia enlevavam seus defensores e enfureciam seus inimigos. Em pouco tempo ela conseguiu na Câmara o duvidoso recorde de interrupções nos discursos de seus colegas e do uso de linguagem "não-parlamentar" em relação a seus adversários. Ela era notória por imaginar insultos como "o burro da aldeia" ou "colegas de bocas grandes e discursos bombásticos com corações tolos e nenhum cérebro" para descrever seus colegas parlamentares. Extraordinariamente, ela permaneceria no Parlamento, defendendo suas causas, até 1954. Durante todo esse tempo, *lady* Nancy Astor acompanhava Waldorf, então Visconde Astor, em cerimônias oficiais, e usava sua tiara com o Sancy no topo, desempenhando o papel da perfeita esposa do visconde, ou anfitriã.

Mesmo Winston Churchill apontou sua poderosa arma verbal contra Nancy Astor quando, em 17 de agosto de 1931, escreveu no *Sunday Pictorial*:

> Ela explora com sucesso o melhor dos dois mundos. Ela reina no Velho Mundo e no Novo, e nos dois lados do Atlântico, ao mesmo tempo como líder de uma esperta sociedade da moda e de uma avançada democracia feminista. Combina um bom coração com uma língua afiada e polêmica. Ela incorpora a realização histórica de ser a primeira mulher membro da Câmara dos Comuns. Ela aplaude as políticas do governo da bancada da oposição. Ela denuncia o vício do jogo e mantém um estábulo de cavalos de corrida sem rival. Ela aceita a hospitalidade e as bajulações comunistas e continua a ser uma representante conservadora de Plymouth. Ela faz todas essas coisas contraditórias tão bem e de forma tão natural que o público, cansado de criticar, só pode bocejar.

Foram exatamente sua franqueza e o amor dos Astor pelo diálogo inteligente e pela troca honesta de opiniões que os colocaram em problemas em

360 O DIAMANTE MALDITO

1938, quando o "Grupo de Cliveden" — como eram rotulados aqueles que iam a Cliveden como parte do inteligente círculo de amigos dos Astor — se tornou sinônimo de simpatizantes do nazismo. Embora hoje acredite-se amplamente que os próprios Astor certamente *não* eram simpatizantes do nazismo, certos comentários desvairados de Nancy na Câmara dos Comuns como "só um judeu como você poderia *ousar* ser rude comigo" não ajudaram em nada sua causa quando os jornais rivais publicaram esses insultos.

Os Astor eram propriedade pública, com todo o *glamour* de estrelas de Hollywood, e passariam anos antes que a verdade rastejasse de volta para as notícias acerca daqueles que eram convidados a Cliveden. Embora Joachim von Ribbentrop tenha sido um convidado, também eram Charlie Chaplin (depois acusado de ser comunista durante o período macarthista), Sean O'Casey, T. E. Lawrence, o primeiro-ministro Neville Chamberlain e Mahatma Ghandi. Na década de 1930 George Bernard Shaw promoveu a viagem de apuração dos fatos dos Astor à Rússia — uma viagem que mais tarde causou celeuma quando o Comitê de Relações Exteriores do Senado dos Estados Unidos convocou os Astor a depor sobre a visão que tinham da nova Rússia.

Os Astor eram a realeza americana adotada, e quando eles iam aos Estados Unidos em viagem todos os "observadores de realeza" dos Estados Unidos corriam para Washington na esperança de assistir a um "passeio real". Eles não se decepcionavam. R. J. Cruikshank, um repórter do *News Chronicle* (Londres), escreveu para seu público apaixonado:

Em frente ao terreno do Capitólio esta manhã eu vi aquela figura apressada, garbosa, grandiosa que atrai todos os olhares em Washington nestes dias — *Lady* Astor, a americana mais conhecida da Inglaterra e a inglesa mais conhecida da América.

Senadores sulistas, usando chapéus de Robert E. Lee e gravatas-borboleta, fizeram mesuras de antiquado cavalheirismo quando ela passou por eles.

Crianças acenavam para ela, congressistas sorriam, anfitriãs a perseguiam com convites para almoços.

Lady Astor veio, viu e venceu.

OS ÚLTIMOS DONOS PARTICULARES: A NOVA "REALEZA"   361

Enquanto as nuvens da guerra se acumulavam sobre a Europa a cada dia, Nancy e Waldorf Astor acreditavam, e acreditaram durante um bom tempo, que os Estados Unidos tinham de ajudar a Europa a conter a ameaça nazista. Ainda em 4 de junho de 1922, Nancy afirmou profeticamente em uma entrevista ao *Observer* de Londres que:

> Eu insisto em que a América é grande e forte o bastante para se erguer acima do medo de "emaranhar-se". As mães americanas não desejam enviar seus filhos para combater guerras estrangeiras em países distantes em benefício de povos estrangeiros por causas possivelmente não-meritórias. Mas este não é o apelo da Europa à América. Tentei mostrar que a Europa precisa mais do apoio moral da América que de seu dinheiro ou seus homens.

À medida que seus anos no Parlamento se estendiam atrás de si, o relacionamento de Nancy com Waldorf se tornava cada vez mais desgastado. Ela tinha se tornado obcecada com suas "causas" e incapaz ou desinteressada de ver que tudo o mais ao seu redor — incluindo sua família — estava pagando por isso. A maior defensora da moderação estava viciada no poder, e como a maioria dos dependentes de drogas, acreditava piamente que poderia abandonar quando *ela* quisesse, mas não antes que *ela* quisesse largar. Nos últimos sete anos da vida de Waldorf, ele e Nancy se viram apenas cerca de uma dúzia de vezes, em encontros de família; quando ela estava em Cliveden, ele estaria em Londres ou Brighton, e vice-versa. Quando o fim chegou, ela estava inteiramente arrependida e mandou levar o convalescente Waldorf de volta para "casa" em Cliveden, tendo ela chegado tarde demais de um compromisso para dizer adeus pessoalmente.

Com uma mãe tão grandiosa e internacional, deve ter sido difícil crescer no santuário Astor de Cliveden, já que, apesar de se entregar tão plenamente a seu público, Nancy também era uma mãe extremamente possessiva. Ela tinha ciúme das mulheres que entravam na vida de seus filhos, e foi para sempre a única mulher na vida do mais velho. Cliveden era o castelo, e só havia uma rainha: Nancy. Ela idolatrava e mimava Bobbie, seu filho mais

362 O DIAMANTE MALDITO

velho, o único com Bobbie Shaw de Boston. A família descobriu que Bobbie era gay de uma forma muito pública: ele foi julgado e condenado por "importunar rapazes", na época um crime na Grã-Bretanha, e foi levado à prisão para cumprir uma sentença de cinco meses. Ele cumpriu quatro meses, e Nancy suportou bem. Talvez tenha sido mais fácil para ela pelo fato de nenhum jornal ter contado a história.

O filho mais velho de Nancy e Waldorf, William, saiu-se melhor, mas apenas até certo ponto. Diferentemente de Bobbie, Bill se conformou, lutando para satisfazer os pais, e freqüentemente se tornando a "linha de tiro" entre Nancy e Waldorf. De acordo com a terceira esposa e viúva de Bill, Bronwen Astor, sempre que Nancy entrava na sala, seu rosto ficava "com a cor do teto" Ela estava convencida de que o aneurisma de aorta que matou Bill prematuramente foi o resultadc da ansiedade e da tensão que atravessaram sua juventude. Mas a morte prematura de Bill foi talvez injustamente atribuída ao pior incidente ocorrido em Cliveden, o Caso Profumo.

Bill Astor é provavelmente o mais incompreendido e equivocadamente vilanizado de todo o ramo britânico da família Astor. Na época lorde Astor, Bill tinha feito um trabalho inacreditavelmente importante pelos refugiados da Segunda Guerra Mundial por intermédio do Comitê Internacional de Ajuda em Desastres e o Real Instituto de Assuntos Internacionais da Chatam House (co-fundado por seu pai) e continuou seu trabalho pelos refugiados como membro ativo da Câmara dos Lordes. Ele estava envolvido em trabalho de caridade particular sustentando centros de treinamento vocacional em Israel, ajudando refugiados russos na Alemanha e atuando como presidente do Great Ormond Street Hospital Institute of Child Health. Já em 1961 ele era um dos membros fundadores da campanha parlamentar para que a Grã-Bretanha se unisse ao Mercado Comum, hoje União Européia.

Mas, diferentemente de seus ilustres pais, ele nem sempre permitia que o trabalho parlamentar viesse em primeiro lugar. Em maio de 1963 ele se queixou a lorde Shackleton: "Realmente será muito difícil apreciar sua proposta sobre o divórcio na sexta-feira da semana de corridas em Ascot, pois claramente muitos dos pares que são simpáticos à proposta provavelmente

OS ÚLTIMOS DONOS PARTICULARES: A NOVA "REALEZA"   363

estarão nas corridas. Contudo, eu farei o possível. (...) O melhor momento seria às 19h, o que permitiria sair das corridas e estar lá depois."

Esses fatos levaram às trágicas circunstâncias que tornaram o sensacional Caso Profumo ainda mais trágico. A esposa de Bill e ex-modelo Bronwen estava vivendo com ele em Cliveden desde o outono de 1960, e partilhava seu orgulho da história da propriedade, bem como de ser uma anfitriã perfeita. A única nuvem negra no horizonte era um osteopata chamado Stephen Ward, que Bill tinha autorizado a viver em Spring Cottage, dentro da propriedade. Bronwen tinha ouvido falar dele, e quando o conheceu concluiu que era o diabo encarnado: de alguma forma a mensagem chegou a Ward. Ward já estava instalado em Spring Cottage havia quatro anos, e tinha sido apresentado aos ricos e glamourosos que passavam por Cliveden — dessa forma construindo sua clínica. Bill tinha plena confiança nas mãos curativas de Ward, e logo os seus amigos também estavam consultando Ward. Ward, um libertino de meia-idade, deve ter se sentido ameaçado pela influência de Bronwen sobre Bill, e pressionado a fazer algo drástico para preservar sua posição.

Aquele era um momento politicamente difícil para a Grã-Bretanha. Um ano antes os soviéticos tinham capturado o piloto de U-2 Francis Gary Powers, e a Guerra Fria estava em plena marcha. Os espiões vira-casacas ingleses Guy Burgess e Donald Maclean tinham sido desmascarados, e seus cúmplices ainda estavam sendo caçados pelo serviço de informações britânico. Assim, a Grã-Bretanha era vista como um "aliado não-confiável" pelos Estados Unidos, e o governo estava trabalhando duro para dissipar os medos americanos como sendo infundados.

O problema de Bill Astor começou no início de 1961, quando Ward conheceu o adido naval soviético, capitão Eugene Ivanov — um oficial de informações militares russo que tinha feito amizade com ele na esperança de ser convidado freqüentemente a Cliveden. Cliveden era um parque de diversões para os ricos e poderosos, e poderia se tornar um bom campo de caça para Ivanov. Suas esperanças logo se tornaram realidade.

O ministro da Guerra John Profumo foi convidado pelos Astor a ir a Cliveden com sua esposa no final de semana de 7 a 9 de julho de 1961. Ou-

364 O DIAMANTE MALDITO

tros convidados eram lorde Mountbatten, o general Ayub Khan, presidente do Paquistão, e a tia de Bill, Pauline Spender-Clay. Os Profumo tinham sido pacientes de Ward por alguns anos, portanto Ward sabia que eles estariam em Cliveden, e conhecia o fraco de Profumo por "doces jovenzinhas". O restante, como se diz, é história. Christine Keeler, Mandy Rice-Davies e o capitão Ivanov foram convidados a Spring Cottage como hóspedes de Ward no mesmo fim de semana.

Apesar do caso jurídico que se seguiu, hoje há provas substanciais que mostram que o envolvimento de Stephen Ward foi exagerado pelo serviço de informações britânico, o MI5, que planejava apanhar Ivanov em uma armadilha e transformá-lo em um agente duplo. Independentemente disso, Ward seria o bode expiatório para toda a situação e a reputação de Bill Astor seria despedaçada.

Na tarde de sábado vários participantes da festa dos Astor foram para a piscina para ver uma nova estátua de bronze que Bill comprara recentemente. Bill e Jack Profumo cruzaram primeiro a porta para a área da piscina, quando viram Stephen Ward e seus convidados. Christine Keeler estava correndo ao redor da borda da piscina inteiramente nua, e ao ver Bill e Profumo rapidamente entrou em seu traje de banho. De acordo com Bill, ninguém viu nada inconveniente, mas o relato de Christine Keeler foi mais apimentado — e foi o mais amplamente divulgado pela imprensa.

De acordo com ela, Bill e Jack Profumo a perseguiram de brincadeira ao redor da piscina; então, quando os outros chegaram, ela rapidamente colocou sua roupa de banho. Mais tarde, de acordo com Keeler, Profumo a perseguiu pelos quartos da casa e a vestiu com uma armadura, com a qual ela desfilou para diversão geral. Com o benefício do tempo e da visão retrospectiva, o relato de Christine Keeler vendia jornais — o de Bill Astor não —, portanto, sua história foi geralmente acreditada.

A verdade, porém, é que Jack Profumo tinha iniciado um caso com Christine Keeler — assim como o capitão Ivanov. Washington tomou conhecimento, e as engrenagens do poder se moveram implacavelmente contra Profumo, já que Ivanov era o especialista militar soviético na Europa Oci-

OS ÚLTIMOS DONOS PARTICULARES: A NOVA "REALEZA" 365

dental e poderia ter tomado conhecimento de segredos de Estado. Dois meses depois do incidente, o muro de Berlim foi erguido, a carreira de Profumo estava em frangalhos e a reputação de Bill arruinada. A família fez o que pôde para conter a inacreditável avalanche de discursos bombásticos da atormentada Nancy, que então tinha se afastado da vida ativa, com um razoável grau de sucesso.

Três anos depois, em 1964, Nancy morreu após uma prolongada doença. Em suas últimas semanas ela murmurava "Waldorf... Waldorf" incessantemente, ainda lamentando os últimos 12 anos em que o poder ofuscara o amor. Então, em 1967, Bill Astor morreu repentinamente de aneurisma de aorta, e o Sancy passou para seu filho William, de 15 anos de idade, que se tornou o quarto visconde.

29

Epílogo ou epitáfio?

1976 — Presente

FELIZMENTE, WILLIAM ASTOR deu continuidade à tradição familiar de honra e dever, bem como de política, e tratou o Sancy com grande respeito, emprestando-o para a mostra especial do Louvre em 1967 "Os diamantes da coroa francesa", na qual ele foi reunido ao Regente e ao Hortênsia pela primeira vez em quase dois séculos.

Foi essa mostra especial que acabou levando ao sucesso do Louvre em adquirir o diamante do quarto visconde por uma quantia não revelada, que alguns lapidários franceses estimaram em 1 milhão de libras (7,6 milhões de dólares ou 4,8 milhões de libras, em valores de hoje). Continua a ser uma especulação se essa de fato foi a quantia pela qual o Sancy foi adquirido, já que os documentos do Banque de France, que comprou a pedra em nome do Louvre, não estão disponíveis para o público.

O Sancy repousa em uma vitrine semelhante a um caixão aberto, com 1,8 metro de comprimento por 1,2 metro de largura. No alto da vitrine há uma base inclinada de seda cor-de-rosa na qual o Sancy está preso, e à esquerda estão o Regente e o Hortênsia. Uma réplica da coroa de Luís XV, com cópias do Sancy e do Regente, repousa na extrema esquerda da vitrine. O Sancy está ligeiramente inclinado para cima de modo a ocultar os arranhões de todos os acontecimentos históricos que suportou. Ele está envolvido por um simples círculo de ouro branco que parece reduzir o diamante a um formato de pêra um tanto menor. Próximo ao Sancy, o Regente brilha de forma magnífica — mais de três vezes maior que o Sancy. Na extrema esquerda, o Hortênsia botão de pêssego, com seu corte pentagonal do século XVIII, embora menor que o Sancy, igualmente parece mais importante.

Nos outros cantos da vitrine estão outros remanescentes das jóias da coroa francesa. Quando comparadas com a coleção de jóias da coroa britânica, francamente, fazem uma triste figura. Em abril de 2002, a placa em frente ao Sancy informava simplesmente: "Parte das jóias da coroa da França, na coroa de Luís XIV e Luís XV, entregue ao Louvre pelo visconde Astor."

Fiquei mais chocada que desapontada quando vi o Sancy pela primeira vez. Certamente o Louvre poderia exibir melhor o diamante. Então eu ouvi a gravação em francês e inglês em busca de um relato da litania dos famosos proprietários do Sancy e daqueles que o cobiçaram, e fiquei novamente chocada ao ver que não havia nada. O Regente tinha uma explicação na gravação, assim como a coroa de Luís XV, enquanto o Sancy merecia unicamente a menção de ter sido colocado "no alto da coroa".

Em minha segunda visita para ver o diamante, em julho de 2002, havia uma nova etiqueta incluindo as palavras "supostamente pertencente a Carlos, o Temerário" no início da placa, e o diamante tinha sido reposicionado e aparentemente polido — dessa forma escondendo seus históricos arranhões. Não sei se isso tinha algo a ver com o fato de eu ter avisado ao museu que estava escrevendo este livro.

O que acho interessante é por que o Louvre teria se esforçado como fez para adquirir o Sancy se não tinha a intenção de reconhecer a "fantasia" (palavra deles, não minha) que cerca o diamante, ou de descobrir a verdadeira história? Tudo o que foi escrito sobre o Sancy antes do meu livro fia-se em apenas uns poucos autores franceses, fontes secundárias ou as mentiras de Harlay de Sancy ou Robert de Berquen. Até certo ponto eliminei a névoa que cercava a história do Sancy buscando as fontes primárias na França, a Bélgica, Holanda, Inglaterra, Portugal, Alemanha, Espanha, Suíça e Itália, revelando muitos — mas não todos — segredos do Sancy. Também o Louvre guarda seu próprio segredo de por que escolheu não esclarecer seus visitantes sobre o passado deste fascinante diamante.

Quando eu dei meu último adeus ao Sancy, senti que a descrição da história fenomenal da gema era lamentavelmente vazia. Agora que passei o último ano pesquisando, desvendando "histórias" anteriormente escritas, conversando com outros curadores e especialistas em diamantes europeus e algumas vezes me apaixonando e outras rompendo com o Sancy, estou mais convencida que nunca de que essa jóia foi metaforicamente escondida em sua vitrine, e em vez de sua estadia no Louvre ser seu porto seguro ou seu epílogo, a discrição de sua apresentação tornou-se o epitáfio do Sancy.

Bibliografia selecionada

Fontes de arquivo

Account of the history of the Royal finances, marquess of Winchester, abril de 1571. Arundel 151, fol. 195. British Library, Londres.

Account of jewels presented to the queen, 1572-1587; Add. 40796. British Library, Londres.

AD Nord B 2069/65017, AD Nord B 3500, B 3501/123745, AD Nord B 3378, 3495-3496, 3501-3502, 3507-3512, 3514, 20144, 20159, 20160. Datado de 1386-1477. Série B Archives départementales du Nord, Lille.

Add. 15858, fol. 201, cartas sobre dívidas relativas ao dote de Henriqueta Maria. Add. 32092, fol. 316, carta de Richelieu relativa ao casamento de Henriqueta Maria com Carlos. Add. 28857, cartas de Carlos I para Henriqueta Maria. Add. 46930, fol. 151-152b — cartas originais de Carlos para Henriqueta Maria, 1646. British Library, Londres.

Add. 61698, DXCVIII ff. 35 (*Inventaire des Portraits, et Tableaux du feu Roy Carles 1er; qui furent estimés, et vendus par les Rebelles, en 1641*), inventário de retratos e pinturas de Carlos I que foram avaliados e vendidos pelos rebeldes em 1641. Blenheim Papers, British Library, Londres.

Affaitadi, Grand Livre A (inventário), fol. 142, 1540-1555, Staatsarchief, Antuérpia.

Aranda Huerte, Amelia. *La Vuelta a los modelos clásicos em la joyería española de los siglos XVIII y XIX*, CHEA, Departamento de Historia del Arte, UNED. Madri, 1994.

Basler Kleinodienhandel, STA, Staedlische Urkunde 2604. Verkaufsurkunde zwischen Basel und den Fuggern vom September 16, 1504.

Birch, Thomas. *An Historical View of the Negotiations between the Courts of England, France and Brussels from the Year 1592 to 1617*. Londres, 1796. Livros raros, British Library, Londres.

Bonaparte, Joseph. *Biographical Sketch of Joseph Napoleon Bonaparte, Count de Survilliers* (manuscrito). Londres: James Ridguay, 1833. Livros raros, British Library, Londres.

Boone, M. Apologie d'un banquier medieval. Tommaso Portinari et l'État bourguignon — le moyen age (n.d.). Series CV. Archives civiles, Dijon.

372 O DIAMANTE MALDITO

Bouchon, manuscrito do historiógrafo suíço Jean de Troyes. Berner Historisches Museum, Berna.

Boullemier, Abbé. Oeuvres historiques et archeologiques (n.d.). MS 938. Fonds Bourguignon, Dijon.

Bourbon. *Bulletin Historique et philologique du Comité des Travaux Historiques et Scientifiques.* Paris, 1901. Periódicos, Bibliothèque Nationale de France, Paris.

Burgunderbeute. Manuscrito, Suíça. Fonds Bourguignon. National Archives, Basiléia.

Cabala, Ed. *Mysteries of the State*, 1654, carta do visconde Kensington a Buckingham, British Library, Londres.

Calendar of Close Rolls, Eduardo IV, 1469, Bodleian Library, Oxford.

Calendar of State Papers, Doméstico, 1603-1610. HMSO, 1897, British Library, Londres.

———. Eduardo VI, 1547-1553. Bodleian Library, Oxford.

———. Exterior, 1578-1589. Public Records Office, 1909, British Library, Londres.

———. Henrique VIII, vol. 21, parte II, 1546-1547. Bodleian Library, Oxford.

———. Venezianos, 1579-1580. Public Record Office, 1904. British Library, Londres.

———. Venezianos, vol. 7, 1558-1580. Londres: Brown & Bentinck, 1890. British Library, Londres.

———. Venezianos, vol. 8. Public Records Office, 1904. British Library, Londres.

———. Venezianos etc., vol. 9, 1592-1603. HMSO, 1897. British Library, Londres.

———. Venezianos, vol. 18, n° 438, 16 de novembro de 1624; vol. 19, n° 59, 25 de maio de 1625. Apêndice I, n° 605. Public Records Office, 1910. British Library, Londres.

———. Venezianos, vol. 24, n° 414, vol. 25, vol. 26. HMSO, 1924. British Library, Londres.

Carlos, o Temerário. *L'Ordonnance de Charles le Téméraire*. Hatton 13. Bodleian Library, Oxford.

Cartas a Henrique III, Catarina de Médici e Carlos IX. 1572-1574. Add. 20779 ff. 2-8. British Library, Londres.

Cartas latinas de Damião de Góis. Publicado por Joaquim de Vasconcelos, 1901. Arquivo Histórico Português VI e VII, Lisboa.

Caukercken in Paperochius. Annales Antverpienses ab urbe condita, tomo II, Torre do Tombo, Lisboa.

Chastellain, Georges, *Chronique des Ducs de Bourgogne*. Tomo III, 1827. Paris: Hippolyte, Tillard.

———. Oeuvres historiques inedites, 1832. Paris: Pantheon Litteraire.

Cletscher, Thomas. Sketchbook (n.d.). Bouymans Museum, Roterdã.

Commines, Philip de. *Mémoires*. Elogio a Carlos, o Temerário (n.d.). Manuscritos, British Library, Londres.

Corro Cronológica. Parte I, tomo i, maço 20, fol. 329, n° 49. Torre do Tombo, Lisboa.

———. Parte I, tomo I, maço 5, fol. 30-68. Torre do Tombo, Lisboa.

———. Parte II, maço 26, fol. 225. Torre do Tombo, Lisboa.

Cosnac. *Les Richesses du Palais Mazarin*. Col. Richelieu. La Bibliothèque Nationale de France, Paris.

BIBLIOGRAFIA SELECIONADA 373

Cotton MS, fols. 211, 295 (agora 246), transcrição de carta de Elizabeth. Nero B1. British Library, Londres.

Daily Telegraph, 21 de junho de 1859. Collindale Library, British Library, Londres.

Da Prato, Cesare. *Firenze ai Demidoff. Pratolino es Donato, Relazione storica e descritiva, Preceduta da cenni Biografici sui Demidoff.* Florença, 1887. Livros raros, British Library, Londres.

D'Auvergne, Edmund. *Godoy: The Queen's Favourite.* Londres: Stanley Paul & Co., 1912. Livros raros. British Library, Londres.

De Berquen, Robert. *The Marvels of Occidental and Oriental India, or New Treatise of Precious Stones and Pearls Containing their True Nature, Hardness, Colors and Virtues.* Livros raros, British Library, Londres.

De Tillières. *Mémoires* (edição particular, s.d.). Livros raros, British Library, Londres.

Diamond Sutra, 868 d.C. Sala de leitura virtual. British Library, Londres.

Dossiers Bleus 349, peças 70-81, fol. 73. Col. Richelieu. Bibliothèque Nationale de France, Paris.

Egerton 2542, fol. 335-341, empréstimos de lorde Jermyn e cardeal Mazarin; Egerton 2554, fol. 27, contrato matrimonial entre Carlos I e Henriqueta Maria; Egerton 2618, fol. 13; Egerton 2619, cartas originais de Henriqueta Maria para Carlos, 1642-1645. British Library, Londres.

Empréstimos à coroa. 1591-1594. Add. 33924. ff. 13-15. British Library, Londres.

Enault, Louis. *Les diamants de la couronne.* E. Bernard et Cie, Paris, 1884. Col. Richelieu. Bibliothèque Nationale de France, Paris.

Documentos governamentais franceses E 2503-2515, 2517-2520, 2523, 2524 (*1774-1776 arrêts du conseil du roi règne de Louis XVI. Inventaire analytique T. 1[10 mai 1774 au 12 mai 1776 par ministère Turgot]*), E 2521-2550, 2475, 2784, 2660, 2661, 1776-1778. Col. Richelieu. Archives Nationales, Paris.

Fugger *Ehrenspiegel* (inventários), 1508 e 1525, trechos. Manuscritos, British Library, Londres.

Godefroy, Frederic. Dictionnaire ancienne langue française, t. 2-5, séculos XI-XV, 1883. Bibliothèque Nationale de France, Paris.

Goris, J.A. Étude sur les colonies marchandes meridionales (Portugais, Espagnols, Italiens) à Anvers de 1488-1567. Livros raros, Bibliothèque Nationale de France, Paris.

Green, M.E.A., ed. *Letters of Henriqueta-Maria to Charles.* Londres, 1857. Livros raros, British Library, Londres.

Greiff, B., ed. *Tagbuch des Lucas Rem aus den Jahren 1494-1541.* Livros raros, Torre do Tombo, Lisboa.

Hardwicke State Papers, vol. I, pp. 535-536. Lorde Carlisle [Visconde Kensington] para o príncipe Carlos, 7 de outubro de 1624. British Library, Londres.

Harlay de Sancy, Nicolas. *Discours et la négociation de MM. De Bouillon et de Sancy em Angleterre (en 1596).* Paris, 1641. Livros raros, British Library, Londres.

374 O DIAMANTE MALDITO

——. *Discours sur l'ocurrence de ses affaires*. Paris, 1610. Livros raros. Bibliothèque Nationale de France, Paris.

——. *L'extrait d'um discours d'estat de M. de Sancy, Général de l'armée estrangère qu'il amena au Roy Henry III, en l'année 1589*. In *Mémoires* do duque de Nevers, 1665, t. II. Livros raros, Bibliothèque Nacionale de France, Paris.

Harleian 6986, art. 39 (pela mão do próprio rei). Nero. British Library, Londres.

Illustrated London News. 11 de março de 1865. Venda do diamante Sancy pelos Messrs. Garrard & Co, Londres. Collindale Library. British Library, Londres.

Inventaire de Philippe de Hardi de 1420. Fonds Bourguignon. Bibliothèque Municipale de Dijon, Dijon.

Inventaire des diamants de la couronne, perles, pierreries, tableaux, Pierres gravées et autres Monuments des Arts e des Sciences existants au Garbe Meuble, Imprimé par ordre de l'Assemblée Nationale, Par ses Commissaires MM Bion, Christin et Dellatre, Deputés a l'Assemblée nationale, Partie Première. Paris, 1791. Bibliothèque Nationale de France, Paris.

Inventaires des arrêts du Conseil du Roi, Règne de Louis XV (arrêts et Commandements) inventaire analytique par M. Antoine, T. I, 1715-1720. E 1957, 1977, 1980, 1983-2051, 2061-. T.2 1721-1723. Archives Nationales, Paris.

Inventory of Queen Elizabeth's jewels. Sloan, 814. British Library, Londres.

Jefferson, Thomas. *Memoirs, Correspondence, and Private Papers*. Vol. II. Londres: Henry Colburn and Richard Bentley, Publishers, 1829. Livros raros, British Library, Londres.

Laborde. Les comptes des Ducs de Bourgogne, 1872. Série B. Collections des Inventaires Sommaires Nord. Archives Civiles, Lille.

Lachenal, Jean. *Inventaire des joyaux d'or et d'argent reliques ornaments de chapelle, livres tapisserie apparntenant au duc de Bourgogne (par la suite de la mort de Jean sans Peur, son père) et baillés par l'inventaire en garde à Jean de Lachenal dit Boulogne, garde des joyaux du duc, commence à Dijon le 12 VII 1420*. Série 500 de Colbert, 127. Bibliothèque Nationale, Paris.

——. *Inventaire des joyaux et vaisselles d'or et d'argent venus au duc de Bourgogne par le décès de sa mère, Marguerite de Bavière, et bailés par inventaire à Jean de Lachenal dit Boulogne, garde des joyaux du duc, fait à Dijon le 1. VIII 1424*. Collection Moreau, vol. 802, fol. 42-46. Bibliothèque Nationale, Paris.

Lachenal, Jean. Manuscrito B 296, compra de jóias de Felipe, o Audaz. Collection d'Arbaumont. Archives Civiles, Dijon.

Lachenal, Jean. Manuscrito B 1476, compra de jóias de Carlos, o Temerário. Collection d'Arbaumont. Archives Civiles, Dijon.

Lee, Sidney, ed. *Autobiography of Lord Herbert of Cherbury*, 1886. Livros raros, British Library, Londres.

Les Comptes des Ducs de Bourgogne. 1372-1477. Inventaire des Archives Departementales Nord. Série B, nº B 3229-3389. Archives civiles, Lille.

——. 1423-1424. Inventaire des Archives Departementales Nord. Série B. Nº 3495. Archives civiles, Lille.

BIBLIOGRAFIA SELECIONADA 375

Marche, Olivier de la. *Mémoires* (n.d.). Bibliothèque de Bourgogne. Bibliothèque Royale, Bruxelas.

Mazarin, Jules. Últimos desejos e testamento, 1661. Col. Richelieu. Bibliothèque Nationale de France, Paris.

Mémoires pour servir à l'histoire de France et de Bourgogne contenant un journal de Paris sous les règnes de Charles VI e Charles VII, 1729. Paris: Julien-Michel Gandouin.

Memorandum of the Life and Public Works of Sir Jamsetjee Jejeebhoy. Impresso para circulação interna, 24 de maio de 1905, India Office Library, Coleção Índia e Oriente, British Library, Londres.

Mody, Jehangir, R.P. *Jamsetjee Jejeebhoy: The First Indian Knight and Baronet*. Bombaim: Jehangir R.P. MODY, 1959. Coleção Índia e Oriente, British Library, Londres.

Molinet. *Mémoires* (n.d.) Manuscritos, British Library, Londres.

MS 1753. Collection d'Arbaumont. Archives civiles, Dijon.

MS Fr 16942, fols. 7, 274. Manuscritos, Bibliothèque Nationale de France, Paris.

MS Fr 262, fol. 268. Col. Godefroy, Bibliothèque Nationale de France, Paris.

MS Fr 7131, fol. 438. Col. Richelieu, Bibliothèque Nationale de France, Paris.

Musée du Louvre, Département des objets d'art. Sancy Dossier OA 10630. Paris.

———. Avaliação do Sancy para Carlos X (não marcado MS). Paris.

Nazir, Cooverjee Sorabjee. *The First Parsee Prophet*. Bombaim: Union Press, 1866. Livros raros, British Library, Londres.

Nero B 1, fol. 295 (agora 246). Portugal, 1582. Coleção Nero, British Library, Londres.

Olschki, Leo S. *I Demidoff a Firenze e in Toscana, a cura di Lucia Tonini, Florence*. Cultura e Memoria Provincia di Firenze, 1996.

Paradin. *Annales* (n.d.) Fonds Bourguignon. Arquivos Nacionais Suíços, Basiléia.

Patrimonio Nacional. Casa Real de Tesoria General, caja 308, exp. 11, *inventario* 48, fol. 15. Archivo Real. Palacio Nacional, Madri.

———. Manuscrito Archivo General de Palacio, *Renados José I*, nº 59, fols. 5, 6. Archivo Real. Palacio Nacional, Madri.

Paviot, J. *Portugal et Bourgogne au XVème Siecle*. Commission nationale pour les commemorations des découvertes portugaises. Bibliothèque Nacionale de France, Paris.

Pazzi, Piero di. *I Diamanti nel commercio, nell'arte e nelle Vicende Storiche di Venezia*, 1986. Stampato nel mese di Dicembre. Monastero di San Lazzaro degli Armeni, Veneza.

Plancher, Dom. *Histoire générale et particulière de Bourgogne avec les preuves justificatives*, tomo IV, 1781. Louis-Nicolas Frantin, Imprimeur du Roi, Dijon.

Polo, Marco. *The Most Noble and Famous Travels of Marcus Paulus, one of the nobility of the State of Venice into the East parts of the world, as Armenia, Persia, Arabia, Turkey with many other kingdoms and Provinces*. Trad. para o inglês Ralph Newbury, Londres, 1579.

Prevost-Paradol, M. *Elisabeth et Henri IV 1595-1509*. Paris: Michel Levy Frères, 1863. Coleção Richelieu, Bibliothèque Nationale de France, Paris.

376 O DIAMANTE MALDITO

Prost, B. e H. *Inventaires Mobiliers et extraits des comptes des Ducs de Bourgogne, 136301477*. Tomo II, 1378, 1399, inventaires, item 1409. Fonds Bourguignon. Bibliothèque Municipale de Dijon, Dijon.

Registre journal du règne de Henri III. Tomo IV (jóias). Fonds Royales, Bibliothèque Nationale de France, Paris.

Renan, Ernst. *Valentine de Milan et Christine de Suece, Deux Enigmes Historiques* (edição particular, n.d.), nº 129 de 200. Coleção de manuscritos, British Library, Londres.

Resolução dos comandantes ingleses de perseguir a armada espanhola. Add. 33740, fol. 6, British Library, Londres.

Rohan, L.R.E., Cardeal de. *Pièces justificatives pour M. le Cardinal de Rohan accuse. Déclarations authentiques selon la forme anglaise, 1786*. Coleção Richelieu, Bibliothèque Nationale de France, Paris.

Royal letters, commissions, warrants etc., 1595-1598. Sloane 33, British Library, Londres.

Schick, L. Jacob Fugger, S.E.V.P.E.N. Bibliothèque Nationale de France, Paris.

Schrenk, Gilbert. "Nicholas Harlay de Sancy", tese de doutorado, Universidade de Genebra, 2000.

Société pour l'histoire du droit et des institutions des anciens pays bourguignons, comtois, et romands, 1939-1942. Collections Sommaires Nord, Archives civiles, Lille.

State Papers. Dom 1629-1631. Foedera VIII, pt. iii. British Library, Londres.

State Papers. Exchequer E 404/151 e E 404/157; Treasury Books T56/1 listas "Expected Improvements", para exemplo de novas imposições. Public Records Office, Londres.

——. 10/15, fol. 41. Public Records Office. Londres.

——. 78/37. Carta de Sancy para Burghley datada de 14-24 de abril de 1596, mais fol. 139, 140, 141, 143, 145, 150, 157, 160, 164, 170, 172, 176, 184, 189, 221, 227, 234. Correspondência de Harlay de Sancy. Public Records Office, Londres.

——. 78/51, fol. 149. Correspondência de Harlay de Sancy. Public Records Office, Londres.

——. Relativo à política externa de Elizabeth I, 1559-1588. Sloane 2442, ff. 20-156b. British Library, Londres.

Stowe 322, fol. 54. Rendimentos e desembolsos da rainha Henriqueta Maria, 1633. Stowe 561, fols. 2-21. Ordinances of the King's and Queen's households. Manuscritos. British Library, Londres.

Streeter, Edwin. *Precious Stones and Gems*. Londres: Chapman & Hall, 1877. De Beers Library, Londres.

Tavernier, Jean Baptiste. *The Six Voyages of Jean Baptiste Tavernier, A Noble Man of France now living, through Turkey into Persia and the East-Indies finished in the year 1670 giving an account of the State of Those Countries*. Londres, 1678.

Tratados e negociações com Portugal. Cott. Nero, B. i. 85, Cott. Galba. D. V. 99, 331, e Cott. Galba. E, vi 5, 7, 13, British Library, Londres.

Tratado com Portugal, 1576. Add. 40795, fol. 1. British Library, Londres.

BIBLIOGRAFIA SELECIONADA   377

Wootton, *sir* Henry. *Life & Death of Georges Villiers, Duke of Buckingham*, 1642. Livros raros, British Library, Londres.

Entrevistas e correspondência

Todas as estrevistas foram realizadas pela autora.

Centro de Informações do Banco da Inglaterra. Correspondência pessoal.
Dennisen, Sabine. Curador, Diamond Museum, Antuérpia. Entrevista, 9 de julho de 2002.
Huerte, Amelia Aranda. Curadora de jóias, Patrimonio Nacional, Madri. Entrevista, 15 de junho de 2003.
Louvre Département des objets d'art, Paris. Entrevistas com vários membros da equipe, abril e julho de 2002.
Margadant, Silvio. Curador, Arquivos Federais, Grisons, Suíça. Entrevista por telefone, 20 de junho de 2003.
Palácio da Ajuda, Lisboa. Correspondência pessoal.
Pike, Corinna. Curadora, Garrard & Co., Londres. Entrevista por telefone, 12 de setembro de 2002.
Tolkowsky, Gabi. Mestre lapidador de diamantes, Antuérpia. Entrevista, 8 de julho de 2002.
Wins, Hans. Historiador de diamantes, Antuérpia. Entrevista, 10 de julho de 2002.

Outras fontes

Aristide, Isabelle, *La Fortune de Sully*. Paris: Comité pour l'histoire économique et financière de la France, 1990.
Balfour, *sir* Ian. *Famous Diamonds*. 4ª ed., Londres: Christie's, 2000.
Boyajian, James C. *Portuguese Trade in Asia under the Habsburgs, 1580-1640*. Baltimore: Johns Hopkins University Press, 1993.
Calmette, Joseph. *The Golden Age of Burgundy*. Trad. para o inglês, Doreen Weightman. Londres: Phoenix Press, 1962.
Clay, C. *Economic Expansion and Social Change*. Vol. 2, *Industry, Trade & Government*. Cambridge: Cambridge University Press, 1984.
Cockshaw, P., C. Lemaire e A. Rouzet, eds. *Charles le Téméraire, 1433-1477*. Bruxelas: Bibliothèque Royale Albert 1er, 1977.
Collas, Émile. *Valentine de Milan Duchesse d'Orléans*. Paris: Librairie Plon, 1911.
Collins, A.J. *Jewels and Plate of Queen Elizabeth I*. Londres: Trustees of the British Museum (editado a partir de Harley MS 1650, Stowe MS 555), 1955.
Cowles, Virginia. *The Astors: The Story of a Transatlantic Family*. Londres: Weidenfeld & Nicolson, 1979.
Cronin, Vincent. *Napoleon*. Londres: HarperCollins, 1994.

378   O DIAMANTE MALDITO

Da Silva, J. Gentil. *Strategie des Affaires à Lisbonne entre 1595 et 1607, Lettres marchandes des Rodrigues d'Evora et Veig*. Paris: Librairie Armand Colin, 1956.

Denucé, J. *L'Inventaire des Affaitadi, Banquiers Italiens a Anvers de l'Année 1568*. Antuérpia: Éditions de Sikkel, 1934.

Dulong, Claude. *La Fortune de Mazarin*. Paris: Perrin, 1990.

Dyer, Christopher. *Making a Living in the Middle Ages*. New Haven, Conn.: Yale University Press, 2002.

Ehrenberg, Richard. *Le Siècle des Fugger*. Resumido e trad. do alemão. *Paris: Larousse, 1955*.

Fraser, Antonia. *Marie Antoinette*. Londres: Weidenfeld & Nicolson, 2001.

Graves, F.M. *Louis I, Duc d'Orléans et Valentine Visconti, sa Femme*. Paris: Librairie spéciale pour l'histoire de France, 1913.

Harte-Davis, Adam. *What the Tudors and Stuarts Did for Us*. Londres: BBC Books, 2002.

Hering, Ernst. *Die Fugger*. Leipzig: Wilhem Goldmann, Verlag, 1939.

Hibbert, Christopher. *Florence: Biography of a City*. Londres: Penguin, 1994.

——. *The French Revolution*. Londres: Penguin, 1980.

——. *Napoleon: His Wives and Women*. Londres: HarperCollins, 2003.

——. *The Rise and Fall of the House of Medici*. Londres: Folio Society, 1998.

Hudson, Hugh D. Jr. *The Rise of the Demidov Family and the Russian Iron Industry in the Eigteenth Century*. Newtonville, Mas.: Russian Biography Series, n° 11, Oriental Research Partners (Georgia State University), 1986.

Jacobs, Henri. *Le Diamant*. Paris: Librairie de l'Académie de Médicine, 1884.

Journal of Economic and Business History. Vol. II, 1929-1930. *Letrres marchandes d'Anvers*. Staatsarchief Antwerp, Antuérpia.

Khalidi, Omar. *The Romance of Diamonds*. Ahmedabad, Índia: Mappin, 1999.

Massie, Robert K. *Peter, the Great: His Life and World*. Londres: Phoenix Press, 1980.

Mattingly, Garrett. *The Spanish Armada*. Londres: Folio Society, 2002.

McCusker, John J. *Money and Exchange in Europe and America, 1600-1775: A Handbook*. Nova York: Macmillan, 1978.

Mears, Kenneth. *The Crown Jewels*, Historical Royal Palaces, HMSO. Londres, 2001.

Michel, Patrick. *Mazarin, Prince des Collectionneurs*. Paris: Éditions de la Réunion des Musées de France, 1999.

Mitchell, B.R. *British Historical Statistics*. Cambridge: Cambridge University Press, 1988.

Mitford, Nancy. *Madame de Pompadour*. Londres: Penguin, 1958.

——. *The Sun King*. Londres: Hamish Hamilton. 1966.

Morel, Bernard. *Les joyaux de la couronne de France*. Antuérpia: Fonds Mercator; Paris: Albin Michel, 1988.

Mouawad, Robert. *Diamonds*. Paris: Vilo Adam Biro, 2001.

Ortiz, Lambert Elizabeth, ed. *The Encyclopedia of Herbs, Spices, and Flavourings*. Londres: BCA, 1998.

BIBLIOGRAFIA SELECIONADA 379

Paviot, Jacques. *Jacques de Bregilles, garde des joyaux des ducs de Bourgogne, Philippe le Bon, et Charles le Temeraire.* Lille: *Revue du Nord* 77, 1995.

Petrie, *sir* Charles, ed. *Harleian Miscellany.* Vol. 8, *Letters of Charles I.* Londres: Cassell, 1935.

Pipes, Richard. *Russia under the Old Regime.* Ithaca, NY: Cornell University Press, 1974.

Plowden, Alison. *Henriqueta Maria, Charles I's Indomitable Queen.* Londres: Sutton Publishing, 1992.

Porter, Roy. *England in the Eigteenth Century.* Londres: Folio Society, 1998.

Purcell, Katherine. *Falize: A Dinasty of Jewelers.* Londres: Thames & Hudson, 1999.

Rietbergen, prof. Dr. P.J.A.N. *A Short History of the Netherlands.* Amersfoort, Holanda: Bekking Publishers, 2002.

Rose, Norman. *The Cliveden Set: Portrait of an Exclusive Fraternity.* Londres: Jonathan Cape, 1933.

Scarisbrick, Diana. *Jewellery in Britain 1066-1837: A Documentary, Social, Literary, and Artistic Survey.* Wilby, Norwich, Ingl.: Michael Russell Publishing, 1994.

———. *Tudor and Jacobean Jewellery.* Londres: Tate Publishing, 1995.

Sharpe, K. *The Personal Rule of Charles I.* New Haven, Conn.: Yale University Press, 1992.

Sinclair, David. *Dynasty: The Astors and Their Times.* Londres: J.M. Dent & Sons, 1983.

Spufford, Peter. *Handbook of Medieval Exchange.* Londres: Royal Historical Society, 1986.

Starkey, David. *Elizabeth.* Londres: Vintage, 2000.

Strong, Roy. *The Story of Britain: A People's History.* Londres: Pimlico, 1998.

Sykes, Nancy. *The Life of Lady Astor.* Londres: Panther, 1979.

Tolkowsky, Marcel. *Diamond Design.* Londres: E & F.N Spon, 1919.

Treveleyn, G.M. *A History of England: England under the Stuarts.* Londres: Folio Society, 1996.

Urban, Mark. *The Man Who Broke Napoleon's Codes.* Londres: Farber & Farber, 2001.

Von Klarwill, Victor. *The Fugger News-Letters.* Trad. para o inglês, Pauline de Chary e John Lane. Londres: Bodley Head, 1924.

Walton, Guy. *Louis XIV's Versailles.* Londres: Viking Press, 1986.

Weir, Alison. *Lancaster and York: The Wars of the Roses.* Londres: Pimlico, 1995.

Wild, Antony. *Remains of the Raj: The British Legacy in India.* Londres: HarperCollins, 2001.

Wilson, Derek. *The Astors: Landscape with Millionaires.* Londres: Weidenfeld & Nicolson, 1986.

Índice

Abadia de Westminster, 217

Açores, 118, 123, 137

Affaitadi, família (banqueiros mercantis), 74, 82, 84

África, 74, 75, 76

Agastimata, 23

Agincourt, batalha de, 41

Agrippa d'Aubigné, Theodore, 142, 143, 149, 163, 171

Alba, duque de, 118

Alcazar, batalha de, 109

Alemanha (Estados Hanseáticos), vii, 48, 75, 87, 100, 105, 142, 159, 275, 303, 362, 368

Alemanha nazista, 309, 359, 361

Alençon, duque de. *Ver* Anjou, duque de (irmão de Henrique III da França)

Alexandre, czar da Rússia, 331, 334

Alexandre, o Grande, 20, 21, 46

Alizard, comissário, 295

Alsácia, 58

Alvarez, Louis, 255, 263

América espanhola (Novo Mundo), 86, 100, 115, 121, 127, 128, 161, 189, 264

Américas, 103, 189

Amsterdã, 100, 106, 108, 161, 205, 304

mercadores de diamantes de, 205, 217, 218, 227, 237, 249, 262, 305

Ana Bolena, diamante de, 181, 207

Ana da Áustria (viúva de Luís XIII), 231, 233, 235, 252

Mazarin e, 234-237, 241, 242

Ana da Dinamarca, rainha da Inglaterra, 178-180, 183, 214

Ana, duquesa de Orléans (neta de Henrietta Maria da Inglaterra), 255

Anjou, Casa de, 52

Anjou, duque de (irmão de Felipe, o Audaz), 30, 31, 38, 39

Anjou, duque de (irmão de Henrique III da França), 115-116, 119, 120, 121, 122, 123, 127

Anjou, duque de (irmão de Luís XIV), 244

António, dom, prior de Crato, Antonio I ("o Determinado"), rei de Portugal, 109-112, 134, 147, 164, 181, 192, 218

confisco do Sancy e das jóias da coroa, 112, 119-125

legitimidade de, 111

luta pela coroa de Portugal, 114-132

missão inglesa fracassada para tomar o trono de Portugal (saque de Cádiz), 135-138

negociação com a coroa francesa, 120-121, 124

Antuérpia, 31, 54, 75, 76, 78, 79, 82, 83, 84, 85, 86, 89, 91, 92, 96, 97, 99, 100, 107, 110, 119, 121, 127, 161

382 O DIAMANTE MALDITO

mercadores de diamantes, 103, 123, 161, 205, 237
mercadores portugueses de, 78, 82, 84, 86, 103, 123, 123, 161
Armada espanhola, preparação e derrota, 116, 135-138, 145-147, 177
Armagnac, duque de, 31
Armagnac, família, 39-40
Artha Shastra (A ciência do lucro) (Kautilya), 22. *Ver também* lapidárias
Arthur, *sir* George, 346
Ásia, 74-76, 78, 116
Astor, Bronwen, 363
Astor, família, 351-365
Astor, John Jacob (bisavô de William Waldorf Astor), 349
Astor, John, 375
Astor, *lady* Nancy, 353-363
Astor, Michael, 354
Astor, Waldorf, 351, 354, 357-362
Astor, William Waldorf, 351-358
Astor, William, quarto visconde (filho de William), 364-365
Astor, William, terceiro visconde (filho de Nancy e Waldorf), 362-364
Augsburg, 67, 69, 83, 97, 100
Auguste (joalheiro real), 281
Áustria, 58, 73, 75, 86, 299-300, 315, 316
Avis, Casa de (reis portugueses), 103

Badarel (ladrão francês), 296
Bain, Pierre, 255
baixelas (ouro e prata), 29, 31, 32, 44, 61, 63, 68, 87, 93-94, 230, 240, 242
Balais de Flandres, La (*Belle*), vi, 32, 40, 63
Balbani, família (banqueiros mercantis), 74
Balbani, Henry, 144
Balle de Flandres, La. Ver diamante Sancy
Banque de France, 397

banqueiros mercantis, vii, 40-41, 44, 47, 49, 53-54, 68, 69, 74, 75, 81, 83, 84, 92, 99, 107, 121. *Ver também nomes específicos*
banqueiros. *Ver* banqueiros mercantis; *nomes específicos*
Banqueting House, 221, 239
Bapst, Germain, 348
Barras, Paul-François, 307-312
Basiléia, bispado da, 64, 67-69, 71
Bastilha, queda da, 290, 291
Bazu, diamante, 262
Beau Sancy, Le (Pequeno Sancy), 123, 131
    Harlay de Sancy e, 123, 131-132, 143, 150, 165, 169-170, 172, 173
    Maria de Médici e, 172, 173
    nova lapidação do diamante Sancy e, 83, 84
Bélgica, 54, 100, 315
Belle Balais de Flandres ou Belo Rubi-balache de Flandres, 32, 63
Belle Fleur de Lys, ou Bela Flor-de-lis, v, vii-viii, 40, 63, 64
    João Sem Medo e, 39-40, 43, 63
Berlim, 319, 364
Bernardo VII, duque de Armagnac, 39, 41
Berry, duque de (irmão de Felipe, o Audaz), 31, 37, 39
Bertin, Rose, 281, 284
Bettes, John, o jovem, 134
Birch's Historical Review, 202
Blenheim, palácio de, 263
Blois, 26, 37, 38, 116
Bloqueio Continental, 317
Boehmer, Charles-Auguste, 284-286, 296
Boêmia, 197
Bolena, Ana, 93, 105, 149, 181, 204, 352
Bombaim, Índia, 336, 340-344, 346-347
Bonaparte, Caroline, 318
Bonaparte, Eliza, 318

ÍNDICE 383

Bonaparte, Jerome (rei da Vestfália), 318, 333, 334

Bonaparte, José Napoleão,
cobiça de, 323-324
como rei de Espanha e Índia, 315, 321-325, 334
como rei de Nápoles, 320

Bonaparte, Lucien, 312, 318

Bonaparte, Luís (rei da Holanda), 315, 318

Bonaparte, Napoleão. *Ver* Napoleão Bonaparte

Bonaparte, Pauline, 318

Bonet, 31

Bordeaux, Antoine de, 245

Bórgia, família, 90

Borgonha, duques de, 32-65, 218, 258. *Ver também duques específicos*

Borgonha, 30, 35, 36, 40, 43, 44, 48, 51-56, 59, 73, 257

Bosc, Sylvestre, 255

Bottlewalla, Avabye Framjee, 340

Boucheron, joalheiros, 252

Bouillon, duque de (embaixador na Inglaterra sob Henrique IV), 151-157, 159-161, 167

Bouillon, duque de (irmão de Luís XIV), 266

Boulogne, 44, 96, 153, 154

Bourbon, Casa de (reis franceses e depois espanhóis), 39, 139, 141, 198, 316, 319
Cristina de, 224
Isabel de, 50

Bragança, duque de, 109

Brasil, 75, 104

Breezy Point, 325, 333, 334

Bretanha, 53, 124, 145, 146, 156, 181, 230

Brèves, 169-170

Brhatsamhita (Varahamihira), 24

Brissot de Warville, Jacques Pierre (girondino), 302

Brjullov, 333, 335

Breughel, Jan, 238

Bruges, 31, 44, 48, 50, 52, 54, 74

Brumário, 18 de, 305, 312. *Ver também* Revolução Francesa

Bruxelas, 250

Buckingham, duque de (George Villiers), 179, 187, 189-196, 199, 200, 203, 211
assassinato e funeral de, 214-215, 217
casamento de Carlos com Henrietta Maria e, 1999-201, 204, 206, 211-213, 214-215
como conselheiro de Jaime I, 191-196
como conselheiro do rei Carlos I, 202, 205, 209, 213-214
como lorde almirante da marinha, 212-214
infanta espanhola e, 191

Buddhabhatta, 24

budismo, 23

bulas papais, 111, 115, 128

Burghley, lorde. *Ver* Cecil, William

Burgunderbeute (Butim Borgonhês), 62-63, 257

Burke, Edmund, 316

Burlomachi, Filippo, 220n

Buzenval, 250

Cablat (ladrão francês), 304

Cádiz, Espanha, 161, 342
saque por Drake, 136-137

Calais, 57, 58, 96, 146, 152, 165

calvinistas, 97, 100, 184, 222, 223, 347

Campo do Velo de Ouro, 93, 182

Canal da Mancha, 96, 121, 154, 192, 221, 228

Cantarini, Thomas, 234, 243, 247, 248

Capeto, Dinastia (reis da França), 41, 141, 294

Carleton, lorde, 210

384 O DIAMANTE MALDITO

Carlisle, conde de, 199
Carlos de Orleans (filho de Valentina di Visconti e Luís de Orléans), 39-41
Carlos Emanuel, rei do Piemonte, 316
Carlos I, rei da Inglaterra, Casa de Stuart, 179, 183, 187, 190-196, 202, 211, 217-230, 233
    apoio às artes e coleção de arte de, 221-222, 238-239, 244
    casamento com Henrietta Maria de Bourbon, 203
    contrato de matrimônio (*écrit particulier*) com Henrietta Maria de Bourbon, 199-202, 211
    Convenção Nacional da Escócia e, *ver* Escócia
    coroação de, 205, 207-208
    descrição, 196-197, 204, 222
    empenho das jóias da coroa, 206-207, 209, 211, 217, 218, 220-221, 227
    "empréstimo compulsório" e, 211
    execução de, 239-240
    filhos de, 224-225, 230, 232, 233, 239-240, 241
    Henrietta Maria de Bourbon e, *ver* Henrietta Maria de Bourbon, rainha da Inglaterra
    jóias pessoais, 191-192, 210, 222, 226, 240, 353
    julgamento de, 239
    leilão dos bens de, 238-239, 245
    Parlamento e, *ver* Parlamento inglês, Carlos I e
    plano de casamento com infanta espanhola, 186, 190-197, 199
    primeiros anos de casamento, problemas nos, 202-205, 208-211, 213, 214
    quadro fiscal, esforço para melhorar, 218-220

Carlos II, rei de Inglaterra e Escócia (Casa de Stuart), 57, 232, 233, 246-247
    Mazarin e, 247-251
Carlos IV, rei da Espanha, 313, 320-322
    Ver também Bourbon, Casa de
Carlos IX, rei da França (filho de Catarina de Médici), 132
Carlos Magno, 50, 57, 318
Carlos V, rei da França (Valois, Casa de), 28, 29, 30
Carlos V, Sacro Imperador Romano (Habsburgo), 90, 96, 97, 100, 103, 297
Carlos VI, rei da França (Valois, Casa de), 26, 29, 32, 36-38, 44
Carlos VII, rei da França (Valois, Casa de), 41, 49-50
Carlos X, rei da França (antes conde d'Artois; Bourbon, Casa de), 283, 303, 334
Carlos, o Temerário, duque da Borgonha, 43-65, 67, 68, 70-75, 80, 89, 90, 93, 325
    descrição de, 45, 50, 57
    diamante Sancy e, 43, 47, 51-52, 59, 62-65, 81, 83, 89-91, 113, 257, 258, 288, 325, 348, 368
    filha de, *ver* Maria, duquesa da Borgonha
    outras jóias e, 53, 55, 57-59, 62-65, 67-68, 71-72, 81, 90, 91, 94, 95, 98, 99
Carolo, Juan, 97-98
Carr, Robert, 179, 187
Casa da Índia, 76, 85, 110
Castela, 48, 74
Catarina da França (irmã de Luís XI, primeira esposa de Carlos, o Temerário), 50
Catarina de Aragão, 91, 93, 149
Catarina de Bragança, duquesa, 110
Catarina de Habsburgo (avó de Sebastião I de Portugal, irmão de Carlos V Sacro Imperador Romano), 103

ÍNDICE 385

Catarina de Médici, 112, 113, 114, 118, 124, 125, 132, 352

Catarina, a Grande, 330

Catedral de Notre-Dame (Paris), 202, 251, 318

Catesby, Robert, 185-186

católicos ingleses, 178, 184, 185, 186-198

Cecil, Robert (lorde Salisbury, filho de William), 154, 175, 178, 185-186

Cecil, William (lord Burghley), 106, 150-154, 156, 180

Cenami, Vincent, 235

Chamberlain, Neville, 360

Chaplin, Charlie, 360

Charles, Hippolyte, 311

Chastellain, Georges, 43, 44, 51

China, 22, 86, 339-342

Churchill, John, duque de Marlborough. *Ver* Marlborough, duque de (John Churchill)

Churchill, Winston, 359-360

Cifuentes, Pedro de 320

Clemente, papa, 94

Cletscher Sketchbook, 207

Cletscher, Thomas, 207

Cliveden, 352, 354, 356, 360, 361

Caso Profumo e, 362-364

Clouet (pintor), 352

Cobre, 70, 91, 218, 233, 328

Coke, Edward. 213

Colbert, Jean-Baptiste. 247

"Livro-razão das gemas do rei" e, 260

Luís XIV e, 253, 260

Mazarin e, 238, 242, 243, 244, 250-251

Colombo, Cristóvão, 52, 74

Colônia, 106, 250

Colônia, eleitor de, 58

colônias francesas, 269, 275, 285, 300

comércio de especiarias, 74, 75, 81, 81, 83, 85, 98, 108, 110, 138

contrato de pimenta, 83, 85, 107-108

comércio de luxo, 74-75, 91, 115, 245, 250

seda, 29, 30, 63, 70, 75-76

tapeçarias, 44, 60-61, 68, 238, 245

veludo, 29, 55, 63, 250, 254

Ver também nacionalidades específicas

comércio marítimo português (colonização), 21, 74-78, 84-86, 91, 93, 98, 103, 138, 193

comércio mercantil espanhol, 85-86

comércio mercantil inglês, 129, 200, 213, 218, 219, 339

Commines, Philipe de, 45, 50, 55, 58, 61

Companhia das Índias Orientais (inglesa), 261, 339-340, 342

Companhia dos Mares do Sul , 269

Complô de Babington, 135

Conciergerie, La, 295, 303

Conspiração da Pólvora, 185-186

Constantinopla, 131, 150, 169-170, 286, 304, 310

Constantinopla, sultão de, 262. *Ver também* Murad, sultão

Cope, Joseph, 262. *Ver também* diamante Regente, lapidação do

Cornwallis, general, 316

Correggio, 238, 245, 250

Aurora (pintura), 310

Correira, Virgilio, 77

Cortes Portuguesas, 120

Cristina, rainha de Nápoles, 224

Cromwell, Oliver, *Lord Protector*, 232, 233, 238-240, 247, 248

Cromwell, Thomas, 94

Cronin, Vincent, 308

Cruikshank, R. J., 360

Cruzadas, 74, 75

Cunard, *lady* Edith, 354

386   O DIAMANTE MALDITO

d'Alincourt, barão de (filho de Villeroy), 157, 162

d'Étoiles, Jeanne Antoinette (Madame de Pompadour), 273, 279

d'O, François, 133, 138, 148

da Gama, Vasco, 20, 74-76, 79, 82

da Pina, Rui, 76

da Vinci, Leonardo, 90, 238, 250, 310

Danton, Georges Jacques, 303, 304

de Beauharnais, Eugene, 321

de Beauharnais, Hortênsia, rainha da Holanda, 263

de Beauharnais, Rose (Josefina), 363, 308-309, 310, 317-318

de Berquen, Robert, 255-260, 348, 368

de Chambon (ladrão francês), 296, 297

de Conti, Niccolo, 20

de Góis, Damião, 76

de Guise, diamante, 261, 298

de la Marche, Olivier, 46, 50, 51, 55, 61

de Sade, marquês, 311

Declaração de Pillnnitz, 299

Declaração dos Direitos do Homem e do Cidadão, 291

Demidoff, Akinfii Nikitich, 321, 328-329, 330

Demidoff, Anatoli (príncipe di San Donato), 330, 333-336

Demidoff, família, 327-337

Demidoff, Mathilda Bonaparte, princesa, 325, 333-335

Demidoff, Nikita, 327, 328, 330

Demidoff, Nikolai, 325, 330-335

Demidoff, Pavel (filho de Nikolai), 325, 331-333, 334, 335

Demidoff, Paul (filho de Paul e Aurora), 336

Demidoff, Pavel ou Paul (filho de Akinfii), 330

Denain, Batalha de, 264

Depeyron (ladrão francês), 296-297

diamante Âncora, 207

diamante Azul Francês (o diamante Hope), 258-259, 261, 273, 297

diamante City, 20

diamante Rosa de Cinco Lados (mais tarde diamante Hortênsia), 263, 297, 367, 368

diamantes Mazarin, dezoito, 251-252, 273, 295, 299, 304

diamantes, 19-25, 29, 45, 48, 55, 63-64, 69, 84, 87, 116, 121, 130, 162, 191-192, 196, 206-207, 236, 254, 261-262, 287, 318

avaliação de, 22, 256

avaliação de, método de Tavernier, 259-260

clareza de, 259

cor, 22, 23

da Índia, 1-3, 4, 213, 216, 21819-22, 258, 261

história das lapidações de diamantes, 25, 182, 196, 207, 251, 261, 262

história de (lapidação de diamantes), 25, 182, 196, 207, 251, 261, 262, 263, 270

industrial, 22

origem da palavra, 22

pesos de, *ver* peso de jóias

poder e, 21-24, 45, 81, 92, 113, 205-206, 220, 236, 270

propriedades místicas de, *ver* propriedades místicas das jóias, crença em

significado histórico de, 21-25, 103, 242-243

usos práticos de, 22-23, 92, 269

Ver também diamantes por seus nomes específicos

Diamond Sutra, 23

Dickens, Charles, 352

Diderot, 275

Dijon, 51, 55

direito divino dos reis, 104, 177, 184, 218, 276

Discours sur l'occurrence de ses affaires (Harlay de Sancy), 144, 155, 167, 174
d'Oliva, Nicole, 288
Douligny (ladrão francês), 296
Drake, *sir* Francis, 115, 120, 121, 123, 124, 127, 128, 129, 143, 161
    pilhagem de Cádiz e (missão portuguesa), 135-138
du Barry, Madame, 275, 276, 279, 352
Duchy, Jasper, 95, 97

Édito de Lucerna, 68
Édito de Nantes, 163, 265
Eduardo IV, rei da Inglaterra, 46, 48, 51-54, 57-59, 71, 257
Eduardo VI, rei da Inglaterra, 99, 105
Eduardo VII, rei da Inglaterra, 357
Egito, 86, 310, 315, 316
Elisabete da França, 192,
Elisabete, rainha da Boêmia (filha de Jaime I da Inglaterra), 197, 200, 201, 220n
Elizabeth I, rainha da Inglaterra, 101, 104, 114, 115-118, 119-121, 124-129, 134, 135, 138, 142, 160, 161, 177, 181, 182, 207, 222, 253, 331, 352
    Catarina de Médici e, *ver* Catarina de Médici
    Complô de Babington, 135
    diamante Sancy e, 113, 122, 148, 151, 169, 170
    fé protestante e, 105, 106, 115, 128, 146
    Flandres e, 122, 123
    Harlay de Sancy e, 145-148, 150-155, 160-161, 163-166, 168-170
    Henrique III da França e 124
    jóias da coroa francesa e, 141-142
    morte de, 172, 175-176
    rede de espiões, 106, 117-118, 147
    reinvasão de Portugal e, 121-122, 135

    retratos de, 122
    saque de Cádiz e, 161
Elizabeth Bonaventure, 138
Elliot, *sir* John, 206
embaixadores venezianos, 48, 79-80, 91, 106, 112, 114, 115, 119, 120, 122, 123, 124, 145, 162, 170, 171, 200, 202, 225, 254
engastes de jóias, 43, 46, 60, 64, 87, 92, 162, 173, 183, 207, 251-252, 270, 283-284, 297, 309
Épernon, duque d' (Bernard de Nogaret), 237, 247
equilíbrio de poder, conceito de, 264
Escócia, 48, 180, 182, 184, 222, 225, 232, 247
    Convenção Nacional de 1637, 222-223
    jóias da coroa escocesa, 182
escravidão, 74, 99, 110, 262, 264
Espanha, 73, 74, 100, 105, 109, 184, 185, 189-190, 193, 199, 200, 211, 218, 232, 303, 305, 323, 325, 333, 368
    Cortes da 145, 322
    Paz de Utrecht, 264, 274
    Ver também governantes específicos
Espelho da França, 195, 207
Espelho da Grã-Bretanha, 182-183, 200
Espelho de Nápoles, 181, 207, 227
Espelho de Portugal (diamante de lapidação mesa), 87, 98, 110, 112, 119, 122, 123, 134, 173, 181, 195, 207, 227, 231, 233, 235, 247, 250, 251
    retrato de, 122
Essex, conde de, 159-161, 164-166, 168, 170
Estados Papais, 48, 332
Estados Unidos, 292, 325, 333, 361
exército espanhol, 97, 153-154, 224
exército francês, 300, 307. *Ver também* Napoleão Bonaparte
exército mercenário alemão, 117, 157, 159, 166

388 O DIAMANTE MALDITO

exército mercenário espanhol, 117
exército mercenário francês, 123, 132, 310
exército mercenário holandês, 150, 151, 185
exército mercenário inglês, 122, 123, 128, 153-155, 159, 160
exércitos mercenários. *Ver por nacionalidades*
Exposição Internacional de Paris de 1867, 348

Fagon, dr., 265, 268
Falize, Lucien, 348
Fawkes, Guido "Guy", 185, 186
Federlin (jóia da pequena pena), 64, 68, 71
Felipe I, rei da Espanha, 75, 86, 104
Felipe II, duque de Orléans (regente de Luís XV), 267, 268-270
Felipe II, rei da Espanha (depois rei de Portugal), 100, 104, 106-107, 117, 122, 127-129, 135-139, 141-143, 145, 150, 192, 314
    Armada espanhola e, 135, 136, 138, 145
    catolicismo e, 104, 106, 128, 138, 145, 161
    coroa portuguesa e, 111-112, 114, 117-118, 120
    descrição, 104-105
    ducado de Milão e, 128, 142
    Elisabete I, rainha da Inglaterra, e, 128, 142
    esposa Isabel, 119
    falências de, 107-108, 114-115, 128, 161
    Holanda espanhola e, 106, 127, 128, 136, 142, 161, 185
    jóias da coroa de Portugal e, 114-115
    Perez e, 159
Felipe III, rei da Espanha, 178, 186
Felipe IV, rei da Espanha, 263
Felipe, o Audaz, 30, 32, 35, 40, 46
Felipe, o Bom, 43-44, 48, 49, 51, 54, 71, 99

Felipe, o Justo. *Ver* Felipe I, rei da Espanha
Felton, tenente, 214
Fernandes, Rui, 85-87
Fernando de Aragão, 52, 53, 74, 80
Fernando, príncipe de Astúrias, 321
Fernando, Sacro Imperador Romano, 104
ferro, 327, 328
Fersen, conde, 292
Fez, rei de, 109
Fillastre, Guillaume, 46
Flandres, 30, 36-38, 48, 49, 72, 73-75, 78, 91, 105, 117, 122, 145, 173, 176, 185
Fleur-de-pêcher, diamante, 297
Florença, 26, 27, 28, 49, 54, 73, 80, 171, 206, 253, 325, 332-335
Fox, Charles James, 316
França, 26, 29, 30, 31, 36, 39, 44, 90, 91, 100, 112, 154, 192, 201, 202, 218, 229, 232, 236, 253, 257, 264, 283, 315, 316, 325, 368
    Assembléia Nacional (depois Convenção Nacional), 291, 293, 299, 301-304
    conflito entre Borgonha e, 27-60
    desastre econômico e, 308, 312
    Estados Gerais, 160, 290, 291, *ver também* Parlamento francês
    Guerra da Farinha, 281
    Guerra dos Cem Anos, 31, 52, 59
    Guerra dos Sete Anos, 275, 281
    La Fronde (guerra civil), 236-237, 242, 243
    la vingtième (imposto de renda), 273, 289
    o Diretório, 304, 307-312
    Parlamento francês, 238, 242, 274, 275, 282, 290
    Paz de Utrecht, 264, 274, 285
    sistema de impostos, 273, 289, 312
    Ver também jóias da coroa francesa; Revolução Francesa; *governantes específicos*

Francisco I, rei da França, 90, 91, 93, 97, 181

Francisco II, rei da França, 124, 135, 182

Francisque (ladrão francês), 296

Franklin, Benjamin, 285

Frederico Henrique, príncipe de Orange, 207, 224-228, 233

Frederico III, Sacro Imperador Romano, 55, 70, 75

Frederico, Eleitor do Palatinado Renano, 197, 200, 201

Frederico, o Grande da Prússia, 274

Frere, Bartle, 344

frota espanhola, 114, 120, 138, 161, 189, 196, 200

frota flamenga, 229-230

frota inglesa, 91, 92, 97, 119, 122-123, 154, 156, 184, 191

Fugger, Anton, 95

Fugger, Jacob, 67-72, 81-88, 90, 92

    contratos de pimenta e, 81-88, 107

    diamante Sancy e outras gemas e, 81-88, 89, 95, 257-258

    eleição de Carlos V como Sacro Imperador Romano e, 90

    Família Fugger (banqueiros mercantis), 54, 67-70, 72, 74, 84, 86, 95, 97, 99, 106, 123, 129, 146

    Fugger Ehrenspiegel (inventário), 68, 69

    sistema de informações (boletins), 82, 83, 92, 123

Gabrielle d'Estrées, duquesa de Beaufort (antes marquesa de Montceaux), 148, 157, 163, 165, 168, 170-171

Gales, 197

Galileu, 310

Gallois (ladrão francês), 295

Garrard & Co, 336

gemas de sangue, 226. *Ver também nomes específicos das jóias*

gemas. *Ver* jóias

Genebra, Suíça, 145, 287

Gênova, 47, 73, 74, 80, 136, 312, 325

Ghandi, Mahatma, 360

Ghysbertij, Nicolas, 207

Giustiniani, 254

Globe Theater, 222

Goa, 138

Godoy, Manuel de, 319-321

Golconda, minas da Índia, 19-20, 25, 258, 262

Gondomar (embaixador espanhol na Inglaterra), 190

Goring, *sir* George, 202

Goya, Francisco, 324

Grã-Bretanha (a partir do ato de união de 1707), 48, 197, 264, 267, 275, 310, 315-317, 323, 325

Grande Diamante. *Ver* diamante Pindar

Grande Exército da França. *Ver* Napoleão Bonaparte

Grande Harry (pedra da letra H da Escócia), 182, 207

Grande Mazarin, diamante, 252, 297

Grandson, batalha de, 36-38, 40, 275

Grão Mogóis, governantes, 20, 26, 253, 263. *Ver também governantes específicos*

Grão Mogol, diamante, 259

Grécia, 48

Greenwich, 154, 155, 165, 226

Gregório XIII, papa, 111

Grenville, George, 316

Guerra da Sucessão Espanhola, 260-261

Guerra dos Cem Anos, 31, 43, 46, 264

Guerra dos Sete Anos, 274, 281

Guerra dos Três Henriques, 128-129

Guerra dos Trinta Anos, 197, 237

390 O DIAMANTE MALDITO

Guerras das Rosas, 72, 73
Guilherme, príncipe (da Holanda), 224

Habsburgo (austríacos e espanhóis), 35, 70, 75, 192, 198, 200, 276, 285, 292, 315, 332
Hagenbach, Peter de, 58
Hampton Court, 184, 225
Harlay de Sancy, Nicolas (*seigneur* de Sancy e barão de Maule, governador de Châlons-sur-Sâone), 121, 123, 129-131, 141-174
  assassinato de Henrique, duque de Guise, e, 139
  caso Milão e, 166-168
  compra do Sancy, 132
  descrição, 129-130, 131, 142
  diamantes Sancy e Beau Sancy e, 123, 130-133, 143-144, 147-151, 165-169, 172-173, 182, 218, 256, 348
  Discours, 144, 155, 167, 174
  Elisabete I e, 145-148, 150-151, 152-155, 160-161, 164-170
  filha Jacqueline, 157, 162
  Gabrielle d'Estrées e, 157, 163, 165, 168, 170-171
  Henrique III e, 121, 129, 130, 165
  Henrique IV e, 139, 142, 144-155, 159, 163, 165-170, 172, 173
  jóias da coroa portuguesa e, 121, 123
  morte de, 174
  perda do diamante Sancy e, 143-144
  Perez e, 159, 164, 166
  Strozzi e, *ver* Strozzi (financista genovês da coroa francesa)
  venda de seus diamantes, 150-151, 165, 168-170, 172-173, 182
Harlay, Louis de, barão de Monglat (irmão de Harlay de Sancy), 169, 172, 180
Henriade, La (Voltaire), 254

Henrique II, rei da França, 146, 286
Henrique III, rei da França, 101, 112, 113-114, 115, 116, 117, 120-133, 136, 138, 141, 148, 164, 168, 352
  assassinato de Henrique, duque de Guise e, 138-139
  assassinato de, 139
  diamante Sancy e, 134
  venda de jóias a coroa francesa e, 129
Henrique IV, rei da França (antes Henrique de Navarra de Bourbon), 127, 129, 132, 138, 139, 141-142, 143-155, 176, 205, 265
  a amante Gabrielle d'Estrées, 148, 157, 163, 168, 170-171
  assassinato de, 174, 190
  casamento com Maria de Médici, 171-174
  como protestante, 139, 141, 142
  conversão ao catolicismo, 148, 164
  descrição, 141
  desgraça de Harlay, 164-169
  dívidas com a coroa inglesa, 156-157, 160
  Harlay de Sancy e, 139, 142-155, 157, 159, 161-162, 170, 172, 173
  postura em relação ao diamante Sancy e, 172-173
Henrique IV, rei da Inglaterra, 35
Henrique V, rei da Inglaterra, 40, 44
Henrique VI, rei da Inglaterra, 52, 54
Henrique VII, rei da Inglaterra, 73
Henrique VIII, rei da Inglaterra, 91-95, 97, 99, 105, 149, 176, 182, 204, 207, 221, 223, 245, 264, 352-353
  colares de ouro e jóias de, 207, 217, 226, 231, 233
  descrição, 91-92
  diamante Sancy e, 94, 97-98
Henrique, cardeal de Évora (depois rei de

Portugal), 98-99, 103-104, 108-111, 112

Henrique, duque de Guise, 128-129, 134, 138, 141
   assassinato de, 138-139

Henrique, o Navegador, príncipe, 74, 137

Henrique, príncipe (filho de Jaime I e Ana da Dinamarca), 179, 183, 186, 190, 197
   morte de, 187, 190
   planos de casamento com infanta espanhola, 186

Henriqueta Maria de Bourbon, rainha da Inglaterra, 192, 198, 214, 218, 222-224, 241, 245
   casamento com Carlos I, 203
   conselheira de Carlos I, 222, 225-226, 229, 233, 255
   coroação de, 205, 207-208
   descrição, 199, 203
   diamante Sancy e, 199, 201, 203, 206, 208, 220, 225, 228, 229, 231, 233, 236, 237, 240, 247-250, 256, 286
   duque de Lorena e, 231-233
   entourage francesa católica e, 208, 209, 224
   esforços para salvar causa monarquista, 226-233, 237-239
   filhos de, 224, 225, 232, 233, 239-240, 241, 264
   fugas para a França, 229-230
   jóias da coroa e, *ver* jóias da coroa inglesa, Carlos I e Henrietta Maria e
   Mazarin e, *ver* Mazarin, cardeal Jules, Henrietta Maria e
   morte de, 251
   noivado e casamento acertados, 199-203
   Parlamento e, *ver* Parlamento inglês, Henrietta Maria e
   primeiros anos de casamento, problemas nos, 202-205, 207-211, 212

relacionamento íntimo com Carlos I, 211-213, 214, 225-230, 232, 233, 237, 239

Henriqueta, princesa (filha da rainha Henriqueta Maria), 229

Herbert, lorde, 193

Hertenstein, família de Lucerna, 68-70, 83

Hervart, Barthélemy, 235, 243, 247

Hervart, família (banqueiros mercantis de Augsburg), 69

Hever Castle, 352, 355

Hibbert, Christopher, 302, 315

hinduísmo, 24, 345

Histoire de l'Ordre de la Toisoin d'Or (Fillastre), 46

History of Charles Martel (Aubert), 46

Hoche, Louis Lazare, 304

Hochstetter, família (banqueiros mercantis), 72

Holanda (Províncias Unidas), 54, 75, 100, 105, 150-151, 159, 161, 177, 224-228, 236, 283, 304, 368
   Estados Gerais, 150, 151
   Luís Napoleão Bonaparte e, 315, 318

Holbein, Hans, 236, 250, 352

Hope, diamante. *Ver* diamante Azul Francês

Hortênsia, diamante. *Ver* diamante Rosa de Cinco Lados

Hotte, La (grande rubi), 62-65

Howard, Frances, 187

huguenotes, 164, 217, 264, 274

Hungria, 75, 100

Igreja anglicana. *Ver* Igreja da Inglaterra

Igreja católica, 47, 73, 78, 85, 103, 106, 190, 243, 289
   Igreja católica (inglesa), 94-95, 185, 186, 190, 196, 197, 200, 201, 202, 204-205, 211, 223

392 O DIAMANTE MALDITO

Igreja da Inglaterra (Igreja anglicana), 93-94, 99, 184, 185, 207, 212
    dissolução dos mosteiros, 94
Iluminismo, era do, 275
Império Britânico (colônias, colonização), 264, 274, 275, 285
Índia, 74, 75, 78, 81, 84, 86, 91, 92, 93, 104, 115, 339-347
    comércio de especiarias, 74, 81-83, 85
    diamantes da, 19-22, 26, 256, 258, 261, 263
    Raj britânico na, 339, 340, 342
Inglaterra, 28, 30, 31, 36, 38, 48, 94, 97, 99, 100, 106, 127, 135, 138, 177, 197, 230, 283, 292, 303, 315, 342, 348, 352, 354
    aliança com Portugal, 112, 116-119
    Armada espanhola e, *ver* Armada espanhola, preparação para e derrota para
    Conselho privado da, 160, 175, 190, 219
    fim da autoridade papal na, 93-94
    guerra civil na, 232-233
    Guerra das Rosas, 52, 73
    Guerra dos Cem Anos, 31, 52, 59
    Guerra dos Sete Anos, 275, 281
    Parlamento, *ver* Parlamento inglês
    Paz de Utrecht, 264, 274, 285
    Ver também Grã-Bretanha; *governantes específicos*
Inquisição espanhola, 52, 73, 77, 104, 106, 164, 206, 324
Inquisição portuguesa, 54, 73-74, 78, 98-99, 108
Insígnia da Jarreteira, 240
Iranda, marquês de, 305, 313-314, 320
Irlanda, 197, 223, 224, 232, 233, 258
    Carlos I e, 223, 224-225
Isabel de Castela, 52, 73-75, 78
Isabel de Portugal (mãe de Carlos, o Temerário), 50

Isabel de Valois (esposa de Gian Galeazzo di Visconti), 28
Isabel, rainha da França (esposa de Carlos VI), 36, 37
Itália, 48, 70, 90, 100, 105, 147-148, 325, 368
    vitórias de Napoleão na, 307-309, 310, 331
Ivanov, capitão Eugene, 364

Jacson, bispo, 240
Jaime I, rei da Inglaterra (também Jaime VI da Escócia), 172, 175-203, 207, 220, 221
    como herdeiro da rainha Elisabete, 135, 175
    corte de, 178, 184
    descrição, 176-179
    diamante Sancy e, 172-173, 180, 182-183, 186, 195
    duque de Buckingham e, 187, 189-190, 191, 194-196, 200
    homossexualidade, 187, 205
    Parlamento e, 178, 184, 191, 197, 200
Jaime VI da Escócia. *Ver* Jaime I, rei da Inglaterra
jansenistas, 265, 274
Jay, John, 290, 291
Jefferson, Thomas, 277, 279-280, 284, 290, 291
Jejeebhoy, Setts Cursetjee (depois o segundo baronete Jamsetjee), 342, 246-348
Jejeebhoy, *sir* Jamsetjee, 339-349
    obras de caridade de, 343-346
Jermyn, lorde, 248
jesuítas, 99, 103, 273
Joana d'Arc, 44
Joana, a Louca, 75, 104
João de Luxemburgo, 44
João II de Aragão, 52, 53, 73, 74
João II de Portugal, 73, 74

João III de Portugal, 90, 95, 97, 98-99, 103, 110
João Sem Medo, (duque da Borgonha e Flandres),33, 35-41, 44, 63
João, o Bom, rei da França, 28
Jobart (agente comercial de Mazarin), 243
John de Gaunt, 50
jóias da coroa espanhola, 314, 320-322, 324-325, 334
jóias da coroa francesa, 132, 168, 173, 255, 261-264, 270, 285, 313-314, 318, 349, 368
   inventários de, 260, 263, 270, 297
   Luís XVI e, 285, 296
   Napoleão e, 305, 307, 313-314, 317-316
   presente de Mazarin de, 251-252
   Revolução Francesa e, 292, 304-305
   roubo das, 294-299
jóias da coroa inglesa, 181-183, 189, 205-506, 368
   Carlos I e Henrietta Maria e, 206-207, 210, 217, 221, 224, 225, 227, 231-232, 233, 240, 248-250
   Carlos II e, 250
   Cromwell e, 240
   empenho das, 206-207, 210, 213, 217, 218, 220-221, 226, 237, 247
   história das, 181-182
   inalienabilidade das, 183, 197, 199, 206
   inventário das, 183
   venda das, 225-228
jóias da coroa portuguesa, 89, 95, 98-99, 103, 104, 110, 113-114, 207
   perda e empenho, 119-124, 137
jóias, 26, 30, 31, 35, 40, 44, 45, 46, 51, 60, 63, 64, 69, 75, 78, 83, 87, 91, 93, 96, 110, 113, 116, 120, 121, 138, 150, 161, 162, 167, 181, 183, 192, 193, 195, 202, 206,
209-210, 222, 228, 230, 236, 242, 244, 246, 254, 309, 310
   âmbar, 29, 83
   como dinheiro, 53, 251-252
   coral, 29
   cristal, 29
   design francês de, 254, 255
   esmalte, 26, 29, 87, 309
   esmeralda, 40, 87, 296
   importância de, 48, 83, 93
   jaspe, 29
   madrepérola, 29
   marfim, 29, 138
   pedra vulcânica, 113, 206
   pérola, 22, 26, 40, 43, 87, 92, 99, 202, 207, 225, 262, 284, 296, 334
   poderes místicos de, 113
   religiosas, 63, 92-96
   rubi (espinélio vermelho), 22, 26, 40, 63, 87
   rubi, 22, 29, 63, 64, 67, 83, 87, 92, 99, 207, 225, 251, 284, 292, 296-298, 334
   safira, 22, 29, 40, 92, 251, 284
   seculares, 95
Jones, Inigo, 221
Jorge I, rei da Inglaterra, 269
Jorge II, rei da Inglaterra, 274
Jorge III, rei da Inglaterra, 262, 316
Jorge, príncipe de Gales (depois Jorge IV), 317
Joyeuse, duque de, 145
judeus, 30, 73, 78, 108-109, 226
   convertidos (ou marranos), 74, 78, 111, 206, 263, 296
   Ver também nomes específicos
Júlio II, papa, 81, 85

Karmasin, Andreij, 336
Keeler, Christine, 364

394 O DIAMANTE MALDITO

Kensington, visconde (depois conde da Holanda), 199-200, 210
King's Cabinet Opened, The, 232
Krefeld, batalha de, 275

La Rochelle, 121, 123, 130, 132, 217, 244
Lafayette, marquês de, 289, 292-293, 300
Lagenmantel, família, 69
Lamballe, princesa de, 280
Lamoignon de Malesherbes, Chrétien de, 301-302
Lamotte, Jean de, 286-288
Langhorne, Chillie, 356
lapidárias, 22, 23, 52, 256, 367
Laud, arcebispo, 207, 223
Law, John Philip, 262, 270
Lawrence, T. E., 360
Le Tessier de Montarsy, Laurent e Pierre, 255
Leblanc, viúva (ladra francesa), 298
Leczinska, Marie. *Ver* Marie Leczinska, rainha da França
lei sálica, 132
Leicester, duque de, 181
Lelievre, madame, 298
Leopoldo, imperador da Áustria, 299
Levante, 47, 256
Levrat, sr., 336
Liga Católica, 128, 142, 148, 163, 171
Lion, Anselme, 295
Lisboa, Portugal, 74, 86, 87, 110, 111, 135, 137
Livro de orações da Igreja anglicana, 222, 223
Lloyd George, David, primeiro-ministro da Grã-Bretanha, 358
Londres, 116, 153, 156, 169, 177, 180, 191, 199, 202, 203, 213, 214, 245, 250, 269, 275, 287, 330, 339, 361
    Grande Incêndio de, 250
    mercadores de, 181

Lopes, família (banqueiros mercantis), 79, 119
Lopes, Thomé, 79, 82, 85, 87
Lorena, ducado de, 54, 58, 59
Lorena, René, duque de, 58, 231-232, 233
Lotaríngia, Reino Médio da, 50, 54, 57
Louvre, 173, 201, 231, 252, 292, 294, 299, 332
    roubo das jóias da coroa francesa do, 296-299
Lucca, 26, 40, 47, 54, 144, 234
Lucerna, 63, 64, 72
Luís XI, rei da França, 49, 52, 55, 57-58, 61, 75, 257
Luís XII, rei da França, 80, 181
Luís XIII, rei da França, 174, 198, 201, 202, 211, 228, 231, 234
Luís XIV, rei da França, 172, 234, 246, 252, 254, 267, 268, 273
    amantes de, 265
    caixas de jóias de "oferenda", 255, 261
    coleção de diamantes, 251-252, 253-255, 259-263, 317
    diamante Sancy, 251, 253, 260, 368
    extravagância e cobiça, 243, 252, 253-255, 265, 282, 289
    Igreja francesa e, 265
    Mazarin e, 229, 241-243, 246, 251, 252
    morte de, 264-266
Luís XV, rei da França, 267-277, 280, 289, 355, 367-369
    casamento de, 271, 272-273
    Parlamento e, 274, 275
Luís XVI, rei da França, 279-305, 307-308
    casamento de, 276-277, 283-284
    coroação de, 270-271, 281, 282
    descrição, 276, 283, 297
    economia francesa e, 281-282, 289
    execução de, 302-303

ÍNDICE 395

fuga de Paris de, 292-295
julgamento de, 301-302
nascimento de, 274
Parlamento e, 290
Revolução Francesa e, 291-303
Luís, duque de Orleans (marido de Valentina di Visconti), 26, 29, 31-37
Luísa de Lorena-Vaudemont, 132, 163
luteranismo, 90, 97, 98, 100, 105, 142
Lutero, Martinho, 86
Luxemburgo, ducado de, 35, 44, 100
Luxemburgo, palácio (Paris), 202

Maintenon, Madame de, 265
Man Who Broke Napoleon's Code, The (Urban), 324
Manuel I, rei de Portugal, 73-79, 80-81
a filha Isabel, 73, 90
descrição, 76
esposa Isabel, 73, 78
exploração financiada por, 74, 78
Fugger e o diamante Sancy, 81-84, 87, 88, 89, 94
império comercial de, 75, 76, 79, 82, 83, 85, 86, 103
inventário de jóias, 87
manuscritos iluminados, 46, 76, 87, 251, 352
Maquiavel, príncipe, 80
Marat, Jean Paul, 295
Maravilhas das Índias ocidental e oriental, As (De Berquen), 255
Marco Polo, 19-20
Marengo, Batalha de, 305, 307
Margarida de Anjou, rainha da Inglaterra, 54
Margarida de Flandres, 30, 33
Margarida de Valois, 141, 149, 162, 170
Margarida de York, 51
Maria Antonieta, rainha da França, 279, 282, 301, 318, 352

casamento de, 276-277, 283-284
crítica inicial à vida da corte e, 276-277, 283
diamante Sancy e, 288
execução de, 303-304
extravagância de, 277, 280-286, 323
filhos de, 289, 294, 303
fuga de Paris, 292-295
jóias e, 280, 281, 283, 285, 286
o caso da gargantilha de diamantes, 285-289, 296
Revolução Francesa e, 277, 292, 299, 301, 303-304
Maria Carolina, rainha de Nápoles, 319
Maria de Lorena de Guise, 261
Maria de Médici, rainha da França, 171-174, 190, 192, 200, 202, 228, 243, 253
Maria I, rainha da Inglaterra, 104-107
Maria Luisa de Parma, rainha da Espanha, 313-314, 320, 321
Maria Stuart, princesa de Orange (filha de Carlos I e Henrietta Maria), 224, 225, 236
Maria Teresa, rainha da Áustria, 276, 282, 285
Maria Teresa, rainha da França, 252, 264, 282
Maria, duquesa da Borgonha (filha de Carlos, o Temerário, esposa de Maximiliano I), 50, 51, 54
Maria, infanta espanhola, 186, 192-196, 198, 206
Maria, rainha dos escoceses, 113, 124, 135, 141, 175, 182, 207, 352
Marie Leczinska, rainha da França (esposa de Luís XV), 271
marinha holandesa, 177, 200
Marlborough, duque de (John Churchill), 261, 264, 352
Marlowe, Christopher, 222
Marrocos, 104, 109-111

396   O DIAMANTE MALDITO

Martinica, 308, 309
Massacre de São Bartolomeu, 130
Mauger, François, 297
Maximiliano I, Sacro Imperador Romano, 54, 70, 73, 74, 75, 78, 89, 90
   descrição de, 80
   Fugger e, 80, 83, 85
Mayenne, duque de, 141, 145, 151
Mazarin, cardeal Jules, 229, 230, 232, 244
   ascensão ao poder, 235
   banqueiros privados e, 242-243, 244, *ver também nomes específicos*
   cobiça, coleções e riqueza de, 234-239, 242-246, 247-252
   comércio de armas, 233-234, 241, 242
   diamante Sancy e, 229, 235, 247-251, 256
   Henrietta Maria e, 229-233, 235, 238-239, 241, 246-249, 252
   investigação e exílio de, 241-242
   morte de, 251
   volta do exílio, 244
Médici, família (banqueiros mercantis), 75, 90, 168, 171, 198, 253, 332
Mediterrâneo, 21, 54, 114, 150, 317, 332
Memorandum of the Life and Public Works of Sir Jamsetjee Jejeebhoy, 343
Mendoza, dom Rodrigo de, 117
mercadores alemães, 79, 82, 84, 85. *Ver também mercadores específicos*
mercadores árabes, 21, 80-81, 92
mercadores aventureiros. *Ver* banqueiros mercantis, pirataria, *nomes específicos*
mercadores de jóias, 27, 39, 92, 122, 255
mercadores florentinos, 95-96. *Ver também nomes específicos*
mercadores franceses, 123, 262, 304. *Ver também nomes específicos*
mercadores genoveses, 82, 86, 107-108

mercadores italianos, 20, 47, 84, 237. *Ver também nomes específicos*
mercadores portugueses, 20, 92
mercenários italianos, 97, 117-118, 159, 166
Mercure, duque de, 145, 163
Mesingh, Franz, 83, 84
MI5, 364
Michelangelo, 90, 238
Miette, Paul (ladrão francês), 297
Mil e uma noites, 21
Milão, ducado de, 26, 27, 28, 30, 33, 72, 73, 80, 82, 100, 106, 142, 165, 167-169
Mississippi Company, 269
Mitford, Nancy, 271
Molinet, 51, 61
Mollien (ministro das finanças francês), 321
Molucas (ilhas dos temperos), 75
Mondin, abade, 231, 237, 243
Monteagle, lorde, 185
Montespan, Madame de, 264
Montesquieu, 275
Morée, Madame (ladra francesa), 298
Morel, Bernard, 318
Morrell, *lady* Ottoline, 353
Moscou, 333, 334, 335, 336, 342
Motteville, Madame de, 242
mouros (muçulmanos), 74, 75, 78, 100, 109, 110, 340, 347
Murad, sultão, 150, 169-170
Museu de História Natural, França, 304

Nancy, Batalha de, 65, 68, 257
Napoleão Bonaparte, 49, 54, 75, 263, 305, 307-314, 315-325, 331, 332, 339, 352, 353
   campanha egípcia, 310
   como imperador, 317-323
   como primeiro cônsul, 311-314, 315-316
   coroação como imperador, 317-318

diamante Sancy e, 305, 307, 313-314
exército da Itália e, 307-310, 332
golpe de Estado (18 Brumário), 305, 312
Grande Exército da França, 331, 332
Josefina e, 308-310, 317
milagre econômico e, 308, 312
pilhagem de obras de arte, jóias e ouro da Europa, 308-310, 332, 334
Nápoles, 60, 73, 74, 75, 100, 319, 322, 332, 342. *Ver também* Bonaparte, José Napoleão
Naseby, Batalha de, 232
Naunton, lorde, 164-168
Navegações, Era da, 74
Nelson, almirante Horatio, 316
Neufchâtel, 37, 60
Newton, *sir* Isaac, 275
nobreza francesa, 268, 289
Noite de Guy Fawkes, 186
Normandia, 146, 156
Norris, coronel, 146
Nova York, 351
Novo Modelo de Exército, 232
Nunez, Fernão, 20
Nuremberg, 84, 257

O'Casey, Sean, 360
Oeconomies Royales (Sully), 148
Optics (Newton), 275
Ordem da Jarreteira, 71
Ordem do Velo de Ouro, jóia para, 64, 273
Origens da Inquisição Portuguesa (Herculano), 77
ouro, 21, 26, 44, 53-54, 60, 63, 64, 68, 75, 83, 87, 107-108, 124, 138, 161, 179, 202, 227, 233, 242, 250, 270, 312
Overbury, *sir* Thomas, 187
Oxford, Inglaterra, 228, 232

Paes, Domingos, 20
Países Baixos, 54, 128, 142, 146, 161. *Ver também* Felipe II, Holanda espanhola e
Palácio dos doges, 48, 83, 91, 106, 122, 170
Palais Mazarin, 242
Palais-Royal, 268
panfletos, panfletários, 36, 190, 242, 282, 284, 286, 294, 315
papa, 70, 85, 86, 93, 103, 128, 129, 139, 142, 145, 170, 178, 185, 186, 233, 264, 310. *Ver também papas específicos*
Paradin, 61-64
Paris, 29, 30, 37, 40, 44, 123, 128, 130, 147, 154, 166, 176, 200, 202, 231, 242, 245, 247, 254, 268, 269, 282, 291, 295, 307, 325
Parlamento francês, 237, 238, 274, 275, 287, 289
Parlamento inglês, 160, 184-186, 208, 223, 224, 357-359
Carlos I e, 206, 208, 212-213, 223-225, 232-233, 239, 245
Grand Remonstrance e, 225
Henrietta Maria e, 224, 225, 228-230, 232, 241, 248
Jaime I e, 179, 184, 191, 197, 200
leilão dos bens de Carlos I por, 245
os remanescentes, 239
Parlamento (Câmara dos Comuns), 248, 357
Parlamento (Câmara dos Lordes), 187, 358, 362
Petition of Right, 213
Parma, duque de (sob Napoleão), 310
Parma, duque de, 142, 145, 154
Patiala, marajá de, 348
Paz da Religião, 100
Paz de Utrecht, 264, 274, 285
Pedro, o Grande, czar da Rússia, 327-329

398 O DIAMANTE MALDITO

Pepys, Samuel, 352
Perez, Antonio, 159, 164-167
Peri, Jacopo, 172
pérolas Medici, 113, 124
Perrin (mercador de diamantes francês), 304
peso de jóias (quilate antigo, novo quilate, marcos, oitavos, onças, grãos), 40, 84, 87, 93, 110, 182, 206, 251-252, 256, 263, 270, 296
Peste Negra, 48, 205
Picard (ladrão francês), 296
Picardia, 146, 151-152, 160
Pijart, Philippe, 255
Pindar, diamante (anteriormente chamado Grande Diamante), 192, 203, 207, 251, 273
Pindar, *sir* Paul, 192
pirataria, 84
    francesa, 213, 274
pirataria inglesa, 85, 97, 128, 129, 138, 161, 274
Pitt, diamante. *Ver* diamante Regente
Pitt, Thomas, 262, 288
Pitt, William, 315
Pittau, Jean, 255, 261
Plínio, o Velho, 22
Polignac, Yolande de, 280
Polônia, 112, 116, 271. *Ver também* Massacre de São Bartolomeu
Pompadour, Madame de (Jeanne Antoinette d'Étoiles), 272, 273, 279
Porbus (pintor), 169, 173
Portugal, 47, 48, 73, 74, 76, 77, 85, 87, 98, 110
    declínio de, 86, 90, 91, 95, 97, 99, 100, 101, 102, 103, 104, 107, 114, 116
    missão de Drake e Dom Antonio em (saque de Cádiz), 135-138

invasão espanhola de, 117, 119-122
    Ver também nomes de governantes específicos
Potemkin, 330
prata, 60, 63, 69, 70, 75, 83, 87, 138, 161, 202, 254, 329
prestamistas. *Ver* banqueiros mercantis
Principia (Newton), 275
Profumo, John, 363-364
propriedades místicas de jóias, crença em, 21-25, 46, 89, 113, 182, 186, 206, 217-218, 228, 229, 235, 262
    diamante Sancy. *Ver* diamante Sancy, poderes místicos e maldição do
Províncias Unidas. *Ver* Holanda
Prússia, 275, 299-300, 304, 319
Purcell, Katerine, 348
puritanos, 176, 184, 185, 201, 212, 219, 225, 223
Pushkin, 335
Pym, John, 223-225, 228

Quai des Orfèvres, 254
Quesnel, François, 134
quilate como medida. *Ver* peso de jóias

Rafael, 238, 250
Raleigh, Walter, 189-190
Rambouillet, 322
Ratnapariksha, 24
Reaux, de (embaixador francês na Inglaterra), 160
Reforma Protestante, 86, 90, 98, 100, 104, 105
Regente, diamante (originalmente o diamante Pitt), 261-262, 270, 273, 281, 285, 288, 295, 297, 304-305, 313, 318, 348, 368
    lapidação por Joseph Cope, 261-262
Rem, Lucas (agente português), 79, 82, 84

Renascimento inglês, 176, 221, 222
Renascimento italiano, 90, 92, 221, 331
René, duque de Anjou, 54, 61
Revolução Americana, 285, 289
Revolução Francesa, 253, 268, 270, 277, 284, 291-305, 307, 315, 317
   fim da, 305, 311
   o Terror, 301-304, 307
Rheims, 31, 281
Ribbentrop, Joachim von, 360
Rice-Davies, Mandy, 364
Richelieu, cardeal, 174, 200, 211, 229, 234, 246, 296, 352
Risorgimento, 333
Robespierre, Maximilien, 304, 307
Rodrigues d'Évora, família, 54, 74, 79, 134
Rodrigues d'Évora, Francisco, 123, 133
Rohan, cardeal de, 285-288
Roma, 21, 70, 80, 110, 238, 351
Romain, 250
Romeuf, Jean Louis, 294
Rondé (joalheiros da coroa francesa), 270
Rosa Branca, jóia, 64, 71
Rosa da Inglaterra (diamante), 252
Rose Theater, 222
Roudany (ladrão francês), 296
Roux, Jacques, 302
Rubens, Peter Paul, 169, 221, 238
Rupert, príncipe, 229, 232
Rússia, 324, 327-334, 358, 360

Sabóia, Casa de, 29, 128, 130, 237
Sabóia, duque de, 134, 145
Saint-Étienne, Rabaut, 302
Salisbury, lorde. *Ver* Cecil, Robert
Salles, Bernard (ladrão francês), 298
Samblançay, barão de, 181
San Felipe, 138
Sancy, diamante, 19, 47, 63-64, 82, 87, 108,
   110, 112, 113, 114, 119, 122-123, 127, 130-133, 168, 180-183, 221, 260, 270, 273
avaliação de, 169, 259-260, 336
bispado de Basiléia e, 64-65, 66, 67
Carlos I, rei da Inglaterra e, 199
Carlos, o Temerário e, 43, 46, 50-52, 59, 62-65, 67, 89-90, 256, 288, 348, 368
casa de Avis e, *ver* jóias da coroa portuguesa
colocado no penhor pelo Diretório francês, 305, 319
colocado no penhor por Antonio I, rei de Portugal, 122
colocado no penhor por Carlos I, 206, 211, 217, 247
De Berquen, Robert e, 256-258
decreto de 15 de Termidor e, 313
Demidoff e, 327, 334-336
desaparecimento das jóias da coroa espanhola e, 320
descrição, 25, 26, 43, 46, 51-52, 61, 64, 68, 70, 87, 98, 254, 256, 259, 260, 367
dom António e. *Ver* António, dom, prior de Crato
Elisabete I e, 113, 122, 147, 151, 169, 170, 179
família Jejeebhoy e, 339-349
Felipe II e, *ver* Felipe II
Felipe, o Bom, duque da Borgonha e, 43
guerras financiadas com, 32, 40, 49, 122, 123, 143-145, 217-218, 307
Harlay de Sancy e, *ver* Harlay de Sancy, Nicolas
Henrietta Maria e, 199, 201, 204, 208, 220, 228-229, 231, 233, 237-238, 247, 256-257, 288
Henrique III, rei da França, e, 113, 114, 144

400 O DIAMANTE MALDITO

Henrique VIII e, 91, 94, 97-98
Jacob Fugger e, 80, 83, 84, 87, 95
Jaime I e, 172-173, 180, 182, 186, 195
João III e, 95, 100
João Sem Medo e, 35, 39
jóias da coroa inglesa e, 189, 194-195, 199, 203-206, 217, 220
José Napoleão Bonaparte e, 322, 325, 334
lapidação inicial de, 25-26
Le Beau Sancy (Pequeno Sancy). *Ver Beau Sancy, Le*
Luís XIV e, 251, 253, 260, 368
Luís XV e, 267, 271, 368
Luís XVI e Maria Antonieta e, 271, 281, 285, 288
maldição e, 218, 228, 229, 288, 336, 353
Manuel I e, 75, 81-84, 85-88, 89, 90, 95
Maria Luísa de Parma e, 313, 314, 320
Maximiliano I e, 79, 84
Mazarin e, 228, 236, 247, 250, 251
Napoleão e, 305, 307, 312, 313
nova lapidação de, 83, 84
origens de, 25, 349
origens do nome, v, 143
os Astor e, 351-365
"Pluma", jóia, 207
poderes místicos e maldição de, 25, 89, 186, 217-218, 227, 288, 334, 353, 356
primeira referência européia a, 26
proveniência de, 256-258
Revolução Francesa e, 295, 298, 299, 304, 305
Rodrigues d'Évora, *ver* Rodrigues d'Évora, Francisco
roubo das jóias da coroa espanhola e, 324-325
Sebastião I, rei de Portugal e, 104
superado como maior diamante branco da Europa, 261, 262, 267

tamanho de (peso), 25, 46, 70, 84, 87, 261, 262
Visconti, Gian Galeazzo e, 28
Santa Helena, 75, 339
Sauce, Jean Baptiste, 293
Schetz, família (banqueiros mercantis), 75
Schilling, Diebold, 47, 64
Sebastião I, rei de Portugal, 103-104, 106-110
avó Catarina, 103, 107
Serantori, Pierre, 234, 247
Serristori, 332, 334
Shakespeare, William, 222, 352
Shaw, Bobbie, 354, 361-362
Shaw, George Bernard, 357, 360
Sião, rei do, 260
Sieyes, abade, 289
Sisto IV, papa, 257
Six Voyages, Les (Tavernier), 258
Sketchbook (Cletscher), 207
Somerset House, 210, 245
Soult, general, 324
St. Georges, Mamie, 210
St. Paul, catedral, 221
St. Simon, duque de, 270
Stanislaus, rei da polônia, 270
Stjernwall-Walleen, Aurora (depois Demidoff), 336
Strafford, conde de, 223, 224
Stroganoff, família, 330
Stroganova, baronesa Elizeveta Aleksandrovna, 330
Strozzi (financista genovês da coroa francesa), 119, 120, 123, 124
Strozzi, família (banqueiros mercantis), 74, 90
Stuart, casa de, 197, 198
Suíça, 48, 58, 69, 72, 130, 142, 159, 302, 316
cantões, 61-64, 67

ÍNDICE 401

exército mercenário, 129, 132, 133, 142-143, 144, 145, 159, 165-167, 300
Suleimã, o Magnífico, 90
Sully, 148, 150, 164-165, 173

Talleyrand-Perigord, abade de (príncipe Talleyrand), 290, 352
Tallien (amante de Josefina), 309
Talon, Omer, 237
Tratado de Pressburg, 319
Tavenel, *Monsieur* (ladrão francês), 298
Tavernier, Jean Baptiste, 20, 255, 257, 258-260, 261, 262
Temple Place (casa Astor em Londres), 352
Templo, o (última prisão de Luís XVI e Maria Antonieta), 301, 302
Ticiano, 238, 245, 250
Tintoretto, 238, 245
Tirol, 69, 70
Tocqueville, Alexis de, 290
Tolkowsky, Gabi, 25-26
Torre de Londres, 54, 93, 105, 183, 186, 223, 230
  casa de jóias secreta na, 220, 225
Toscana, 128, 171
Tours, 120, 121
Tratado de Amiens (Concordata), 316
Tratado de Greenwich, 159-160
Tratado de Londres de 1474, 57, 59
Tratado de Nanquim, 343
Tratado de Tilsit, 319
Tremouille, duquesa de, 218
Três Irmãos, os, 62, 63, 65, 67, 71, 99, 183, 195, 207
Três Reis. *Ver* Alcazar, batalha de
Tresham, 185
Treskow, barão, 305, 313
Troyes, Jean de, 61
Tuback, Merwanjee Maneckjee, 340, 341

Tudor, Casa de, 73, 175, 182, 205, 221
Tulherias, 268, 292, 299-302
Turgot, Anne-Robert-Jacques, 281
Turquia, 109, 255, 310

Urbano VIII, papa, 234

Vale dos Diamantes, 21, 45
Valliere, Louise de la, 265
Valois, Casa de, 30, 41, 139, 286
Van de Velde, William, 250
Van Dyck, Anthony, 221, 238, 245, 250
Vanlenberghem (mercador de Amsterdã), 305, 313
Varahamihira, 24
Vaticano, 330
Vaughan, Stephen, 91, 95-99
Veneza, 26, 27, 28, 49, 54, 69, 73, 74, 80, 83, 86, 107, 116, 128, 206, 254, 257, 310
  mercadores de diamantes de, 20, 27, 92
Ventadour, duquesa de, 268
Versalhes, 263, 267-268, 272, 276, 279, 280
Viagens de Marco Polo, As (Marco Polo), 19-20
Viena, 90, 276, 285, 287
Villeroy, 130, 156, 157, 162
Villete, Retaux de, 288
Villiers, George, duque de Buckingham. *Ver* Buckingham, duque de
Vincent, duque de Mântua, 165, 169, 182
Vingança do Poseidon, A (Astor, William Waldorf), 355
Visconti, Bernabo di, 29
Visconti, Gian Galeazzo di, duque de Milão, 26, 27-29
Visconti, Isabelle, di, 29
Visconti, Valentina di, duquesa de Orléans, 26, 28, 29-30, 32, 36-38
  coleção de jóias de, 28-29

402   O DIAMANTE MALDITO

Vitória, rainha da Inglaterra, 341, 346
Vittoria, batalha de, 324-325
Voltaire, 253, 254, 275
Von Klarwill, Victor, 69
Von Korff, baronesa, 292, 293
Von Treskow, barão, 299

Walsingham, 111, 137, 147
Ward, Stephen, 364
Warwick, conde de, 52
Washington, George, 352

Wellesley, *Sir* Arthur (depois duque de Wellington), 323
Welser, de Nuremburg, 69, 83, 84
Weston, lorde, 218, 223
Whitehall, palácio, 224, 250
Windsor, castelo, 214
Wolsey, cardeal, 93
Woronzoff, princesa, 334
Wotton, Edward, 111

Ximenes (mercadores de Antuérpia), 79

Este livro foi composto na tipologia Aldine 401
BT, em corpo 11/16, e impresso em papel
off-set 75g/m², no Sistema Cameron da Divisão
Gráfica da Distribuidora Record.

Seja um Leitor Preferencial Record
e receba informações sobre nossos lançamentos.
Escreva para
RP Record
Caixa Postal 23.052
Rio de Janeiro, RJ – CEP 20922-970
dando seu nome e endereço
e tenha acesso a nossas ofertas especiais.

Válido somente no Brasil.

Ou visite a nossa *home page*:
http://www.record.com.br